**Gestão Estratégica
de Clínicas e Hospitais**

Gestão Estratégica de Clínicas e Hospitais

2ª edição

COORDENADORA EDITORIAL

Adriana Maria André

Doutora em Administração de Serviços de Saúde e de Enfermagem pela Universidade de São Paulo – USP. Mestre em Administração de Serviços de Saúde e de Enfermagem pela USP. Especialista em Administração Hospitalar e de Sistemas de Saúde pela Escola de Administração de Empresas de São Paulo – EAESP – Fundação Getulio Vargas, São Paulo – FGV. Especialista em Educação Profissional pela USP – Fiocruz. Realizando o Pós-doutorado em Qualidade e Segurança da Assistência pelo Instituto Universitário de Lisboa – ISCTE – Portugal. Coordenadora Acadêmica Executiva do MBA em Gestão de Clínicas e Hospitais. Coordenadora Local do Núcleo São Paulo do Curso de Pós-graduação em Administração de Empresas da FGV

EDITORA ATHENEU

São Paulo —	*Rua Jesuíno Pascoal, 30* *Tels.: (11) 2858-8750* *Fax: (11) 2858-8766* *E-mail: atheneu@atheneu.com.br*
Rio de Janeiro —	*Rua Bambina, 74* *Tel.: (21) 3094-1295* *Fax: (21) 3094-1284* *E-mail: atheneu@atheneu.com.br*
Belo Horizonte — Rua Domingos Vieira, 319 — Conj. 1.104	

CAPA: Paulo Verardo
PRODUÇÃO EDITORIAL/DIAGRAMAÇÃO: Fernando Palermo

Dados Internacionais de Catalogação na Publicação (CIP)
(Câmara Brasileira do Livro, SP, Brasil)

Gestão estratégica de clínicas e hospitais / coordenadora editorial Adriana
Maria André. -- 2. ed. -- São Paulo : Editora Atheneu, 2014.

Vários autores.
Bibliografia.
ISBN 978-85-388-0595-3

1. Clínicas médicas - Administração 2. Hospitais - Administração
3. Planejamento estratégico 4. Serviços de saúde - Administração I. André,
Adriana Maria.

14-12020   CDD-362.1068

Índices para catálogo sistemático:

1. Gestão hospitalar e clínicas: Técnicas de organização   362.1068

ANDRÉ, A.M.
Gestão Estratégica de Clínicas e Hospitais

© *Direitos reservados à Editora ATHENEU – São Paulo, Rio de Janeiro, Belo Horizonte, 2015.*

Colaboradores

Antonio André Neto

Doutor pela COPPE – Universidade Federal do Rio de Janeiro – UFRJ. Mestre em Sistemas de Gestão pela Universidade Federal Fluminense – UFF. Especialista em Mergers and Acquisitions – The Wharton School – University of Pennsylvania, EUA. Especialista em Negociação pelo Harvard Negotiation Institute – EUA. Especialista em Construção de Máquinas pela Froehling Walzwerkmaschinembau – Alemanha. Engenheiro pela FEI. Ex-Diretor nas Empresas Grupo Thyssen, Promon, Grupo Gerdau, Grupo Eluma. Consultor de Empresas nas áreas de M&A (Fusões e Aquisições) e Reestruturação de Empresas. Coordenador Acadêmico dos MBA's: Gestão Estratégica e Econômica de Negócios, Gestão e Desenvolvimento de Negócios, Gestão Estratégica de Empresas da Fundação Getulio Vargas – FGV. Professor dos Cursos de Master in International Management, CEO International e de Pós-graduação em Administração – FGV, nas disciplinas de Negociação, Empreendedorismo e Plano de Negócios

Antonio Shenjiro Kinukawa

Especialista em Administração Hospitalar pela Fundação Getulio Vargas – FGV. Especialista em Gestão Estratégica de Negócios pela Kellogg School of Management. MBA Executivo em Finanças pelo IBMEC. Controller do Hospital Samaritano São Paulo. Economista pela FAAP. Ex-Executivo na área de Operações de Operadora de Autogestão e de Rede de Hospitais de Operadora Privada e Economista de Instituição Financeira. Professor Convidado do Curso de Pós-graduação em Administração de Empresas da FGV e do MBA de Gestão de Clínicas e Hospitais da FGV

Américo Rodotá

MBA em Tecnologia e Inovação com Especialização em Gestão do Conhecimento pela Fundação do Instituto de Administração da USP – FIA, com Extensão na Bentley School (EUA) em E-commerce. Engenharia Eletrônica com ênfase em Telecomunicações pela Faculdade de Engenharia de São Paulo – FESP. Carreira nos Setores: Telecomunicações: Ericsson, Gerente de Projetos, Energia: Emerson, Diretor de Serviços Brasil e América Latina Logística ZATIX/Omnilink, Diretor de Operações Meios de Pagamento, CTF, Diretor de Operações e Projetos em Tecnologia de Informação TIVIT. Gerente de Operações e Infraestrutura de Data Center. Professor Convidado na Fundação Getulio Vargas – FGV no Curso de Pós-graduação de Administração de Empresas

Betovem Coura

Mestre em Contabilidade Gerencial. MBA em Engenharia Econômica e Financeira. Doutorando em Controladoria. Diretor da MVCon – Soluções em Controle Gerencial, Empresa Especializada na Implantação de Sistemas de Controle Gerencial. Tem mais de 12 Anos de Experiência Executiva em Multinacional Farmacêutica e Banco de Investimentos. Professor e Coordenador Acadêmico da Fundação Getulio Vargas – FGV

Camille Rodrigues da Silva

Mestre em Reabilitação pela Universidade de São Paulo – USP. MBA em Gestão Empresarial pela FIA. Certificada PMP, com 10 Anos de Experiência na Indústria Farmacêutica. Médica Pneumologista pela Universidade Federal de São Paulo - Unifesp. Ex-Gerente Médica de Pesquisa Clínica da Sanofi. Diretora Médica de Pesquisa Clínica da Zoodiac-Tecnofarma Group. Professora Convidada do MBA na Gestão de Clínicas e Hospitais da Fundação Getulio Vargas – FGV

Carlos Alberto dos Santos Silva

Mestrado em Ciências Contábeis pela Universidade do Estado do Rio de Janeiro – UERJ. Pós-graduado em Administração de Empresas e Economia pela Faculdade de Economia São Luis – SP. Doutorando em Ciências Sociais pela Pontifícia Universidade Católica de São Paulo – PUC-SP. Economista pela Faculdade de Economia São Luis. Diretor Financeiro de Alcatel Telecomunicações, Controller de Laboratórios Anakol e de Letraset Brasil, em São Paulo. Professor de Graduação da PUC-Rio, Universidade Santa Úrsula – RJ, Universidade Gama Filho – RJ, Universidade Mackenzie – SP e FAI – SP. Coordenador Acadêmico e Professor nos MBAs de Gestão Empresarial, Gestão Empresarial com Ênfase em Tecnologia da Informação, Gestão Financeira, Controladoria e Auditoria, Finanças Empresariais e Gestão de Auditoria e Tributos e no MBA de Gestão Estratégica e Econômica de Negócios e MBA na Gestão de Clínicas e Hospitais da Fundação Getulio Vargas – FGV

Charles Vasserman

Especialista em Administração Hospitalar e de Sistemas de Saúde – PROAHSA – Fundação Getulio Vargas – FGV. Especialista em Engenharia de Segurança – Fundacentro – MTb. Engenheiro Civil pela Universidade Mackenzie, Sócio-Gerente da Vasserman Engenharia. Gerenciamento Especializado em Engenharia Hospitalar. Professor Convidado do MBA em Gestão de Clínicas e Hospitais da FGV

Cristina L. M. Marques

MBA em Gestão Executiva em Negócios pelo IBMEC. Pós-graduação em Redes de Computadores e Segurança de Sistemas. Graduação em Processamento de Dados. Tem mais de 23 Anos de Experiência na área de TI. Gerente de TI para o Setor de Healthcare na Philips. Ex-Gerente Corporativa de TI no Hospital e Maternidade São Luiz e outras empresas multinacionais das áreas de Tecnologia, Indústria Alimentícia e Engenharia. Professora Convidada do Curso de Pós-graduação em Administração de Empresas e do MBA de Gestão de Clínicas e Hospitais da Fundação Getulio Vargas – FGV

Denise Soares dos Santos

MBA na Business School em São Paulo com Extensão na Universidade de Toronto. MBA's internos em parceria com a FGV e a Babson School. Engenheira Elétrica pela FEI. Ex-Presidente do Hospital e Maternidade São Luiz – São Paulo. Ex-CEO Divisão de Celulares (BenQ Mobile Brasil). Ex-Diretora da área de Celulares. Ex-Diretora de Operações de Redes Móveis para o Mercosul. Ex-Diretora da Divisão de Redes Micro-ondas. Ex-Gerente de Contratos para a área de Infraestrutura de Rede Fixa, Todas posições na Siemens. Atual Presidente do Hospital Beneficência Portuguesa, São Paulo

Eduardo Rosa Pedreira

Doutor em Teologia pela Pontifícia Universidade Católica do Rio de Janeiro – PUC-RJ. Pesquisador nas áreas de Ética Corporativa e Aspectos da Espiritualidade Aplicados à Gestão de Negócios. Professor de Gestão de Negócios Sustentáveis e do MBA em Gestão Estratégica e Econômica de Negócios e do MBA de Gestão de Clínicas e Hospitais da Fundação Getulio Vargas – FGV

Fernando Luís Souza Duarte

MBA em Gestão Executiva em Negócios pela Fundação Getulio Vargas – FGV. Administração de Empresas com Ênfase em Análise de Sistemas de Informação. Com mais de 30 Anos de Experiência na área de TI. Ex-Gerente Corporativo de TI no Hospital e Maternidade São Luiz. Gerente e Consultor em empresas, como HP, Adidas Group, Price Waterhouse, DASA e Grupo CCR

Francis P. Martins

MBA Pleno/FGV e Ohio University. MBA em Gerenciamento de Projetos. Engenheiro Mecânico de Automação e Sistemas – USF. Mestrando. Ex-Gerente de Projetos na Continental AG & Co. OHG – Alemanha e na Continental North America – EUA. Advanced Purchasing na Continental do Brasil e Gerente de Vendas e de Projetos. Consultor de Empresas na área de Gestão de Projetos, Gestão de Vendas, Gestão de Compras e Negociação. Professor Convidado do Curso de Pós-graduação em Administração de Empresas e dos MBA's da Fundação Getulio Vargas – FGV nas disciplinas de Fundamentos de Gerenciamento de Projetos, Gestão de Aquisições, Gestão de Projetos, Gestão de Vendas e Gestão de Clínicas e Hospitais

Geraldo Luiz de Almeida Pinto

Mestre em Sistemas de Gestão – Universidade Federal Fluminense – UFF. (Dissertação: "Avaliação da Atividade de Suprimentos em Organizações Hospitalares"). Administrador. Pós-graduado em Gestão em Qualidade Total pela Fundação Getulio Vargas – FGV. Professor da FGV nas disciplinas de Gestão da Demanda e Estoques, Compras, Negociação e Logística, no MBA de Gestão de Saúde, entre outros. Coautor do livro Logística em Organizações de Saúde. Ex-Gerente na Petrobras, nas áreas de Orientação de Compras, Gestão de Estoques e Logística de Suprimentos. Diretor da GLAP Consultoria e Treinamento Empresarial, com trabalhos realizados para hospitais nas áreas pública e privada. Consultor da Petrobras, implementando projetos na área de Suprimentos em diversos países

Goldete Priszkulnik

MBA em Gestão de Planos de Saúde – Centro Universitário São Camilo. Médica pela Faculdade de Ciências Médicas de Santos. Superintendente Médica da Allianz Saúde. Ex-Ouvidora e ex-Coordenadora Médica de Sinistro Saúde na Allianz Saúde e Ex-Gerente Médica da Intermedici Serviços Médicos Ltda. Professora Convidada do MBA na Gestão de Clínicas e Hospitais da Fundação Getulio Vargas – FGV

Haino Burmester

Mestre em Medicina Comunitária pela Universidade de Londres. Médico e Administrador de Empresas, Professor do Departamento de Administração da Escola de Administração de Empresas da Fundação Getulio Vargas – FGV. Ex-Chefe de Gabinete da Superintendência do Hospital das Clínicas da Faculdade de Medicina da Universidade de São Paulo – USP. Coordenador do (CQH) Programa Compromisso com a Qualidade Hospitalar (mantido pelo Conselho Regional de Medicina do Estado de São Paulo e pela Associação Paulista de Medicina). Consultor da Organização Mundial da Saúde. Vice-presidente da Associação Brasileira de Medicina Preventiva e Administração em Saúde

Hiram Baroli

Especialista em Comunicação (ECA/USP). Especialista em Marketing (ESPM). Jornalista. Gerente de Publicidade/Produto – Grupo Folha. Com mais de 15 anos de experiência em publicidade de jornal e Internet. Ex-Diretor de Atendimento Central Business Comunicação. Professor Convidado do Curso de Pós-graduação em Administração de Empresas e do MBA de Gestão de Clínicas e Hospitais da Fundação Getulio Vargas – FGV na Disciplina de Marketing Estratégico

Mário César Bittencourt Madureira

Especialista em Administração Hospitalar pela Fundação Getulio Vargas – FGV. MBA em Economia e Gestão em Saúde pela Unifesp. Médico. Mestrando Profissional em Economia da Saúde pela Universidade Federal de São Paulo – Unifesp. Ex-Diretor de Operações Hospitalares do Hospital do Servidor Público Estadual – São Paulo. Avaliador de Serviços de Saúde (ONA e ISO) pela Fundação Vanzolini. Professor Convidado da Pós-graduação em Administração de Empresas da FGV e do MBA em Economia e Gestão em Saúde da Unifesp e no MBA em Gestão de Clínicas e Hospitais da FGV

Nelson Kazunobu Horigoshi

Especialista em Administração Hospitalar e Sistemas de Saúde pela Escola de Administração de Empresas de São Paulo – EAESP – Fundação Getulio Vargas – FGV. Médico Intensivista. Médico-Chefe do Hospital Sabará. Médico Coordenador da UTI Pediátrica do Hospital Edmundo Vasconcelos e do Hospital Municipal Vereador José Storoppoli – Hospital Vila Maria. Ex-Diretor Clínico do Pronto-socorro e Hospital Infantil Sabará. Professor Convidado do MBA na Gestão de Clínicas e Hospitais da FGV

Otávio Berwanger

Doutorado em Epidemiologia pela Universidade Federal do Rio Grande do Sul – UFRGS. Pós-doutorado em Epidemiologia pela UFRGS e Medicina Baseada em Evidências pela Universidade McMaster do Canadá. Médico Internista, Cardiologista e Epidemiologista. Diretor do Instituto de Ensino e Pesquisa do Hospital do Coração (HCor) de São Paulo

Paulo Knorich Zuffo

Mestre em Planejamento Estratégico pela Escola de Administração de Empresas de São Paulo – EAESP – Fundação Getulio Vargas – FGV. Engenheiro de Microeletrônica pela Escola Politécnica da Universidade de São Paulo – USP. Project Manager e Controller da TMG Capital (Fundo de Investimentos em Participações) desde 2000. Corresponsável pela implantação do Programa de Melhoria Contínua de Processos do Hospital Albert Einstein em 1998-1999. Professor Convidado dos Cursos de Pós-graduação em Administração de Empresas e dos MBAs de Gestão Estratégica e Econômica de Negócios, de Gestão Financeira e Controladoria, e de Gestão de Clínicas e Hospitais da FGV

Paulo Mattos de Lemos

PhD em Sistemas de Engenharia e Economia pela Universidade de Stanford, EUA. Mestre em Engenharia Industrial pela Universidade de Stanford, EUA. Engenheiro Mecânico-PUC-RJ. Diretor do FGV Management-IDE – Núcleo São Paulo, Núcleo Rio de Janeiro e Núcleo Brasília da Fundação Getulio Vargas – FGV. Ex-Vice-presidente Corporativo da OPP Petroquímica/Braskem. Ex-Secretário da Indústria, Comércio e Turismo do Estado da Bahia. Executivo de Empresas Públicas e Privadas. Professor de Estratégia de Empresas da FGV

Priscilla Saito Nunes de Souza

Especialista em Administração Hospitalar e Sistemas de Saúde da Escola de Administração de Empresas de São Paulo – EAESP – Fundação da Getulio Vargas – FGV. Professora no MBA Executivo em Saúde com Ênfase na Gestão de Clínicas e Hospitais da FGV. Ex-Gerente do Departamento Jurídico de Home Health Care Doctor Serviços Médicos Domiciliares. Ex-Gerente Jurídico do Hospital Sírio-Libanês. Ex-Gerente Jurídico das Unidades do Hospital e Maternidade São Luiz. Ex-Advogada do Grupo Empresarial do Hospital São Luiz. Gerente Jurídico do Grupo Notre Dame Intermédica

Renata Frischer Vilenky

MBA em Gestão Executiva em Negócios pelo IBMEC. Tem mais de 28 anos de experiência em TI e mais de 19 anos em funções gerenciais, incluindo Soluções de Tecnologia, Definições de Negócio e Avaliação de Telecomunicações em Empresas Nacionais e Multinacionais, nos segmentos: Financeiro, Agronegócio, Consultoria, Varejo, Transportes, Publicidade, Entretenimento, Telecomunicações, Construção, Incorporação e área de Saúde. Atua na área de Saúde dentro e fora do Brasil, Avalia Hospitais e Implanta Soluções de ERP para Administração Hospitalar e Saúde Pública Preventiva. Sócia da Consultoria RV Business Solution em Processos de M&A e Desenho de Soluções de Negócio. Professora Convidada do Curso de Pós-graduação em Administração de Empresas da Fundação de Getulio Vargas – FGV. Colaboradora do Insper para o Projeto de Mentoria dos Alunos da Graduação no Ingresso da Carreira Profissional

Ricardo Ota

Especialista em Administração Hospitalar e de Sistemas de Saúde pela Escola de Administração de Empresas de São Paulo – EAESP – Fundação Getulio Vargas – FGV. Especialista em Medicina do Trabalho pela Universidade de São Paulo – USP. Médico pela Universidade de São Paulo – Unifesp. Atua no Mercado da Saúde Suplementar há mais de 10 anos. Ex-Gerente Médico em Operadora de Planos de Saúde. Especialista em Regulação na Agência Nacional de Saúde Suplementar – ANS. Professor Convidado do MBA na Gestão de Clínicas e Hospitais da FGV.

Roserly Fernandes

MBA e Especialização em Marketing pela Escola Superior de Propaganda e Marketing – ESPM. Jornalista. Com mais de 20 anos de experiência na implementação de estratégias de Marketing e Comunicação, e no Segmento da Saúde. Ex-Gerente de Comunicação e Marketing – Programas de Relacionamento voltados para a Fidelização de Clientes, Construção de Estratégia da Marca/Branding do Hospital Sírio-Libanês, Implantou a área de Comunicação Corporativa com Ações Integradas de Relações Públicas, Jornalismo e Publicidade. Gerente de Marketing da Associação São Camilo. Consultora e Professora Convidada do Curso de Pós-graduação em Administração de Empresas e do MBA na Gestão de Clínicas e Hospitais da Fundação Getulio Vargas – FGV

Rubens Baptista Junior

Especialista em Administração Hospitalar e de Sistemas de Saúde pela Escola de Administração de Empresas de São Paulo – EAESP – Fundação Getulio Vargas – FGV. Médico Especialista em Administração em Saúde pelo PROAHSA do Hospital das Clínicas da Faculdade de Medicina da Universidade de São Paulo – HC/FMUSP e em Medicina Preventiva e Social pela FMUSP. Bacharel em Direito pela Faculdade de Direito do Largo São Francisco – FDU-SP e em Comunicação Social pela ECA-USP. Professor na Escola de Educação Permanente do HC/FMUSP; e na Fundação Instituto de Administração – FIA. Coordenador e Professor do Curso de Pós-graduação em Gestão de Saúde do Senac – São Paulo. Professor no CEAHS e no MBA Executivo em Saúde com Ênfase na Gestão de Clínicas e Hospitais da FGV

Stela Cals de Oliveira

Doutora em Engenharia de Produção pela COPPE Universidade Federal do Rio de Janeiro – UFRJ. Mestre em Planejamento e Administração em Saúde pelo IMS – Universidade do Estado do Rio de Janeiro – UERJ. MBA em Gestão da Qualidade em Serviços pela Grifo/Universidade de Tampa – EUA. Especialização em Saúde Pública pela Fundação Oswaldo Cruz – Fiocruz, pelo GGGD/Holanda, e em Clínica Médica pela Universidade Federal de Santa Catarina – UFSC. Médica pela FMT/FESO. Ex-Assessora da Presidência do INAMPS/MPAS, da Cooperação Internacional da Fiocruz e da Direção do HU Pedro Ernesto/UERJ para os assuntos de Internação e Alta, Matrícula, Arquivo e Prontuário Médico. Ex-Coordenadora de Medicamentos Básicos da CEME/SES/SC, Unidades Hospitalares do INAMPS e de Sistemas de Informação Hospitalar do HUPE/UERJ. Vice-diretora do Instituto Nacional de Controle de Qualidade em Saúde/Fiocruz/MS. Professora dos MBA's da Fundação Getulio Vargas – FGV e Professora Convidada do MBA em Gestão de Clínicas e Hospitais da FGV

Aos que têm sede de aprendizado.

Agradecimento

A essa Equipe de pessoas talentosas e envolvidas.

Prefácio da primeira edição

A iniciativa de escrever um livro que trata sobre gestão estratégica de clínicas e hospitais merece ser parabenizada. Primeiro, porque são poucas as publicações sobre o tema e as já existentes são, na sua maioria, de autores americanos, que vivem outra realidade.

O Brasil tem um sistema de saúde com características peculiares, com heterogeneidade de agentes produtivos, complexidade nas relações e transações comerciais entre eles, além de grande diversidade na organização e hierarquização do cuidado e atenção à saúde da população. Essas características fazem com que não se dispense o conhecimento de experiências de sucesso em outros países, mas também impõe uma compreensão e busca de soluções particulares para os seus problemas.

O segundo motivo pelo qual eu louvo essa iniciativa é pela relevância do assunto em um momento especial que atravessa o País, com o crescimento da economia, a melhoria na redistribuição de renda e o surgimento de novos consumidores mais atentos aos seus direitos.

A medicina brasileira encontra-se num período de grandes mudanças devido à globalização do conhecimento e à constante incorporação de novas tecnologias que permitem o acesso quase instantâneo a novos medicamentos, novos equipamentos e técnicas. Esses fatores, somados ao crescimento da produção e barateamento de alimentos, e à melhoria das condições de vida da população, têm causado, nas últimas décadas, um aumento generalizado da longevidade nos países emergentes e desenvolvidos, dentre eles o Brasil.

Esse contexto social e econômico traz novos desafios para as sociedades organizadas. Um deles é a questão do acesso à saúde e da necessidade de se otimizar escassos recursos de tal modo a permitir o ingresso de uma demanda sempre crescente. Portanto, é de suma importância falar sobre a formação de gestores no sistema de saúde, principalmente sob uma óptica que transcenda a visão do conhecimento específico e busque ampliar o horizonte do gestor para uma navegação, com maior intimidade, nas diferentes áreas da administração.

Além de uma boa formação e permanente atualização, existe um diferencial que precisa ser ressaltado a esse gestor: a sua capacidade de liderança.

Hoje, ainda carecemos de gestores líderes na área da Saúde, talvez por desestímulo decorrente do ceticismo da classe médica em relação à contribuição de gestores leigos ou mesmo da menos valia que tem o gestor médico junto a seus pares. Mas essa é uma realidade que vem mudando há alguns anos e hoje hospitais e clínicas buscam modelos de administração competitivos e de alta *performance*.

Nessa nova visão, o gestor não pode ser um mero cumpridor de tarefas, mas sim um líder nato com habilidades para gerenciar processos, desenvolver e influenciar pessoas, orientar para resultados, alinhar objetivos estratégicos e reter talentos.

Para o cumprimento desses desafios, torna-se necessário o desenvolvimento de algumas competências, como: autoconsciência, que expõe com critérios o seu lado humano, dando a segurança de que todos estão no mesmo barco; capacidade para trabalhar com talentos distintos e complementares; motivação e empatia; domínio da complexidade dos processos estratégicos e eficácia na liderança em períodos de mudanças e crises.

Líderes de verdade são uma mistura de caráter e atitudes coerentes e a soma dos atributos acima tornam o gestor uma referência para seus liderados. Tais competências são intrínsecas do gestor líder, mas podem ser desenvolvidas tornando-se o mais forte elo entre gerentes e colaboradores, uma vez que a liderança é a competência que mais influencia os resultados dentro de uma organização, pois quanto melhor a performance dos líderes gestores, mais motivação e qualidade nos serviços é atestada.

A qualidade na área da Saúde passa por um planejamento estratégico eficiente, gestão e controle de recursos e custos, posicionamento da marca no mercado, racionalização da cadeia de suprimentos, comportamento ético, excelência nos serviços prestados, atenção e cuidados tecnicamente corretos, com presteza, simpatia legítima e, se possível, solidariedade e empatia, além de todos os processos matriciais que envolvem as mais diferentes áreas dentro de um hospital.

Trata-se de um sistema muito complexo e é necessário estar sempre consciente que atender a uma demanda na área da Saúde significa abrir mais uma porta para outras novas demandas. Manter equipes motivadas e de alta *performance* nesse contexto só mesmo com gestores líderes que possam inspirar e servir de exemplo.

Parabenizo a iniciativa por esta publicação, que reúne um time de gestores e acadêmicos de primeira linha, e ressalto a importância de iniciativas como esta, que tem como principal objetivo colaborar com a formação de gestores capacitados e futuros líderes no mercado da Saúde.

Dr. Maurício Ceschin

*Diretor-Presidente da Agência Nacional
de Saúde Suplementar (ANS).
Ex-Diretor e Superintendente do Grupo Medial Saúde.
Ex-Presidente do Grupo Qualicorp.
Ex-Superintendente Corporativo do Hospital Sírio-Libanês.*

Apresentação da segunda edição

Quando este livro foi escrito, o MBA Executivo com Ênfase na Gestão de Clínicas e Hospitais teve seu início. Hoje após 540 alunos terem passado pelo curso, a segunda edição traz novos *insights* advindos dessa experiência.

Os profissionais da área, mais do que nunca, estão sedentos por compreenderem como melhor gerir seus negócios e liderar seus *times* dentro das melhores práticas do mercado.

As fusões e aquisições no segmento da Saúde têm acelerado e com elas a busca por gestores com competências para entenderem as necessidades das organizações de um modo mais sistêmico.

De maneira didática, o livro foi dividido nos seguintes capítulos:-

No primeiro capítulo, os temas Estratégia e Planejamento são tratados, pois embasam a formação de todo profissional que tenha como pressuposto tornar-se gestor.

Não há como construir uma Organização sem utilizar-se da Estratégia, essa constrói o futuro mudando o presente e o Planejamento possibilitará a execução dessa estratégia, em busca dos resultados esperados.

O segundo capítulo, Visão Jurídica, mostra como as Organizações devem estrutura-se do ponto de vista jurídico de modo a evitar problemas com colaboradores, clientes, usuários, fornecedores, prestadores de serviço, operadoras de saúde, parceiros de negócio, enfim todos os chamados *stakeholders*.

O terceiro capítulo trata da Gestão de Custos, como analisar quais procedimentos levam a empresa a ganhar ou perder dinheiro, como obter lucro e manter a sustentabilidade da Organização no curto, médio e longo-prazos, como os pacotes são desenvolvidos baseados nos chamados *Diagnostic Related Cases,* quais são as formas de custeio existentes.

No quarto capítulo, Gestão do Espaço Físico, será discutido o que deve ser considerado na construção, ampliação e reforma de um Hospital, Clínica, Laboratório ou qualquer novo serviço na área da Saúde. Quais são as premissas, quando se pensa nos aspectos legais, as exigências para uma futura acreditação etc.

O quinto Capítulo fala sobre o Marketing e como hoje a reputação, a amplitude dos serviços, a conveniência e as relações que influenciam o chamado marketing boca-a-boca, precisam ser pesquisados e considerados para obter sucesso. Desmistifica a palavra marketing, ainda pouca compreendida no segmento.

No sexto capítulo, você terá uma visão geral sobre a Gestão dos Serviços, mostrando de maneira lógica e racional, como pensar essa gestão indo do macro para o microambiente.

O capítulo 7 trata dos Sistemas de Informação, fundamentais para coletar, tratar e armazenar os dados necessários para toda a análise da situação atual e as tomadas de decisão em todas as áreas, além de propiciar a disseminação da informação e a otimização dos processos.

No capítulo 8, os conceitos mais modernos de *Supply Chain* (cadeia de suprimentos) são mostrados e levam à compreensão do quanto a área da Saúde no Brasil ainda esta atrasada em relação aos demais segmentos. Essa demora no seu desenvolvimento leva à perda de oportunidades representativas, como reduções de custos e aumento na competitividade.

O capítulo 9 trata da Medicina Baseada em Evidências, definida por Guyatt; Cook e Haynes (2004) como o uso consciente, explícito e criterioso das melhores evidências científicas disponíveis na literatura médica, para tomar decisões em relação ao manejo dos pacientes. A construção de uma reputação na área da Saúde depende também da utilização dessas práticas.

No capítulo 10, apresenta-se um panorama sucinto da Saúde Suplementar, levando a compreensão dos pontos relevantes da regulação imposta ao setor. Analisam-se também seus reflexos na organização e funcionamento das operadoras de planos de saúde e as relações com seus prestadores de serviço.

O capítulo 11 traz a Gestão de Projetos, definida pelo PMI (2008) como a aplicação de conhecimento, habilidades, ferramentas e técnicas às atividades do projeto a fim de atender às suas demandas, balanceando tempo, custo e qualidade.

No capítulo 12, a Auditoria em Saúde é mostrada de um modo mais amplo, como a auditoria contábil e financeira, a auditoria dos sistemas de informação, a auditoria da qualidade dos serviços de saúde e a auditoria operacional dos processos de saúde.

O capítulo 13 fala sobre Controladoria, área responsável na Organização pelo desenvolvimento de condições para a realização da gestão econômica. Ela dá subsídios ao processo de gestão por meio de informações de ordem econômica que darão apoio às decisões.

No capítulo 14, o tema Administração de Conflitos, Gestão de Mudanças e Negociação mostra as técnicas para enfrentar os ambientes que sofrem devido à alta competitividade e a tensão, advindos das situações adversas e de grupos com interesses múltiplos.

O capítulo 15 discorre sobre a Liderança e a Gestão de Talentos, pois a Organização é feita de pessoas, por pessoas e para pessoas; assim sendo, de nada adiantaria uma hotelaria magnífica, tecnologia de ponta, processos, rotinas e protocolos bem elaborados se cada colaborador, cada equipe, cada área não estivesse alinhada, envolvida e motivada em busca dos mesmos objetivos.

No capítulo 16, o tema é Ética e Responsabilidade Social na Saúde, já que não podemos imaginar uma área que trata da vida humana, sem o desenvolvimento, fortalecimento e aplicação dessas competências.

O capítulo 17 fala sobre Qualidade e Acreditação, os conceitos, a história, as características das diferentes acreditadoras, as ferramentas disponíveis para a avaliação e como preparar a empresa para esse processo.

No capítulo 18, Plano de Negócios, você entenderá por que dividimos o livro didaticamente nos capítulos anteriormente descritos. Cada um deles trouxe os conceitos e as ferramentas práticas necessárias para a atuação como um gestor profissionalizado. Este só toma decisões, no que tange à abertura, ampliação ou modificação na sua Empresa, após a realização de um Plano de Negócios.

Por meio do mesmo, poderá demonstrar sua viabilidade e terá mais segurança de tratar-se de uma boa proposta.

Sua caminhada começa aqui, vontade, perseverança, desenvolvimento contínuo e paixão devem lhe acompanhar sempre na sua jornada.

Seja bem-vindo!

Sucesso.

Adriana Maria André DSc.

Coordenadora do MBA Executivo em Saúde:
Ênfase na Gestão de Clínicas e Hospitais.
Fundação Getulio Vargas

Apresentação da primeira edição

O propósito deste livro é levar aos profissionais que estão em Clínicas, Hospitais, Operadoras de Saúde, Laboratórios, Indústria Farmacêutica, de Equipamentos e Materiais Médico-hospitalares, os conteúdos necessários para a reflexão e o posterior desenvolvimento da competência para a gestão eficiente e eficaz da área na prática. As pesquisas mostram que a área da Saúde, com exceção das Empresas de produção com característica multinacional, tem um atraso significativo em relação às Organizações de outros segmentos, até pela própria história de filantropia e benemerência, que dificulta o entendimento por questões culturais arraigadas, que o Hospital, a Clínica, o Laboratório, a Operadora de Saúde, constituem-se em uma Empresa e devem ser administrados de modo profissionalizado.

Isso não significa deixar de valorizar a vida das pessoas, ou tirar proveito da dor, do sofrimento ou da morte, mas sim utilizar as mais modernas ferramentas de gestão para otimizar os recursos escassos e maximizar os resultados, podendo reinvestir no desenvolvimento das pessoas, em tecnologia de ponta e na pesquisa, buscando excelência no atendimento e fidelizando a clientela.

O saber técnico somente não é mais suficiente para realizar a gestão de Organizações cada vez mais complexas em um mundo extremamente competitivo, onde as relações e interações são essenciais para um trabalho complementar que leve à inovação e à perpetuidade.

O objetivo deste livro é trazer uma visão pragmática do tema: Gestão Estratégica de Clínicas e Hospitais, por meio do qual o leitor não obtenha somente conceitos teóricos. Tais conceitos podem ser encontrados em vasta bibliografia, disponível nas melhores bibliotecas das Universidades brasileiras ou via virtual. A proposta é agregar, por meio de casos de sucesso, a prática trazida pelos executivos que colaboram com cada tema.

Convido você, leitor, a realizar o primeiro exercício:

1. Pare de ler agora e proponha-se a escolher pelo menos duas Organizações para visitar. A primeira deve ser uma Organização renomada, de preferência com selos de qualidade, e a outra da sua livre escolha;
2. Ao visitá-las, anote todas as suas observações;
3. Só volte a ler o livro após isso e, quando terminá-lo, refaça as visitas aos mesmos lugares, sem ler as anotações anteriores, e depois as compare.

Se você perceber alguma diferença, nossa missão aqui estará cumprida.

Adriana Maria André
Coordenadora do MBA Executivo em Saúde:
Ênfase na Gestão de Clínicas e Hospitais.
Fundação Getúlio Vargas

Sumário

1. Planejamento e Gestão Estratégica de Clínicas e Hospitais, 1
Denise Soares dos Santos
Paulo Mattos de Lemos

2. Visão da Área Jurídica nas Clínicas e nos Hospitais, 15
Priscilla Saito Nunes de Sousa
Rubens Baptista Junior

3. Gestão de Custos em Saúde, 39
Betovem Coura
Paulo Knorich Zuffo

4. Gestão do Espaço Físico em Clínicas e Hospitais, 53
Charles Vasserman

5. Marketing Estratégico, 85
Hiram Baroli
Roserly Fernandes

6. Gestão de Serviços em Clínicas e Hospitais, 105
Haino Burmester

7. Sistemas Integrados de Gestão, 125
Cristina L.M. Marques
Fernando Luís de Souza Duarte

8. Cadeia de Suprimentos em Saúde, 139
Geraldo Luiz de Almeida Pinto
Renata Frischer Vilenky

9. Medicina Baseada em Evidências, 155
Otávio Berwanger
Camille Rodrigues da Silva

10. Operadoras de Planos Privados de Saúde, 167
Ricardo Ota

11. Gestão de Projetos em Saúde, 209
Américo Rodotá
Francis P. Martins
Renata Frischer Vilenky

12. Auditoria em Saúde, 223
Antonio Shenjiro Kinukawa
Cristina L.M. Marques
Goldete Priszkulnik
Mário César Bittencourt Madureira
Nelson Kazunobu Horigoshi

13. Controladoria em Clínicas e Hospitais, 257
Antonio Shenjiro Kinukawa
Carlos Alberto dos Santos Silva

14. Administração de Conflitos, Gestão de Mudanças e Negociação, 273
Geraldo Luiz de Almeida Pinto

15. Liderança e Gestão de Talentos, 291
Adriana Maria André

16. Ética e Responsabilidade Social na Saúde, 305
Eduardo Rosa Pedreira

17. Qualidade e Acreditação em Saúde, 319
Mário César Bittencourt Madureira
Stela Cals de Oliveira

18. Plano de Negócios para Clínicas e Hospitais, 339
Antonio André Neto

Índice Remissivo, 361

1 Planejamento e Gestão Estratégica de Clínicas e Hospitais

Denise Soares dos Santos
Paulo Mattos de Lemos

Introdução

Começar a discutir Planejamento e Gestão parte, inicialmente, por entendermos o que são estes conceitos, e cabe aqui uma ressalva de que existem várias escolas, portanto os autores podem ter definições, bem como propostas e ferramentas diferentes. A ideia é mostrar ao leitor e ao aluno que não existe o mais correto, ou a melhor ferramenta, mas possibilidades validadas que devem ser escolhidas, conforme as características peculiares de cada organização.

A partir daí, discussões importantes vêm na sequência: explorar o negócio, entender os ambientes externo e interno, discutir Visão de Futuro, definir competências internas, criar liderança, mover comunicação interna como pilar da estratégia e gerar envolvimento na busca do comprometimento. Por fim, não menos importante, definir e implementar um Plano de Ação Estratégico e definir parâmetros de avaliação.

Estratégia e Planejamento (Conceitos)

Dois conceitos, duas naturezas, dois lócus de geração e um lócus de atuação: a empresa.

Estratégia: conjunto de decisões que definem o posicionamento de indivíduos ou organizações no ambiente e referencialmente àqueles que nele atuam (aos seus oponentes/concorrentes, aliado-parceiro e público-alvo/clientes). Este posicionamento deverá ser expresso em comportamentos como forma explícita e implícita de orientação de todas as ações.

A estratégia representa uma mudança de direção, o que pode vir a ser, uma reinvenção da organização, é construir o futuro mudando o presente.

Planejamento: é o dimensionamento de esforços para executar estratégias a fim de gerar resultados projetados, o que implica um processo ordenado de comunicação e tradução das estratégias para os diversos atores envolvidos.

A complexidade das organizações (pessoas, recursos, diversidade de negócios em uma única empresa, estrutura organizacional, associados à aceleração do ritmo das mudanças ambientais) tem exigido das organizações uma maior capacidade de formular e implementar estratégias que possibilitem superar os crescentes desafios de mercado e atingir os seus objetivos tanto de curto como de médio e longo prazos. A velocidade de ocorrência das mudanças no ambiente de mercado pode estar associada a vários fatores, com destaque para o desenvolvimento tecnológico, a integração de mercados, o deslocamento da concorrência para o âmbito internacional, a redefinição do papel das organizações, além das mudanças no perfil demográfico e nos hábitos dos consumidores.

No setor da saúde, especialmente em clínicas e hospitais, a complexidade tecnológica, consumidores cada vez mais participantes no momento da escolha, operadoras de saúde como participantes atuantes no ciclo de receita, custos elevados (serviços, investimentos em equipamentos, sistemas de informação, logística) e aumento da concorrência, impõem vários desafios à organização: escolher entre reduzir de maneira defensiva (redução de custos), manter ou aumentar o seu escopo corporativo, busca por mercados específicos.

Tais mudanças têm exigido um entendimento das estratégias adotadas pelas organizações e uma capacidade contínua de inovação e adaptação. A formulação e a implementação de estratégias passa necessariamente pelo envolvimento dos diversos níveis da organização, bem como um processo contínuo de comunicação interna.

Desta forma, pode-se genericamente concluir que estratégia é o caminho que a empresa deverá seguir para obter o sucesso empresarial. Ao traçar esse caminho deve-se ter atenção ao significado de sucesso empresarial. A sua definição assenta-se nos seguintes critérios:

- sobrevivência em longo prazo: continuidade operacional com liberdade de redefinição estratégica;
- crescimento sustentado: evolução positiva das vendas, ativos, capitais próprios e valor da empresa ao longo do tempo;
- rentabilidade adequada: obtenção de um nível de retorno compatível com a realização dos investimentos, a remuneração dos trabalhos e a distribuição de lucro aos acionistas;
- capacidade de inovação: adaptação flexível à evolução dos mercados e permanente geração de novos processos, produtos e serviços.

Pode-se dizer que estratégia consiste em tomar decisões que determinam a vida de uma organização, envolvendo percepções e intuições, que nem sempre são precisas e objetivas, variando conforme a complexidade do ambiente.Resumidamente, mas não exclusivamente, estratégia deve conter as seguintes características:

- ser baseada nos resultados da análise do mercado e da empresa;
- criar vantagem competitiva;
- ser viável e compatível com os recursos da empresa;
- promover o envolvimento e compromisso das pessoas;
- obedecer aos princípios/valores da empresa;
- ser criativa e inovadora.

As várias escolas de pensamento estratégico podem ser classificadas em dois grandes grupos: as escolas do Diagnóstico e as escolas da Invenção.

As escolas do Diagnóstico podem ser referidas a Igor Ansoff (1965), com *Corporate Strategy*, Michael Porter (1980), com "Estratégia Competitiva", e até Hitt, Ireland e Hoskisson (2008), com "Processo de Administração Estratégica". As escolas do Diagnóstico usam algum instrumento de análise para apoiar a formulação da estratégia, como a Matriz BCG, as Cinco Forças do Porter ou a Análise *SWOT*. Um dos problemas destas escolas é estarem focadas na própria organização, baseando sua estratégia na análise do que ocorreu. Os resultados, se positivos, levam a organização a tornar-se mais competitiva em relação aos seus concorrentes; isto é, a fazer mais, ou melhor, daquilo que já fazem.

As escolas da Inovação podem ser referidas a Hamel e Prahalad (2004), a Kim e Mauborgne (2005) e a Davenport, Leibold e Voepel (2006). Elas usam a intuição e a imaginação para criar o futuro. Hamel e Prahalad definem uma "Intenção Estratégica", representando um senso de di reção, descoberta e destino, uma ambição, um comprometimento e uma visão de longo prazo. Em seguida definem uma "Arquitetura Estratégica", baseada nas descontinuidades do setor, nas competências essenciais possuídas ou a adquirir, nas necessidades dos clientes potenciais etc., ajustando a intenção estratégica com a organização.

Kim e Mauborgne propõem que se crie um novo mercado e se torne a concorrência irrelevante. Eles definem este novo mercado como um "oceano azul", em contraposição ao "oceano vermelho" no qual os concorrentes estão "sangrando" das lutas entre eles e avermelhando o oceano. Eles propõem a "Inovação de Valor" como "pedra angular da estratégia do oceano azul", ao obter-se ao mesmo tempo "economias de custo mediante a eliminação e redução dos atributos da competição setorial" e aumento do "valor para os compradores ampliando-se e criando-se atributos que nunca foram oferecidos pelo setor". Um dos exemplos apresentado é o *Cirque de Soleil*, que eliminou os custos de picadeiros múltiplos e animais e incluiu atributos não oferecidos nos circos, como tema, ambiente refinado, diferentes produções e músicas e danças artísticas, oriundos do teatro.

Davenport, Leibold e Voepel propõem uma abordagem estratégica e instrumentos para uma "inovação dinâmica das competências". Eles acreditam que a economia global já passou o ponto de virada de uma era industrial, com a lógica centrada nos bens, para uma era da inovação, com a lógica centrada nos serviços, e denominada "economia da inovação". Os requerimentos-chave para a economia da inovação são: a visão interna (*insight*) e a visão externa (*foresight*) nas mudanças globais em todos os níveis da sociedade, com imaginação e instinto para inovação; a mentalidade de cocriação, com todos os envolvidos no negócio; uma inovação ampla em todos os aspectos do negócio, e não apenas na área de pesquisa e desenvolvimento (P&D); e uma habilidade de efetuar mudanças culturais e liberar energia na organização para inovações contínuas e descontínuas, com foco simultâneo na eficiência e eficácia de modelos de negócios provados.

Revisão e/ou Formulação da Estratégia

A Figura 1.1 mostra os principais pontos a serem considerados na formulação da estratégia e pode servir como ferramenta metodológica para sua construção:

Iniciar uma formulação de Estratégia necessariamente passa por entendermos de quem somos e para onde queremos ir. Assim, a definição entre Validação da Missão e Visão da Empresa é fundamental.

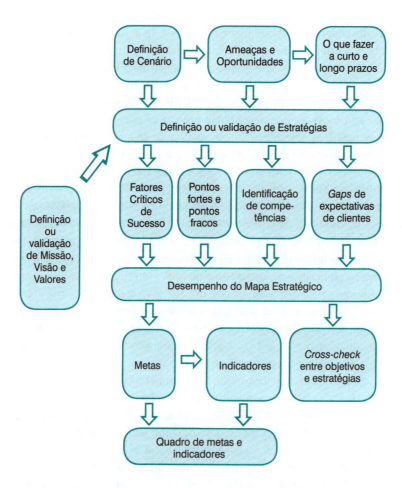

Figura 1.1 – *Principais pontos a serem considerados na formulação da estratégia.*

Missão (por que existimos?)

Declaração concisa, com *foco interno*, da razão de ser da organização, do *propósito básico* para o qual se direcionam suas atividades. A missão também deve descrever *como a organização espera competir no mercado e fornecer valor aos clientes*.

Ex.: Missão da cidade de Charlotte.

A missão da cidade de Charlotte é garantir a prestação de serviços públicos de qualidade, que promovam a segurança, a saúde e a qualidade de vida de seus cidadãos. Charlotte procura identificar e responder às necessidades da comunidade, concentrando-se nos clientes, mediante:

- criação e preservação de parcerias eficazes;
- atração e retenção de empregados qualificados e motivados;
- adoção de práticas de planejamento estratégico de negócios.

Visão (o que queremos ser?)

Declaração concisa que define as *metas a médio e longo prazos* da organização. A visão deve representar a *percepção externa*, ser orientada para o mercado e deve expressar – geralmente em *termos motivadores* ou "visionários" – como a organização quer serpercebida pelo mundo.

Ex.: Visão da cidade de Charlotte.

A cidade de Charlotte será modelo de excelência que põe em primeiro lugar os seus cidadãos. Funcionários qualificados e motivados se destacarão por fornecer qualidade e valor em todas as modalidades de serviços. Seremos uma plataforma para as atividades econômicas vitais que proporcionem a Charlotte vantagem competitiva no mercado. Formaremos parcerias com os cidadãos e com as empresas para transformar Charlotte na comunidade preferida para se viver, trabalhar e praticar atividades de lazer.

Uma vez entendido o porquê da existência da empresa e o que a empresa quer ser, faz-se necessária a análise dos seguintes pontos:

- entender o cenário (ambiente externo);
- quais são as ameaças e oportunidades que este ambiente pode provocar;
- definição dos objetivos estratégicos de curto e longo prazos.

Existem algumas metodologias ou conceitos que podem ser utilizados para definição e/ou validação da estratégia.Segundo Michael Porter (1979), o modelo das Cinco Forças é altamente eficaz nesta construção. O modelo das Cinco Forças de Porter destina-se à análise da competição entre as empresas. Ainda nos dias de hoje é uma das metodologias mais utilizadas pelas empresas, devido à simplicidade com que se consegue avaliar o ambiente que a empresa está inserida. Uma mudança em qualquer uma das forças normalmente requer uma nova análise para reavaliar o mercado. As cinco forças de Porter são:

a) Rivalidade entre os concorrentes

Para a maioria das indústrias ou prestadores de serviços (ex.: clínicas e hospitais) esse é o principal determinante da competitividade do mercado. Às vezes rivais competem agressivamente, não só em relação ao preço do produto ou serviço, como também à inovação,ao *marketing* etc.

Assim, é importante entender:

- número de concorrentes;
- taxa de crescimento da indústria;
- diversidade de concorrentes;
- poder de negociação dos clientes.

b) Poder de negociação dos fornecedores

Também descrito como mercado de insumos. Fornecedores de matérias-primas, componentes e serviços para a empresa podem ser uma fonte de poder. Fornecedores podem recusar-se a trabalhar com a empresa ou, por exemplo, cobrar preços excessivamente elevados para recursos únicos. Desta forma, devem-se considerar os seguintes aspectos:

- grau de diferenciação dos insumos;
- custo dos fatores de produção em relação ao preço de venda do produto;

- ter somente um fornecedor para a empresa pode ser um ponto fraco, caso o fornecedor venha a falir ou mesmo a elevar os preços de matérias-primas muito mais que a concorrência.

c) Ameaça de entrada de novos concorrentes

Muitas empresas entram no mercado com o desejo de conseguir uma fatia (parcela) de um setor e frequentemente recursos substanciais. Caso haja barreiras de entrada que possam dificultar a sua inserção, fica mais difícil a sua fixação no mercado: a ameaça de entrada é pequena. Com a ajuda de barreiras ficará muito difícil para o concorrente "roubar" os melhores clientes, assim caso o concorrente se estabeleça no mercado, ele eventualmente vai ficar com os piores clientes, portanto pensará duas vezes antes de entrar no novo mercado. Alguns exemplos destas ameaças:

- a existência de barreiras de entrada (patentes, direitos etc.);
- acesso aos canais de distribuição;
- diferenciação dos produtos ou serviços;
- exigências de capital;
- políticas governamentais;
- marca forte;
- vantagens absolutas de custo.

d) Ameaça de produtos substitutos

A existência de produtos (bens e serviços) substitutos no mercado que desempenham funções equivalentes ou similares é uma condição básica de barganha que pode afetar as empresas. Assim, os substitutos (bens ou serviços) podem limitar os lucros em tempos normais, como também podem reduzir as fontes de riqueza que a indústria pode obter em tempos de prosperidade.

Outro fator é que o produto ou serviço comercializado ou produzido pela empresa possa tornar-se obsoleto com o tempo. Para isso não ocorrer é preciso investir em avanços tecnológicos, produzir um derivado ou mesmo um novo produto. A organização deve ficar atenta às novas mudanças/tendências do mercado/produto. Caso não seja tomada nenhuma atitude, a tendência é que a concorrência venha a adquirir parte do mercado da empresa analisada.

e) Poder de negociação dos clientes

Os clientes exigem mais qualidade por um menor preço de bens e serviços. Entender este ambiente é um fator crítico na busca do sucesso. A capacidade dos clientes de colocar a empresa sob pressão pode afetar a sensibilidade à evolução dos preços. Uma vez concluída a análise do ambiente através das Cinco Forças de Porter, é importante entender quais são os Fatores Críticos de Sucesso (FCS) para que a empresa obtenha êxito no seu segmento de atuação.

- os FCS derivam da análise das forças atuantes no setor;
- os FCS definem os elementos sobre os quais se baseará a concorrência do setor;
- na busca dos FCS é vital adotar a óptica do Cliente;
- é importante monitorar a mudança e o peso dos FCS no decorrer do tempo para o setor em análise.

Como guia na construção dos Fatores Críticos de Sucesso, as seguintes perguntas devem ser respondidas:

- O que é crítico na óptica do cliente, para a Fidelidade/Preferência/Escolha/Compra do Produto/Serviço?
  - As funções/Necessidades/Benefícios Esperados que determinem os Fatores de Compra/Escolha/Preferência/Avaliação.
- O que é crítico para a competição no setor econômico em análise?
  - para evitar a concorrência;
  - para diminuir os impactos do confronto com a concorrência.
- O que é crítico na relação com os fornecedores?
  - para diminuir o poder de barganha;
  - para criar/fortalecer parcerias.
- O que é crítico para estender a vida do produto/serviço no mercado?
  - para contrastar com a presença de produtos substitutos (novas tecnologias, novas necessidades atendidas etc.).

Não menos importante é definir as competências necessárias e entender as competências existentes na empresa. A seguir, falaremos de competências organizacionais como base da Estratégia de uma empresa.

Entender/Definir Competências Organizacionais

A organização é um conjunto de competências institucionais (da empresa) e individuais (de cada colaborador).

Competências Institucionais: sobre processos; técnicas; fluxos da organização; produtos e serviços; e sociais.

Competências Individuais: um saber agir responsável e reconhecido, que implica mobilizar, integrar, transferir conhecimentos, recursos e habilidades, que agreguem valor econômico à organização e valor social ao indivíduo.

Cada organização deve definir quais são as competências necessárias para sua estratégia, e deve trabalhar para reduzir o máximo possível as competências identificadas *versus* as competências necessárias.

Como exemplo de competências essenciais definidas para uma organização, vamos citar o Hospital São Luiz, que durante 2009 definiu sete competências como sendo necessárias para que sua estratégia de médio e longo prazos fosse alcançada:

Visão de negócios

Capacidade de mobilizar referenciais que suportem a formulação e implementação das estratégias e do planejamento, traduzindo-os para os diversos níveis da organização, implementando ferramentas de análise, monitoramento e ampliação da capacidade competitiva e de sustentabilidade do negócio.

Liderança de pessoas

Capacidade de mobilização, influência e formação de pessoas para a realização de resultados diferenciadores, estabelecimento de relacionamentos sistêmicos entre e intra-áreas, sempre com foco nos resultados corporativos definidos para o negócio.

Gestão da mudança

Capacidade de avaliar o desempenho da organização, usar dados para fazer modificações que impactam positivamente nos resultados e energizar outros para que estes se comprometam a levar o negócio a novas áreas de crescimento.

Foco em resultados

Capacidade de mobilização e utilização de conhecimentos técnicos e de gestão em geral que produzam valor sustentável e de longo prazo aos acionistas e diferenciador à sociedade.

Foco do cliente

Capacidade de servir gerando valor aos clientes, conquistando confiança e alto grau de satisfação.

Excelência operacional

Capacidade em gerenciar pessoas, processos, recursos, terceiros e fornecedores, buscando maximização da geração de valor, a partir de melhoria contínua, formação de pessoas, definição de padrões e controles de gestão, compromisso com objetivos do negócio e geração de valor à marca.

Gestão de parcerias

Capacidade de construir e manter relacionamentos com parceiros alinhados com as estratégias do Hospital São Luiz, que sejam formais, claros, confiáveis, duradouros e geradores de valor de longo prazo. As competências de uma organização podem e devem ser modificadas caso a estratégia evolua ou mude ao longo do tempo. Com base na análise de competências de cada profissional da empresa, define-se um Plano de Desenvolvimento Individual, que deve ser acompanhado pelo gestor do colaborador. O próximo passo é garantir que a estrutura organizacional reflita ou facilite a estratégia da companhia.

Estrutura Organizacional como Pilar da Estratégia

Podemos resumir em quatro etapas o processo de avaliação da estrutura organizacional, e aqui mais uma vez estamos aplicando um modelo prático utilizado pelo Hospital São Luiz durante seu processo de elaboração do Planejamento Estratégico em 2009 (Figura 1.2):

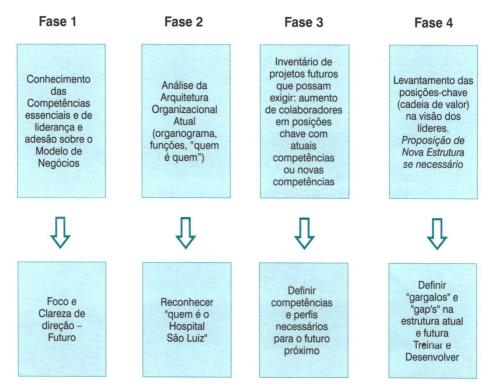

Figura 1.2 – *Projeto do Hospital São Luís.*
Fonte: CEO do Grupo.

A estrutura organizacional de uma empresa deve poder facilitar o processo de comunicação, deve ter em suas áreas de negócio ou estruturas, foco principal na execução da estratégia e deve finalmente garantir um processo transparente entre as diversas áreas.

Envolvimento e Comprometimento

O sucesso de uma estratégia também traz questões importantes. como:
a) desenvolver um bom e adequado Plano de Comunicação Interna;
b) garantir o papel da liderança no processo de formulação da estratégia;

c) criar geradores de Motivação;

d) recursos humanos na sua área de Treinamento e Desenvolvimento como motivador no trabalho de desenvolvimento das competências definidas.

Dos itens anteriormente mencionados, Comunicação Interna tem um papel essencial e muitas organizações já tratam este tema como uma área ligada ao RH e/ou diretamente à presidência da companhia.Um bom plano de comunicação interna deve garantir os seguintes pontos relevantes:

- ter na figura do colaborador o principal disseminador dos valores da marca e da empresa;
- conquistar o nível de comprometimento desejado, informando, orientando e esclarecendo aos colaboradores todos os aspectos da atuação e do desempenho da empresa;
- consolidar o papel do "gestor comunicador".

Por fim, quatro pilares da comunicação podem ser resumidos na Figura 1.3:

Figura 1.3 – *Pilares da comunicação.*

Desdobramento, Plano de Ação e Avaliação (BSC – *Balanced Scorecard*)

Tão importante quanto definição da Estratégia, bem como entendimento das competências e construção ou adaptação de estrutura organizacional adequada, é detalhar as ações necessárias para a obtenção do sucesso traçado, bem como medir a efetividade destas ações através de indicadores claros e mensuráveis.

Balanced Scorecard é uma metodologia disponível e aceita no mercado, desenvolvida pelos professores da *Harvard Business School*, Robert Kaplan e David Norton, em 1992. Os métodos usados na gestão do negócio, dos serviços ou infraestrutura, baseiam-se normalmente em metodologias consagradas que podem utilizar a TI (tecnologia da informação) e os *softwares* de ERP (*Enterprise Resource Planning*) como soluções de apoio, relacionando-a à gerência de serviços e garantia de resultados do negócio.

Segundo a pesquisa *The Balance Scorecard Collaborative, Inc.*, a Figura 1.4 esquematiza as "Barreiras para a Execução de uma Estratégia":

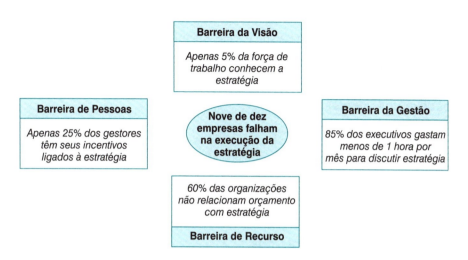

Figura 1.4 – *Barreiras para Execução de uma Estratégia.*

Conhecer estas barreiras já é um bom passo para ter a estratégia transformada em ações e com isto garantir sua implementação de forma organizada. Resumidamente, *Balanced Scorecard* é uma metodologia que auxilia uma organização a traduzir sua estratégia em objetivos que direcionam o comportamento e o desempenho. Não cair nas ameaças que levam a estratégia a falir (conforme a Figura 1.4) passa a ser um grande desafio, pois estamos falando de pessoas e delas depende sua implementação. Assim, o *Balanced Scorecard* é uma metodologia de gerenciamento da estratégia de uma empresa;

Tudo começa com o Mapa Estratégico, que deve ser estruturado com divisões das Perspectivas e com a Cadeia de Causa e Efeito entre os Objetivos Estratégicos.Para a realização dos Objetivos, devem ser definidas Iniciativas, cada uma com responsável e prazo para sua realização;

O atendimento dos Objetivos será medido pelos Indicadores, que deverão ter Valores Planejados de acordo com o Planejamento Estratégico da empresa e Valores Reais (Efetivos) que vão acontecendo ao longo do tempo em cada período. O BSC decompõe a estratégia de uma maneira lógica, baseando-se em relações de causa e efeito, vetores de desempenho e relação com fatores financeiros. É decomposto em objetivos, indicadores, metas e iniciativas, nas quatro dimensões de negócio:

- financeira;
- clientes;
- processos internos;
- aprendizado e crescimento.

Perspectiva financeira

O BSC deve contar a história da estratégia, começando pelos objetivos financeiros de longo prazo e relacionando-os às ações que precisam ser tomadas em relação às demais perspectivas, para que o desempenho econômico seja alcançado no longo prazo. É necessária a preocupação da empresa na visão do cliente, identificando suas necessidades, anseios, conquistando a fidelidade dos clientes existentes e buscando novos clientes.

Perspectiva dos clientes

A perspectiva dos clientes do BSC traduz a missão e a estratégia da empresa em objetivos específicos para segmentos focalizados que podem ser comunicados a toda a organização. Além disso, permite a clara identificação e avaliação das propostas de valor dirigidas a esses segmentos.

Perspectiva dos processos internos

Constitui-se na análise dos processos internos da organização, incluindo a identificação dos recursos e das capacidades necessárias para elevar o nível interno de qualidade. Contudo, cada vez mais frequentemente, os elos entre os processos internos da companhia e os de outras, das companhias colaboradoras, estão muito unidos, a ponto de exigirem que também sejam considerados. O BSC considera os processos internos de toda a cadeia de valor da empresa e inclui o processo de inovação, de operações e de pós-venda.

Perspectiva do aprendizado e crescimento

O objetivo desta perspectiva é oferecer a infraestrutura que possibilita a consecução de objetivos ambiciosos nas outras perspectivas.

A habilidade de uma organização em inovar, melhorar e aprender relaciona-se diretamente com seu valor. Essa perspectiva apresenta objetivos voltados à capacidade dos funcionários, dos sistemas de informação e à motivação e alinhamento. Importante considerar os seguintes aspectos para que o Planejamento e uso da ferramenta *Balanced ScoreCard* tenha sucesso:

- os processos de execução do Planejamento Estratégico (PE) e do BSC devem ser totalmente integrados e sistemáticos;
- o conhecimento da metodologia BSC deve atingir todos os níveis da organização;
- a comunicação sobre o *status* do PE e do BSC deve atingir todos os níveis da organização e utilizar a linguagem apropriada;
- as reuniões gerenciais e com o restante da organização devem utilizar a metodologia BSC;
- as iniciativas devem estar relacionadas ao sucesso do cliente e da organização;

- as ferramentas para análise de dados devem ser adequadas e eficientes, apoiando o uso da metodologia BSC;
- as ações e informações geradas devem ser concisas e seguras - "credibilidade";
- utilizar o conhecimento gerado nas tomadas de decisões;
- "reconhecer" desempenhos acima da média (individuais e coletivos).

Bibliografia Consultada

1. Kaplan RS, Norton DP. A estratégia em ação: balanced scorecard. 4. ed. Rio de Janeiro: Campus; 1997.
2. _____. Mapas Estratégicos: convertendo ativos intangíveis em resultados tangíveis. 2 ed. Rio de Janeiro: Campus; 2004.
3. _____. Alinhamento: utilizando o balanced scorecard para criar sinergias corporativas. Rio de Janeiro: Elsevier; 2006.
4. _____. Having trouble with your strategy? Then map it. Harvard Business Review. Sept-Oct, 2000.
5. Porter M. Vantagem competitiva: criando e sustentando um desempenho superior. Rio de Janeiro: Campus; 1996.
6. _____. A vantagem competitiva das nações. Rio Janeiro: Campus; 1998.
7. Hamel G, Prahalad CK. Competindo pelo futuro: estratégias inovadoras para obter o controle do seu setor e criar os mercados de amanhã. Rio de Janeiro: Campus; 1995.
8. Prahalad CK, Ramaswamy V. The future of competition: co-creating unique value with customers. Boston, MA: Harvard Business School Press; 2004.

2 Visão da Área Jurídica nas Clínicas e nos Hospitais

Priscilla Saito Nunes de Souza
Rubens Baptista Junior

Introdução

A gestão de organizações de Saúde, tais como clínicas e hospitais apresenta, como acontece rotineiramente na administração de empresas em geral, uma interface com a esfera do Direito e com os assuntos legais. Na área da Saúde, esse relacionamento entre a gestão organizacional e os assuntos jurídicos adquire características especialmente particulares. Este capítulo procura explorar essa interface, fornecendo aos gestores de clínicas e hospitais os conhecimentos básicos para que possam melhor desempenhar o seu papel

Naturalmente, as informações aqui disponibilizadas não dispensam o gestor de uma assessoria jurídica, seja por meio de uma consultoria externa; seja pelo desenvolvimento e a implementação de um departamento jurídico próprio, conforme veremos adiante. O texto busca proporcionar um elenco de conhecimentos essenciais ao gestor e servir de apoio aos seus diálogos com os especialistas do Direito. O material está organizado de modo a possibilitar a apreensão do conteúdo a partir da reflexão sobre algumas questões fundamentais.

Com o objetivo de buscar constantemente o sucesso da gestão organizacional, como o assessor jurídico pode identificar riscos internos e externos e contribuir para que o empreendimento atinja seus resultados e metas?

O conhecimento da legislação e normas aplicáveis à área da Saúde; a correta identificação dos riscos inerentes às atividades de clínicas e hospitais, aliada à estratégia adequada às metas e objetivos da organização, favorecem o sucesso da gestão da área jurídica?

A prevenção pode conferir resultados positivos à tomada de decisões dos gestores?

De que forma utilizar as ferramentas que o Direito nos disponibiliza, em benefício do dia a dia da organização?

O que os gestores de clínicas e hospitais devem conhecer sobre assuntos de Direito?

Nosso texto tem por objetivo trazer ao conhecimento dos gestores o papel do assessor jurídico no contexto da organização, bem como abordar alguns temas relevantes, que podem representar riscos à gestão.

No mundo corporativo atual, é essencial que as organizações se estruturem de forma a maximizar sua produção e, consequentemente, seus resultados, para garantir o sucesso de sua gestão. O binômio maximização de resultados *versus* minimização de riscos e impactos negativos é, atualmente, um dos maiores desafios dos gestores. Desta forma, com foco na maximização da produção e dos resultados, as clínicas e hospitais têm, com bastante sucesso, utilizado o instrumento que chamamos de profissionalização de gestores, efetivada pela contratação de qualificados profissionais de diversas áreas, dentre elas administração, economia, finanças, contabilidade, custos e orçamentos, recursos humanos. Médicos, enfermeiros, fonoaudiólogos, fisioterapeutas, nutricionistas, farmacêuticos têm, cada vez mais, ocupado funções de cunho administrativo e têm demonstrado resultados bastante satisfatórios, na medida em que somam conhecimentos técnicos de suas áreas às técnicas de gestão e liderança.

Por outro lado, no momento de buscar a minimização de riscos e impactos negativos, surge a figura do assessor jurídico, que trabalha em parceria com os demais gestores e clientes internos, de modo a conferir maior segurança jurídica às decisões a serem tomadas pelas Diretorias das organizações de Saúde. Uma das principais funções do assessor jurídico é a de identificar riscos inerentes às atividades de clínicas e hospitais, mensurar seus impactos e consequências e fornecer aos gestores orientações e soluções seguras para minimização destes riscos.

O assessor jurídico atuará como um "clínico geral" do Direito e, sempre que necessário, direcionará questões a especialistas, para que, juntos, somados os conhecimentos e especificidades sobre o negócio, aos conhecimentos específicos de cada área do Direito, construam a melhor e mais segura solução à organização.

Informações prestadas pela área jurídica servem para subsidiar os gestores sobre os riscos envolvidos no negócio, bem como as estratégias a serem adotadas. Sob o ponto de vista legal, identificarão prós, contras e soluções às decisões e aos projetos, que possam causar impacto negativo à organização.

Papel da Área Jurídica em Clínicas e Hospitais

A área jurídica tem conquistado terreno cada vez maior nas organizações, que na maioria dos casos têm por objetivo atingir metas e resultados definidos por um Planejamento Estratégico bem elaborado, gerenciado e conduzido.

A gestão de riscos, parte integrante e de suma importância ao Planejamento Estratégico, estabelece relação direta com a área jurídica, que tem, dentre outras funções, a identificação de riscos que podem causar impactos negativos à estratégia adotada ou que venha a ser adotada pela organização.

Passa então a gestão de riscos, importante ferramenta, a ser elemento fundamental na gestão de qualquer estrutura organizacional.

Podemos dizer que o objetivo comum da gestão de riscos em parceria com a área jurídica, é o de identificar e analisar riscos, tanto externos quanto internos, que podem representar impactos negativos à organização. Esta parceria permite que os gestores tenham condições de tomar medidas e decisões seguras, visando evitar e reduzir, ou até mesmo, assumir e/ou transferir os riscos.

Riscos Externos e Internos

Qual a melhor definição para "risco" no atual mundo corporativo? De acordo com Borge (2001), risco

"... significa estar exposto à possibilidade de um mau resultado."

Assim, sob o ponto de vista da área jurídica, enumeramos a seguir algumas situações que pontualmente chamamos de riscos externos, que independem da capacidade de gestão e controle da organização e que, acima de tudo, podem repercutir em exposição a um mau resultado:

- demandas judiciais de natureza civil, dentre elas ações de responsabilidade civil por eventos adversos, liminares visando cobertura de procedimentos, internação, materiais e medicamentos;
- demandas judiciais trabalhistas;
- demandas judiciais tributárias;
- demandas originadas por reclamações e/ou denúncias formuladas por pacientes junto ao Procon, denominadas demandas consumeristas;
- fiscalizações conduzidas pelas Delegacias Regionais do Trabalho, Delegacias de Polícia (inquéritos policiais que versem sobre eventos adversos, solicitações de prontuários médicos), Receita Federal e INSS, dentre outros órgãos públicos.

E de que forma podemos minimizar os impactos negativos decorrentes das situações ora enumeradas? Estar atento ao recebimento de correspondências do Poder Judiciário ou de qualquer Órgão Público, para que sejam tomadas as providências necessárias, observados os prazos estabelecidos, que podem ser bastante curtos, é a melhor forma de gerenciar estes riscos, bem como de aumentar as chances de atingir resultado satisfatório.

Por outro lado, entendemos por riscos internos os aspectos negativos, relacionados aos processos internos da organização, que tenham potencial de comprometer seus resultados. Ela deve ser hábil em operar e controlar seus principais processos, de modo que eles sejam consistentes e íntegros.

Sob a óptica da área jurídica, são exemplos de riscos internos:

- atraso na entrega de materiais e medicamentos;
- atraso na entrega de enxoval;
- falta de qualidade dos alimentos servidos por empresa terceirizada aos funcionários;
- paciente que se recusa a efetuar pagamento por material utilizado e não coberto pela Operadora ou Plano de Saúde;
- demora em efetuar cobrança de contas hospitalares.

A maneira mais adequada de controlar e minimizar os riscos acima exemplificados é a de definir em contrato prazos de entrega, previsão de deveres e obrigações das partes contratantes, bem como de vincular valores a um *SLA - Service Level Agreement*, elaborado em conjunto pela área jurídica e a área que contratará o fornecimento de serviços ou produtos.

Estrutura do Departamento Jurídico

Não existe fórmula para a estruturação do Departamento Jurídico de uma Organização. A formatação deste departamento dependerá dos objetivos e da visão do corpo diretivo da organização, bem como das necessidades e demandas internas de suas diversas áreas, entendidas tais demandas como análise de contratos; orientações às áreas da administração hospitalar que têm relacionamento direto com pacientes, médicos, operadoras de planos de Saúde; suporte aos departamentos pessoal e de recursos humanos; dentre outras inúmeras situações que rotineiramente podem ocorrer numa clínica ou instituição hospitalar.

Elencamos a seguir três formas possíveis para estruturação do departamento jurídico: estrutura própria, estrutura terceirizada e estrutura híbrida.

Estrutura própria

Estrutura própria de um departamento jurídico funciona como um "Pronto-Socorro Jurídico", na medida em que recebe dos demais departamentos da organização solicitações e demandas de diversas naturezas: trabalhista, cível, contratual, tributária, fiscal e até mesmo criminal. Por esta razão, conta com equipe de advogados generalistas que prestam serviços exclusivos à organização para a qual trabalham.

Estes advogados generalistas normalmente conhecem a fundo os negócios e o ramo de atividade da organização para a qual trabalham. Possuem conhecimento sobre diversas áreas do direito, o que facilita seu dia a dia, na medida em que precisam analisar e dar seguimento ágil a todas demandas que recebem.Os advogados que integram a estrutura própria de um departamento jurídico têm maior acesso aos diretores e gestores da organização, na medida em que são envolvidos nos problemas do dia a dia, além de participarem da tomada de decisões e do planejamento estratégico da organização.

Espera-se que estes advogados atuem preventivamente de forma a evitar o surgimento de problemas; que sejam pró-ativos na busca de soluções de contingências ou processos internos; que forneçam soluções às situações e problemas apresentados, sempre com objetivo de eliminar ou reduzir contingências e impactos negativos (gerenciamento de riscos).

Estrutura externa

O departamento jurídico de uma organização, quando representado por uma estrutura externa, é formado por um ou mais escritórios de advocacia, contratados por finalidades e áreas de atuação específicas. Estes escritórios de advocacia atendem a todas demandas, sejam elas judiciais, administrativas ou de consultoria aos departamentos da organização. Via de regra, firmam com a organização contratos de prestação de serviços especializados em determinada área do Direito, sem qualquer exclusividade.Quaisquer demandas, tão logo identificadas, são direcionadas diretamente pelas gerências aos escritórios terceirizados.

Esta estrutura pode parecer, num primeiro momento, mais adequada, em virtude de seu custo de manutenção ser mais baixo que o de uma estrutura terceirizada. No entanto, é importante lembrar que o controle orçamentário pode se mostrar prejudicado, por não haver departamento centralizado que efetivamente controle as despesas e pagamentos.

A falha de comunicação entre as Gerências e os escritórios externos, bem como a troca de informações e o fornecimento de subsídios para construção das defesas, ou até mesmo das ações judiciais a serem propostas pela organização, pode ser outro aspecto negativo que a estrutura externa pode vir a apresentar.

Estrutura híbrida

A estrutura híbrida do departamento jurídico da organização é formada pela parceria estabelecida entre estrutura interna e estrutura externa. Considerada tendência moderna, a estrutura híbrida soma o conhecimento do negócio propriamente dito, dos advogados internos da Organização, ao conhecimento técnico dos advogados especialistas, agregando valor ao serviço contratado.

Para formatação de um departamento jurídico alinhado aos interesses e objetivos da organização, a estrutura híbrida tem se mostrado mais eficaz e benéfica, na medida em que assegura que os interesses da organização sejam sempre protegidos, permite o estreito controle de despesas relacionadas a pagamento de honorários advocatícios, indenizações, custas e despesas processuais, dentre outras despesas, além de facilitar o adequado e correto direcionamento das demandas, aos competentes escritórios especializados. Permite ainda que os advogados internos dediquem maior parte de seu tempo ao trabalho preventivo.

Este modelo permite que a estrutura própria selecione, gerencie e forneça as coordenadas aos advogados externos; elimine e/ou reduza despesas, visando otimização e melhor utilização dos recursos financeiros da Organização; mantenha foco nos objetivos estratégico e/ou operacionais da organização; oriente e apoie os Gestores nas decisões e no planejamento estratégico.

Indicadores de um Departamento Jurídico

De acordo com Moris A Cohen, professor da Wharton e codiretor do Centro Fishman-Davidson de Gestão em Serviços e Operações,

"não se pode administrar o que não se pode medir."

Assim sendo, com base na premissa de que "não se pode administrar o que não se pode medir", nasce e necessidade de construir e aplicar indicadores, que auxiliarão no planejamento e controle da gestão da área jurídica.

Para tanto, apresentamos a seguir alguns indicadores que podem ser úteis à gestão. No entanto, salientamos que a construção de indicadores deve levar em conta a percepção e visão dos gestores da organização. Lembramos ainda que a demonstração dos resultados da área, por meio de gráficos, facilita a visão e compreensão dos gestores.

- índice de êxito em processos administrativos ou judiciais: demonstração do êxito, parcial ou total, em todos os processos em andamento, apurados em determinado período, com indicação do volume financeiro envolvido;
- controle do passivo oculto (contingências não ajuizadas, existentes e identificadas pelo departamento jurídico) que podem representar impacto financeiro negativo à organização. Exemplos de passivo oculto: falta de recolhimento de imposto de renda de pessoa jurídica; contratação de médicos plantonistas do pronto-atendimento sem

registro em carteira, que recebem mediante emissão de nota fiscal, sem formalização de contratos de prestação de serviços; contratação de secretária sem o devido registro em carteira de trabalho;

- mapeamento da quantidade de ações recebidas em determinado período, divididas por área (cível, trabalhista, tributária);
- mapeamento da quantidade de autuações fiscais recebidas em determinado período, divididas por área (cível, trabalhista, tributária);
- mapeamento do volume financeiro envolvido em ações judiciais e processos administrativos;
- redução de honorários pagos a escritórios terceirizados, dos pagamentos realizados aos escritórios em determinado período;
- redução de despesas (viagens, cursos, seminários, palestras, honorários pagos a consultorias).

Apresentamos, na Tabela 2.1, o modelo de Indicadores a serem apresentados à Diretoria da Organização:

Tabela 2.1 Modelo de Indicadores		
INDICADOR	DE QUE FORMA APURAR O INDICADOR	QUAL A META A SER ATINGIDA
Passivo Judicial trabalhista, cível, fiscal e criminal	Analisar as ações judiciais e identificar quais apresentam maior risco de desembolso à Organização. Avaliar a possibilidade de acordo com a parte contrária (negociação por valor menor que o da condenação ou negociação para pagamento em parcelas sem juros)	Redução de x% do número de processos em andamento, no prazo de x tempo
Passivo Oculto contingências trabalhistas, cíveis fiscais ou criminais, não ajuizadas, existentes e preventivamente identificadas	Controle financeiro e gerenciamento do passivo oculto que pode ser materializado, ajuizado e que venha a representar perda para a Organização	Redução de x% dos problemas que podem ser cobrados via judicial ou administrativa, no prazo de x tempo
Despesas decorrentes de processos judiciais	Controle dos valores pagos pelo jurídico a título de honorários advocatícios e despesas com viagens, xerox, espaço em arquivo	Redução de x% dos honorários advocatícios e despesas, no prazo de x tempo
Planejamento Tributário	Apuração de tributos a serem recolhidos e estudo e análise de redução de encargos tributários, fundamentada em parecer de especialista em direito tributário	Redução conservadora de encargos tributários
Ações Judiciais Trabalhistas	Identificar número de reclamações trabalhistas com pedido de pagamento de horas extras	Propor medida preventiva para reduzir em x% as horas extras

Previsão Constitucional da Saúde

A Lei de maior hierarquia no ordenamento jurídico brasileiro é a Constituição da República Federativa do Brasil de 1988. Isto significa que qualquer outra lei que entre em conflito com ela não tem validade, sendo classificada como inconstitucional. Por esta razão, o fato de um direito, tema ou assunto figurar na Constituição significa que ele tem uma relevância jurídica maior e especial posição no aparato normativo do Brasil.

A Constituição Federal de 1988 garante, já no *caput* de seu Artigo 5º., a inviolabilidade do direito à vida aos brasileiros e estrangeiros residentes no País. Logo a seguir, no Artigo 6º., a Carta Magna consagra o direito à Saúde como um dos direitos sociais, ao lado da educação, alimentação, trabalho, moradia, lazer, segurança, previdência social, proteção à maternidade e à infância, e a assistência aos desamparados. Essa foi a primeira vez em nossa História Constitucional que a Saúde aparece com essa relevância no texto da Lei Maior.

A Constituição estabelece que a Saúde é direito de todos e dever do Estado (no Artigo196) e que as ações e serviços públicos de Saúde integram uma rede regionalizada e hierarquizada e constituem um Sistema Único de Saúde, o SUS (Art. 198). De acordo com a Carta Magna, a execução de ações e serviços de Saúde deverá ser feita diretamente pelo Poder Público ou, indiretamente, por meio de terceiros e também por pessoas físicas ou jurídicas de Direito Privado (Art. 197). Ainda segundo a Lei Maior do País, a assistência à Saúde é livre à iniciativa privada e as instituições privadas poderão participar de forma complementar do SUS, mediante contrato de Direto Público ou convênio (Art. 199).

Como consequência, o Brasil possui, desde a promulgação da Constituição de 1988, um sistema singular de Saúde, o SUS – Sistema Único de Saúde, destinado a oferecer ações e serviços de Saúde de modo universal, ou seja, a todos, sem distinções de qualquer tipo ou natureza.

É importante destacar que a norma do Artigo 199 relega às organizações privadas com fins lucrativos a um papel secundário no cenário da Saúde, ao estabelecer que sobre elas terão prioridade as entidades filantrópicas e as sem fins lucrativos. Assim, o SUS está organizado de modo a possuir uma parte principal, os serviços públicos, e uma parte complementar – também chamada de *suplementar* –, representada pelas organizações privadas de Saúde.

Um tratamento menos hostil seria desejável, tanto em função da liberdade de escolha que se deve garantir ao usuário do sistema, com o oferecimento de pluralidade de modelos nas opções de serviços, como em razão da conhecida insuficiência de quantidade e qualidade dos serviços públicos de Saúde. Tal situação estaria de acordo também com a defesa da livre iniciativa, constante já no Artigo 1º., inciso IV da mesma Carta Constitucional.

Ao garantir o direito à Saúde e estendê-lo a todos, a Constituição consagrou o princípio da *universalidade*, uma das mais distintivas características do nosso sistema. Ainda segundo a norma constitucional, o atendimento será oferecido de modo integral, ou seja, englobando todos os níveis de assistência. Assim, a Lei consagra a regra de prometer tudo a todos, uma vez que a determinação normativa é a de garantir o acesso igualitário de todos à Saúde, compreendendo desde a prevenção até os três níveis de assistência: primário, o de menor complexidade; secundário, o de complexidade média; e terciário, o de maior complexidade do Sistema.

No Brasil, por força da disposição constitucional do Artigo 197, o Poder Público dispõe de enorme poder no que concerne à Saúde, cabendo a ele fazer a sua regulamentação, fiscalização e controle, além de oferecer a parte considerada principal dos serviços.

Regulamentar significa o poder de elaborar as normas da Saúde; *fiscalizar* é a prerrogativa de verificar se e como as normas estão sendo cumpridas; e *controlar* significa dirigir, comandar o Sistema. Resultados mais favoráveis poderia obter a norma legal se houvesse distribuído essas tarefas por mais de um agente social, em vez de concentrá-las todas nas mãos do Poder Público, uma vez que a concentração de poderes em uma só fonte sempre traz subjacente a maior possibilidade de corrupção e ineficiência.

Outras Normas da Saúde

A Saúde é uma área sobre a qual recai uma quantidade imensa de normas jurídicas. Trata-se de uma das áreas mais normatizadas que existem. O gestor de clínicas e hospitais deve estar atento a essa realidade e o auxílio de uma consultoria jurídica, ou, sempre que possível, a estruturação de um departamento jurídico são necessidades incontornáveis.

Além da Constituição Federal, incidem sobre a atividade da Saúde normas tão diferentes e complexas como a Lei Orgânica do SUS – Lei 8.080/1990; a Lei 8.142/1991; as NOBs – Normas Operacionais Básicas do Ministério da Saúde; e, em muitos de seus aspectos particulares, as leis mais gerais, como o Código Civil Brasileiro; o Código Penal; o Código Tributário Nacional; o Código de Defesa do Consumidor; a legislação trabalhista; as normas epidemiológicas e sanitárias; os códigos de ética e de deontologia dos profissionais da Saúde; e as legislações e normas específias do setor.

O Financiamento da Saúde

O financiamento do Sistema é um problema ainda não solucionado e o tempo tem mostrado que a insuficiência de recursos para que possa cumprir a sua promessa de oferecer tudo para todos em Saúde é uma das suas principais fragilidades.A Constituição Federal dispõe, nos parágrafos 1º. e 2º. do Artigo 198, que o Sistema Único de Saúde será financiado com recursos do orçamento da Seguridade Social, da União, dos Estados, do Distrito Federal e dos municípios, além de outras fontes que não especifica quais sejam. A parte Complementar do SUS poderá, naturalmente, contar com recursos próprios, resultantes de sua atividade operacional,bem como de outras fontes a ela relacionadas.

A Constituição veda, no parágrafo 2º. de seu Artigo 199 a destinação de recursos públicos para auxílios ou subvenções das instituições privadas com fins lucrativos. O parágrafo 3º. do mesmo Artigo proíbe a participação direta ou indireta de empresas ou capitais estrangeiros na assistência à Saúde no País, salvo nos casos previstos em lei.

As Agências Reguladoras

A legislação prevê a existência de agências reguladoras, com poder normativo sobre a área de Saúde no Brasil. Duas agências estabelecidas são a ANVISA – Agência Nacional de Vigilância Sanitária; e a ANS – Agência Nacional de Saúde Suplementar.

A ANVISA é o organismo responsável por autorização e acompanhamento de produtos e procedimentos de Saúde e de alimentação no País. Cabe à agência a regulação e fiscalização de temas tão distintos como medicamentos, produtos de saúde em geral, de drogarias e farmácias, cosméticos e insumos farmacêuticos. Também cabe a ela a atuação em portos, aeroportos e fronteiras. A ANS é responsável pela regulamentação e fiscalização da Saúde

Complementar, que compreende as empresas de Autogestão; Medicina de Grupo; Planos de Administração; Cooperativas; e de Seguros de Saúde.

Código de Defesa do Consumidor

O Código de Defesa do Consumidor, instituído pela Lei nº 8.078 de 11 de setembro de 1990, representou um avanço na história da defesa de consumidores brasileiros e teve, por óbvio, como principal objetivo, proteger e defender os direitos e necessidades do consumidor, o respeito à sua dignidade, Saúde e segurança, a proteção de seus interesses econômicos, a melhoria da sua qualidade de vida, bem como a transparência e harmonia das relações de consumo, além de disciplinar as relações de consumo e estabelecer responsabilidades dos fornecedores de produtos e serviços, baseadas no princípio da boa fé e transparência.

Vale mencionar ainda que o Código de Defesa do Consumidor adotou a teoria da responsabilidade objetiva e solidária, a ser adiante analisada, que pressupõe que o fornecedor de produtos ou serviços deve responder por danos causados ao consumidor, independentemente de ter culpa relacionada ao evento que causou o dano.

Do texto do Código de Defesa do Consumidor, extraímos importantes conceitos. Os artigos 2º e 3º do referido texto legal, a seguir transcritos, definem consumidor, fornecedor e serviços:

"Art. 2º – Consumidor é toda pessoa física ou jurídica que adquire ou utiliza produto ou serviço como destinatário final." (grifos nossos)
"Art. 3º – Fornecedor é toda pessoa física ou jurídica, pública ou privada, nacional ou estrangeira, bem como os entes despersonalizados, que desenvolvem atividade de produção, montagem, criação, construção, transformação, importação, exportação, distribuição ou comercialização de produtos ou prestação de serviços." (grifos nossos)
"Art. 3º, Parágrafo 2º - Serviço é qualquer atividade fornecida no mercado de consumo, mediante remuneração, inclusive as de natureza bancária, financeira, de crédito e securitária, salvo as decorrentes de caráter trabalhista." (grifos nossos)

Como já observamos, o Código de Defesa do Consumidor adotou a teoria da responsabilidade objetiva, aplicada aos fornecedores de produtos, serviços e dos profissionais liberais. Isso significa que aquele que fornece um produto ou presta qualquer tipo de serviço será responsabilizado, independentemente de sua culpa, na hipótese de o consumidor sofrer qualquer dano ou prejuízo. O artigo 14º do mesmo Código, define que:

"Art. 14, *caput* – O fornecedor de serviços responde, independentemente da existência de culpa, pela reparação dos danos causados aos consumidores por defeitos relativos à prestação dos serviços, bem como por informações insuficientes ou inadequadas sobre sua fruição e riscos." (grifos nossos)
"Parágrafo 4º - A responsabilidade pessoal dos profissionais liberais será apurada mediante verificação de culpa." (grifos nossos)

Importante ainda trazer ao conhecimento os direitos básicos do consumidor, previstos nos artigos 6º e 7º do mencionado Código:

Art. 6º São direitos básicos do consumidor:

I - a proteção da vida, Saúde e segurança contra os riscos provocados por práticas no fornecimento de produtos e serviços considerados perigosos ou nocivos;

II - a educação e divulgação sobre o consumo adequado dos produtos e serviços, asseguradas a liberdade de escolha e a igualdade nas contratações;

III - a informação adequada e clara sobre os diferentes produtos e serviços, com especificação correta de quantidade, características, composição, qualidade e preço, bem como sobre os riscos que apresentem;

IV - a proteção contra a publicidade enganosa e abusiva, métodos comerciais coercitivos ou desleais, bem como contra práticas e cláusulas abusivas ou impostas no fornecimento de produtos e serviços;

V - a modificação das cláusulas contratuais que estabeleçam prestações desproporcionais ou sua revisão em razão de fatos supervenientes que as tornem excessivamente onerosas;

VI - a efetiva prevenção e reparação de danos patrimoniais e morais, individuais, coletivos e difusos;

VII - o acesso aos órgãos judiciários e administrativos com vistas à prevenção ou reparação de danos patrimoniais e morais, individuais, coletivos ou difusos, assegurada a proteção Jurídica, administrativa e técnica aos necessitados;

VIII - a facilitação da defesa de seus direitos, inclusive com a inversão do ônus da prova, a seu favor, no processo civil, quando, a critério do juiz, for verossímil a alegação ou quando for ele hipossuficiente, segundo as regras ordinárias de experiências;

IX - (Vetado);

X - a adequada e eficaz prestação dos serviços públicos em geral.

Art. 7º Os direitos previstos neste código não excluem outros decorrentes de tratados ou convenções internacionais de que o Brasil seja signatário, da legislação interna ordinária, de regulamentos expedidos pelas autoridades administrativas competentes, bem como dos que derivem dos princípios gerais do direito, analogia, costumes e equidade.

Parágrafo único. Tendo mais de um autor a ofensa, todos responderão solidariamente pela reparação dos danos previstos nas normas de consumo.

Os conceitos constantes do Código de Defesa do Consumidor se aplicam à área da Saúde e aos profissionais médicos, enfermeiros, nutricionistas, fonoterapeutas, fisoterapeutas, psicólogos, e todos os demais profissionais que integram as equipes multidisciplinares. Assim sendo, ao aplicarmos as definições do Código de Defesa do Consumidor na área de Saúde, temos as seguintes equivalências:

- Paciente = Consumidor (art. 2º) = Destinatário final dos serviços.
- Fornecedor de Serviços (art. 3º) = Estabelecimentos de Serviços de Saúde.
- Serviços (art. 3º, parágrafo 2º) = Serviços remunerados da área de Saúde.

No que se refere à responsabilidade, tanto dos fornecedores de serviços quanto dos profissionais liberais, as definições constantes do artigo 14 do citado Código são aplicadas na área da responsabilidade civil da seguinte forma:

Hospitais e Clínicas = Fornecedor de serviços = responsável pela prestação dos serviços = RESPONSABILIDADE OBJETIVA (art. 14).

Prestação pessoal de serviços de Saúde por profissionais liberais = RESPONSABILIDADE SUBJETIVA (art. 14 parágrafo 4º).

Visão da área jurídica nas clínicas e nos hospitais

Traçaremos na sequência breves linhas sobre a responsabilidade objetiva e subjetiva, aplicáveis aos fornecedores de serviços e profissionais da área da Saúde.

Responsabilidade Civil

A responsabilidade civil consiste na obrigação de uma pessoa em reparar os danos causados à outra. Em outras palavras, sempre que houver um dano, este há de ser reparado.Para a jurista Maria Helena Diniz, responsabilidade civil é:

"... a aplicação de medidas que obriguem uma pessoa a reparar dano moral ou patrimonial causado a terceiros, em razão de ato por ela mesma praticado, por pessoa por quem ela responde, por alguma coisa a que ela pertence ou de simples imposição legal."

A literatura do Direito, a que chamamos de Doutrina, conceitua o dano moral como violação à dignidade humana, e aqui vale acrescentar que a dignidade humana é direito constitucional de todo cidadão, ou seja, é direito previsto no artigo 5° inciso X do mais importante texto legal brasileiro, da lei suprema, a Constituição da República Federativa do Brasil de 1988, que dispõe que

"Artigo 5°, inciso X – são invioláveis a intimidade, a vida privada, a honra, a imagem das pessoas, assegurado o direito à indenização pelo dano material ou moral decorrente de sua violação."

O conceito de dano moral abrange, além da dignidade humana, emoções negativas entendidas como a angústia, o sofrimento, a dor, a humilhação. No entanto, tais sentimentos não podem ser confundidos com um mero aborrecimento ou dissabor, facilmente inseridos no contexto de nosso dia a dia.

Por outro lado, o conceito de dano material ou patrimonial faz referência direta a reflexo no patrimônio daquele que sofreu o dano, ou seja, da vítima. Equivale a prejuízo material sofrido por aquele que sofreu o dano. O prejuízo material pode acarretar diminuição efetiva e imediata no patrimônio da vítima ou pode representar perda de ganho esperado, assim entendido como o que a vítima deixou de receber em função do dano causado, com consequente diminuição do patrimônio da vítima.

No entanto, é importante frisar que para que a responsabilidade civil seja caracterizada, ou seja, para que seja efetivada a obrigação de indenizar por dano, seja ele moral ou material, causado a alguém, é essencial que exista uma ação, um dano e a ligação entre a ação e o dano, o que chamamos, na esfera do direito, de nexo causal ou nexo de causalidade.

A ação é o fato a partir do qual o dever de ressarcimento, o dever de indenizar, é gerado, em outras palavras, ação é a violação a um direito, e pode ser omissiva ou comissiva, ou seja, por ato que deixou de ser praticado ou por ato praticado.

O dano é a lesão ou prejuízo patrimonial ou moral, contra vontade da vítima, decorrente de ato lícito ou ilícito, praticado por alguém. É, na realidade, elemento essencial e indispensável para responsabilização do agente, causador do dano.

Por fim, o nexo causal é configurado pela relação necessária entre a ação e o dano. Por exemplo, num acidente de trânsito, em que o veículo de A bate no veículo de B e causa danos, B somente poderá cobrar de A, os danos causados em seu veículo. Se eventualmente

25

B cobrasse de C, que nehnuma relação teve com o acidente, a obrigação de indenizar não seria reconhecida como obrigação de C. Assim sendo, sem o nexo causal inexiste a obrigação de reparar, de indenizar.

Sob a óptica da área da Saúde, a responsabilidade civil é fundamentada na culpa ou no risco. Vejamos a seguir a diferença entre ambas.

Passamos à análise da responsabilidade aplicada aos hospitais, clínicas e profissionais das equipes multidisciplinares, que são foco da grande maioria dos processos judiciais propostos por pacientes e/ou seus representantes.

Destacamos, inicialmente, que a regra geral da responsabilidade civil é definida pelo *caput* do artigo 927 do Código Civil Brasileiro de 2002:

"Art. 927. - Aquele que, por ato ilícito (arts. 186 e 187), causar dano a outrem, fica obrigado a repará-lo.

Parágrafo único. Haverá obrigação de reparar o dano, independentemente de culpa, nos casos especificados em lei, ou quando a atividade normalmente desenvolvida pelo autor do dano implicar, por sua natureza, risco para os direitos de outrem."

Chamamos a responsabilidade fundamentada na culpa de responsabilidade subjetiva, aplicada aos profissionais que prestam os serviços de Saúde, como previsto no parágrafo 4° do artigo 14 do Código de Defesa do Consumidor:

"Parágrafo 4° - A responsabilidade pessoal dos profissionais liberais será apurada mediante verificação de culpa." (grifos nossos)

Temos, portanto, que eventuais danos morais ou materiais, causados a pacientes ou a seus representantes, por médicos ou quaisquer outros profissionais da área da Saúde, somente serão passíveis de indenização, SE e somente SE for comprovada a CULPA do médico ou de quaisquer outros profissionais da área de Saúde.

Por sua vez, a responsabilidade objetiva, fundamentada no risco, aplica-se aos fornecedores de serviços de Saúde, de acordo com o artigo 14°, também do Código de Defesa do Consumidor:

"Art. 14, *caput* – O fornecedor de serviços responde, independentemente da existência de culpa, pela reparação dos danos causados aos consumidores por defeitos relativos à prestação dos serviços, bem como por informações insuficientes ou inadequadas sobre sua fruição e riscos." (grifos nossos)

Neste sentido, observamos que os hospitais e clínicas, bem como laboratórios e todas as demais pessoas jurídicas que forneçam serviços de Saúde, serão SEMPRE obrigados a indenizar pacientes ou seus representantes, por danos materiais ou morais causados, INDEPENDENTEMENTE de culpa. Entende a literatura do Direito, bem como o Código de Defesa do Consumidor, que a obrigação de indenizar, independentemente de culpa do agente que causou o dano, decorre do risco da própria atividade.

Responsabilidade Subjetiva Fundamentada na Culpa

Para que a responsabilidade subjetiva, como vimos, fundamentada na culpa, seja caracterizada, alguns requisitos devem ser constatados:

- análise da vontade do agente, ou seja, se o agente teve ou não intenção de causar o dano;
- demonstração da vontade do agente em causar o dano;
- demonstração da culpa, configurada por negligência, imprudência e imperícia (culpa em sentido estrito) do agente.

No entanto, é importante frisar que para que a responsabilidade subjetiva seja caracterizada, ou seja, para que seja efetivada a obrigação de indenizar por dano, seja ele moral ou material, causado a alguém, é essencial que exista uma ação ilícita, um dano, ligação, relação entre a ação e o dano e a comprovação da culpa daquele que causou o dano.

Encontramos no artigo 186 *caput* da Lei nº 10.406 de 10 de janeiro de 2002, Código Civil Brasileiro, a definição de ato ilícito:

"Art. 186. Aquele que, por ação ou omissão voluntária, negligência ou imprudência, violar direito e causar prejuízo a outrem, ainda que exclusivamente moral, comete ato ilícito."

e em seguida, do mesmo texto legal extraímos a regra geral da responsabilidade subjetiva:

"Art. 927. Aquele que por ato ilícito (arts. 186 e 187), causar dano a outrem, fica obrigado à repará-lo."

Lembramos que o Código de Defesa do Consumidor, Lei nº 8.078 de 11 de setembro de 1990, também prevê a responsabilidade subjetiva em seu artigo 14, parágrafo quarto:

"Art. 14. Parágrafo 4º. <u>A responsabilidade pessoal dos profissionais liberais será apurada mediante verificação de culpa.</u>"(grifos nossos)

Conceito de Culpa

É bastante importante que os profissionais médicos, bem como todos aqueles que integram equipes multidisciplinares, conheçam o conceito de culpa, pois do reconhecimento e da comprovação desta, serão obrigados a reparar danos que eventualmente causem.

Em breve análise, o famoso jurista francês, René Savatier, conceitua culpa:

"A culpa é a inexecução de um dever que o agente podia conhecer e observar."

Na visão do conhecido jurista brasileiro Alvino Lima

"... na verificação da culpa deve-se observar se o ato ou omissão lesivos foram além dos extremos da conduta normal do homem diligente."

E ainda, nas palavras do belga Henri de Page

"... a culpa é um erro de conduta; é o ato ou o fato que não teria praticado uma pessoa prudente, avisada, cuidadosa em observar as eventualidades infelizes que podem resultar para outrem."

Notamos que de todos os conceitos acima citados, o ato, a ação, omissão ou dever são figuras constantes. Temos, portanto, que a análise da culpa tem por foco a ação ou a falta de ação (omissão) de determinado ato, que poderia evitar o dano.

Na eventualidade de um médico ou qualquer profissional da Saúde causar dano a paciente, como vimos, a culpa será obrigatoriamente foco de avaliação e deverá ser comprovada para fins de indenização, de reparação de danos. Desta forma, será analisada a culpa em sentido estrito, que pode ser configurada pela imprudência, negligência ou imperícia. Vejamos.

Culpa

Culpa em sentido amplo (lato sensu)

Para melhor compreensão, antes passaremos pelas modalidades de culpa em sentido estrito (*stricto sensu*) e avaliaremos o conceito de culpa em sentido amplo (*lato sensu*).

Entende-se por culpa em sentido amplo, a violação a direito de outrem, decorrente de ação intencional, dolosa; ou a omissão de diligência ou cautela. A omissão de diligência ou cautela, por sua vez, caracteriza-se pela culpa em sentido estrito: imprudência, negligência ou imperícia, como veremos a seguir.

Culpa em sentido estrito (stricto sensu)

A culpa em sentido estrito (*stricto sensu*) é caracterizada por três modalidades: imprudência, negligência ou imperícia, adiante conceituadas:

A imprudência é reconhecida pela falta de cautela, é o agir com pressa, com precipitação, em contradição com as normas de um procedimento racional. Siginifica o oposto de prudência ou diligência; é a utilização de procedimentos não recomendáveis pela prática; pode ser entendida ainda como leviandade, irreflexão, pressa, precipitação.

A negligência é a falta de diligência, de cuidado, na realização ou prática de um ato ou procedimento cirúrgico, considerando-se que tratamos específicamente da área da Saúde. Caracteriza-se pela omissão ou falta de ação de um dever do profissional da Saúde, das precauções necessárias, que, se adotadas poderiam evitar o dano. Significa o oposto de diligência; caracteriza-se pela omissão de comportamentos recomendáveis pela prática; também podendo ser entendida como desatenção, inércia, passividade.

E por fim, temos que a imperícia equivale a inexperiência, falta de habilidade, falta de conhecimentos necessários para o exercício de determinada profissão. Significa o oposto de perícia e equivale ao despreparo, falta de habilidades.

E, referindo-se à atividade na área da Saúde, ou seja, médica, a respeito destas três modalidades de culpa em sentido estrito, preleciona Regina Beatriz Tavares da Silva:

"A negligência é a culpa omissiva, oposto de diligência ou de ação cuidadosa. É a desatenção, distração, indolência, inércia, passividade. Assim, na área da Saúde, podemos defini-la como a omissão de comportamentos recomendáveis pela prática e ciência médica. (...)

A imprudência é o oposto de previdência. É a leviandade, a irreflexão, o açodamento, a precipitação. Na área da Saúde podemos defini-la como a utilização de procedimentos não recomendados pela prática e ciência médica. (...)

A imperícia é o oposto de perícia. É o despreparo ou a falta de habilidade. Na área da Saúde pode ser definida como a deficiência de conhecimentos técnicos. (...)

À imperícia, hoje em dia, deve ser dada atenção redobrada na responsabilidade civil na área da Saúde, já que em curtos espaços de tempo são criadas diversas especialidades médicas."

Vimos, portanto, que a caracterização da responsabilidade subjetiva, em relação aos profissionais da área de Saúde, tem por base a análise da culpa, em suas três modalidades, tratando-se de culpa em sentido estrito, quais sejam, imprudência, negligência e imperícia.

Fixação de indenizações em ações judiciais que têm por objetivo ressarcimento de danos

A fixação de indenizações pelo Poder Judiciário pode ser entendida com uma tarefa árdua, principalmente se o ressarcimento pretendido estiver relacionado a um dano moral. É extremamente difícil mensurar financeiramente a dor emocional, o sofrimento, o aborrecimento. E não existe fórmula ou regra que possam ser aplicadas para apuração financeira de um dano moral.

De todo modo, a fixação de uma indenização deve observar a "teoria do desestímulo", que atende a uma dupla finalidade: reparar o dano, sem que isso represente enriquecimento sem causa; e desestimular o agente causador do dano a reincidir na mesma conduta causadora do dano.

Tem sido frequente a aplicação da "teoria do valor do desestímulo", na fixação das indenizações, pelos nossos Tribunais. Trata-se de teoria que tem por finalidade acrescentar às indenizações valor em dinheiro, em caráter punitivo, com o intuito de punir o agente causador do dano, de modo que este seja desestimulado a incidir na mesma conduta lesiva. E como reflexo, referida teoria tende a compensar o lesado.

No entanto, a teoria do valor do desestímulo há de ser aplicada com muita cautela, de forma que não represente enriquecimento sem causa da vítima. Vale dizer que a indenização não deve ser elevada, a ponto de fazer com que a vítima queira passar novamente pelo mesmo constrangimento ou sofrimento, para obtenção de outra indenização.

À título de ilustração, traçamos paralelo com o direito norte-americano, que historicamente arbitra elevadas indenizações por danos morais, conhecidos como *punitive damages*, e que superam em muito o objetivo de "compensação". Pois bem, no Brasil, as indenizações são fixadas de acordo com a sensibilidade de cada Juiz, com base em cada caso concreto, considerada ainda, com relação à vítima, a extensão do dano, ou seja, se o dano resultou em morte, lesão física ou deformidade.

E com relação àquele que causou o dano, os Juízes tendem a avaliar, além dos requisitos necessários à caracterização da culpa, a gravidade de sua conduta ofensiva, a extensão do dano e a capacidade financeira, de modo que o valor arbitrado lhe sirva como um desestímulo à conduta adotada, de modo que esta não se torne reiterada.

O aspecto subjetivo, via de regra presente nos julgamentos, pelos Juízes, de ações de indenização decorrentes de danos morais, gera uma disparidade muito grande de valores, justificada pelo Ministro Luis Felipe Salomão, do STJ - Superior Tribunal de Justiça:

"... para um mesmo fato que afeta inúmeras vítimas, uma Câmara do Tribunal fixa um determinado valor de indenização e outra Turma julgadora arbitra, em situação envolvendo partes com situações bem assemelhadas, valor diferente. Esse é um fator muito ruim para a credibilidade da Justiça, conspirando para insegurança jurídica. ... A indenização não representa um bilhete premiado."

Além do aspecto subjetivo, já mencionado, a gravidade da culpa há de ser considerada pelo Juíz, por ocasião da fixação da indenização. A título de elucidação, temos o artigo 944 do Código Civil Brasileiro de 2002, Lei nº 10.406 de 10 de janeiro de 2002, a seguir transcrito, que dispõe que a indenização se mede pela extensão do dano. E se houver desproporção entre a gravidade da culpa e o dano, o Juiz poderá, equitativamente, reduzir a indenização:

"Art. 944. A indenização mede-se pela extensão do dano.
Parágrafo único. Se houver excessiva desproporção entre a gravidade da culpa e o dano, poderá o juiz reduzir, equitativamente, a indenização."

A gradação da culpa em sentido estrito (*strictu sensu*) é dividida em três grupos:
* grave – agente não tem vontade de causar o dano, mas atua como se o tivesse desejado;
* leve – falta de diligência média, observada normalmente por uma pessoa;
* levíssima – falta de diligência, tomada acima de um padrão médio do ser humano.

Nesta linha de raciocínio, citamos entendimento de Miguel Kfouri Neto, Desembargador do Tribunal de Justiça do Paraná, que muito bem observou que:

"Tradicionalmente, tem-se a culpa levíssima, leve e grave. Poderá o juiz, agora, reduzir equitativamente a indenização, mediante a aferição do grau de culpa, cuja gravidade influenciará a quantificação – em cotejo com a extensão do prejuízo.

Incumbirá ao órgão julgador averiguar a culpa, para determinar a obrigação de indenizar; em seguida, definir-lhe a graduação, para a correta valoração pecuniária do ressarcimento (art. 944, parágrafo único).

A seguir, avaliará a desproporção entre culpa e dano, para depois, reconhecida a culpa leve ou levíssima, operar a redução, mediante indicação precisa das razões do seu convencimento, além de detalhar, em suas possíveis minúcias, a forma pela qual obteve o *quantum* indenizatório cominado."

Vale citar ainda autoexplicativo trecho de artigo, também de autoria do Desembargador do Tribunal de Justiça do Paraná, Dr. Miguel Kfouri Neto, que estabelece critérios para fixação de indenização a partir da análise da extensão da culpa:

"Ao juiz, quando decidir ação de reparação de danos, fundada na alegação de culpa, incumbirá demarcar, na motivação do *decisum*, quatro fases distintas:
- na primeira, analisará a existência da culpa – e, caso positivo esse juízo, firmar-se-á a obrigação de indenizar;
- na segunda, resolverá a questão das verbas indenizatórias, concedendo aquelas que entender cabíveis (danos emergentes, lucros cessantes, pensionamento, danos morais etc.), com adequada motivação;
- no terceiro momento, já admitido o agir culposo – devidamente provado – o julgador estabelecerá o grau da culpa, por ele identificado, no caso concreto. Quando grave, exporá as razões do seu convencimento e deferirá a reparação integral, já explicitada – encerrando-se aí a sentença.

Todavia, caso reconhecida culpa leve – ou levíssima – passará à quarta fase, que consistirá na indicação, fundamentada, do percentual ou valor da redução, aplicável a cada uma das parcelas integrantes da indenização, deferidas à vítima.

Nesta última fase, a par do grau da culpa, deve-se evidenciar a excessiva desproporção entre a culpa e o dano – ou seja, o prejuízo ocasionado pela mínima negligência, v.g., deve assumir grande vulto.

Nessa apuração, como o dano é o requisito de maior visibilidade, dentre os que integram a responsabilidade civil, uma vez fixado o grau da culpa, não haverá dificuldade para se identificar a ocorrência ou não da desproporção a que alude o parágrafo único do art. 944."

O Código Civil Brasileiro de 2002 dispõe em seu artigo 945, a seguir trasncrito, que a concorrência de culpas entre o causador do dano e a vítima que sofreu o dano também há de ser considerada pelos Juízes quando da fixação da indenização.

"Art. 945. Se a vítima tiver concorrido culposamente para o evento danoso, a sua indenização será fixada tendo-se em conta a gravidade de sua culpa em confronto com a do autor do dano."

Assim, se aquele que sofreu o dano, ou seja, se o lesado tiver concorrido culposamente para o evento danoso, a sua indenização será fixada, tendo-se em conta a gravidade de sua culpa em confronto com a do agente do dano.

Temos, por consequência, que o valor da indenização será proporcional ao grau de culpa do autor do dano e da vítima.A esta conclusão, bastante contribuiu o anteriormente citado Miguel Kfouri Neto, Desembargador do Tribunal de Justiça do Paraná, que entende que:

"O julgador deverá, também, se for o caso, sopesar a eventual participação da vítima na ocorrência do evento danoso, a fim de excluir o dever de indenizar – ou, atenuá-lo, proporcionalmente, na hipótese de culpas concorrentes (*rectius*, causas concorrentes).

Determinam os dispositivos legais pertinentes:

"Art. 944. A indenização mede-se pela extensão do dano.

Parágrafo único. Se houver excessiva desproporção entre a gravidade da culpa e o dano, poderá o juiz reduzir, equitativamente, a indenização.

Art. 945. Se a vítima tiver concorrido culposamente para o evento danoso, a sua indenização será fixada tendo-se em conta a gravidade da sua culpa, em confronto com a do autor do dano."

Consigne-se, desde logo, que "se o fato da vítima surgir como causa exclusiva do dano, resultará eliminado o nexo de causalidade – e exonerará totalmente o demandado".

Por outro lado, a culpa da vítima, quando concorrente, é levada em consideração para exonerar parcialmente o causador do dano. É relativamente raro que a culpa da vítima seja causa exclusiva do dano. Em presença de culpas provadas, tanto da vítima, quanto do requerido, a responsabilidade pelos danos será partilhada entre ambos. A indenização poderá ser reduzida, mas não suprimida totalmente. [1] (LE TOURNEAU, Philippe e CADIET, Loïc. Droit de la responsabilité, p. 278 ss.)

Convém mencionar que dentre inúmeras outras, o STJ tem por atribuição regular o arbitramento de indenizações por dano moral, a fim de evitar grandes disparidades, como vimos. Os Ministros do STJ têm a palavra final para alterar valores fixados pelos Tribunais de Justiça locais, quando a quantia fixada é irrisória, muito baixa ou quando é exorbitante, muito alta, ainda que não haja uniformidade entre os órgãos julgadores, que buscam parâmetros para readequação das indenizações.

Responsabilidade objetiva fundamentada no risco

A responsabilidade objetiva é fundamentada no risco e será considerada sempre que a atividade desenvolvida pelo agente do dano implicar em riscos aos direitos de outrem. Em outras palavras, a responsabilidade objetiva dispensa a culpabilidade. A obrigação de indenizar independe do conceito de dolo ou culpa.

A regra geral da responsabilidade objetiva é definida pelo parágrafo único do artigo 927 do Código Civil Brasileiro, Lei nº 10.406 de 10 de janeiro de 2002:

"Art. 927, parágrafo único. Haverá obrigação de reparar o dano, independentemente de culpa, nos casos especificados em lei, ou quando a atividade normalmente desenvolvida pelo autor do dano implicar, por sua natureza, em riscos para os direitos de outrem." (grifos nossos)

Citamos ainda conceito de responsabilidade objetiva sob a óptica do Código de Defesa do Consumidor, Lei nº 8.078 de 11 de setembro de 1990, cujo *caput* do artigo 14 transcrevemos:

"Art. 14, *caput* – O fornecedor de serviços responde, independentemente da existência de culpa, pela reparação dos danos causados aos consumidores por defeitos relativos à prestação dos serviços, bem como por informações insuficientes ou inadequadas sobre sua fruição e riscos."

Para caracterização da responsabilidade objetiva, basta haver relação de causalidade (nexo causal) entre a ação lesiva e o dano, independentemente da existência de culpa. Ao relacionarmos responsabilidade objetiva, fundamentada no risco, à área da Saúde, temos que o risco de dano é inerente à atividade hospitalar e de acordo com entendimento jurisprudencial (TJSP AI 179.184-1 – 5ª Câmara Cível), a existência da responsabilidade objetiva dos fornecedores de serviços na área da Saúde não dispensa que se prove a culpa do médico; e ainda, que presunção da culpa do hospital depende da comprovação da culpa do médico.

Para sustentar a tese doutrinária de que a presunção de culpa do hospital depende da comprovação de culpa do médico, citamos as palavras do jurista Ruy Rosado de Aguiar:

"O hospital não responde objetivamente, mesmo depois da vigência do Código de Defesa do Consumidor, quando se trata de indenizar danos produzidos por médico integrante de seus quadros, pois é preciso provar a culpa deste para somente depois se ter como presumida a culpa do hospital.

Ao nosso ver, parece bastante razoável a posição da segunda corrente. A responsabilidade pessoal do médico, quando envolve apuração de culpa, tem reflexo imediato e direto na responsabilidade dos hospitais e clínicas."

Em outras palavras, esta corrente doutrinária defende a tese de que se o dano vier a ser causado por médico integrante do quadro de profissionais de determinado hospital/clínica, é necessária a prova da culpa do médico para que o hospital/clínica tenha sua culpa presumida.

Consentimento Informado

É tema geral da área da Saúde e específico de muitas de suas profissões componentes a questão do Direito à informação do paciente em relação a todos os aspectos de sua Saúde. Assim, está o profissional de Saúde obrigado ética e juridicamente a proporcionar adequado e completo fluxo de informações ao paciente em relação ao seu estado de saúde e aos exames e procedimentos que sejam feitos ou planejados.

A obrigação de informar é mais explícita quando o exame ou procedimento a ser realizado envolva risco, seja de morte, lesão, dor ou desconforto relevante para o paciente. Nos casos de procedimentos de risco, o paciente deverá ser previamente informado sobre todas as possibilidades, de modo completo e eficiente. Para que possa fazer livre e conscientemente a sua escolha, o paciente deve receber informações sobre as implicações de se submeter ao procedimento proposto, bem como da sua eventual negativa em fazê-lo.

Embora não exista obrigação legal de que a informação se dê por escrito, é conveniente que o hospital ou clínica tenham à disposição do paciente impressos com as informações a respeito dos riscos e benefícios dos principais exames e procedimentos, bem como com as consequências de sua não realização. Tal documento deve conter um campo para a marcação da opção do paciente e para a coleta de sua assinatura.

Prontuário Médico

A internação hospitalar de um paciente, ou o seu acompanhamento em uma clínica tem consequências de duas naturezas distintas e relacionadas:

- no tocante à Saúde, a organização se compromete com o diagnóstico e tratamento; deve envidar todos os seus melhores esforços para o acerto e correção do primeiro e para a adequação e eficiência do segundo. Assim, a organização está ética e profissionalmente obrigada a lançar mão de seus melhores recursos profissionais e tecnológicos na busca do diagnóstico correto, bem como para a adoção e aplicação da terapêutica mais adequada e eficiente;
- no que concerne à esfera jurídica, a clínica ou organização hospitalar é responsável pelo que aconteça com o paciente enquanto ele estiver sob os seus cuidados.

Para o acompanhamento de ambos os aspectos, existe um instrumento que se presta ao registro cronológico e detalhado de tudo o que se passa com o paciente desde a sua admissão até a alta, o prontuário.

O prontuário começa com as informações referentes à identidade do paciente e à caracterização do serviço no qual será admitido. Desse modo, além das informações da unidade de Saúde – como nome, registro, endereço, telefones e outras formas de contato – o prontuário começa com os dados pessoais e outras formas de identificação do paciente, como tipo de convênio, forma de admissão contatos pessoais, entre outras.

Também deverá constar logo no início do prontuário a descrição da queixa principal do paciente, acompanhada da anamnese e do seu exame físico de chegada.

Ao prontuário deverão ser anexados os laudos dos exames realizados pelo paciente e dois documentos contendo a cronologia de seu tratamento e o registro dos cuidados a ele dispensados: a evolução clínica e a de enfermagem.

O prontuário é um documento de dupla importância: do ponto de vista da Saúde, é uma peça cuja função é registrar todos os dados de diagnóstico, terapêutica e cuidados do paciente, contribuindo para o acerto do diagnóstico e a eficiência do tratamento; do ponto de vista jurídico, é um registro da internação, contribuindo para a segurança do paciente e de todos os profissionais envolvidos com o processo.

Relações de Trabalho em Saúde

As relações profissionais na área da Saúde devem seguir, como regra básica, as leis e normas trabalhistas vigentes para o mercado de trabalho em geral. Contudo, as particularidades de determinadas profissões devem ser observadas, desde que estabelecidas em lei; normas e resoluções de conselhos profissionais; contratos coletivos de trabalho; costumes e outras fontes de Direito. As principais particularidades de profissões da Saúde que devem ser observadas pelo gestor dizem respeito à regulamentação de profissões; jornadas de trabalho; remunerações especiais; salários mínimos profissionais; regime de plantões; e condições do exercício profissional, entre muitas outras.

O contrato de trabalho é a espécie mais frequente de vínculo jurídico entre as organizações de Saúde e os seus profissionais. Ele integra uma das formas mais bem protegidas e organizadas pela legislação, pois estabelece garantias e direitos ao trabalhador que não estão garantidos em outras formas de prestação de serviços.

A CLT – Consolidação das Leis do Trabalho define, em seu Artigo 442, o contrato individual de trabalho como o "acordo tácito ou expresso, correspondente à relação de emprego". É importante notar que para este conceito é essencial que esta relação se dê entre uma pessoa física, o empregado, e uma pessoa física ou jurídica, o empregador. A relação exige ainda que a atividade seja exercida de modo pessoal, não eventual e mediante salário. Não se deve confundir a relação de trabalho protegida pela CLT com a de trabalho autônomo, que é disciplinada pelo Código Civil de 2002.

Existem outras formas previstas em lei para as relações de trabalho. A cooperativa é uma forma de organização profissional na qual os trabalhadores, ou prestadores de serviços, são os próprios donos – como sócios – e administradores da organização. Essa forma de organização caracteriza-se por princípios como o exercício de atividade econômica, com proveito comum, sem o objetivo de lucro. A Lei das Cooperativas, de 1971, e o Código Civil de 2002 disciplinam a matéria.

Terceirização de Serviços

A terceirização, ou *outsourcing*, na Saúde consiste no ato de um hospital ou uma clínica transferir parte da sua atividade produtiva para que outra organização passe a executá-la. Assim, um hospital *terceiriza*, por exemplo, o setor de diagnóstico para uma empresa especializada; ou uma clínica terceiriza os serviços de limpeza ou manutenção para que outras organizações a executem.

O objetivo da terceirização é transferir as atividades que não são diretamente ligadas ao *core business* da organização de Saúde para uma empresa dedicada especialmente àquelas tarefas, para que possa realizá-las com mais qualidade, ou com custo menor, ou com mais eficiência, liberando as energias do hospital ou clínica para que se concentrem na atividade fim.

No processo de terceirização tem grande relevância o contrato que estabelece a relação entre as partes. Um problema crescente no setor é a falta de definição de parâmetros contratuais que especifiquem padrões de qualidade ou desempenho esperados. Neste caso, existe queda de qualidade após a transferência dos serviços para a empresa terceirizada. Um serviço mal feito, por exemplo, pode até trazer custos mais baixos, mas os prejuízos advindos da insatisfação do cliente com a queda na qualidade ou no desempenho frequentemente não compensam a operação.

Um dos grande problemas das organizações que terceirizam é o contrato mal feito. Isto acontece, em grande parte dos casos, porque é muito difícil estabelecer parâmetros satisfatórios ou exequíveis de desempenho. Por exemplo, é muito difícil definir e especificar o que seja uma limpeza bem feita. É comum, por exemplo, acontecer diferença na interpretação do que seja uma limpeza adequada entre as partes, o terceirizador e o terceirizado. Esse tipo de situação é de definição complicada demais para constar nos contratos.

Para outras áreas, contudo, definições dessa natureza já estão mais disseminadas no mercado e são mais fáceis de se obter e acordar. Um exemplo é o setor de diagnóstico, cujos acordos são balizados por parâmetros relativos ao tempo de resposta de resultados e laudos.

Na área de Tecnologia de Informação, por exemplo, parâmetros como disponibilidade do serviço de rede, ou tempo de consertos e resolução de problemas, já definem com mais objetividade o que é esperado dessas organizações. Uma das métricas contratuais típicas é a porcentagem de cumprimento dessas diretrizes. A isso chamamos *SLA – Service Level Agreement*, ou *Acordo de Nível de Serviço*, que é o nível de qualidade que se deseja obter do serviço.

Como resta evidente, a elaboração do contrato e a clara e exequível definição de seus elementos, principalmente no tocante a desempenho ou qualidade, é o fator crítico fundamental para o sucesso da empreitada.

Na atualidade, verifica-se um processo de *desterceirização – insourcing –* dos serviços. Trata-se da tendência de voltar atrás no processo de terceirização, com a empresa concedente retomando a execução das atividades que havia concedido ao terceirizado.

O *Catholic Health Initiatives*, o terceiro maior grupo privado dos EUA, substituiu todos os processos terceirizados de cadeia de suprimentos por equipes internas próprias no desenvolvimento das atividades anteriormente terceirizadas. Com essa medida, a organização conseguiu a redução de custos nos processos de aquisição de materiais e medicamentos e aprimorou a *performance* da distribuição dos insumos entre as dezenas de hospitais e outras das unidades de sua rede.

Bibliografia Consultada

1. Aguiar Junior RR. Responsabilidade Civil dos Médicos. Revista Jurídica. 1997;231.
2. Benjamin AHV, Marques CL, Miragem B. Comentários ao Código de Defesa do Consumidor. 3. ed. São Paulo: Editora Revista dos Tribunais; 2010.
3. Borge D. The book of risk. New York: Ed. John Wiley & Sons, Inc., 2001.
4. Brancato RT. Instituições de Direto Público e de Direito Privado. São Paulo: Saraiva; 2003.
5. Código Brasileiro de Direito do Consumidor – Comentado pelos autores do Anteprojeto de Lei – Ada Pelegrini Grinover, Antonio Hermann de Vasconcellos e Benjamin, Daniel Roberto Fink, José Geraldo Brito Filomeno, Kazue Watanabe, Nelson Nery Junior, Zelmo Denari. 8. ed. São Paulo: Forense Universitária; 2004.
6. Código Civil Brasileiro – Comentado por Nelson Nery Jr / Rosa Maria de Andrade Nery. 8. ed. São Paulo: Revista dos Tribunais; 2011.
7. Consolidação das Leis do Trabalho – Comentada por Amador Paes de Almeida. 7. ed. São Paulo: Saraiva Editora; 2011.
8. Cotrim G. Direito Fundamental. São Paulo: Saraiva; 2010.
9. Cunha PCM. A Regulação Jurídica da Saúde Suplementar no Brasil. Rio de Janeiro: Lumen Juris; 2003.
10. Diniz MH. Curso de Direito Civil Brasileiro. Responsabilidade Civil. v. 7. São Paulo: Revista dos Tribunais, 2007.
11. Kfouri Neto M. Graus da culpa e redução equitativa da indenização. Caderno de doutrina e jurisprudência da Escola da Magistratura da 15ª Região, Campinas, jan./fev. 2006;2(1): 15-26. Disponível em: <http://trt15.gov.br/escola_da_magistratura/JanFev2006>. Acessado em: 25 abr. 2012.
12. Machado AC. Aspectos Jurídicos em Saúde. Rio de Janeiro: FGV; 2010.
13. Nunes R. Comentários ao Código de Defesa do Consumidor. 6. ed. São Paulo: Saraiva Editora; 2011.
14. Silva RBT (coord.). Responsabilidade Civil na Área de Saúde. São Paulo: Editora GV Law; 2008.
15. Stocco R. Tratado de Responsabilidade Civil. 6. ed. São Paulo: Editora Revista dos Tribunais; 2004.

16. Constituição da República Federativa do Brasil de 1988.
17. Código Civil Brasileiro - Lei nº 10.406 de 10 de janeiro de 2002.
18. Código de Defesa do Consumidor - Lei nº 8.078 de 11 de setembro de 1990.
19. Resolução CFM nº 1.931 de 17 de setembro de 2009, vigente em 13 de abril de 2010.

3 Gestão de Custos em Saúde

Betovem Coura
Paulo Knorich Zuffo

Introdução

Caro leitor, chegamos a uma parte fundamental para a viabilidade do tratamento dos seus pacientes, quer seja como parte do procedimento médico, quer seja como parte da sobrevivência de seu empreendimento, sua equipe e todo o esforço investido até o momento. Sabemos que, cada vez mais, o gestor de saúde não trabalha mais somente em função do seu paciente, organizando sua equipe e procedimentos, mas sofre pressões tão ou mais fortes advindas do aumento de competição do setor, da miríade de novos tratamentos e de novas tecnologias, ao mesmo tempo em que as atividades extras que acompanham o tratamento vêm ocupando espaço cada vez maior, tal como a recepção e acomodação dos pacientes, começando-se a confundir onde começa um hotel de lazer com um serviço hospitalar de um hospital.

Por isso é fundamental o gestor ter ferramentas administrativas que o auxiliem neste processo, como as questões jurídicas, logísticas, de *marketing*, processos, gestão de pessoas e de qualidade, entre outras. Neste capítulo, aprenderemos os conceitos de contabilidade gerencial de custos, que possui características bem objetivas, como também de gestão-arte, tendo o poder de unir todas as matérias revistas até o momento e servindo como guia quantificador para o gestor ser maestro de cada naipe de competências.

Sabendo-se a finalidade deste livro, que é desenvolver gestores na área de saúde, e sabendo que existem diversas obras muito bem conceituadas que poderão ser utilizadas caso o leitor queira se aprofundar neste conhecimento de custos, não é intenção nossa entrar em detalhes de aplicação em controvérsias e apologias quanto ao melhor sistema de custeio, e muito menos ter um caráter formativo, mas sim abrir para vocês o que existe sobre este assunto, quais as aplicações e os benefícios esperados, e alguns exemplos práticos da revolução que causou seu uso em áreas de saúde em que os autores trabalharam como consultores.

Mudanças na Gestão da Saúde

O leitor já percebeu que nestes últimos 20 anos, as mudanças em relação à gestão da saúde se deram com velocidade exponencial, e muitos profissionais do setor praticamente não conseguem explicar como puderam trabalhar nos seus períodos de recém-formados! Algumas revoluções para lembrarmos juntos deste caminho:

Tecnologia da Informação: com o advento da aceleração do processamento de dados das máquinas, da sua redução de tamanho e do barateamento do custo – considerando não só o equipamento, mas toda a infraestrutura necessária que foi praticamente descartada[1] – e da conectividade global proporcionada pela Internet[2], tivemos um impacto enorme em:

- conhecimento do paciente e seu histórico, e por decorrência, criação de um banco de dados de informações de patologias correlacionadas a pacientes e características da população, consultados por centro de pesquisas, médicos e, inclusive, empresas de planos de saúde e seguradoras, desencadeando uma aceleração na busca de terapias mais eficientes, customizadas e rentáveis. Sabe-se agora de doenças preexistentes e reduz-se à possibilidade de fraudes e glosas;
- precisão em exames e prognósticos;
- troca de informações *on-line* com diversos parceiros na Internet, na busca da melhor solução de tratamento, tanto em procedimentos mais eficazes, como em custos. É comum hoje termos, por exemplo, pessoas da China que vêm fazer tratamento dentário no Brasil, ou da Europa e dos EUA, que vêm fazer plásticas por aqui;
- aumento da responsabilidade médica perante a comunidade, uma vez que seus procedimentos estão registrados e são passíveis de questionamento pela classe médica, seguradoras e familiares do paciente;
- *softwares* de gestão integrando diversas áreas da prestadora de serviços: custos, dados clínicos, informação de estadia, qualidade médica etc. Com isso, tem-se o acesso às melhores práticas de gestão de outras prestadoras, regionais ou globais.

Participação dos Planos de Saúde: Hoje plano de saúde é um item praticamente obrigatório no cardápio de benefícios de empresas que queiram reter os melhores funcionários, e este benefício também já se estende a planos de saúde dental. E pessoas que não possuem o plano de saúde pela empresa, já se obrigam a custear este benefício de forma particular, não correndo o risco de perderem o patrimônio em uma internação inesperada ou depender da sorte na variabilidade da prestação de serviços públicos de saúde. Isso significa que as empresas que oferecem planos de saúde ou seguradoras têm praticamente o mercado de saúde sob seu controle, tendo um poder de barganha muito grande para impor valores e procedimentos de reembolso sobre médicos, hospitais, clínicas, laboratórios e até fabricantes de medicamentos.

Fusão e Aquisição de Empresas: Não é segredo para ninguém, tal o número de manchetes em praticamente todas as mídias jornalísticas, que empresas de saúde estão fundindo suas operações. Veja o exemplo da Bradesco Seguros com a Odontoprev (2009), a Amil comprando a Medial (2009), o Itaú fundindo suas operações de seguro com a Porto Seguro

---

1. Para citar os principais: salas enormes, ar-condicionado dedicado, um batalhão de especialistas, redes de energia.
2. Lembre-se que em 1995 estava sendo lançado o Windows 95, e era raro que alguém tivesse acesso, quiçá conhecimento da existência e dos benefícios da Internet e tecnologia móvel, tal como celulares, que custavam mais de US$ 5 mil e precisavam de duas baterias, cada uma mais pesada que um tijolo de barro!

(inclusive a área de planos de saúde – 2009), a Met Life ampliando suas operações no país, a Sul-América negociando com o Banco do Brasil (2010), a UnitedHealth adquirindo a Amil em 2012, para citar algumas operações.. Quais as consequências deste processo de consolidação de empresas? Estas empresas resultantes terão uma maior sofisticação nas práticas de gestão, possuem um banco de dados mais amplo, e aumentam seu poder de controle sobre os prestadores de serviço de saúde (pressionam em valores, exigem sistemas de controle, aumentam o rigor quanto a glosas).

- **Mudanças Econômicas:** Perceba que as mudanças, apesar de profundas, não se limitam à tecnologia da informação, mudança na consciência de risco da população ou globalização e profissionalização das empresas. O Brasil mudou também radicalmente após 1990, com a abertura do mercado brasileiro ao exterior iniciada com o governo Collor, com a estabilização econômica realizada pelo governo do Fernando Henrique Cardoso, e com a estabilidade política e aceleração do processo de inclusão social do governo do Lula, aumentando, entre outras coisas, o consumo dos serviços na área de saúde. Outro fato importante a ser lembrado foi o fim da inflação galopante após a implantação do Plano Real (1994). Este fato permitiu às pessoas e às empresas se planejarem para o futuro, bem como as levou a aumentarem a eficiência no uso de seus recursos. Desta forma, as empresas mudaram o foco da obtenção de receitas a qualquer custo para a questão da otimização de processos e estrutura de custos:

- **Acesso de Consumidores à Comparação de Serviços:** Como os consumidores têm acesso aos preços de diversos fornecedores de tratamentos, e eles podem ser comparáveis em qualidade e serviços oferecidos, é natural que busquem aqueles em que confiem, que tenham a relação custo-benefício mais conveniente e sejam acessíveis fisicamente;

- **Novo Modelo de Receita:** Por outro lado, os hospitais já não ganham mais em aplicações financeiras vinculadas à correção monetária, contudo eles também se beneficiam do acesso e da comparação de diversos insumos. Lembrem-se de que a inflação medida pelo IGP-M da FGV foi de 2,567% em 1993, ano imediatamente anterior ao início do Plano Real. E das variações cambiais também fortes, com impactos importantes nos custos de produtos importados. Imagine, então, como que um gestor poderia comparar valores de produtos semelhantes, com prazos de pagamento diferentes, como por exemplo, um produto pago à vista com um com 60 dias de prazo nesta época? E como negociar descontos?

Devido a todas essas mudanças, mudou-se o modo dos participantes do setor atuarem interna e externamente à organização.

No caso do relacionamento entre prestadoras de serviço de saúde e seguradoras, um novo sistema adotado hoje em dia nos principais centros de saúde do Brasil é o pagamento por pacotes (que já é comum há bastante tempo na América do Norte e Europa, chamado também de DRG – *Diagnosis Related Group*), onde estes pacotes incluem geralmente o serviço médico, suas instalações, serviços de apoio e insumos (materiais, medicamentos etc.). Este sistema permite que a comunidade médica desenvolva serviços gerenciáveis em procedimentos, qualidade e recursos – ou custos. Desta forma, caso um serviço consuma mais recursos que o definido, é possível verificar o que houve de diferente para retornar ao processo-padrão, melhorá-lo ou mesmo partir-se para uma reengenharia.

Por outro lado, as seguradoras de saúde conseguem gerenciar melhor o sistema de reembolso, comparando diferentes prestadores de serviço com a consequente pressão sobre eles por melhores práticas (entende-se a de mais baixo custo e com menos *intercorrências*, ou menor desembolso de gastos no futuro), e ao mesmo tempo transferindo a maior parte do risco para o prestador de serviços. Em outras palavras, caso o custo saia de controle, quem arcará com ele será o médico, a clínica ou o hospital. A seguradora/organização de planos de saúde terá pouca responsabilidade em arcar com custos adicionais e gerenciar os processos individuais. Mas também é mister dizer: este sistema acaba beneficiando de certa forma o prestador de serviço mais consciente e ativo, pois seus resultados serão maiores quanto mais eficiente ele for em relação à média.

Também se deve lembrar que com a entrada de competidores com acesso a sistemas de gestão melhores, os padrões de reembolso serão mais exigentes e de menor valor, o que vai obrigar a todos que queiram continuar no mercado a se tornarem mais eficientes.

As empresas de saúde percebem agora onde ganham e onde perdem dinheiro, tendo que se especializar naqueles procedimentos em que são conhecidas como referência no mercado, e ao mesmo tempo auferem lucro ao realizá-lo, garantindo desta forma sua sustentabilidade. Neste ponto do capítulo, vamos fazer uma reflexão: Você pode nunca ter ouvido falar em pacotes/DRG e algumas das profundas mudanças mencionadas, ou ter ouvido falar, mas achar que elas estão distantes de sua realidade, ou mesmo que não virão para estes lados por força de nossa cultura local e outras especificidades. Será? É verdade que os pagamentos por pacote ainda não estão difundidos fora dos grandes centros, porém a experiência em diversos outros setores da economia com a integração mundial mostra que a necessidade de racionalização dos custos e o aumento do poder de barganha das fontes pagadoras são fortes catalisadores para a difusão deste processo para fora dos grandes centros. Por isso, as questões fundamentais do gestor passam a ser:

- Será que com o preço de mercado podemos continuar neste setor?
- Em quais produtos/serviços eu sou e em quais eu não sou eficiente?
- Será que é melhor terceirizar certos serviços, tais como lavanderia e teleatendimento?
- E a abertura de novos serviços, quando começará a dar lucro, se é que dará um dia?
- Posso ter prejuízo em um serviço, com o intuito de beneficiar algum outro?
- Como não perder clientes, com impacto direto nas receitas?
- Que atividades os clientes aceitam pagar e incrementam o valor do serviço como um todo e quais são aquelas que o cliente não se importa?

Daí que se torna fundamental ter um instrumento – um painel de controle – que diga como anda economicamente cada parte da estrutura, e como estas partes melhor se coordenam para a prestação do serviço.

A Contabilidade de Custos como Poderosa Ferramenta Gerencial

Este painel de controle pode ser em grande parte suprido pela contabilidade gerencial, baseada na contabilidade de custos. O leitor já deve ter ouvido falar também da contabilidade financeira, usada principalmente para apurar resultados para acionistas, órgãos reguladores e bancos, que têm importantes limitações, por se tratar de norma definida em lei e, por ser mais rígida, fugindo neste momento ao propósito deste livro. A despeito de sua importância, não será aqui tratada. Já a contabilidade gerencial não tem amarras legais e pode incorporar conceitos de outras ciências (como o conceito de valor do dinheiro no tempo, usado pela área de finanças, por exemplo), visando acompanhar as rápidas mudanças do mundo moderno.

Metaforicamente, falando para a comparação das duas contabilidades, é como se existisse um protocolo padrão para tratar certa patologia, mas um médico preferisse outra forma de tratamento. A contabilidade financeira (o protocolo no nosso exemplo) precisa ser a mesma em todos os hospitais, mas a gerencial (o tratamento alternativo) varia de hospital para hospital.

O sistema contábil gerencial permite uma inferência futura dos custos comparados com a receita, com o objetivo de se checar a viabilidade da prestação de serviços. Pode-se também aprender com os resultados passados e sua evolução, e criar um sistema para o presente, tal como otimizar a estrutura de custos, gerenciar a precificação do serviço, negociar valores de pacote com a seguradora, gerenciar capacidade e direcionar vendas. Vamos exemplificar:

Estrutura de Custos: Como aperfeiçoar a estrutura de custos? Por exemplo, sabe-se que uma máquina de tomografia custa muito caro. Imagine um hospital que irá abrir um setor de ortopedia, e necessite no mínimo de duas máquinas, pensando-se na demanda do serviço, como também no tempo em que uma ficará parada para manutenção periódica. Imagine também que, além das máquinas, há os custos de operação, manutenção, área disponível, energia e impostos prediais, médicos, enfermeiros, auxiliares e insumos ortopédicos. Quer dizer que mesmo que não tenha nenhum paciente, o hospital necessitará de um desembolso grande em investimentos em equipamentos e área disponível, e um grande desembolso mensal em equipe fixa. Imagine você como empresário, tendo este desembolso de dinheiro, sem ainda chegar um único paciente, ou até no começo da operação, quando a clientela está se formando. É um valor considerável que pode paralisar psicologicamente o apetite empreendedor do empresário! Neste caso, um gestor poderia optar pelo aluguel das máquinas e, em vez de ter equipe própria, escolher um time que trabalhe em parceria, com ganhos variáveis, de acordo com o número de pacientes. Além disso, poderia escolher alugar o prédio em vez de comprá-lo ou ampliar suas instalações. Desta forma, caso não tenha pacientes, o hospital desembolsará apenas uma pequena parcela da hipótese inicial, resultante do custo mensal do aluguel do equipamento e edifício. O risco do negócio seria muito diminuído, e o gestor estaria muito mais confortável. Mas, neste segundo caso, o lucro proveniente seria muito menor, e o poder sobre a qualidade da equipe também.

Gerenciamento da precificação: O valor de um serviço é dado por quanto um paciente se dispõe a pagar por ele. Por isso, está diretamente relacionado à imagem que se tem do médico, hospital ou laboratório, da concorrência existente no lugar e da necessidade imediata do paciente. E onde entra a gestão de custos? A gestão de custos entra no comparativo entre o preço que o mercado permite que seja cobrado e o custo da prestação do serviço. Quando o custo de prestação for maior que o valor que se pode cobrar, obrigatoriamente alguém tem que pagar por esta perda, e este alguém é o prestador de serviços, uma vez que em um mercado com as características de hoje, dificilmente se consegue repassar o preço do serviço, quando os concorrentes o mantêm constante.

Direcionamento das vendas: Como corolário do item anterior, dado que se estaria tendo prejuízo em um serviço, o que fazer neste caso? Simplesmente parar com esta prestação de serviço? Esta resposta depende, por exemplo, se a seguradora exige que o prestador de serviço tenha este serviço deficitário, para cobrir um muito mais lucrativo, ou que o cliente o exija, para realizar todos os exames em um só lugar e em uma única manhã, tal como hemograma completo, exame de urina, eletrocardiograma e ergométrico. Com uma noção dos custos envolvidos em um serviço, pode-se pensar até onde se pode ir sem ter prejuízo no pacote final vendido.

Dimensionamento da capacidade: Dimensionamento da capacidade significa, para o gestor, quanto de estrutura ele vai disponibilizar para que o sistema dê lucro. Isso envolve a demanda para aquele serviço, dada pelo mercado, mas também a partir de quantas unidades dos serviços prestados, o serviço dará resultado positivo, sem ter que o médico, hospital ou laboratório colocar recursos do próprio bolso, ou em outras palavras, pagar para se trabalhar. Como exemplo, no caso de o hospital ter comprado o equipamento que se deprecia em 10 anos (depreciação é a previsão de desgaste do bem. Depreciar em 10 anos significa que, na média, este equipamento não irá gerar benefícios econômicos após os 10 anos), ou R$ 100 mil reais por ano. Quantas tomografias deverão ser realizadas por ano, a um preço dado pelo mercado, para que se pague o custo de depreciação da máquina? Lembrar que deverão ser pagos em conjunto os gastos com equipe, energia, manutenção, impostos e depreciação do prédio.

Orientação estratégica: Além de direcionar a equipe para um vetor único, quanto custa meu serviço para poder combiná-lo com outro serviço e assim participar de uma concorrência pública, em que o menor preço é o requisito para se ganhar? Ou como prestar serviços sociais para a comunidade carente da região, com benefício de impostos, otimizando o resultado da empresa, ou mesmo não arriscando o futuro do hospital como um todo?

Terminologia de Custos

O leitor há de concordar, sem demérito do serviço prestado, e sem deixar o paciente em segundo plano, que o conhecimento da lucratividade do serviço prestado é um item essencial para a continuidade do serviço, tanto mais importante quanto maior a complexidade das organizações, caso daquelas que têm diversos centros de referência. Deve-se atentar que um sistema de custo pode ser complexo ou não, dependendo do fim que se busca. A complexidade aumenta com a busca de maior precisão, mas o princípio da relevância deve ser levado em conta. O que é mais preciso muitas vezes não leva a uma melhor tomada de decisão. Um exemplo? Imagine que preciso saber quanto custa uma cirurgia cardíaca, em que há o uso de eletricidade do corredor da sala cirúrgica compartilhado entre cinco salas, de diferentes tamanhos. A dificuldade e a subjetividade em se alocar o gasto com energia entre as cinco salas tornam o processo complexo, caro, mas de valor relativo (centavos em comparação com dezena de milhares de reais da cirurgia) e insumo gerencial irrelevante. Vocês perceberam que o aumento de custo na busca de maior precisão está nos sistemas de coleta de informações, que, no caso anterior, está em um registro específico do consumo de energia para o corredor em questão? Um sistema específico que registre o começo da operação e o final, por exemplo, há muita subjetividade sobre o que se fazer com o valor da energia enquanto ninguém estiver operando ou enquanto estiver funcionando apenas uma sala (Vale a pena investir neste controle? Lembre-se de quanto de valor desta energia vai para a cirurgia de dezenas de milhares de reais, alguns centavos?), e uma pessoa para tabular, distribuir e analisar o que se fazer com este valor. O custo de gerenciamento é maior que o custo a ser rateado!

Para tanto, para darmos o primeiro passo para a gestão de custos, precisamos definir o que é custo dentre todos os desembolsos da empresa, também chamado genericamente de gastos. Brevemente, custos são gastos associados à prestação de serviços ou fabricação do produto, essência da existência da empresa em questão; despesas são gastos envolvidos com atividades de suporte, e investimentos são gastos visando um usufruto futuro (ex.: compra de equipamentos para prestação dos serviços ou fabricação do produto).

Como nosso capítulo é de gestão de custos, vamos conceituá-lo, mostrando as diferenças dele para o comércio, a indústria e os serviços.

No comércio

O custo é o preço de aquisição da mercadoria. Portanto, em uma farmácia que vende Penicilina G Benzatina, o custo deste antibiótico será o preço de compra pelo qual esta farmácia adquiriu este medicamento do fabricante ou distribuidor.

Na indústria

E para o laboratório que fabricou esta penicilina, qual o custo? Na indústria o custo será composto por todos os fatores de produção deste medicamento. Assim, para produzir este antibiótico foram necessários mão de obra (salários, encargos e benefícios), aluguel do espaço para produção, energia elétrica, equipamentos (o custo é a depreciação destes equipamentos) e tudo que estiver envolvido na produção deste medicamento. Em outras palavras, o que está relacionado à produção, na indústria, é custo. O que não estiver relacionado, não é.

Em serviço

E para o hospital que tratou o paciente com a penicilina, o que é custo? Na área de serviço, são todos os fatores associados à prestação daquele serviço, ou seja, no serviço de tratar o paciente de uma infecção, entrarão no custo, além da Penicilina Benzatina usada no tratamento, salários, encargos e benefícios dos profissionais envolvidos no procedimento (médicos, enfermeiros, técnicos), energia elétrica que ilumina o espaço, depreciação dos equipamentos utilizados (maca, por exemplo) e tudo que está associado ao procedimento.

Classificação dos Custos em Diretos e Indiretos

Esta classificação está relacionada ao processo de identificação (associação) dos custos aos objetos de custeio (o que você quer custear). Quando conseguimos uma forma objetiva de associar os custos aos objetos de custeio, classificamos este custo como direto, em caso contrário ele será classificado como indireto. Imagine que uma sala de cirurgia não tenha um medidor de luz específico para ela e os equipamentos que utilizam energia, que estão dentro desta sala, também não. Você pode tentar uma forma de dividir o custo de energia entre esta sala, mas isso sempre terá um grau de subjetividade bem significativo. Portanto, o custo desta energia será classificado como indireto. Ao contrário, se a sala e os equipamentos tiverem medidores de consumo de energia, o grau de subjetividade desaparecerá, e os custos serão classificados como diretos.

Classificação dos Custos entre Fixos e Variáveis

Antes de definir estes conceitos, é conveniente destacar que, no limite, todos os custos variam. Porém, para determinados níveis de prestação de serviço e produção, alguns custos variam outros não. Por exemplo, vamos supor que um hospital precise de um enfermeiro para cada cinco leitos. Se o hospital tiver 100 leitos, serão necessários 20 enfermeiros. Se estes profissionais receberem um salário fixo, o custo mensal de enfermagem será o mesmo, independente se os leitos estão cheios ou vazios. Porém, se o hospital expandir o número de leitos, precisará de mais profissionais e o custo aumentará. Então, como definir custos fixos? Só é possível definir os custos fixos se definirmos a capacidade a que eles estão relacionados. Para determinada capacidade, alguns custos variam e outros não. Quer dizer, se definirmos a capacidade de 100 leitos, os custos dos enfermeiros serão fixos, porque serão pagos tendo ou não pacientes. Já materiais e medicamentos serão custos, variáveis, já que o seu gasto está diretamente relacionado à quantidade de pacientes que está utilizando os leitos em questão.

Agora que já definimos formalmente o que é custo, apresentaremos os métodos de custeio básicos existentes. Lembrando que daremos uma visão geral sobre estes métodos, com o intuito de ajudarmos você, gestor, a buscar na literatura ou em uma equipe profissional, a implantação destes sistemas (Tabela 3.1).

Existem diferentes sistemas de custeio devido aos custos indiretos, que são de discutíveis apropriações. Os custos diretos já são de apropriação mais fácil.

A. Custeio por absorção simples

O primeiro tipo de custeio que apresentaremos é o custeio por absorção. Nesta metodologia, os custos diretos são totalmente alocados aos serviços. Desta forma, acredito que ninguém tenha dúvida que em um procedimento de curativo simples, os custos diretos são os *kits* descartáveis, a solução e a equipe utilizada. Pode-se fracionar a quantidade utilizada de solução, sendo que o custo da equipe poderá ser fracionado pelos minutos utilizados.

Tabela 3.1
Estrutura do Demonstrativo de Resultados do Custeio por Absorção
RECEITAS DOS SERVIÇOS PRESTADOS
(-) Custos diretos
(-) Custos indiretos
MARGEM BRUTA
(-) Despesas
LUCRO ANTES DOS IMPOSTOS
(-) Imposto de renda e contribuição social
LUCRO LÍQUIDO

O problema neste custeio são os custos indiretos. Imagine o custo de eletricidade da clínica. Para o curativo, não será necessário o uso de iluminação especial, mas de autoclaves, lâmpadas comuns e computador. Mencionamos que, pela relevância do curativo perto de outros procedimentos médicos, talvez não precisemos nos preocupar tanto com este custo, mas imagine que esta clínica somente atenda a exames e cirurgias ambulatoriais e consultas. O gasto provavelmente deverá ser repartido, juntamente com a água (talvez agrupado em uma conta contábil conjunta). Desta forma, como dividi-los entre os diversos procedimentos? A grande dificuldade de apuração e diferença entre os diversos sistemas de custeio está na forma de fazer esta divisão.

O nome "custeio por absorção" surge, pois os custos indiretos são absorvidos por algum critério pelos serviços prestados/produtos fabricados. No caso simples mencionado, poderia ser pelo tempo gasto por cada procedimento. Mas também poderia ser pela área da sala, quantidade de equipamentos utilizados neste procedimento (com o adicional da autoclave), por medidores individualizados por equipamento, apropriando-se pela média utilizada de equipamentos por cada procedimento, por sensores que indicariam precisamente o uso de cada item etc. A ciência do método está na escolha destes divisores (que chamamos bases de rateio). Mudando a base de rateio, o custo do produto/serviço pode variar enormemente. E produtos podem parecer muito rentáveis utilizando uma base de rateio, e pouco rentáveis utilizando outra.

O custeio por absorção é o sistema escolhido pela legislação tributária e, portanto, é o que deve ser usado pelos contadores para apurar o resultado (contabilidade financeira). Porém, nem sempre é um bom modelo para tomar decisões gerenciais, pois a apropriação dos custos indiretos é sempre uma tarefa difícil e discutível, como mostrado acima. Os custos indiretos sempre terão um certo grau de arbitrariedade quando levado aos produtos. Portanto, este modelo não deve ser utilizado quando os custos indiretos são muito relevantes em relação ao custo total e quando temos produtos/serviços com características muito diferentes. Na linguagem da contabilidade de custos, rateio significa divisão arbitrária. Quando os custos indiretos são muito significativos, é conveniente utilizar sistemas que melhoram a apuração destes tipos de custos.

Uma maneira de se ter maior precisão neste sistema é a aplicação do método de custeio por absorção departamentalizado e o mais sofisticado custeio ABC (*Activity Based Costing*).

Estes dois sistemas melhoram a apuração por levarem os custos indiretos ao produto de forma mais elaborada. É conveniente lembrar a regra da relevância. Quanto mais complexo o sistema de custeio, mais cara é a sua implantação, atualização e operação. Imagine que você faça procedimentos cardíacos que usem *stent,* e este material médico, que é um custo direto, represente 90% do procedimento que você quer custear. Vale a pena gastar recursos em sistemas de custeio sofisticados para entender estes outros 10%?

O grande problema é que os custos indiretos, historicamente, são os que mais crescem, e deixá-los de fora da sua conta de custos pode ser muito perigoso para a sua empresa. Os custos indiretos na prestação de serviços em saúde cresceram muito, com a adição de serviços fora dos centros de geração de receita, tais como serviço de manobrista e bar em laboratórios, serviços de hotelaria primorosos, treinamento de pais no cuidado ao recém-nascido no próprio quarto do hospital, serviços de acesso remoto aos dados do paciente, dentre outros.

A1. Custeio por absorção departamentalizado

A lógica do sistema de custeio por absorção departamentalizado é muito parecida com a do de absorção simples: levar os custos indiretos ao produto/serviço através de rateio. Porém, ele dá um avanço significativo na redução de arbitrariedade trabalhando com o conceito de centro de custos (unidades de alocação de gastos, criada para melhorar o controle). Neste modelo, os custos indiretos são associados primariamente ao centro de custos para posterior alocação aos produtos.

A2. ABC – Sistema de Custeio Baseado em Atividades (ou Activity Based Costing)

O Sistema de Custeio Baseado em Atividades é uma sofisticação do sistema por absorção através da tentativa de alocar, de forma mais racional, os custos indiretos aos produtos. O ABC trabalha com o conceito de *Drivers* (direcionadores ou causadores de custos), que nada mais são do que um aprimoramento do conceito de rateio.

Este sistema, como o próprio nome diz, divide a prestação de serviços, como consumidora de atividades, sendo que cada atividade é composta por recursos básicos (Tabela 3.2). O foco muda do simples entendimento do que é gasto (postura passiva) para o entendimento de como e por quê estes recursos são gastos (postura ativa), dando chance ao hospital de gerenciar os seus custos com maior eficiência. São suas características:

- visão interdepartamental;
- complexidade alta de implantação;
- melhor entendimento da distribuição dos custos indiretos;
- previsibilidade no acompanhamento dos custos e indicadores do processo. Caso ocorram desvios no tratamento, pode-se reavaliar com base nas atividades componentes do tratamento, propondo-se melhorias contínuas ou reengenharia do processo (redesenho dos processos);

Tabela 3.2 O Sistema de Custeio Baseado em Atividades		
O QUE GASTAMOS?	**COMO GASTAMOS? POR QUE GASTAMOS?**	**ONDE GASTAMOS?**
RECURSOS	**ATIVIDADES**	**OBJETOS DE CUSTO**
IDENTIFICAÇÃO – *COST DRIVERS*		
• Utilidades • Mão de obra • Terceiros • Materiais • Depreciações • Outros	Atender pacientes Manutenção Fazer cirurgia	Procedimento Tomografia Centro cirúrgico

Fonte: Gestão de Custos em Saúde. 1ª. Edição. Rio de Janeiro: 2009.

- no caso de prestação de serviços de saúde, como o serviço é uma experiência única do paciente, em que o serviço é avaliado pelas diversas atividades envolvidas, não apenas pelo serviço médico ou laboratorial, mas também pela limpeza, lavanderia, recepção, infraestrutura, segurança, uma das atividades apresentando falhas, toda a percepção do paciente em relação ao serviço poderá estar comprometida. Deste modo, pode-se fazer um acompanhamento detalhado de cada atividade de modo individual em relação a indicadores. Pode-se também buscar atividades que geram sinergia e valor na percepção dos clientes e eliminar aquelas não importantes, além de se comparar serviços com concorrentes e precificar os mesmos em patamares de acordo com a estratégia mercadológica adotada;
- integração de diferentes áreas. Com o custeio departamentalizado, surgiam atritos sobre quem era o responsável por determinados custos, uma vez que havia grande grau de subjetividade no rateio. Com o custeio ABC, os gerentes passam a ter que se integrar e conhecer áreas fora de seus domínios, dividindo opiniões construtivas com gerentes diversos na solução de um problema comum, criando o vetor de geração de valor único para toda a equipe envolvida e cada um percebendo detalhes da operação que muitas vezes eram negligenciados ou sabotados. Muitas vezes, na discussão, são eliminados trabalhos redundantes e sem finalidade e é melhorada a eficiência de processos através de visão não enviesada ou de diferente abordagem;
- mostra quanto dos recursos está alocado às atividades, e quanto está ocioso, permitindo perceber os gargalos do processo que precisam ser eliminados, e onde há ociosidade que pode ser minimizada com reaproveitamento dos recursos;
- permite à empresa decidir entre atividades que devem ser próprias daquelas que deverão ser terceirizadas, por não serem estratégicas para a empresa (onde se vê que há muitos hospitais terceirizando a lavanderia, segurança, manutenção e recepção);
- voltada à formatação de pacotes de serviços;
- gestão dos clientes. Além de adequar as atividades àquelas que o público deseja e se dispõe a pagar, o gestor poderá dar descontos àqueles que, por exemplo, são mais frequentes ao consultório, ou fazem exames preventivos, utilizando-se menos recursos do hospital/clínica.

B. Custeio variável

O custeio variável é um sistema com base nas receitas líquidas, em que se deduzem todos os gastos variáveis, chegando-se à margem de contribuição. E o que é margem de contribuição? É a margem, proporcional à quantidade vendida de serviços ou produtos, que cobre os gastos fixos da organização. E para que serve? É um sistema muito simples, que permite descobrir quanto produto ou serviço deverá a organização vender naquele mês ou ano, para que comece a gerar resultados positivos. Revela também se com a atual capacidade instalada, a organização será capaz de ter lucro, bem como perceber se não é hora de cortar alguns custos fixos, incrementar a capacidade do hospital, clínica ou laboratório, ou fornecer descontos para a prestação de serviços acima de determinadas quantidades, com o intuito da margem de contribuição aumentar até o limite da capacidade dada pelos custos fixos (Tabela 3.3).

Tabela 3.3
Estrutura do Demonstrativo de Resultados do Custeio Variável
RECEITAS DOS SERVIÇOS PRESTADOS
(-) Custos variáveis
(-) Despesas variáveis
MARGEM DE CONTRIBUIÇÃO
(-) Custos fixos
(-) Despesas fixas
LUCRO ANTES DOS IMPOSTOS
(-) Imposto de renda e contribuição social
LUCRO LÍQUIDO

E qual sistema é melhor? Para uma análise geral e mais precisa da situação de um serviço prestado, devem-se utilizar os dois modelos, pois enquanto o sistema de custeio variável indica quanto o produto/serviço contribui para a empresa cobrir os gastos fixos, se a margem for positiva, o sistema de custeio por absorção aloca também os custos fixos ao produto ou serviço, mostrando que mesmo serviços com margem de contribuição positiva poderão gerar prejuízos quando apropriados todos os custos envolvidos. Desta forma, poderia ser ajustada a capacidade ociosa dada pelos gastos fixos, eliminando-se gastos que podem ser diretamente apropriados ao serviço deficitário, quando possível.

Conclusão

Infelizmente, chegou-se ao fim deste capítulo, mas esperamos ter ajudado a encaminhá--lo neste assunto tão importante à gestão de uma organização de saúde, seja pública ou privada.

Gostaríamos de sumarizar o que dissemos neste capítulo para auxiliá-lo em consultas futuras ao tema. O primeiro a ser lembrado é que, como sempre, os recursos são escassos, quer sejam insumos médicos; recursos financeiros para se investir em equipamentos e equi--pe; assim como o tempo, o bem mais precioso de hoje! Quem já não se sentiu incapaz de cumprir seus deveres devido à falta de um equipamento ou de equipe adequada?

A novidade dos dias atuais é um agravante deste problema: como o mundo está cada vez mais ligado entre si, muitas organizações de saúde estão buscando otimizar estes recursos de forma cada vez mais premente, contratando profissionais e capacitando seus membros, assim como pressionando seus fornecedores em busca de melhores preços, qualidade e disponibilidade. E como ninguém neste setor pode ser uma ilha isolada, logo aqueles que estão com as práticas mais afiadas naturalmente obrigarão a todos os demais seguirem no mesmo caminho. Nesta busca de sobrevivência da entidade, já não é uma opção deixar para segundo plano a gestão de recursos. E quando sobram recursos, melhoramos as condições de trabalho da equipe, reduzimos o estresse, investimos o ganho em novos equipamentos e infraestrutura, colaboramos para o maior acesso da população às melhores práticas médicas e até ajudamos as futuras gerações, com o ganho advindo do menor gasto público para a cobertura de assistência à saúde, sendo direcionado para outras necessidades básicas da população.

Para tanto, sugerimos o uso da informação em seu auxílio. Organize seus dados financeiros e correlacione-os aos recursos e processos de saúde. A contabilidade gerencial é uma das ferramentas poderosas de organização destes dados, que o ajudará a tirar conclusões preciosas, respondendo, entre outras, às diversas perguntas que colocamos no começo do capítulo. E dentre os modelos para a contabilidade gerencial, os oferecidos neste capítulo são os mais apropriados para quem está se iniciando na área.

Bibliografia Consultada

1. Baker J. Activity-based costing and activity-based management: for healthcare. Maryland: Aspen Publishers; 1998.
2. Cardoso R, Mário PA. Contabilidade gerencial: mensuração, monitoramento e incentivos. São Paulo: Atlas; 2007.
3. Coura B, Pinto AA, Dantas MB, Salgado FF, Moreira I, Vergara SC. Gestão de custos em saúde. 1. ed. Rio de Janeiro: Editora FGV; 2009.
4. Dutra RG. Custos: uma abordagem prática. 5. ed. São Paulo: Atlas; 2003.
5. Gitman L. Princípios de administração financeira. 10. ed. São Paulo: Pearson Education; 2003.
6. Martins E. Contabilidade de custos. 9. ed. São Paulo: Atlas; 2003.
7. Nakagawa M. ABC Custeio baseado em atividades. 2. ed. São Paulo: Atlas; 2001.

4 Gestão do Espaço Físico em Clínicas e Hospitais

Charles Vasserman

Apresentação

Os edifícios da saúde, diferentemente de outros setores do mercado, são concebidos para serem mais do que prédios inteligentes. Com seus inúmeros espaços multifuncionais e que envolvem alta tecnologia, os edifícios são projetados para trabalhar ininterruptamente como unidades de negócio integradas na geração de conhecimento de excelência e na produção das práticas assistenciais na promoção da saúde: prevenção, diagnósticos, tratamentos e cura de doenças.

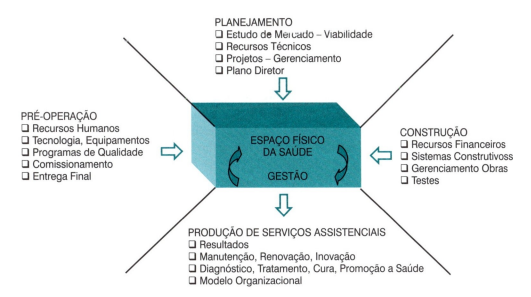

Figura 4.1 – *Fluxo esquemático do processo de gestão.*

53

Devido à complexidade desses edifícios, exige-se atenção mais do que especial para gestão dos espaços físicos, desde o início da concepção até a entrega plena e final para operação e produção de serviços. A partir daí, inicia-se um novo ciclo, que será contínuo, de renovação e inovação, consolidando, desta forma, o processo de gestão.

"O hospital é a mais complexa organização humana já concebida e, nos últimos 30 ou 40 anos, um dos tipos de organização de mais rápido crescimento nos países desenvolvidos" (Drucker, 1999).

Cenário da Saúde

O cenário brasileiro da saúde conta atualmente com 6.877 hospitais - CNES[1]. Grande parte deste patrimônio está praticamente sucateado pela falta de um planejamento compatível com a necessidade da população brasileira. Os motivos são vários: a falta de política pública de investimentos para construção de novas unidades ou reforma das existentes e, principalmente, a ausência de um processo de gestão eficiente e compatível com as reais necessidades desses hospitais, que permita produzir e apresentar projetos de viabilidade e gerenciamento das atividades de recuperação desse patrimônio.

Na situação atual, confirmando a importância e a necessidade das boas práticas de gestão, podemos citar o certificado de acreditação – ONA, JCI e CCHSA[2] –, como um excelente indicador de qualidade que, desde 1999, vem sendo contratado de forma voluntária pelos poucos hospitais de referência em todo o Brasil, com predominância em alguns Estados das regiões Sul e Sudeste. Esta concentração regional demonstra uma distribuição geográfica desigual tanto da qualidade na prestação de serviços, como no acesso restrito à medicina de qualidade para a maioria da população.

Tal cenário pode e deve mudar por meio de uma política eficiente na gestão dos estabelecimentos. Afinal, pouco menos de 200 hospitais são acreditados em todo o país e apenas 10% **os são** por entidades internacionais. Isso indica um número muito baixo de organizações que praticam atividades assistenciais, conforme os padrões de segurança e qualidade exigidos pelas certificações.

O SBA/ONA, por exemplo, acreditou até novembro de 2014 um total de 409 serviços com certificações válidas, sendo 80% presentes nas regiões sul e sudeste e apenas 203 são estabelecimentos hospitalares. Já os hospitais com o selo da *Joint Commission International* (JCI) são 24[3]. Dentro do universo das instituições de saúde, tais indicadores demonstram que ainda temos um longo caminho a percorrer, no sentido da necessidade de recuperação da estrutura física dos estabelecimentos de saúde, por meio de processos e mecanismos de gestão que envolvam conhecimento, inovação e tecnologia.

"Anunciou-se solenemente que seriam importados milhares de médicos estrangeiros e injetados R$ 7 bilhões em hospitais e unidades de saúde. Também se propôs a troca de R$ 4,8 bilhões

---

1. Cadastro Nacional de Estabelecimentos de Saúde sendo 21% da rede municipal, 8% estadual, 1% federal e 70% do setor privado.
2. Organização Nacional de Acreditação; Joint Commission International; Canadian Council on Health Services Accreditation.
3. Heleno Costa Junior, Diretor Institucional do Consórcio Brasileiro de Acreditação.

de dívidas de hospitais filantrópicos por atendimento médico e foi anunciada a criação de 11.400 vagas de graduação em escolas médicas."
"Medicina exercida condignamente pressupõe equipes pré-qualificadas, não apenas com médicos, mas também com enfermeiros, psicólogos e assistentes sociais. Além disso, exigem-se instalações minimamente equipadas para permitir diagnósticos e tratamentos mais simples"[4].

Outros Setores

O período de euforia que o Brasil viveu devido à Copa do Mundo de 2014 e à Copa das Confederações 2013 é assunto que ocupou quase todos os dias os espaços da mídia brasileira, com destaque absoluto para a construção dos estádios nas diversas capitais. Todos os estádios foram planejados como arenas multiuso, sejam pela própria grandeza dos projetos ou pela falta de jogos ou existência de times regionais, que preencham sua agenda de ocupação. Dessa forma, este conceito fez com que tais espaços fossem tão flexíveis a ponto de garantir à indústria do entretenimento realizar diversos tipos de eventos, além do próprio futebol, foco da concepção dos estádios.

A mais alta tecnologia foi empregada nesses projetos de complexos esportivos e foram utilizados sistemas construtivos de última geração, frutos de muita pesquisa e desenvolvimentos globalizados. A aplicação das técnicas vem do conhecimento de outros eventos mundiais já realizados, como a Copa na África, as Olimpíadas na China e em Londres, bem como dos mais modernos estádios nas principais capitais europeias.

O Estádio Nacional de Brasília, por exemplo, traz um rígido critério de watts/m² para o uso racional de energia elétrica; instalação de medidores de CO_2 em cada ambiente; usina solar com painéis fotovoltaicos para transformação de energia solar em energia elétrica com capacidade de geração de 2,5 megawatts, transformando o estádio em "Net-Zero"; cobertura com membrana de PTFE tratadas com TiO_2 (dióxido de titânio), que retira CO_2 do ar e libera O_2, agraves de reação química orgânica com poluentes, entre outros recursos.

Um hospital, como toda edificação de grande importância e elevado custo de manutenção, deve incorporar em seu projeto várias práticas adotadas e consagradas como nas modernas arenas, com as devidas adaptações das soluções e suas particularidades, visando sempre a redução do custo de manutenção ao longo do tempo de utilização[5].

Os conceitos das arenas multiuso são muito próximos aos aplicados nos espaços da saúde. Com alguma pretensão, podemos afirmar, a partir de uma visão abrangente, porém com algumas restrições, que tais complexos esportivos já nasceram com tendência a se transformar em centros de cuidados e promoção da saúde, por meio do esporte de alto rendimento.

No Estádio de Brasília existe uma central de atendimento médico para o público em geral. Nos níveis das arquibancadas superior e inferior, há quatro postos de atendimento de primeiros-socorros e triagem. A ligação entre as salas e a Central Médica se faz por oito torres de circulação vertical com dois elevadores dimensionados para o transporte de macas. Junto à Central Médica existem estacionamentos privativos para ambulâncias e heliponto[5].

---

4. Miguel Srougi: Médico, Professor de Urologia da USP.
5. Eduardo Castro Mello, arquiteto e consultor em arquitetura esportiva do escritório Castro Mello Arquitetura Esportiva.

Tratar o espaço físico dos estabelecimentos da saúde dentro de um processo de gestão é, acima de tudo, valorizar sua função assistencial como organização complexa, em que a inovação e a rapidez das mudanças desafiam a permanente capacidade de acomodação às novas tecnologias.

A saúde está sendo e será um dos grandes desafios deste século, senão o maior.

O Processo de Gestão

A Gestão do Espaço Físico das organizações é estratégica tanto para um novo empreendimento como para os existentes, e o objetivo principal é a produção de serviços de qualidade e sua adaptabilidade às inovações. A gestão dos espaços que envolvem a geração e produção de serviços incorporados à alta tecnologia é um processo que se divide em Planejamento, Construção e Pré-Operação. Essas etapas são fundamentais e realizadas em ciclos de tempo definidos de acordo com a natureza de cada serviço a ser produzido e entregue.

No caso específico de edifícios da saúde, cada espaço físico é considerado uma unidade de negócio independente e sustentável, fonte de geração e oferta de serviços assistenciais, com foco na vida e na saúde.

Figura 4.2 – *Ciclo da gestão.*

Os ciclos variam com o tempo e dependem – fatores internos - da competência organizacional de cada equipe e instituição; do grau de responsabilidade das atividades envolvidas; do nível de complexidade e da natureza dos serviços. Outros fatores – externos - de influência são: disponibilidade de recursos financeiros, físicos e humanos, tecnologias, logística e aspectos gerais de mercado (demanda e consumo).

Quando concluídos cada um desses ciclos, o processo estará integrado ao planejamento estratégico da organização com a entrega final do espaço físico, devidamente equipado, testado e em condições para o início da produção dos serviços a que se destina. A partir daí, novo ciclo da gestão se inicia de forma contínua, quase que permanente, e redefinido em etapas com objetivos e metas diversas: inovação, renovação, evolução e crescimento.

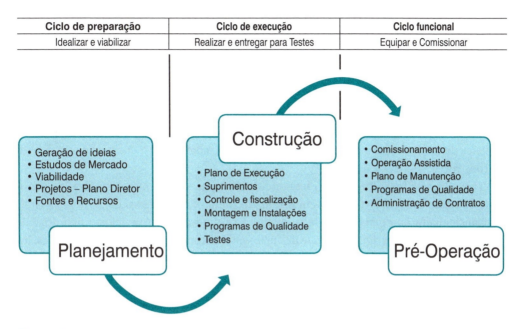

Figura 4.3 – *Diagrama ilustrativo do processo da GEF – atividades principais e essenciais do processo.*

Desta forma, a gestão dos espaços físicos gera uma rede de atividades hierarquizadas, que devem cumprir uma ordem de precedências para que possam ser validadas. Em sua totalidade, geram as informações e os produtos que vão compor as ferramentas técnicas de decisão, permitindo a validação, o progresso e a evolução do processo de gestão.

Não devemos distinguir o grau de importância dessas atividades, todas são necessárias ao processo. Porém, precisamos fazer a entrega do espaço físico nas condições em que foi planejado e construído seguindo critérios de prazo, custo e qualidade pré-estabelecidos, garantindo que a operação possa atender aos mais rígidos aspectos de funcionalidade, competência médica e segurança assistencial.

Ciclos e Atividades da Gestão

Ciclo do planejamento

Na fase de Planejamento, as decisões são técnicas e baseadas, principalmente, em programas de necessidades aliados a estudos de viabilidade. Deve-se considerar a evolução e inovação tecnológica, alimentadas por pesquisas de mercado, perfil epidemiológico da população, políticas e geração de novas ideias. Não faz parte da nossa cultura investir tempo e recursos nessa atividade ainda pouco valorizada, não suficientemente reconhecida e aplicada por pouquíssimas organizações. Apesar de a gestão sempre ser referenciada, a maioria das decisões nas organizações de saúde é tomada em regime de urgência, o que justifica, em parte, a deficiência do planejamento no processo de gestão na área da saúde. Este tipo de atitude merece total atenção dos gestores, pois os valores de investimentos no Planejamento não são tão relevantes. Podem representar, em média, até 8% do valor total do empreendimento, se comparados a outros custos exigidos na Construção e Pré-Operação, seja de qualquer setor.

Os principais produtos do Planejamento são os Estudos de Mercado, Planos de Negócios, Plano Diretor, Cronogramas, Planilhas Orçamentárias e os Projetos Executivos, sendo que estes, por muitas vezes, estão sujeitos à demora excessiva de suas respectivas aprovações junto aos órgãos reguladores das esferas municipais, estaduais e federais. Os projetos de edifícios da saúde devem estar muito bem detalhados e compatibilizados para evitar desvios na construção.

Fazendo uma breve analogia, o setor residencial, por exemplo, se destaca pela quantidade de edificações construídas e vem evoluindo muito nos processos de gestão. Na etapa de Planejamento há domínio absoluto quanto à padronização de projetos e definição do produto, o que permite rígido controle de custos na fase construtiva total, mantendo desvios muito reduzidos, na comparação do realizado e previsto nos empreendimentos. Na região metropolitana de São Paulo foram lançadas, em 2012, mais de 54 mil novas unidades, de um total no Brasil de 102 mil unidades, com financiamentos em torno de R$ 82 bilhões (SECOVI – Balanço Anual Imobiliário de 2012).

Nesta fase do Planejamento, o custo de investimento em recursos humanos, operacionais, materiais e manutenção será bem, ou mal, definido. Trata-se de um grande ciclo. Se há qualidade no começo, por fim teremos uma qualidade assistencial, e vice-versa[6].

Atualmente, a obra é priorizada como mercadoria, prevalecendo o lucro rápido e consumista diante do contexto econômico e político, e não como o espaço de vida do homem como usuário e cidadão em um novo contexto social. No momento em que a cadeia da construção civil perceber os benefícios de se obter obras limpas – sem desperdícios excedentes, sem improvisações, com a consequente diminuição de tempo e custo –, estará institucionalizada uma nova prática construtiva planejada e, então, virão os benefícios e a importância deste investimento pequeno em relação ao custo da obra[7].

Por outro lado, com baixo número de edificações e alta complexidade das mesmas, a saúde tem, em seu Planejamento, a padronização dos projetos como um tema novo e de pequeno domínio dos poucos profissionais especializados neste restrito mercado. O controle de custos, desde a construção e a operação destes estabelecimentos, é muito dependente das padronizações e a sua falta é um dos fatores que provocam desvios elevados na operação das organizações.

A PINI, empresa referência nacional na elaboração de tabelas de composições de preços para orçamentos, tem em seu acervo alguns orçamentos de empreendimentos hospitalares. Entretanto, os dados de custos de projetos são discrepantes e as informações não estão disponíveis para divulgação, nem permitem inferência para cálculo de médias. Assim, não há bancos de dados confiáveis com acesso a essas informações[8].

---

6. Paula Fiorentini, - Arquitetura Fiorentini.
7. Siegbert Zanettini, arquiteto da Zanettini Arquitetura
8. Anderson Correa Teixeira, da PINI Engenharia.

Os projetos são regulamentados pela Resolução de Diretoria Colegiada - RDC 50 de 2002, da Agência Nacional da Vigilância Sanitária, que especifica, quantifica e dimensiona cada um dos compartimentos que irão compor os Estabelecimentos Assistenciais de Saúde em todas as suas modalidades e especialidades. O regimento prevê que seja feita revisão em seu texto a cada 5 anos, fato que ainda não ocorreu até o presente.

Ciclo da construção

O ciclo das atividades da Construção receberá os produtos do Planejamento, como os projetos executivos em todas suas especialidades, os cronogramas de execução acompanhados das planilhas quantitativas com especificações devidamente precificadas. Tais medidas são essenciais para que o controle físico financeiro não apresente desvios ao longo das obras.

Vale citar outros fatores que podem influenciar o ciclo de execução da Construção: diferentes localidades e aspectos ambientais, diferentes culturas, logística de suprimentos distintos para cada situação e que, consequentemente, exigem cada vez mais ferramentas administrativas, controles mais sofisticados e eficientes, a fim de garantir a entrega do espaço físico para a Pré-Operação.

A Construção, por mais mecanizada que seja com aplicação de modernos sistemas construtivos, é caracterizada pela forma artesanal da maior parte de sua produção, com mão de obra não qualificada e cada vez mais limitada nos dias de hoje. As construtoras de obras hospitalares deveriam agregar, ao longo da execução, cursos técnicos e específicos de capacitação, além de valorizar a importância da qualidade do ambiente da saúde – limpo e asséptico –, como parte da cultura de seus trabalhadores nas obras de execução. Saúde e educação caminhando lado a lado em qualquer nível de sua cadeia de produção.

Ciclo da pré-operação

É na Pré-Operação que o processo se prepara para a entrega final e o início da realização dos serviços. O espaço físico deverá dispor de toda a infraestrutura necessária e deve estar pronto para receber a montagem e a instalação dos equipamentos destinados as suas respectivas funcionalidades. Recursos humanos dimensionados e devidamente capacitados. São realizados os testes de pré-operação, treinamento, além do comissionamento de forma geral, com o objetivo de garantir a entrega final para a operação.

A partir daí, os espaços deverão atender às suas funções assistenciais, sempre consideradas vitais, quando inseridas nas complexas edificações da saúde. A engenharia parte de uma premissa básica de que os espaços são concebidos e construídos para terem um prazo mínimo de durabilidade de 50 anos. Atualmente, consideramos como premissa básica a análise de obsolescência de tecnologia avaliada em ciclos a cada 5 anos e em alguns casos em menor tempo.

Com o encerramento e a conclusão das principais atividades, já incorporadas à produção, outra fase terá início na continuidade do processo de gestão, a começar pelo novo ciclo de Planejamento, baseado na visão futura de evolução e progresso da organização.

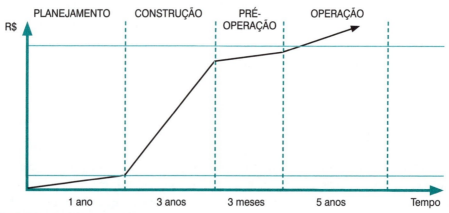

Figura 4.4 – *Ciclo de vida do projeto.*

Considerações gerais

Os critérios de flexibilidade e expansibilidade que os projetos requerem em sua concepção e execução permitem absorver boa parte da imprevisibilidade inerente às edificações dos estabelecimentos assistenciais.

Os hospitais considerados de referência, a exemplo dos acreditados, sejam pelas certificações nacionais ou internacionais, vivem uma situação bastante peculiar: a de serem permanentes canteiros de obra, onde o ciclo das atividades do processo de gestão é contínuo, para que se mantenham em um patamar de qualidade elevado. É possível encarar essa situação como um desafio, principalmente quando se apresenta hoje um grande número de edifícios construídos há várias décadas, e que precisam atender exigências e normas atuais[9]. Exemplo é a expansão do Hospital Sírio-Libanês, em São Paulo, com complexas obras realizadas em prédios antigos, além de integrar edifícios que datam das décadas de 1940, 1950 e 1960. São 85 mil metros quadrados de um local que abriga tecnologia complexa[10].

Cabe aqui ressaltar os excelentes trabalhos e publicações realizados pela arquitetura hospitalar nos últimos anos, que representam a liderança nas atividades de projeto. Entretanto, o Planejamento não pode ser restrito simplesmente aos projetos arquitetônicos, como usualmente é praticado no mercado, contrariando totalmente as necessidades do processo de gestão dos espaços físicos.

Trata-se de conceitos como modularidade, facilidade de inspeções e substituição das instalações prediais e especiais, dentre outros, a fim de garantir a longevidade e a qualidade da concepção dentro de uma visão de longo prazo. Para tanto, também é necessário estudar fatores como contiguidade, expansibilidade e conformidade[11].

Planejar, Construir e Operar hospitais ou clínicas exigirá cada vez mais experiência e conhecimento dos profissionais atuantes, com o objetivo de aumentar a compreensão no extenso número de atividades envolvidas neste processo gerencial e reduzir cada vez mais seu grau de complexidade.

---

9. Siegbert Zanettini, arquiteto da Zanettini Arquitetura.
10. Gonzalo Vecina Neto, Superintendente do Hospital Sírio-Libanês.
11. Augusto Guelli, arquiteto especializado em Saúde da Bross Consultoria e Arquitetura.

O Planejamento

Para o planejamento, podemos citar a reflexão: *"Planejar é antecipar os resultados para diminuir as incertezas, através da percepção da realidade e da avaliação de caminhos a serem percorridos para a construção de um referencial futuro"*. Nas organizações de saúde, essa atividade inicial vai exigir muita energia do planejador, pois é permeada por diversos fatores internos e externos que influenciam na elaboração de um programa de necessidades, o foco do planejamento.

Em relação aos fatores internos, destacamos as estruturas hierárquicas nas organizações da saúde, que são em sua maioria verticalizadas e muito centralizadoras no poder das decisões. Nessa fase, quanto maior for a participação dos grupos das multidisciplinas a serem envolvidas, maior será a chance de sucesso na realização. As decisões, às vezes, não acompanham necessariamente os critérios de prioridades, tornando muito difícil identificar ou localizar um ponto de partida e, consequentemente, alcançar objetivos mais longos e críticos.

Este ciclo exigirá uma alta capacidade de liderança nas "longas e demoradas rodadas de negociações envolvendo as mais diversas decisões". Trata-se da rotina diária de discussões nas mesas das instituições de saúde, junto aos *stakeholders* e diversos grupos formadores de opinião para chegar ao consenso pleno da viabilização de novos projetos. Afinal, todo projeto será fruto do planejamento, processo este que envolve toda a equipe.[12]

Nas influências externas, aspectos técnicos, políticos, culturais, muitas vezes subjetivos, dificultam as previsibilidades do planejador que, devido ao alto grau de exigência em conhecimentos específicos, deverá trazer em sua bagagem cultural muita vivência, observação e participação em sistemas de saúde, em seus processos operacionais, bem como em outras áreas componentes da complexidade nas organizações da saúde.

Dentro dos grupos formadores de opiniões, profissão nova de forte presença e destaque nos hospitais, vale ressaltar o papel fundamental do engenheiro clínico, que atua na interlocução dos diversos profissionais da saúde, cabendo a ele a ponte entre os anseios do corpo clínico e gestores de saúde com os profissionais responsáveis pelo planejamento e dimensionamento do edifício saúde[13].

Muitas vezes, após a diretoria dos hospitais ter feito análise completa e determinar a implantação de uma nova unidade, ampliação ou reforma para modernização, convocam-se reuniões multidisciplinares para discutir o programa de necessidades e viabilizar o projeto. Então, inicia-se a concepção, envolvendo escritórios externos para desenhar o executivo, legal e complementares. Assim, todo o material é encaminhado aos responsáveis pelo orçamento e contratação, seguindo para a fase de execução da obra. Elabora-se, então, o cronograma físico-financeiro para garantir o orçamento e resolver interferências[14].

A falta de planejamento dos espaços físicos trará, na maioria dos casos, os famosos "puxadinhos" como consequência e resultado, que são concebidos como provisórios e que, infelizmente, acabam por se tornar definitivos, colocando em risco a qualidade e segurança da Pré-Operação, além da não conformidade legal e demais aspectos negativos que denigrem a imagem das instituições. Essa fase define a concepção de um projeto, com suas dimensões e grandezas, como sendo a oportunidade de se fazer o certo desde o início, caracterizando

---

12. Augusto Guelli, arquiteto especializado em Saúde da Bross Consultoria e Arquitetura.
13. Rodolfo More, Presidente da Associação Brasileira de Engenharia Clínica (ABEClin).
14. Fernanda Paula Martins Marques, arquiteta no Grupo Amil.

o modelo de atenção a ser oferecido e os primeiros indicadores de capacidade de produção, receitas previstas e expectativas de resultados.

Plano Diretor

A maior competitividade do mercado de assistência à saúde tem levado hospitais a buscar meios de organizar e direcionar suas ações e investimentos. Entretanto, predominam situações de obsolescência, improviso e dificuldade de atualização espacial, causadas, entre outros motivos, pela falta de planejamento da área física. O plano diretor é o principal instrumento de direcionamento de ações e o elo entre o planejamento estratégico e a arquitetura do empreendimento.

O plano é o instrumento articulador dos demais que fazem parte do sistema de planejamento e administração do complexo hospitalar, tais como: Plano de Metas, Diretrizes Orçamentárias e Orçamento Anual.

Apresentamos a Tabela 4.1 com as atividades essenciais e seus produtos gerados. Esta relação poderá variar em quantidade e especificidades, a depender de cada caso e da natureza de cada serviço.

Tabela 4.1 Relação Básica das Atividades Essenciais do Planejamento		
ATIVIDADES	**ESCOPO**	**OBSERVAÇÕES**
Ponto de Partida	• Necessidades • Políticas • Geração de ideais	Decisões estratégicas de grupos internos
Programa de Necessidades	• Novo espaço físico • Espaço existente	Dimensionamento e grandezas – equipe externa de apoio
Estudos	• Mercado • Perfil epidemiológico	Equipes internas trabalhando com apoio especializado – definição das demandas
Planos Gerais	• Plano de negócios • Plano diretor • Recursos	Estudos que demonstrem viabilidade com visão mínima de 10 anos
Projetos Executivos	• Arquitetura • Legais (Prefeitura, ANVISA, bombeiros) • Instalações (elétrica, hidráulica, mecânica) • Estrutural	Relação de projetos é extensa Seguem os principais. Os prazos de aprovações são imprevisíveis
Relatórios Finais Conclusivos	• Cronograma físico financeiro • Orçamentos e previsões	Documento sintético que traz todas as definições de forma objetiva É flexível antes da entrega para construção

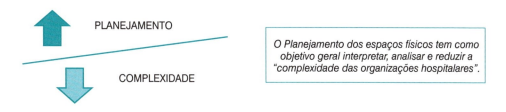

Figura 4.5 – *Equilíbrio: aumento do planejamento x redução da complexidade.*

Gerenciamento de projetos

Os projetos aqui vão representar a realização e integração de todas as atividades que atuam no processo de Planejamento. Existem várias metodologias e formas de desenvolver cada uma delas, porém, o mais importante é que sejam realizadas por profissionais especializados, seguindo critérios técnicos devidamente reconhecidos. O projeto final vai representar a realidade virtual daquilo que se deseja materializar. As ferramentas devidamente utilizadas permitem criar modelagens muito próximas à realidade, dando forma, volume, função e movimento.

O gerenciamento de projetos é a aplicação de conhecimentos, habilidades e técnicas para a execução de projetos de forma efetiva e eficaz. Trata-se de uma competência estratégica para organizações, permitindo que elas unam os resultados dos projetos aos objetivos do negócio para melhor competir em seus mercados. Cabe ressaltar que tal gerenciamento é uma atividade de especialização da engenharia e arquitetura necessária para qualquer empreendimento. Na área da saúde, é essencial que esta atividade seja realizada com metodologia tecnicamente reconhecida e por equipes especializadas.

O guia PMBOK, que estabelece os padrões do Instituto de Gerenciamento de Projetos (PMI - *Project Management Institute*), é a melhor aplicação dos conhecimentos de gerenciamento de projetos e deve ser conduzido por profissionais que dominem este conhecimento, ou que preferencialmente sejam certificados.

O que ocorre na prática na maioria das clínicas e hospitais é que parte do corpo técnico clínico assume esta função, e por mais competente que seja pode colocar em risco a qualidade dos serviços. O fornecimento das informações que caracterizam a elaboração do programa de necessidades, que é o fundamento da funcionalidade dos espaços físicos de projeto e próprio dos grupos multidisciplinares que atuam nas clínicas e hospitais, pode não ser suficiente como requisito necessário para condução do processo gerencial nos aspectos gerais da engenharia e arquitetura.

Caberá, então, ao planejador um discernimento claro para a contratação, se necessária, da assessoria de comprovada competência, que dê o apoio técnico complementar para poder encerrar o ciclo do planejamento com a conclusão dos projetos que irão permitir o ingresso nas atividades de construção dos espaços físicos.

Projetos – aspectos gerais

A relação de projetos atualmente necessários para a realização de qualquer empreendimento nos setores que envolvam processos operacionais, independentemente de sua grandeza ou finalidade, é muito extensa, mas totalmente normatizada e altamente especializada. A burocracia, presente nos principais órgãos regulamentadores, nas principais esferas municipais e estaduais – prefeituras, agências da vigilância sanitária, corpo de bombeiros e concessionárias – bem como a falta de recursos humanos devidamente capacitados, fazem com que os prazos de análise e aprovação sejam muito extensos, independentemente da região em que se encontram, podendo comprometer até a viabilidade dos empreendimentos.

O planejador, novamente, terá papel fundamental nesta etapa final, a ser concluída com a elaboração e o desenvolvimento dos projetos em todas as fases requeridas – anteprojetos, projetos básicos, legais e os projetos executivos associados às respectivas aprovações. Poderá, então, envolver cada vez mais as equipes participantes, porém, diante da realidade virtual, em que poderá simular a funcionalidade e operação de cada setor e o uso de cada compartimento, com maior interatividade e participação. Possibilita a definição das atribuições e responsabilidades, realização de planos de trabalho, processos de qualidade, programas de treinamento e capacitação visando, acima de tudo, obter as primeiras validações para consolidar a gestão destes espaços físicos e partir para sua execução.

O mais relevante componente legal atuante neste processo é exclusivo do setor da saúde. Trata-se da norma regulamentadora RDC 50, de 2002, que tem papel fundamental como diretriz para projetos de estabelecimentos de saúde. Reservamos um capítulo específico para a RDC 50 e aqui apenas destacamos de forma geral que, apesar de estar desatualizada, boa parte dos profissionais responsáveis pelos projetos hospitalares não faz uso ou desconhece estas normas, o que acarreta possíveis termos de juste de conduta (TAC) e até interdições dos estabelecimentos, gerando uma situação extremamente delicada entre a rede hospitalar e os órgãos regulamentadores e fiscalizadores.

Parte da crise que vive o sistema de saúde pública deve-se ao fato que os espaços físicos atualmente disponíveis poderiam ser mais bem aproveitados, desde que devidamente regulamentados, dentro de um processo de gestão que seguramente levaria a um aumento da capacidade de atendimento e produção, reduzindo inicialmente as filas com aumento da resolutividade e promovendo um processo crescente de melhorias na qualidade assistencial.

No setor privado, constatamos vários problemas em comum, mas seguramente as medidas regulamentadoras poderiam ser rapidamente implementadas e realizadas com mais agilidade, pois não enfrentam as burocracias do setor público. A falta de uma política de financiamento para saúde é fator de inibição e contribui para a morosidade das ações de adequações dos estabelecimentos às normas da RDC 50.

Caberá novamente ao planejador a tarefa de lidar com estes fatores externos, tidos para muitos como uma *missão quase impossível,* da obtenção de recursos para financiamento ou investimentos no setor hospitalar. Alguns bancos de investimento começaram uma participação mais acentuada no setor, mas ainda são muito poucas as operações de financiamento na área de saúde, se comparadas aos demais setores de produção. Temos como exemplo, aqui caracterizado como um dos mais importantes dos últimos anos, pois envolve cifras bilionárias, a compra do maior grupo brasileiro de operação de planos de saúde por uma empresa norte-americana fora dos Estados Unidos. Os principais indicadores, segundo a Associação Nacional de Hospitais Privados (**ANHAP**), têm demonstrado um aumento, na última década, de 30 para 50% da população beneficiária com novos planos de saúde, que pressionam o aumento da assistência hospitalar. Segundo dados da Associação Nacional de Saúde Suplementar (ANS), a população com planos de saúde na cidade de São Paulo, desde 2010, é de quase sete milhões de beneficiários.

Ferramenta – projetos executivos

Uma ferramenta que vem crescendo em qualidade e recursos em nível mundial, com maior presença nos EUA e na Europa, é a plataforma BIM: *Building Information Modeling* (Modelagem da Informação para Construção). A tecnologia BIM é um processo integrado que amplia consideravelmente a compreensão do empreendimento e viabiliza a visibilidade dos resultados.

A penetração no mercado brasileiro ainda é lenta: está apenas se iniciando de forma gradual em grandes escritórios de arquitetura e enfrenta fortes resistências para mudanças das práticas atuais.

A Construção

A partir da finalização do ciclo de Planejamento, as definições dos principais indicadores dos referenciais futuros fornecem as informações e os estudos com a confiabilidade necessária à elaboração dos projetos, passando pelas etapas intermediárias. Nesta etapa, o processo sai da mesa do escritório para levar todas as informações a campo, para a construção dos espaços físicos.

Não vamos aqui abordar assuntos técnicos de engenharia construtiva – gerenciamento de obras – e sim as principais ações estratégicas componentes do processo de gestão. As atividades de construção a partir de sua contratação até a entrega para pré-operação: recursos financeiros, planos de execução, controles e fiscalização, ciclos de suprimentos, programas de qualidade, e finalizando com os testes de funcionalidade (Tabela 4.2).

Essa etapa exigirá do gestor a garantia de que a entrega da obra seja realizada rigorosamente dentro de critérios e padrões rígidos de controle de custo, qualidade, prazo e segurança, de acordo com o que foi previsto e compromissado na fase de Planejamento. O gerenciamento de obras reúne um conjunto de atividades de extrema especialização da engenharia, exigida e necessária para qualquer empreendimento. O Gerenciamento da Construção visa assegurar que os recursos disponíveis são alocados da maneira mais eficiente e eficaz, permitindo aos gestores perceber "o que está acontecendo" e "para onde vão as coisas", dentro das organizações de qualquer natureza.

A entrega final dos projetos é acompanhada pelo Cronograma Físico-Financeiro, que de forma geral é a representação sintetizada de todas as informações que demonstram a viabili-

Tabela 4.2 Relação Básica das Atividades Essenciais de Construção		
ATIVIDADES	**ESCOPO**	**OBSERVAÇÕES**
Ponto de Partida	• Projetos executivos. legais e licenças	Produtos vindos do planejamento, revisados
Planos de Execução	• Cronograma físico-financeiro • Plano de ataque	Provisões financeiras e prazos Dimensionamentos de equipes
Controle e Fiscalização	• Contratos e suprimentos	Fluxo de caixa, manter o cronograma sem desvios. Administração de mudanças
Programas de Qualidade	• Certificações ambientais • Acreditação	Sustentabilidade ambiental e social. Atendimento com rigor às normas locais na preparação para certificações de acreditação
Instalações e Equipamentos	• Instalação em geral, central de utilidades (energia, gases, ar condicionado) e equipamentos funcionais (elevadores e outros)	Conclusão da obra, das áreas e compartimentos, cada uma com suas utilidades sem os equipamentos médicos
Testes e licenças de funcionamento	• Testes da infraestrutura instalada (energia, água, acabamentos em geral)	Acatar as exigências legais nas vistorias, de dimensões dos espaços às exigências legais para funcionamento

dade do empreendimento e que vai se integrar como ferramenta de controle na construção do futuro espaço. Esse cronograma deverá considerar e admitir pequenas variações e adequações dentro de suas projeções, com previsão e redução dos impactos que eventualmente poderão incidir no processo de construção dos espaços físicos nos edifícios hospitalares.

Os recursos financeiros deverão estar provisionados e devidamente alocados em todas os centros de custos, com base nas informações contidas principalmente nos cronogramas devidamente validados. Os valores e quantitativos contidos nas planilhas orçamentárias devem, obrigatoriamente, ser realizados com bases de preços seguras, atualizadas e com previsões de prazos de execução realistas. Tais considerações exigem projeções financeiras que devem ser previstas com máximo rigor, para que a exposição ao risco financeiro seja a mais reduzida possível. Os prazos de execuções podem gerar desvios nos valores, em função principalmente da falta de controle dos reajustes de certos insumos. Políticas cambiais também exercem a influência nos valores dos equipamentos médicos, em sua maioria importados. Segundo informações publicadas na mídia, desde 2011 foram anunciados investimentos superiores a 2,5 bilhões de reais em obras de expansão e modernização nos principais hospitais privados e de referência, apenas na cidade de São Paulo. Serão mais de 1.200 novos leitos a partir de 2014, que correspondem a quase 250 mil metros quadrados de área construída, além das áreas de revitalização e modernização.

Relacionamos algumas das principais atividades que são presentes neste ciclo de execução e exigem maior esforço durante a construção dos estabelecimentos, começando com as do planejamento da obra, independentemente do tipo (nova ou expansões e reformas) ou da dimensão (de uma sala a um prédio).

Plano de Ataque

Ao iniciar o ciclo da Construção, também será necessário desenvolver atividades específicas de planejamento desta fase antes da mobilização das equipes de execução. Podemos destacar o Plano de Ataque como bastante eficiente, porém pouco aplicado e exigido, principalmente, pela falta de conhecimento de sua existência como ferramenta.

O Plano de Execução ou de Ataque define como se pretende executar a obra e permite a avaliação da capacitação técnica de uma empresa ou dos profissionais para realização dos seviços que exigem experiência e especialização de maneira geral (Tabela 4.3).

Tabela 4.3 Plano de Ataque	
PACOTES DE TRABALHO	**TRAJETÓRIAS:**
Decomposição da Obra	
Frentes de Serviço	• Como caminhar na área
Identificação do caminho crítico	• Sequência de serviços que definem o prazo da obra
Definição dos ritmos de execução	• Prazos intermediários e final
Definição de equipamentos principais	
Definição da organização do canteiro de obras	
Estrutura analítica	• Como o projeto é decomposto em unidades de execução e de centros de custos
Cronograma	• Definição e duração de todas as atividades, suas sequências e seus inter-relacionamentos, visando o acompanhamento
Planos de controles	• Orçamento
Organograma	• Equipe de gerenciamento
Comunicação	• Definição dos documentos

MÓDULOS

Ciclo de suprimentos

A partir das especificações detalhadas nos projetos executivos e sistemas construtivos, todos os insumos serão devidamente qualificados e quantificados e seguirão as rotinas necessárias até a sua aplicação e eventualmente, quando se tratar de equipamentos, as garantias e contratos de assistência técnica.

Controle e fiscalização

Tarefas realizadas com assessorias externas em conjunto aos recursos da instituição, principalmente, nas situações de reformas e expansões. No caso de obras novas, na constituição de um novo centro de saúde, as atividades são contratadas. São práticas gerais de construção exercidas por empresas e profissionais especializados. Existem normas e metodologia para esta função.

Montagem, instalações e testes

São as últimas atividades que farão a interface com a pré-operação e, neste caso, as que exigem todas as atenções, pois o ciclo de execução chega ao seu encerramento com a entrega final do espaço físico, devidamente ocupado e equipado, pronto para o funcionamento ao término dos testes em perfeitas condições.

As licenças e alvarás são de difícil obtenção, pelos prazos e a falta de infraestrutura das agências reguladoras.

Programas de qualidade

Atualmente, os espaços já são planejados para serem submetidos aos processos de acreditação, o que permite a melhor qualidade de suas práticas assistenciais. Outras certificações construtivas, com bastante rigor, são as relacionadas com sustentabilidade ambiental, em que cada vez mais se caminha para uma obrigatoriedade.

Aspectos Gerais

Os espaços físicos, sejam os novos ou os de expansões e reformas, independentemente de sua grandeza, quando colocados diante de situações de variabilidade, terão as equipes de trabalho frequentemente em um ambiente propício a conflitos de relacionamentos, pois aqui estamos na fase dos investimentos que envolvem grandes montantes de recursos financeiros, em que não se admitem desvios. Quando ocorrerem, deverão ser justificados para que possam demonstrar falhas ou omissões do Planejamento.

Aqui, o gestor deverá exercer maestria diante de uma grande orquestra, com músicos com partituras distintas, ora em descompasso e tocando gêneros musicais distintos, com instrumentos muitas vezes desafinados e fora de ritmo.

Falta mão de obra especializada e capacitada no Brasil, que acompanhe a demanda dos próximos anos no setor de construção civil e de instalações. O setor passa por um crescimento como nunca antes ocorreu. Os sistemas construtivos definidos deverão estar totalmente adaptados a todos estes critérios, inclusive às diversidades regionais e, acima de tudo, devem permitir a melhor funcionabilidade do edifícios, com seus fluxos distintos, sem cruzamentos indesejáveis. Os materiais especificados e aplicados deverão ter qualidades que atendam à durabilidade desejada, de fácil manutenção e simples reposição.

São muitas as considerações, mas uma delas se refere aos edifícios projetados para uma durabilidade e existência mínima de 50 anos. E um conceito de plano diretor, quando muito bem elaborado, determina que a adaptabilidade de um edifício hospitalar deverá prever e manter um planejamento que corresponda ao mesmo período de sua existência.

Legislação, normas e regulamentos

Durante a execução dos serviços e obras, cabe destacar o rol de documentação mínima exigida no atendimento à legislação:

- as Anotações de Responsabilidade Técnica das equipes de engenharia e arquitetura – (R) ART's referentes ao contrato e especialidades – Conselhos de Engenharia e Arquitetura - CREA e CAU;
- Prefeitura:- alvará de construção e conclusão com o Certificado de Matrícula INSS;
- Programa de Condições e Meio Ambiente de Trabalho na Indústria da Construção - PCMAT;
- NRT 18 - Responsabilização pelo pessoal alocado nos serviços e obras objeto do contrato;
- impostos, taxas e obrigações fiscais até o Recebimento Definitivo dos serviços e obras.

Pré-Operação ou Operação Assistida

O prazo para a operação assistida tende a ser o mais curto das atividades, desde que a entrega da construção tenha ocorrido dentro de todas as previsibilidades ao longo do processo. Dar a dimensão de tempo, no entanto, não se refere a dias ou semanas. No caso de hospitais, o período mínimo recomendado é de 3 meses, sendo que algumas ações podem ter início bem antes dessa previsão.

É um ciclo que também pode sofrer influência de diferentes fatores e intensidades, em razão de aspectos legais, quanto a alvarás e licenças de funcionamento, contratos de assistência técnica, contratação de pessoal, treinamentos. E de aspectos financeiros, como cadastramento junto a fontes pagadoras, capital de giro insuficiente para o período de *rump up* (linha de tendência de evolução/crescimento de um determinado trabalho durante o tempo) e outras limitações de operações de financiamento e amortização.

A relação básica das principais atividades essenciais e de maior relevância neste ciclo são apenas duas, mas envolvem outras: uma é o Plano Diretor de Operações, que deve ser desenvolvido ao longo das etapas de Planejamento e Construção, e a outra, a de Comissionamento, que envolve todas as ações necessárias para colocar em marcha um hospital ou qualquer organização do mesmo nível de complexidade.

Plano diretor de operação

O acervo do projeto compreende dimensionamento e mercado, histórico de tomada de decisões, foco, tecnologias, diretrizes operacionais, serviços e especialidades, características, tendências observadas e previstas para os próximos 5 e 10 anos, estudo de viabilidade, entre outros.

Mapoteca: concentra as plantas de arquitetura, interiores, instalações especiais, engenharias (estrutura, elétrica e hidráulica, gases medicinais, ar-condicionado, comunicação, estação de tratamento de esgoto, andares técnicos, implantação de equipamentos especiais), projetos e materiais relacionados à sustentabilidade, acessibilidade, expansões futuras previstas, entre outros.

Descrição do Plano: estabelecer os modelos operacionais e técnicos para as áreas de logística do edifício (manual de uso e manutenção – predial e tecnologias), área técnica (modelos assistenciais por grupo e tipo de serviço, procedimentos operacionais padrão, protocolos médicos e demais membros da equipe terapêutica, inter e multidisciplinares, fluxogramas intersetoriais preferencialmente organizados em formato de *workflow*) e área administrativa (modelos de gestão, controladoria, escritório de processos e qualidade, previsão orçamentária, manuais de procedimentos e sistemas de informação).

Tem como objetivo geral a preparação da equipe de planejamento e construção para a efetiva entrega do edifício, preparando, nos últimos meses da etapa de construção, a integração das equipes visando a melhor transição possível para o término da obra e início de operação. Essa etapa, via de regra, é permeada por uma sequência de treinamentos e simulação da operação nos diversos níveis e serviços, envolvendo o conjunto de profissionais e equipes (planejamento, construção e operação), visando a completa integração de todos os subsistemas operacionais e testes nas diversas modalidades (ativação de 40, 60 e 90% da capacidade física). Merecem destaque especial os planos de contingência nas etapas de 40% (posta em marcha) e 90% (limite superior da capacidade operacional), respectivamente.

Comissionamento

Especialidade técnica complexa e sofisticada, atualmente considerada uma disciplina específica e independente, tão importante quanto as especialidades tradicionais de engenharia e administração.

Comissionamento é o processo de assegurar que os sistemas e componentes de uma edificação ou unidade de serviço estejam projetados, instalados, testados, operados e mantidos de acordo com as necessidades e requisitos operacionais da instituição. O comissionamento pode ser aplicado tanto a novos empreendimentos quanto a unidades e sistemas existentes em processo de expansão, modernização ou ajuste.

Na prática, o processo de comissionamento consiste na aplicação integrada de um conjunto de técnicas e procedimentos de engenharia para verificar, inspecionar e testar cada componente físico do empreendimento, desde os individuais, como peças, instrumentos e equipamentos, até os mais complexos, como módulos, subsistemas e sistemas operacionais.

As atividades de comissionamento, no seu sentido mais amplo, são aplicáveis a todas as fases do empreendimento, desde o projeto básico e detalhado, no suprimento e no diligenciamento, durante a construção e a montagem, até a entrega da unidade ao cliente final, passando, muitas vezes, por uma fase de operação assistida.

O objetivo central do comissionamento é assegurar a transferência da unidade, seja de qualquer natureza, do construtor para o proprietário de forma ordenada e segura, garantindo sua operabilidade em termos de desempenho, confiabilidade e rastreabilidade de informações. Adicionalmente, quando executado de forma planejada, estruturada e eficaz, o comissionamento tende a se configurar como um elemento essencial para o atendimento aos requisitos de prazos, custos, segurança e qualidade do empreendimento.

Case – Serviços de Radioterapia: Planejamento, Construção e Operação

O Ministério da Saúde tem como objeto a implantação de 80 soluções de Radioterapia no âmbito de Plano de Expansão Nacional, a partir de 2013, por meio de concorrência na modalidade de pregão presencial e tipo menor preço global.

O valor máximo estabelecido no edital é de 265 milhões de reais, agrupados em aquisição dos equipamentos (R$ 233 milhões) e elaboração de projetos executivos com fiscalização das obras, (R$ 32 milhões) para garantir a entrega total dos espaços físicos, devidamente equipados, que permita a produção dos serviços assistenciais no tratamento do câncer por meio de radioterapia.

A este valor deverá ser calculado e incorporado a previsão de custos das obras, totalizandos os investimentos, que segue com a seguinte composição:

- total de serviços a serem construídos = 80 unidades;
- área média de cada serviço = 600 m²;
- total de área construída = 80 unidades x 600 m² = 48.000 m²;
- custo estimado da construção a ser incorporado = R$ 5.000,00 / m² (ref. julho/2014);
- total previsto de custo da construção = R$ 240 milhões;
- total previsto para os equipamentos = R$ 265 milhões;
- total geral da obra + equipamento = R$ 265 + R$ 240 = R$ 505 milhões.

Atualmente, no Brasil, com uma população próxima dos 200 milhões de habitantes, o câncer é responsável por 15,7% dos óbitos de causa conhecida, notificados em 2010, no sistema de informação sobre mortalidade. Desde 2003, mantém-se como a segunda causa de morte no país. Em 2013, são 180 serviços no total e 148 integram o SUS, sendo que o Amapá e Roraima são Estados que não contam com esses serviços.

Tabela 4.4 Resumo de *Case*			
Planejamento R$ 10,1 milhões = 2%	Premissas	• Relacionar os serviços e agrupar em cidades, estados e regiões • Elaborar um checklist da equipe técnica de visitas	Análise de logística para os deslocamentos
	Programa de necessidades	Tipologias: • Expansão • Construção sem braquiterapia • Construção com braquiterapia	Padronização dos projetos
	Plano de Execução	Cronograma	Customização dos trabalhos
Fiscalização R$ 21,9 milhões = 4%	Construção	• Cronograma previsto x realizado • Dimensionamento e qualificação de equipes • Instalações e montagem dos equipamentos	Equipes alocadas por região Controle e fiscalização
Operação Assistida R$ 473 milhões = 94%	Pré-operação	• Entrega final • Produção de serviços • Montagem dos equipamentos e pré-operação com testes e comissionamento	Programação de entrega das obras associada às montagens dos equipamentos

Conclusões

✓ Em relação ao valor total da obra acrescido dos equipamentos = R$ 505 milhões.

✓ Os valores correspondentes ao custo das atividades de Planejamento – 2% = R$ 10,1 milhões mais a Fiscalização que corresponde a 4% = R$ 21,9 milhões, garantindo que o que foi previsto será realizado, não representam risco ao custo de execução, porém, sem estes serviços não haveria controle e elevaria em muito o risco de variação dos valores compromissados na previsão inicial.

✓ Os serviços de engenharia, objeto deste certame, possuem natureza peculiar por se tratarem de atividade eminentemente intelectual, e por isso não comportam a previsão de percentual de riscos e despesas indiretas, e lucros deverão ser reduzidos em virtude do ganho de escala. Isto implica na qualidade dos serviços prestados com competência e eficiência.

✓ Os respectivos serviços, que serão instalados nos diversos hospitais, terão uma gestão de operação compatível com a responsabilidade de produção do tratamento de câncer, que será integrado à Gestão desses recursos físicos em novos ciclos de renovação e modernização destas unidades pelo prazo mínimo de 20 anos.

Resultados

Início das atividades assistenciais no tratamento do câncer, com aumento de 32%, o que corresponde ao atendimento de 50 mil novos casos.

Será o maior projeto em uma mesma etapa em nível mundial. A saúde comemora!

Normas para Estabelecimentos de Saúde

Quanto às regulamentações nacionais que norteiam este processo de gestão, a principal é a Resolução da Diretoria Colegiada 50 (RDC 50), publicada em 21 de fevereiro de 2002. A lei teve o objetivo de atualizar as normas na área de infraestrutura física em saúde e tornou-se o principal documento para orientar novas construções, reformas e ampliações de Estabelecimentos Assistenciais de Saúde – EAS, bem como para apoiar a avaliação dos projetos físicos por parte dos órgãos de vigilância sanitária nos níveis municipal, estadual e federal.

É uma evolução, quando comparada às suas antecessoras. Apesar de conter imperfeições no texto, nas abordagens e conceitos, ainda é considerada uma das regulamentações mais contemporâneas de toda a América Latina[15]. Destaque para a linha de tempo e as respectivas normas que regulamentam o setor saúde: Portaria 400, de 6 de dezembro de 1977 • Portaria 1.884, de 15 de dezembro de 1994 – substituiu a Portaria 400 e passou a ditar novas normas destinadas ao exame e à aprovação dos projetos físicos de estabelecimentos assistenciais de saúde.

O principal diferencial da RDC 50 talvez seja a flexibilidade. Na época de sua redação, cuidou-se para que a norma não fosse prescritiva e que pudesse adequar-se a diferentes

---

15. Fábio Bittencourt, presidente da Associação Brasileira para o Desenvolvimento de Edifícios Hospitalares (ABDEH).

necessidades e perfis regionais. A plasticidade da resolução permitiu que os especialistas em construção da área de saúde apresentassem soluções de acordo com as condições em que seriam instalados os EAS[16].

A RDC 50 foi complementada pela RDC 189, de 18 de julho de 2003, que dispõe sobre a regulamentação dos procedimentos de análise, avaliação e aprovação dos projetos físicos de estabelecimentos de saúde no Sistema Nacional de Vigilância Sanitária e, ocasionalmente, recebe complementações de outras resoluções, geralmente tratando de mudanças em algumas áreas específicas dos EAS, como a RDC 33, que dispõe sobre Resíduos Sólidos.

A revisão maior, previamente programada para 2007, ainda não tem prazo estabelecido para ocorrer, apesar de prevista no próprio texto da norma. De acordo com a Anvisa, não existe ainda previsão da republicação de toda a RDC, uma vez que o Grupo de trabalho irá elaborar esoluções que irão revogar temas específicos, até que se dê a completa revisão da norma[17]. O órgão atribui o atraso às mudanças organizacionais e ao número limitado de funcionários, mas afirma estar comprometido com a simplificação da norma e com a incorporação de novos conceitos, como o compartilhamento de algumas áreas por mais de uma especialidade e adoção de novas especialidades e serviços, como banco de órgãos e de cordão umbilical[18].

O descompasso entre quem projeta e quem avalia também se torna um obstáculo às inovações na área de construção. A setorização dos EAS, por exemplo, embora torne a definição e avaliação dos espaços mais clara, vai contra a tendência de compartilhamento de áreas e flexibilização de ambientes, o que acarreta perda de eficiência do edifício[19].

A falta de padrão de atendimento dos órgãos de vigilância nas três esferas de governo (federal, estadual e municipal) pode ser um dos motivos pelo qual a RDC 50, apesar de flexível, não seja seguida por parte dos estabelecimentos de saúde, sendo que alguns deles operam até mesmo sem o alvará. Ou seja, muitas vezes, o problema não é a atualização de normas, e sim a qualidade dos projetos propostos e falta de competência na abordagem do mesmo por órgãos[20].

Outra causa apontada para o desrespeito à norma é a disparidade entre os estabelecimentos de saúde. Em regiões com número reduzido de EAS e construídos em desacordo com as normas regulamentadoras, muitas vezes a opção é manter o serviço aberto, apesar das irregularidades, ou privar os assistidos do único estabelecimento disponível na cidade[21].

Apesar de algumas limitações e dificuldades operacionais no que se refere à fiscalização dos EAS, a RDC 50 teve total accitação dos projetistas especializados, dos gestores e dos principais formadores de opinião, e conseguiu criar um padrão mínimo, passando a garantir o crescimento na qualidade da infraestrutura dos Estabelecimentos de Saúde. Hoje, dificilmente se inicia a construção de um estabelecimento sem aprovação e fiscalização da Vigilância Sanitária.

---

16. Gonzalo Vecina Neto, superintendente corporativo do Hospital Sírio-Libanês e diretor-presidente daAnvisa à época da publicação da RDC 50.
17. Maria Ângela da Paz, Gerência de Regulação e Controle Sanitário em Serviços de Saúde - GRECS/GGTES.
18. Regina Barcelos, coordenadora de infraestrutura e serviços de saúde da ANVISA.
19. Maria Lúcia Ramalho Martins, especialista em gestão de operações e *marketing* de serviços.
20. Idem 17.
21. Flávio Bicalho, ex-presidente da Associação Brasileira para o Desenvolvimento do Edifício Hospitalar (ABDEH).

A RDC 50

A norma dá autonomia para que as secretarias estaduais e municipais de saúde apliquem e executem ações com vistas ao cumprimento da resolução, e permite que estes órgãos estabeleçam normas de caráter supletivo ou complementar, visando a adequação às especificidades locais. Com a RDC 50, também passou a ser responsabilidade dos gestores, técnicos e comunidade envolvida, a decisão sobre o tipo de estabelecimento a ser implantado, diferente da norma anterior.

Os responsáveis e gestores muitas vezes desconhecem ou interpretam de forma equivocada o conteúdo das normas e regulamentos. As normas da RDC 50, por exemplo, devem ser consideradas desde o planejamento e concepção de projetos para construção, reformas ou ampliações das estruturas e instalações, pois são elementos fundamentais que também garantem a qualidade e segurança dos ambientes de cuidados aos pacientes, assim como a saúde e segurança dos profissionais, acompanhantes e visitantes[22].

A norma não estabelece uma tipologia apenas para os edifícios de saúde, mas trata a todos genericamente como EAS, determinando sua adequação às peculiaridades epidemiológicas, populacionais e geográficas da região onde estão inseridos. Por isso, observamos EAS adaptados a cada região do Brasil – afinal, são avaliados diversos fatores como solo, temperatura, entre outros[23]. A aplicação total da norma é obrigatória para edificações novas, mas há uma flexibilização no caso de reformas e adequações ou de adoção de nova tecnologia. Assim, a RDC 50 admite uma variação de até 5% nas dimensões mínimas dos ambientes, para atendimento às modulações arquitetônicas e estruturais.

Para as constantes transformações devido aos avanços tecnológicos, por exemplo, faz-se necessária a criação de normas específicas, e não exatamente toda a reformulação da RDC 50. A atualização da norma deve ser feita com uma revisão prévia, com muito diálogo e cuidado, assim como quando foi criada[24].

A Gestão do Espaço Físico e os Programas de Qualidade

Em busca de melhoria na percepção de sua imagem junto aos diversos públicos-alvo e da diferenciação pela qualidade, a partir da década de 1980, começaram a surgir no Brasil iniciativas voluntárias com vistas à implantação de Programas de Acreditação, diferentes dos critérios regulatórios definidos pelo Ministério da Saúde.

As iniciativas culminaram com a decisão do Ministério da Saúde de integrá-las em um sistema nacional de acreditação, em 1995. Em 1997 foi lançado o Programa Brasileiro de Qualidade e Produtividade e, em 1998, foi publicado o primeiro Manual Brasileiro de Acreditação Hospitalar[25]. Com isso, os programas de qualidade, tanto nacionais como internacionais, começaram a vivenciar uma grande onda de adesão voluntária dos principais

---

22. Heleno Costa Junior, coordenador de educação do Consórcio Brasileiro de Acreditação.
23. Fábio Bitencourt, Presidente da Associação Brasileira para o Desenvolvimento do Edifício Hospitalar (ABDEH).
24. Gonzalo Vecina Neto, superintendente corporativo do Hospital Sírio-Libanês.
25. Manual Brasileiro de Acreditação Hospitalar, editado pelo Ministério da Saúde / Secretaria de Políticas de Saúde – autor: Humberto Novaes, 1999.

hospitais e clínicas líderes de mercado, especialmente entre as instituições privadas e filantrópicas, que vinham buscando melhorar a qualidade assistencial.

Neste contexto, e levando-se em conta que muitas das principais instituições de saúde brasileiras têm mais de 50 anos e nem sempre puderam contar com o apoio da legislação ou de profissionais de construção especializados na área, foram necessárias modificações no espaço físico para que estes EAS pudessem estar adequados às novas normas de 2002, premissa básica para qualquer processo de acreditação. As instituições com décadas de existência devem ter a cultura da permanente avaliação do desempenho, introduzindo as melhorias necessárias a partir da visão de todo o conjunto. Esta postura incorpora o Planejamento nas tomadas de decisão. Adequar tais espaços para novas tecnologias envolve a busca permanente de melhor desempenho, a partir reorganização física e dos fluxos horizontais e verticais, dentre outros fatores[26].

O Certificador Nacional da *Joint Commission*, o Consórcio Brasileiro de Acreditação (CBA), atesta que as instituições acreditadas de 2001 a 2010 precisaram investir em reformas para conquistar o selo internacional. Os dados das avaliações realizadas têm demonstrado um elevado índice de não conformidade relacionado às instalações e estruturas prediais, com significativa ocorrência de não atendimento aos requerimentos que constam em leis e regulamentos aplicáveis. A futura revisão deve abranger a segurança dos processos e também exigir a qualificação dos profissionais envolvidos na gestão do espaço físico, a partir da complexidade dos EAS[27].

Vale ressaltar também que as normas e as certificações vêm ampliando o espectro de abordagem do espaço urbano e das edificações, com novas exigências e posturas que precisam ser consideradas e que influenciam em respostas conjuntas das disciplinas[28]. Entre as falhas mais comuns estão os problemas relacionados ao gerenciamento de resíduos dos serviços de saúde, área que recebe menor atenção dos EAS por estar de fora do campo de visualização de seus públicos. Tais problemas estão nas áreas conjugadas de expurgo, higiene e limpeza, até mesmo com o armazenamento de roupa limpa na área de expurgo, a falta de profissionais capacitados para a manutenção e a ausência de projetos estruturados de combate a incêndios.

No caso da ONA, nem as visitas técnicas são permitidas, caso o EAS não possua os alvarás de funcionamento da vigilância sanitária. O órgão aponta que as estruturas hospitalares antigas precisam se modernizar para estarem adequadas às novas regras de segurança e cuidados com os pacientes. Assim como a RDC 50, a ONA aceita a melhor solução proposta nos casos em que o EAS não consegue se adaptar à norma, ao contrário da *Joint Comission International* (JCI), que estipula um prazo para as correções serem realizadas integralmente[29]. Devido às dificuldades, os certificados de acreditação, considerando-se algumas das metodologias disponíveis no mercado, ainda são bastante restritos: 284 instituições acreditadas pela ONA[30] e 21 pelo programa da JCI[31] .

---

26. Augusto Guelli, arquiteto especializado em Saúde da Bross Consultoria e Arquitetura.
27. Heleno Costa Junior, coordenador de educação do Consórcio Brasileiro de Acreditação.
28. Siegbert Zanettini, arquiteto da Zanettini Arquitetura.
29. Luiz Plínio de Toledo, presidente da ONA.
30. Organização Nacional de Acreditação. Disponível em: www.ona.org.br [consultado em 03/07/2013]
31. Consórcio Brasileiro de Acreditação (CBA).Disponível em: http://www.cbacred.org.br/site/unidades-acreditadas-no-brasil/ [consultado em 05/07/2013]

Em contrapartida, nos Estados Unidos, país idealizador da JCI[32], há 4.250 hospitais acreditados, que representam cerca de 90% do total, além de uma vasta gama de prestadores de serviço. Nos EUA, somente os hospitais acreditados podem prestar serviços aos programas Medicare e Medicaid, vinculados ao governo federal. No Brasil, a certificação é sempre voluntária, mas algumas modificações começam a ser discutidas, como o projeto de acreditação das operadoras de planos de saúde, que então passariam a exigir a certificação da rede credenciada, além de uma proposta semelhante à acreditação para os prestadores de serviços do Sistema Único de Saúde[33]. As instituições acreditadas rapidamente se distanciaram das demais, responsáveis pelo atendimento da maioria da população brasileira, fato atestado por La Forgia e Couttolenc (2009):

"Algumas unidades de saúde enfrentam grandes desafios para simplesmente manterem os padrões básicos de infraestrutura pessoal e de serviços, ao mesmo tempo em que uns poucos hospitais desenvolvem tratamentos de nível mundial e possuem profissionais médicos de destaque. Os melhores hospitais estão concentrados no Sul e Sudeste, nas cidades de Rio de Janeiro, São Paulo e Porto Alegre."

Logo, temos um longo caminho a percorrer para atingir um patamar mínimo de qualidade em nossos estabelecimentos assistenciais de saúde.

Novas Tendências

A evolução da medicina e, consequentemente, dos processos construtivos para a área de saúde, levou à adoção de novos conceitos de planejamento, operação e gestão dos EAS. Entre eles, destacam-se a aplicação da hotelaria na área de saúde, o aumento das preocupações com o impacto ambiental e a necessidade cada vez maior de se adotar metodologias consagradas em diversos setores da economia, capazes de garantir melhor desempenho e acompanhamento de cada uma das atividades da GEF, a exemplo do *Project Management Body of Knowledge* (PMBOK).

A velocidade das transformações na área saúde, seja na tecnologia ou nas práticas clínicas e na própria demanda, exige uma permanente construção de cenários a partir da análise das tendências de modificações sociais, macroeconômicas, normativas, entre outras. A visão de futuro exige a compreensão das diferentes atividades que serão realizadas nos espaços de saúde. Neste contexto, é preciso prever que todo o conjunto acompanhe a evolução com a flexibilidade e a expansibilidade necessárias para, assim, adaptar-se às multifuncionalidades do hospital[34].

Observa-se que há forte tendência de o hospital tornar-se uma grande UTI, sendo instituições voltadas aos procedimentos de alto nível de complexidade, como um reflexo da desospitalização e ambulatorização do quadro hospitalar, fatores que interferem diretamente na alta rotatividade detectada no centro de saúde. Afinal, elementos como prevenção, *home care* e *dayclinic* fazem com que o paciente não necessite de internação[35].

---

32. Joint Commission. Disponível em: http://www.jointcommission.org/about_us/accreditation_fact_sheets.aspx [consultado em 06/07/2013].
33. Idem 31.
34. Augusto Guelli, arquiteto especializado em Saúde da Bross Consultoria e Arquitetura.
35. Paula Fiorentini, arquiteta do Arquitetura Fiorentini.

Também se observa uma grande tendência de cada vez mais investir na segurança do local, na acessibilidade, na rastreabilidade, nos cuidados para a execução de uma cirurgia segura e barreiras à infecção hospitalar[36]. O hospital do futuro também investirá cada vez mais na segurança do local, na acessibilidade, na rastreabilidade, nos cuidados para a execução de uma cirurgia segura e barreiras à infecção hospitalar.[37] A Consultoria e Gestão Einstein, por exemplo, auxilia na qualidade de serviços, visando sempre a segurança dos pacientes, sendo medida por indicadores e confrontada com padrões internacionais de atenção à saúde, além de promover a melhoria da eficiência operacional e maior produtividade dos processos administrativos. Vale ressaltar que esta consultoria é o único programa que reconhece formalmente a excelência no cuidado centrado no paciente, sendo o representante oficial do Planetree no Brasil, oferecendo consultoria para instituições de saúde que pretendem obter esse reconhecimento[38].

Hotelaria hospitalar

A hotelaria hospitalar é cada vez mais estudada por gestores da área de saúde e vem quebrando paradigmas ao introduzir conceitos de hospitalidade (ato de receber ou acolher bem o visitante), que apoiam a humanização e agregam qualidade no atendimento assistencial. É sabido que a aparência física e a estrutura dos serviços podem influenciar positivamente as impressões do cliente e contribuir para que o EAS ofereça não só cura, mas também segurança, bem-estar e conforto ao paciente, seus familiares e visitantes [39].

Cada vez mais os empreendimentos buscam diferenciar-se por seus ambientes aconchegantes, bem decorados, funcionais e seguros. Logo surge a necessidade de participação de equipes multidisciplinares e profissionais com conhecimentos variados, empenhados em criar espaços altamente funcionais e acolhedores.

A relação entre os espaços é determinante para o atendimento humanizado dos "clientes de saúde", como: a eficácia no atendimento da enfermagem quando o paciente faz uma chamada; a comida na temperatura correta e em horários adequados; a entrega de enxoval no momento certo e conforme a necessidade dos clientes; o tamanho das portas das unidades de internação, respeitando principalmente as medidas de macas; rampas de acesso conforme normatizações de acessibilidade; entre outros aspectos.

Tudo isso deve ser considerado na elaboração do projeto, em que os setores devem ser alocados conforme o perfil da unidade e dos clientes e, dessa forma, proporcionando o máximo de conforto, com o mais alto rigor em aspectos legais e funcionais[40].

De acordo com Godoi (2008), "a preocupação com o bem-estar do ser humano durante a hospitalização deve se iniciar antes mesmo de o hospital começar a funcionar. Como a arquitetura tem papel fundamental para o hospital, o projeto precisa substituir escadas por rampas, contar com espaços abertos à ventilação e iluminados naturalmente, jardins e áreas

---

36. Gonzalo Vecina Neto, Superintendente do Hospital Sírio-Libanês.
37. Idem 36.
38. José Henrique Germann Ferreira, do Inst. Isr. Consultoria e Gestão A. Einstein.
39. Hotelaria Hospitalar – Adalto Felix Godoi, Ed. Ícone.
40. Marconi Morais De Freitas, Coordenador de Operações - Facility Services.

verdes que reduzem o estresse dos pacientes, e entradas e saídas diferenciadas e reservadas, que facilitem a movimentação dos pacientes dentro do hospital".

Mais do que promover a imagem do EAS junto a seus públicos, ambientes como esse contribuem para o processo de cura (*healing environment*). Para medir os efeitos deste conceito, aplica-se a metodologia do *Design* Baseado em Evidências, analisando não só a funcionalidade e a qualidade da construção, mas também o impacto no usuário (acolhimento), levando-se em consideração o modelo de atenção e o arranjo do espaço, por exemplo[41].

Elementos como paredes, tetos, *design* dos mobiliários, instalações hidráulicas e elétricas (sustentabilidade), equipamentos, acessibilidade, ambientes de espera e convivência, cromoterapia, são importantes fatores que devem ser considerados na fase do projeto executivo de um empreendimento hospitalar. Nesse contexto, a arquitetura hospitalar exerce papel fundamental quanto ao conforto dos clientes, proporcionando a melhoria da produtividade no trabalho das equipes de saúde envolvidas, como por exemplo, o respeito a fluxos corretos em diversas áreas[42].

Assim, os projetos de hospitais, como de qualquer outra tipologia arquitetônica, devem ser conceituados e desenvolvidos tendo o homem, seja o paciente, o acompanhante e todos os que lá trabalham, como o centro principal de atenção das soluções[43]. Deve-se também ter a conscientização de considerar o paciente e a família na participação do tratamento, saber que quem está sendo assistido se encontra fragilizado, por isso a importância do tratamento humanizado[44].

O trinômio **Hotelaria x Hospitalidade x Humanização** ainda é uma realidade distante, mas que deve ser imediatamente assimilada por gestores hospitalares, com anseio para trabalhar cada uma dessas palavras, em todo o contexto possível, como o diferencial para a permanência e sobrevivência do empreendimento no mercado[45].

Meio ambiente

Preocupados com impacto ambiental, os EAS têm buscado utilizar materiais menos poluentes, criar programas de reúso da água, economia de energia e reciclagem do lixo, além de desenvolverem programas de gerenciamento de resíduos, obrigatórios por lei. Entre as certificações para a área ambiental, estão a Procel Edifica, criada pelo Ministério de Minas e Energia e pela Universidade Federal de Santa Catarina para medir a eficiência energética de prédios públicos, a Aqua (Alta Qualidade Ambiental), adaptação do sistema francês HQE (*Haute Qualité Environnementale*) e a LEED (*Leadership in Energy and Environmental Design* – Liderança em Desenho de Energia e Meio ambiente)[46].

A LEED foi criada pelo *Green Building Council* (Conselho de "Prédios Verdes") em 1999 e atualmente está em sua terceira revisão. A certificação baseia-se em um sistema de pontuação e tem como objetivo o aumento da eficiência energética e o uso adequado dos mate-

---

41. Augusto Guelli, arquiteto especializado em Saúde da Bross Consultoria e Arquitetura.
42. Marconi Morais De Freitas, Coordenador de Operações - Facility Services.
43. Siegbert Zanettini, arquiteto da Zanettini Arquitetura.
44. Gonzalo Vecina Neto, Superintendente do Hospital Sírio-Libanês.
45. Idem 44.
46. Daniela Corcueira, arquiteta especializada na certificação LEED.

riais de consumo. A LEED analisa, na fase do projeto, todos os aspectos funcionais, como: sustentabilidade do local, uso eficiente da água, energia, atmosfera, materiais e recursos, e qualidade do ambiente interno.

Hoje, no mundo, 1.253 instituições têm o certificado e 11.150 estão em fase de aprovação. Apenas em São Paulo foram certificados no setor da saúde, até 2009, o Hospital Israelita Albert Einstein, a megaunidade do laboratório Delboni Auriemo, na zona Norte da cidade, e a unidade Rochaverá do Fleury de um total de 19 registradas. Embora já exista uma certificação exclusiva para a área de saúde, essas instituições adotaram a metodologia padrão para conquistar seus certificados.

No Brasil, são 88 empreendimentos certificados e mais de 680 pleiteando o selo, entre escritórios, hospitais, escolas, agências bancárias, lojas, casas, indústrias, estádios e até mesmo museus. O desenvolvimento da infraestrutura no Brasil levou o país ao 4º lugar no *ranking* de empreendimentos registrados, com 2.089.195,20 m² certificados, atrás dos Estados Unidos, Emirados Árabes Unidos e China. A expectativa da entidade é que até o final de 2014 sejam mais de 900 empreendimentos registrados e 120 certificados , sendo apenas 11 hospitais.

O movimento por sustentabilidade também ecoa junto a profissionais da área de construção especializados em saúde, que buscam atualizar-se sobre o tema, por considerarem a eficiência do edifício e a sustentabilidade assuntos fundamentais em um ambiente marcado pelas interações humanas, e que funcione em regime de 24 horas, 7 dias por semana.

Gestão de projetos

Ainda incipiente na área de saúde, mas já bastante utilizada em setores como o de Tecnologia da Informação, a metodologia *Project Management Body of Knowledge* (PMBOK), desenvolvida pelo *Project Management Institute* (PMI), pode ser uma importante aliada aos atuais gestores de espaço físico. O PMBOK consiste num conjunto de práticas para gerência de projetos, compiladas em um guia com 42 processos, agrupados em cinco grupos e nove áreas de conhecimento, que abrangem desde a iniciação até o encerramento do projeto.

O aumento da necessidade de reduzir custos e prazos, enfrentar a concorrência, utilizar diferentes tecnologias, aumentar a produtividade e a própria complexidade dos ambientes de saúde tornam esta uma importante ferramenta para melhorar as práticas construtivas de EAS no País, bem como a certificação ISO (*International Organization for Standartization* – Organização Internacional para Padronização), pouco utilizada na área de saúde no Brasil. Algumas concorrências nos setores públicos e privados já consideram como diferencial o uso destas metodologias para o gerenciamento de projetos que, se exercidas de fato, geram um grande impacto positivo no controle de custos e do cronograma[47].

Conclusão

Observa-se que as obras de reforma, modernização e ampliação fazem parte da rotina diária de clínicas e hospitais e são necessárias tanto pelo aumento da demanda por serviços

---

47. Salim Lamha Neto, diretor da MHA Engenharia.

quanto pela evolução tecnológica, que hoje já permite a realização de cirurgias por robôs controlados remotamente pelo cirurgião. Vale citar o exemplo do Da Vinci, em operação nos hospitais Sírio-Libanês, Albert Einstein, Hospital Alemão Oswaldo Cruz, Instituto do Câncer e Hospital de Câncer de Barretos.

Os investimentos não param: somente em São Paulo, até 2012, foram empenhados R$ 3,4 bilhões para ampliar o número de leitos de 3 mil para 5,3 mil. O setor passa por grandes movimentos, com algumas fusões e aquisições entre planos de saúde e compra de hospitais por cooperativas ou planos privados, numa busca por otimização de recursos e redução de despesas.

Temos como exemplo a compra do maior grupo brasileiro de operação de planos da saúde, Amil, pela americana *United Health*. Essa transação merece destaque, pois foram adquiridos 820,7 milhões de ações ordinárias da JPL (empresa controladora da Amil Participações – Amilpar), representando aproximadamente 85,5% do capital da controladora e 58,9% do capital da Amil. A saúde nunca esteve em um momento de tanta evidência no cenário econômico e político nacional. A velocidade da evolução aumenta tanto nos procedimentos, quanto na tecnologia dos equipamentos médicos, fazendo com que novos conceitos sejam criados como resposta às novas exigências, como a busca pela desospitalização e o aumento da ênfase em serviços ambulatoriais.

O espaço físico dos hospitais e clínicas ainda é tratado sem a devida importância, sendo valorizado muito mais pelo aspecto estético do que pelo funcional. Um levantamento realizado em 2002 com 69 hospitais filantrópicos, possuindo entre 50 e 300 leitos, mostrou que 13% não tinham nenhum sistema estabelecido para a manutenção de prédios e equipamentos hospitalares e 22% não dispunham de nenhum profissional responsável pela manutenção[48].

A engenharia e a arquitetura da saúde estão muito distantes dos demais setores no que se refere a sua valorização como instrumento de gestão. Quando somamos o conteúdo técnico e científico de duas das mais importantes áreas de conhecimento, a engenharia e a medicina, percebemos que as sinergias estão cada vez mais presentes e, em algumas ocasiões, levam quase a uma fusão entre as duas áreas: os engenheiros tornam-se cada vez mais especializados em saúde e os gestores de EAS precisam envolver-se cada vez mais e buscar conhecimentos específicos que permitam a construção de estabelecimentos eficientes, funcionais, seguros e acolhedores.

No entanto, ainda se percebe um descompasso no que diz respeito à importância dada pelos profissionais da medicina às atividades relacionadas à engenharia. A impressão é de que uma minoria de instituições, especialmente as privadas e as que administram hospitais públicos pelo modelo das Organizações Sociais de Saúde (OSS), estão de fato conscientes e mobilizadas pelo cumprimento da legislação e realização de um bom planejamento[49].

Cabe aqui uma reflexão, com certa dose de informalidade, no que se refere a aferir o preço de um projeto de clínica ou hospital. Podemos afirmar que, a princípio, deveria ser caro, aliás, muito caro. Apenas e tão somente no valor que representa no sentido de quantidade monetária. É de extrema importância o planejamento do projeto, uma vez que é nesta etapa que as exigências podem ser ajustadas sem acarretar prejuízo financeiro, pois é mais

---

48. Hospitais Filantrópicos no Brasil, vol. 1, 2 e 3. Banco Nacional de Desenvolvimento Econômico e Social (BNDES) – 2002. Autores: Pedro R. Barbosa, Margareth Crisóstomo Portela, Maria Alicia Domingues Ugá, Miguel Murat Vasconcelos, Sheyla Maria Lemos Lima e Silvia Victoria Gerschman).

49. Antônio Gibertoni Junior, chefe da Engenharia Clínica do Hospital Israelita Albert Einstein.

fácil corrigir um projeto no papel do que depois de construído, afora a drástica diminuição de custos financeiros[50].

Apesar disso, o que vemos são projetos mal remunerados por conta de uma política que impede uma melhor visão por parte dos gestores, que ainda pensam nos projetos gráficos como a essência do planejamento, quando, na verdade, essa etapa envolve outros estudos: epidemiologia, análise demográfica, viabilidade financeira e operacional, entre outros.

Muitas vezes contrata-se o projeto de arquitetura e buscam-se soluções caseiras para o gerenciamento e a condução da obra, o que acarreta no impacto de ter funcionários deslocados de sua função, com o risco de comprometimento das operações da rotina, além de serlatente a falta de conhecimento técnico destes profissionais em áreas distintas de suas formações. Em casos mais graves, as soluções caseiras podem dificultar a obtenção de licenças, trazer para a instituição a responsabilidade única da obra e provocar danos profundos na operação, ou até mesmo, acarretar em multas ou interdições. Um edifício de saúde deve ser planejado e construído para uma existência de pelo menos 50 anos e ter eficiência plena pelos primeiros 10 anos. Mas sem um processo de gestão, este se torna um objetivo difícil de ser alcançado.

O médico administrador também é o responsável pela tomada de decisões e, embora possua um vasto conhecimento técnico em sua área de formação, precisa fortalecer seus conhecimentos na área de gestão. De acordo com Cláudio Lottenberg (2007):

"À frente do Einstein, senti uma urgência na revisão da educação médica acadêmica, para que as escolas abordem a gestão com a devida clareza e objetividade. Não é o que tem acontecido. Embora esta relação seja absolutamente comum em vários ramos (setores) de prestação de serviços, ela ainda é nova na saúde."

Neste cenário, e considerando todas as variáveis apresentadas ao longo do capítulo, não queremos definir formas e fórmulas exatas de como conduzir um processo de Gestão do Espaço Físico, mas sim trazer as informações necessárias, que levem a uma receita mínima para a condução deste processo, estimulando a necessidade de trazer um pouco mais de pesquisa e desenvolvimento para essa área e quebrando alguns paradigmas, principalmente de culturas locais, para melhor distribuição e contribuição de conhecimento.

Caberá aos profissionais envolvidos nos projetos e obras na saúde e, principalmente, aos gestores em geral, a proposição de desenvolverem e administrarem seus projetos com bases sólidas de conhecimento, de forma ética e científica, que possam ser comprovadas e apoiadas em planos consistentes, técnicos e de plena viabilidade.

Anexo

Normas que complementaram ou alteraram a RDC 50:
- Resolução - RDC nº 307, de 14/11/2002 - Dispõe sobre o Regulamento Técnico para planejamento, programação, elaboração e avaliação de projetos físicos de estabelecimentos assistências de saúde.

---

50. Fábio Bittencourt, presidente da Associação Brasileira para o Desenvolvimento de Edifícios Hospitalares (ABDEH).

- Resolução - RDC nº 51, de 6/10/2011, (que revogou a RDC nº 189, de 18/07/2003) - Dispõe sobre a regulamentação dos procedimentos de análise, avaliação e aprovação dos projetos físicos de estabelecimentos de saúde no Sistema Nacional de Vigilância Sanitária, altera o Regulamento Técnico aprovado pela RDC nº 50, de 21/02/2002 e dá outras providências.
- Resolução RDC nº 171, de 4/09/2006 - Republicada: Dispõe sobre o Regulamento Técnico para o funcionamento de Bancos de Leite Humano.
- Resolução RDC nº 36, de 03/06/2008 (Versão Republicada - 08/07/2008) - Dispõe sobre Regulamento Técnico para Funcionamento dos Serviços de Atenção Obstétrica e Neonatal.
- Resolução da Diretoria Colegiada – RDC/Anvisa nº 38, de 04/06/2008 - Dispõe sobre a instalação e o funcionamento de Serviços de Medicina Nuclear *in vivo*.
- Resolução da Diretoria Colegiada – RDC/Anvisa nº 7, de 24/02/2010 - Dispõe sobre os requisitos mínimos para funcionamento de Unidades de Terapia Intensiva e dá outras providências.
- Resolução da Diretoria Colegiada – RDC/Anvisa nº 63 de 25/11/2011- Dispõe sobre requisitos de boas práticas de funcionamento para os serviços de saúde.
- Resolução da Diretoria Colegiada – RDC/Anvisa nº 6, de 30/01/2012 - Dispõe sobre as boas práticas de funcionamento para as unidades de processamento de roupas de serviços de saúde e dá outras providências.
- Resolução da Diretoria Colegiada – RDC /Anvisa nº 15, de 15/03/2012 (D.O.U de 19/03/2012 - Seção 1 – págs 43 a 46) - Dispõe sobre requisitos de boas práticas para o processamento de produtos para saúde e dá outras providências.
- Para sanitários, instalação de barras de segurança e as exigências mínimas para o atendimento a pessoas portadoras de deficiência ou com mobilidade reduzida devem ser consultadas a ABNT NBR 9050:2004 no endereço: http://www.mpdft.gov.br/sicorde/NBR9050-31052004.pdf e o Decreto Federal 5296: http://www.acessobrasil.org.br/index.php?itemid=43.

Bibliografia Consultada

1. Cadastro Nacional de Estabelecimentos de Saúde. Disponível em: http://cnes.datasus.gov.br/ [Acessado em: 20 jun. 2013].
2. Consórcio Brasileiro de Acreditação. Disponível em: http://www.cbacred.org.br/site/unidades-acreditadas-no-brasil/ [Acessado em: 04 jul. 2013].
3. Drucker PF. Desafios gerenciais para o século XXI. São Paulo: Pioneira; 1999.
4. Lottenberg C. Saúde Brasileira Pode Dar Certo. 1. Ed. São Paulo: Atheneu; 2006.
5. Organização Nacional de Acreditação. Disponível em: www.ona.org.br [Acessado em: 04 jul. 2013].
6. Srougi M. Depredando a Saúde da Nação. Jornal Folha de S. Paulo, São Paulo, p. 3A, 30 jun. 2013.

Agradecimentos aos colaboradores:

Anderson Correa Teixeira, Antônio Gibertoni Junior, Augusto Guelli, Carla de Paula Pinto, Daniela Corcuera, Fábio Bittencourt, Flávio Bicalho, Gonzalo Vecina Neto, Heleno Costa Junior, José Henrique Germann Ferreira, Marconi Morais de Freitas, Maria Ângela da Paz, Paula Fiorentini Cascino, Rodolfo More, Salim Lamha Neto, Siegbert Zanettini, Fernanda Paula Martins, Eduardo Castro Mello, Brenda Bilman.

5 Marketing Estratégico

Hiram Baroli
Roserly Fernandes

Introdução – Cenário em Expansão

Os hospitais e clínicas de referência no Brasil seguem um movimento de grande expansão e vêm adotando, nos últimos 10 anos, novos modelos de administração, que buscam melhores resultados no custo-benefício dos seus serviços e um atendimento com maior segurança assistencial aos seus pacientes. As instituições de primeira linha lideram esta mudança de conceito da saúde no País por meio da implantação de processos nacionais e internacionais de acreditação, buscando a crescente qualidade dos serviços, terceirização das atividades, permanente capacitação da equipe de profissionais e também de renovação do parque tecnológico.

Segundo Michael Porter (2006), em seu livro *Repensando a Saúde*, o atual *marketing* de serviços de saúde é, em grande parte, baseado em: reputação, amplitude de serviços, conveniência, relações que influenciam o encaminhamento e o boca a boca. Chegará um momento que amenidades como a tela de TV de LCD ou led no quarto de um hospital, roupão de grife sobre o leito ou até mesmo um belo anúncio numa revista de grande circulação não farão mais a diferença. O valor será determinado pela forma como o hospital comunica eticamente sua experiência, seu domínio nas diversas áreas, seus métodos e resultados.

No processo de definição de estratégias diferenciadas no segmento de Saúde, o *Marketing* e a Comunicação têm um papel fundamental, e é justamente disso que trataremos neste capítulo, que pretende apresentar primeiramente o conceito e as suas ferramentas, os avanços tecnológicos e a comunicação, conceitos de *Marketing* em Saúde, definição e atribuições do *Marketing*, a construção da marca no mercado Saúde como instrumento de *Marketing* e o papel da Comunicação nas instituições de Saúde.

O que é Inerente ao *Marketing*?

O século XX será lembrado como o século dos grandes avanços tecnológicos, podemos citar desde o advento da televisão, peça fundamental para a mudança de hábitos e culturas, até mesmo a chegada do homem à lua. Assistiu-se a uma mudança na maneira das pessoas viverem, como resultado de inovações tecnológicas, médicas, sociais, ideológicas e políticas. Neste período, deixamos de utilizar animais como transporte, e passamos a utilizar a força do motor. O livre comércio gerou novos costumes, hábitos e atitudes, e as novas gerações surgem dentro desta realidade, inseridas num mundo tecnológico.

Que o mundo mudou, todos sabem. Consumimos diariamente produtos vindos de pontos distantes do planeta: alimentos da Europa, eletroeletrônicos da Ásia e assim por diante. Para termos uma dimensão de valores, a China ultrapassou os EUA em 2012 e tornou-se a maior potência comercial do mundo, pelo critério do fluxo comercial (soma de exportações e importações de bens). As exportações e importações americanas em 2012 somaram US$ 3,82 trilhões, já na China o total de vendas e compras externas alcançou US$ 3,87 trilhões (Fontes: relatório do Departamento de Comércio dos EUA e relatório da agência de administração de bens da China).

As atividades de *marketing* acontecem no limiar da fronteira das empresas com os clientes, fornecedores, intermediários, concorrentes, entidades públicas e privadas, e todas essas atividades ocorrem em um ambiente de constantes mudanças. Desta forma, podemos afirmar que tudo está ligado ou é relativo ao *marketing*, pois acontece no mercado.

Como o *Marketing* Age em Nossas Mentes?

Somos uma sociedade globalizada e capitalista e em relação à tecnologia, a cada ano, temos um grande avanço, e a velocidade com que as coisas mudam é tão grande, que nos surpreendemos todos os dias. Temos a impressão de uma eterna desatualização. Hoje, só ter *e-mail* não basta, o acesso deve ser ágil e precisamos estar conectados o tempo todo com as redes sociais: *Facebook, Youtube, Orkut, Twitter, LinkedIn, Flickr, Vine, entre outros, e* isto tudo para nos comunicarmos e fazermos parte deste novo mundo.

Na Saúde, os avanços também foram muitos, o que possibilitou que mais pessoas tivessem acesso a uma medicina de melhor qualidade. Laboratórios e indústrias farmacêuticas multinacionais passaram a ver a saúde como um grande negócio, grandes investidores migraram para o setor de Saúde e grandes cifras de dinheiro possibilitaram o desenvolvimento e a descoberta de novas curas. A invenção do antibiótico foi um marco, aumentou a perspectiva de vida e muitas doenças passaram a ser tratadas. A descoberta de novas vacinas e o avanço nas cirurgias aumentaram a expectativa de vida. Hoje, órgãos sadios são transplantados para pacientes doentes que, em outras épocas, eram considerados incuráveis. Quem, com mais de 50 anos, não se lembra do primeiro transplante de coração no Brasil, que aconteceu em maio de 1968 e trouxe esperança de vida para milhares de pessoas? Hoje, 54% dos transplantados sobrevivem por mais de 10 anos. Este feito teve ampla cobertura da imprensa na época, posicionando ainda mais a imagem do Hospital das Clínicas como um centro médico de excelência na América do Sul.

Atualmente, supõe-se que o conhecimento acumulado no mundo duplica a cada 2 anos, principalmente na área médica. Já para os próximos 10 anos, a previsão é de que as informações disponíveis poderão dobrar a cada 90 dias. Nesta progressão, a Medicina está vivendo um período de mudanças radicais, não só pela velocidade do conhecimento, mas também pelos avanços da informática que, juntamente com a globalização, permitem o acesso instantâneo a novas tecnologias e tratamentos. Estes fatores, somados ao crescimento da produção de alimentos, têm elevado a longevidade dos habitantes dos países emergentes e desenvolvidos.

Hoje são várias as inovações da medicina, como a aplicação de células- tronco para produção de tecidos que possam ser utilizados em tratamentos médicos e intervenções cirúrgicas. Com a Medicina Nuclear é possível obter informações funcionais e anatômicas minuciosas, que permitem ao médico adotar a mais adequada decisão para o paciente. O câncer está se transformando numa doença curável em mais de 80% dos casos e, quando não curável, torna-se uma doença crônica, com uma sobrevida de até 15 anos.

É neste cenário em constante evolução que o *marketing* assume um papel fundamental para as empresas e instituições da área da Saúde, mas antes de falarmos sobre a sua relevância para o desenvolvimento do negócio dentro de um cenário de grandes mudanças, é importante entendermos o seu conceito e suas ferramentas de aplicação.

Conceito de *Marketing* em Saúde

As empresas de saúde estão inseridas no mercado de serviços, e neste incluímos hospitais, operadoras de planos de saúde, clínicas, laboratórios, consultórios e os próprios profissionais prestadores de serviço. O *Marketing* em saúde deve ser uma diretriz de qualidade no atendimento e ser uma busca incessante do aprimoramento dos serviços para a satisfação do cliente/paciente. Estas empresas que constituem o mercado de saúde devem ser vistas como organizações com a mais nobre funcionalidade social, cuidando do bem mais valioso do planeta, que é a vida, e têm o dever de ser eficientes em todos os seus procedimentos para proporcionar a satisfação dos usuários.

Apesar de o *marketing* ainda ser visto por alguns profissionais como uma ferramenta de vendas e divulgação, esta especialidade é muito mais complexa e deve ser entendida em toda a sua plenitude, principalmente como identificador de problemas e soluções. Organizações de saúde com estruturas administrativas completas normalmente possuem departamentos de *marketing,* que trabalham estratégias com seus diferentes públicos, usando para isto inteligência de mercado, pesquisas de satisfação e aplicação de ações corretivas.

Para o cliente/paciente, a qualidade está diretamente ligada à sua percepção durante o processo de atendimento. Não basta fazer o melhor, é preciso fazer com que este melhor seja perceptível. O cliente/paciente tem que se sentir seguro em um momento de total incerteza e perceber que todo o trabalho realizado pela equipe busca a sua plena recuperação.

A fidelização de clientes/pacientes é um dos desafios das organizações de saúde. E um dos pontos mais importantes neste aspecto é o relacionamento humano, dos profissionais de saúde, com seus clientes/pacientes. O uso adequado das técnicas de comunicação interpessoal deve ser uma preocupação da equipe que interage diretamente com o cliente/paciente. Isto é um dos itens que traduz a boa qualidade do serviço.

No que se refere ao *marketing*, neste aspecto podemos afirmar que médicos, enfermeiros, nutricionistas e demais profissionais são os "marqueteiros de plantão", e somente pela comunicação efetiva com o cliente/paciente é que esta equipe poderá traduzir seus problemas e ajudá-lo. Já a aplicação das técnicas de *marketing* em Saúde requer cuidados especiais, como o fiel cumprimento dos preceitos éticos do setor e dos padrões técnicos. Não se pode implantar *Marketing* em Saúde sem o total conhecimento das suas atribuições e finalidades. Todas as informações são obtidas com a aplicação das ferramentas que serão apresentadas no próximo tópico.

Definição e Atribuições do *Marketing*

Seguem algumas definições dos principais teóricos no assunto:
- "Marketing *é um processo social por meio do qual, pessoas e grupos de pessoas obtêm aquilo de que necessitam e o que desejam com a criação, oferta e livre negociação de produtos e serviços de valor com outros*" (Kotler e Keller, 2006).
- "Marketing *é a entrega de satisfação para o cliente e forma de benefício*" (Kotler e Armstrong, 1999).
- "Marketing *é despertar nos consumidores suas necessidades reprimidas e demonstrar como supri-las através de produtos e/ou serviços*" (Nobrega, 2008).
- "*É todo o negócio do ponto de vista do seu resultado, isso é, do ponto de vista do consumidor*" (Peter Drucker).
- "Marketing *é obter e reter clientes*" (Theodore Levitt).

Analisando os conceitos descritos, podemos definir que a ideia central do *marketing* é: criar uma ligação entre os desejos e as necessidades do consumidor e a empresa (produto ou serviço) de forma que ambas atinjam seus objetivos. O conceito de *marketing* trouxe novas atividades às empresas. As antigas sofreram uma revolução e as outras foram simplesmente substituídas.

Neste novo panorama, as empresas passaram a dar mais importância à pesquisa de mercado. Saber o que o cliente/paciente quer passou a ser prioridade. Hoje, falar sobre o conceito de *marketing* é falar diretamente sobre satisfação das necessidades e desejos dos clientes/pacientes. Portanto, havendo um mercado (pessoas com necessidades ou desejos para adquirir tal produto ou serviço, a existência ou a possibilidade de produção que supra estas necessidades e o acesso), temos todos os quesitos necessários para a aplicação do *marketing*.

A base teórica do *marketing* empresta conceitos de outras três disciplinas bem conhecidas pelo profissional de Saúde e que servem para conhecer o indivíduo e aplicar o conceito:
- **Antropologia:** trata-se do estudo do "outro", seja no que se refere a sociedade, cultura ou grupo social.
- **Sociologia:** o estudo para vermos como grupos e ambientes afetam as atitudes e os comportamentos do indivíduo.
- **Psicologia:** com foco no próprio indivíduo: como ele recebe e percebe as informações e como as processa.

A satisfação está diretamente ligada ao bom atendimento. Na Saúde, o relacionamento humano deve ser a principal preocupação, deve-se demonstrar preocupação pelo problema do próximo. A interação pessoal e profissional tem grande influência positiva, o que ajuda na relação de confiança e credibilidade entre profissional e o cliente/paciente. No caso de um hospital, este atendimento começa com a recepção, passa pelo corpo clínico, permeia os mais diferentes setores e termina com o funcionário responsável pela locomoção do cliente/paciente ao veículo que o levará para sua residência. Todo processo assistencial, técnico, de atendimento e de apoio formará o conceito de satisfação deste cliente/paciente com o serviço. À medida que o serviço está sendo produzido, ele está sendo consumido e analisado, dando uma característica diferenciada que é a integração entre produção e consumo.

Segundo Cobra (2001), por mais que se estabeleça um padrão de atendimento, sempre prevalece, em serviço de saúde, o conceito "sob medida" às necessidades específicas de cada cliente/paciente, visto que, em Medicina, cada caso é um caso. O desafio está em estabelecer um equilíbrio entre a necessidade de obtenção de padrões gerais de atendimento e, ao mesmo tempo, personalizar atendimentos.

Outro ponto que interfere no grau de satisfação dos serviços é o componente emocional por parte do cliente/paciente, que pode mascarar a avaliação da qualidade. Razões emocionais podem levar um cliente/paciente a considerar um serviço de padrão adequado como insatisfatório.

Ambiente de *Marketing*

Conhecer o ambiente em que uma empresa atua é muito importante e vem a ser uma das principais premissas do *marketing*, que tem suas atividades acontecendo entre a empresa e seus clientes/pacientes, fornecedores, intermediários, concorrentes, entidades públicas e privadas. Essas atividades ocorrem e se desenvolvem num ambiente de constantes mudanças internas (no âmbito organizacional) e externas (nos âmbitos nacional e internacional).

Para obter êxito, a empresa deve conhecer-se internamente e conhecer o seu mercado de atuação, deve estar consciente das suas forças e fraquezas. No ambiente externo, deve saber onde está inserida e quais são as oportunidades e ameaças existentes. Desta forma, a empresa poderá definir estratégias e aplicá-las para poder atuar de forma competitiva. O ambiente de *marketing* pode ser representado por círculos concêntricos, como se vê na Figura 5.1:

Uma ferramenta muito utilizada para examinar estes ambientes (internos e externos) da empresa é a análise *SWOT*, trata-se da primeira etapa de um Planejamento de *Marketing*. A sigla *SWOT* é formada pelas primeiras letras das palavras em inglês: *Strengths, Weaknesses, Opportunities e Threats (Pontos fortes, Pontos fracos, Oportunidades e Ameaças)*. Vejam um exemplo na Figura 5.2:

As empresas que utilizam a ferramenta de Análise de Ambiente sempre identificarão pontos fortes e pontos fracos, e é neste ponto que o *marketing*, em conjunto com as demais áreas, deverá atuar para buscar soluções e caminhos para pontos fracos identificados. Mas, principalmente, enfatizando e reforçando os pontos fortes, buscando explorá-los e ampliá-los quando possível. É importante que o maior interessado (cliente/paciente) conheça o que a empresa oferece de melhor, que pode ser um diferencial no seu parque tecnológico (como a compra de um equipamento de ponta), um atendimento diferenciado na área de hotelaria,

Figura 5.1 – *Ambiente de* marketing.
Fonte: Anderson & Vincze (2000).

	AJUDA	ATRAPALHA
INTERNA (ORGANIZAÇÃO)	**S** FORÇAS	**W** FRAQUEZAS
EXTERNA (AMBIENTE)	**O** OPORTUNIDADES	**T** AMEAÇAS

Figura 5.2 – *Matriz SWOT.*

serviço agregado, profissionais com experiência em grandes hospitais, agilidade entre outros serviços.

Estas informações obtidas sobre o ambiente interno denominam-se variáveis controláveis, e nelas está inserido tudo o que se relaciona aos concorrentes, fornecedores, clientes/pacientes e intermediários. Neste ambiente, todas as informações coletadas deverão ser analisadas e aprofundadas. E com isso ações de correção, quando necessário, deverão ser tomadas:

- **concorrentes:** quando houver identificação de ações da concorrência que possam impactar diretamente na empresa: existem os concorrentes setoriais (aqueles que atuam na mesma área), os concorrentes diretos (empresas que atuam exatamente no mesmo mercado e nicho), e os concorrentes genéricos (todas as empresas que possam de alguma forma atender às necessidades do cliente/paciente);
- **fornecedores:** as promoções, oportunidades e condições especiais devem ser avaliadas. Deixar um concorrente aproveitar o preço especial do único fornecedor de determinado produto do mercado, pode ser um diferencial que custará muito alto para a empresa buscar a igualdade, por isso a atenção ao mercado é muito importante. As empresas devem sempre estar próximas dos seus fornecedores e manter-se sempre muito bem informadas;
- **clientes**/pacientes: este é o ponto mais frágil da nossa empresa. Os clientes/pacientes são diariamente bombardeados por propostas e condições especiais de empresas concorrentes. Os clientes/pacientes estão cada vez mais exigentes e cabe à empresa fazer de tudo para atender às necessidades e desejos e, quando possível, superar as suas expectativas;
- **intermediários:** empresas e profissionais que colaboram para que a empresa atinja os seus objetivos. São muito importantes na aproximação entre empresa e cliente/pacientes. Podem ser empresas de *telemarketing*, vendas e/ou fornecedores. Os planos de saúde utilizam muitas empresas terceirizadas de vendas de planos de saúde, que otimizam o tempo e permitem que se concentrem na busca das melhores condições e serviços para os clientes/pacientes.

Já as informações colhidas no macroambiente são consideradas as variáveis incontroláveis, e referem-se a economia, política, demografia, cultura, tecnologia e natureza. Neste ambiente as empresas pouco podem fazer, estando totalmente vulneráveis e à mercê dos acontecimentos. Havendo identificação de informações que impactem no mercado ou diretamente na empresa, estas devem se ajustar e buscar a melhor forma de se adaptar e continuar a atuar na busca de seus objetivos. Lembrando que estes acontecimentos podem ser negativos, ou positivos, como no caso da grande demanda de álcool gel que houve em meados do ano de 2009, devido ao crescimento de casos da gripe H1N1 (gripe suína), que vitimou pessoas em todo o mundo.

O *Mix* de *Marketing* ou 4 P's

É um composto mercadológico que foi formulado primeiramente por Jerome McCarthy, em seu livro *Basic Marketing* (1960), e aperfeiçoado e difundido por Philip Kotler, que trata do conjunto de pontos de interesse para os quais as organizações devem estar atentas se desejam perseguir seus objetivos de *marketing*. Esta teoria propõe a aplicação de um modelo observando-se os 4P's: Produto, Promoção, Praça e Preço (Figura 5.3). Para exemplificar como este processo funciona na prática na área da saúde: os hospitais e clínicas oferecem um determinado serviço, este é alvo de uma promoção, que tem por objetivo comunicar e informar o cliente/paciente de sua disponibilidade em um determinado ponto de venda ou local, a um determinado preço.

Também conhecido como composto de *marketing* ou *mix* de *marketing,* os 4 P's transformaram-se num instrumento de suma importância para os profissionais de *marketing* e para as empresas. Sob o aspecto de *marketing* de produto e no estágio atual do sistema capitalista, no qual a competição é bastante acirrada, as empresas não ditam as normas do que será consumido. O consumidor tem a liberdade e é soberano em suas decisões.

Em virtude de o mercado ser composto por pessoas com necessidades e desejos diferentes , as empresas podem produzir produtos e serviços para atender a essas necessidades diferenciadas dos consumidores. Os 4 P's apresentam a visão que a empresa tem das ferramentas de *marketing* disponíveis para influenciar compradores. Do ponto de vista do comprador, cada ferramenta de *marketing* é projetada para oferecer um benefício ao cliente/paciente.

Figura 5.3 – *Composto de* marketing *(4 P's).*

A adoção do *marketing* por organizações de Saúde deve ser entendida como uma oportunidade de aumentar a satisfação do cliente/paciente e como opção de melhor qualidade de vida para este cliente/paciente. O composto de *marketing* permite que o atendimento seja universal, todos tenham acesso à Medicina (cada um dentro da sua realidade e respectivos padrões de conforto e necessidade).

- **Produto/serviço:** é o que é oferecido ao mercado para atender às necessidades e desejos (pode ser um plano de saúde, hospital, atendimento, remédios ou instrumentos médicos).
- **Preço:** valores cobrados pela tabela de planos de saúde e particular, por consultas, por atendimento médico ou tratamentos. A definição de preços não é tão simples

quanto parece e esta deve levar em consideração sempre as duas pontas da relação: cliente/paciente x fornecedor, e pode ter os seguintes pontos de vista:

a) valor percebido é a razão entre o que o cliente/paciente recebe e o que ele dá, o cliente/paciente assume custos e recebe o que quer em troca. Para ser mais claro, é quanto o cliente/paciente se propõe a pagar pelo produto ou serviço, quanto vale pra ele. Nem sempre este preço é quanto o fornecedor pode cobrar, por isso, em alguns casos, as empresas oferecem serviços e/ou produtos agregados; desta forma ele agrega valor ao seu produto, fazendo com que aumente o valor percebido. Exemplo: plano de saúde com os melhores laboratórios ou com direito a atendimento residencial;

b) preço é quanto o cliente/paciente dá em troca pelo produto e/ou serviço, quanto efetivamente é pago. É o valor definido pela empresa e que está na tabela de preços;

c) qualidade é a soma de todos os atributos e benefícios contidos no produto e/ou serviço que garantem a satisfação ou atendimento à necessidade do cliente/paciente. Estão incluídos aqui: produto, serviços, atendimento, local, estrutura etc.

A definição de preço pode ter como premissa o custo, a demanda e a concorrência.

- **Praça:** local onde o profissional presta serviços (hospital, consultório, laboratório, atendimento residencial, bairro, cidade ou região. Para definição de praça, existem dois termos utilizados, o de venda direta e indireta:

  1. **venda direta:** atendimento médico no consultório ou hospital, ou ainda a compra de um plano de saúde da própria seguradora;

  2. **venda indireta:** farmácias que vendem remédios produzidos por laboratórios ou empresas especializadas em vender convênios de saúde. No caso de medicamentos, hoje há muitas farmácias que trabalham com venda pela Internet.

- **Promoção:** com a intenção de lembrar, informar ou persuadir, hoje podemos entrar em *sites* de hospitais e laboratórios para conhecer seus serviços. Planos de saúde divulgam o que oferecem, o cliente/paciente tem o direito de saber o que vai adquirir, ou scja, divulgar o que é verdade é ético e um direito. Profissionais de saúde colocam seus currículos em *sites* especializados. São formas de facilitar o contato e a decisão do cliente/paciente e fazer com que serviços, produtos e informações cheguem mais rápido para quem precisa.

O *marketing* de saúde está inserido em *marketing* de serviços, onde seus aspectos são essencialmente intangíveis, com isto, precisamos considerar três P's adicionais ao composto de *marketing* tradicional, pois o cliente/paciente busca indicadores tangíveis antes de decidir qual organização ou profissional contratar. Esses três novos aspectos são pessoas, provas físicas e processo.

Pessoas – A apresentação de todos os profissionais, desde recepção, limpeza, segurança, manobristas e os profissionais de saúde. Qual a reputação de cada um destes profissionais, como falam, se vestem, agem, são corteses, pacientes, inspiram confiança. Tudo influencia na decisão do cliente/paciente, desde o retorno até a indicação para outras pessoas.

Prova física – A natureza intangível de serviços faz com que o cliente/paciente procure por evidências que lhe passem segurança (a ambientação, imagens, filmes, *site*, relatos de pessoas satisfeitas). O importante é que seja oferecido algum tipo de prova que passe segurança e tangibilize a decisão do cliente/paciente.

Processo – O processo de atendimento ou entrega do serviço também será avaliado pelo cliente/paciente, neste caso leva-se em consideração o tempo de espera, o cumprimento dos prazos acordados e todo o decorrer da entrega do serviço.

Neste Ponto, Vale Fazer um Questionamento: o *Marketing* é Responsável pelo Cliente/Paciente?

A resposta é não, pois uma única área da empresa não pode assumir sozinha a maior responsabilidade. Se assim o fizer, poderá estar criando a sua própria armadilha.

Toda organização é responsável pela satisfação e fidelização do cliente/paciente, todos dentro de uma organização devem ter o foco no cliente/paciente. Quem leva a marca para frente é uma equipe de gestores e colaboradores alinhados e motivados por uma atuação matricial das áreas, que faz com que o cliente/paciente se relacione positivamente com a marca, em vez de a empresa promover agressivamente os serviços por intermédio de uma única área.

Marketing Holístico

O *marketing* holístico é um conceito criado por Philip Kotler e que defende a integração de várias estratégias de *marketing* para o alcance de resultados, sejam eles de imagem, marca ou financeiros. Para o *marketing* holístico dar certo, é preciso que a organização de saúde atue de forma integrada com o *marketing* de relacionamento, o *marketing* integrado, o *marketing* interno e o *marketing* socialmente responsável (Figura 5.4).

1. *Marketing* **de Relacionamento/CRM**: maximizar o valor do cliente significa cultivar um relacionamento de longo prazo com ele. Quanto mais as empresas aprenderem a coletar informações sobre os clientes/pacientes, mais aumentará a sua capacidade de individualizar seu atendimento. Muitas empresas estão decididas a desenvolver vínculos mais fortes com seus clientes/pacientes e para isto será necessário gerenciar e organizar suas informações por meio de um sistema de CRM (*customer relationship management*). Trata-se do gerenciamento cuidadoso de informações detalhadas sobre cada cliente/paciente e de todos os pontos de contato com ele, a fim de maximizar a sua fidelidade. Quando aplicado corretamente, o CRM permite que as empresas ofereçam um excelente atendimento em tempo real. Muitas redes americanas de hotéis, por exemplo, lançam mão de toques pessoais, tais como sempre se dirigir aos hóspedes pelo nome, contratar funcionários altamente qualificados que entendam as necessidades de viajantes empresariais e oferecer instalações diferenciadas de acordo com a preferência do cliente. Este conceito vem ganhando a adesão de grandes hospitais no Brasil, com a implementação do conceito de hotelaria como diferencial de atendimento.
2. *Marketing* **Integrado**: para definir o melhor serviço é preciso ouvir o cliente/paciente, oferecer um preço competitivo, comunicar de forma eficiente e apresentar o

serviço de forma diferenciada. O *marketing* integrado em serviços tem como desafio induzir os outros setores da organização a fazer *marketing* e olhar todos os aspectos de concepção, implantação e acompanhamento do serviço em seus vários níveis. Diversos estudos mostram que as empresas de serviços, em especial as da área da Saúde, gerenciadas com excelência, têm em comum as seguintes práticas: concepção estratégica, comprometimento da alta gerência com a qualidade, padrões rigorosos, tecnologias de autoatendimento, sistemas de monitoramento do desempenho dos serviços, atendimento às reclamações dos clientes/pacientes e ênfase na satisfação dos clientes/pacientes.
3. ***Marketing* Interno ou *Endomarketing***: requer que todas as pessoas da organização compreendam e aceitem os conceitos e objetivos do *marketing* e envolvam-se na escolha, na prestação e na comunicação do valor para o cliente/paciente. O funcionário é o maior propagandista da marca e para fazer isto de forma alinhada ele precisa ser informado e envolvido, em níveis diferentes, nas estratégias de negócio, e acima de tudo compreender o seu papel neste processo. Somente quando todos os funcionários perceberem que seu trabalho é servir e satisfazer os clientes/pacientes, é que a empresa se tornará uma prestadora eficaz.
4. ***Marketing* Social**: o *marketing* interno eficaz deve ser combinado com um forte sentido de responsabilidade social. As empresas precisam avaliar se estão realmente praticando o *marketing* de maneira ética e socialmente responsável. Vários motivos as levam a praticar um nível mais alto de responsabilidade social corporativa: a ascensão das expectativas dos clientes/pacientes, a mudança nas expectativas dos funcionários, legislações e pressões por parte do governo, o interesse dos investidores, critérios sociais e as práticas de aquisição de negócios. O sucesso nos negócios e a satisfação contínua dos clientes/pacientes e outros públicos estão intimamente ligados à adoção e à implementação de altos padrões de conduta nos negócios. As empresas mais admiradas do mundo obedecem a uma só lei: servir aos interesses das pessoas, não apenas aos seus próprios.

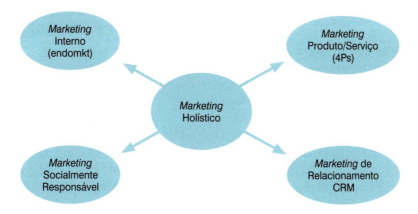

Figura 5.4 – *Marketing holístico*

Marketing 3.0

Segundo Kotler, Kartajaya e Setiawan (2010), o crescimento das redes sociais pode ser visto como uma das novas ferramentas tecnológicas responsáveis pela mudança no *marketing* como conhecemos. A facilidade com que as informações chegam às pessoas através de computadores, *tablets* e *smartphones* tornou mais fácil o compartilhamento de notícias, opiniões e ideias. Cada vez mais rápido, consumidores influenciam outros consumidores. Ainda segundo o autor, o *marketing* pode ser centrado no produto, chamado de "*Marketing* 1.0", ou centrado no consumidor, o "*Marketing* 2.0". Já o "*Marketing* 3.0" está centrado no ser humano, onde a lucratividade das empresas fica em segundo plano e preza pela responsabilidade social, representada na Tabela 5.1. O lucro é resultado da valorização do consumidor, através da contribuição da empresa para o bem-estar humano.

Tabela 5.1
Tabela comparativa entre *Marketing* 1.0, 2.0 e 3.0

	MARKETING 1.0 CENTRADO NO PRODUTO	*MARKETING* 2.0 VOLTADO PARA O CONSUMIDOR	*MARKETING* 3.0 VOLTADO PARA OS VALORES
Objetivo	Vender produtos	Satisfazer e reter os consumidores	Fazer do mundo um lugar melhor
Forças propulsoras	Revolução Industrial	Tecnologia de informação	Nova onda de tecnologia
Como as empresas veem o mercado	Compradores de massa, com necessidades físicas	Consumidores inteligentes, dotados de coração e mente	Ser humano pleno, com coração, mente e espírito
Conceito de *Marketing*	Desenvolvimento de produto	Diferenciação	Valores
Diretrizes de MKT da empresa	Especificação do produto	Posicionamento do produto e da empresa	Missão, visão e valores da empresa
Proposição de VLR	Funciona	Funcional e emocional	Funcional, emocional e espiritual
Interação com consumidores	Transação do tipo um-para-um	Relacionamento um-para-um	Colaboração um-para-muitos

Fonte: Kotler P, Kartajaya H, Setiawan I – Marketing 3.0 – As forças que estão definindo o novo *Marketing*. Centrado no ser Humano. 2010.

O consumidor colabora com a criação de valor nas empresas através da troca de informações sobre elas, marcas e produtos existentes, em termos de desempenho funcional e também desempenho social. A responsabilidade social capacita empresas a buscar novos segmentos de mercado, especialmente os crescentes, culturalmente ativos e criativos. As práticas da sustentabilidade conquistam a admiração do consumidor, com forte reputação nas comunidades, onde as empresas podem melhorar a aquisição de novos clientes.

Surgem consumidores colaborativos, as empresas têm que ouvir e descobrir quais as suas ambições, necessidades e desejos. O consumidor passa a interferir diretamente nas empresas, e estas passam a se preocupar em fazer comunicações relevantes, passar mensagens positivas e focar ações com objetivos sociais. O *marketing* deve trabalhar como um radar, detectando ansiedades e desejos humanos do consumidor, profundamente enraizados na criatividade, cultura, tradição e no meio ambiente, e transformar tudo em ações, que devem estar no *core business* da empresa. É importante que o significado destas ações estejam incorporados a missão, visão e valores, e que sejam perceptíveis perante os *stakeholders*. Apenas a honestidade, a originalidade e a autenticidade funcionarão, pois não é possível dominar ou conduzir este consumidor.

As marcas pertencem ao cidadão, as empresas devem estar atentas aos problemas comunitários relacionados ao seu negócio, assim, empresas que poluem têm que investir na diminuição da poluição, empresas de saúde devem investir na prevenção de doenças, e assim por diante.

As empresas engajadas e comprometidas com ações sociais devem buscar formas de contribuir conforme as suas especialidades. Um caminho sábio pode ser o *marketing* de causas, que torna mais fácil para a empresa definir ações claras e transparentes. As causas podem ser diversas, desde as voltadas para idosos, crianças e deficientes até o combate à pobreza, ao fumo/álcool e à prevenção de certas doenças.

Podemos dizer que existe um contrato entre empresas e a sociedade e aquelas empresas que mais se preocupam com negócios sustentáveis, mais valor terão perante o consumidor, interferindo assim na reputação da empresa. Com isto, no contexto social e ambiental, as práticas sólidas reduzem custos.

O conceito de sustentabilidade vem evoluindo nas empresas, permeado pela escassez dos recursos naturais. As organizações estão cada vez mais conscientes da vantagem competitiva que podem obter com o foco na sustentabilidade. Os profissionais de *marketing* voltam-se para essa questão, pois têm a necessidade de envolver a mente e o espírito do consumidor para atingir seu coração.

Líderes mundiais assumiram, em setembro do ano 2000, o compromisso de cumprir até 2015 o que chamaram de "os objetivos de desenvolvimento do milênio", listados a seguir:

1. Erradicar a extrema pobreza e a fome.
2. Atingir o ensino básico universal.
3. Promover a igualdade entre os sexos e a autonomia das mulheres.
4. Reduzir a mortalidade na infância.
5. Melhorar a saúde materna.
6. Combater o HIV/Aids, a malária e outras doenças.
7. Garantir a sustentabilidade ambiental.
8. Estabelecer uma parceria mundial para o desenvolvimento.

A Construção da Marca no Mercado Saúde como Instrumento de *Marketing* e Comunicação

Segundo a definição da *American Marketing Association* (AMA),

"(...)marca é definida como nome, termo, símbolo – ou uma combinação desses elementos –, cujo objetivo é identificar os produtos e serviços de uma empresa e, principalmente, diferenciá-los dos produtos da concorrência".

Outra definição é dada por David Aaker:

"É um nome e/ou símbolo (tal como um logotipo, marca registrada ou desenho de embalagem) destinado a identificar os bens ou serviços de um vendedor ou de um grupo de vendedores e a diferenciar esses bens e serviços daqueles dos concorrentes. Assim, uma marca sinaliza ao consumidor a origem do produto protegendo, tanto o consumidor quanto fabricante, dos concorrentes que oferecem produtos que pareçam idênticos".

O Que Realmente Significa para Uma Empresa Construir uma Marca Forte?

Segundo Philip Kotler:

"Requer um cuidadoso planejamento e gigantescos investimentos no longo prazo. Na essência de uma marca bem-sucedida existe um excelente produto ou serviço, sustentado por um marketing desenvolvido e executado com muita criatividade".

A marca é formada pela soma dos valores tangíveis e intangíveis. Os valores tangíveis são representados pela estrutura física, equipamentos e estoque. Os valores intangíveis são formados por:

- ativos humanos (conhecimento, capacidade, talento, habilidade e experiência, empregados-chave, treinamento, desenvolvimento);
- ativos de inovação (pesquisa e desenvolvimento de patentes, fórmulas secretas, *know-how* tecnológico);
- ativos estruturais (processos, *softwares*, bancos de dados, sistemas de informação e administrativos, canais de mercado);
- ativos de relacionamento (marcas, logos), direitos autorais, contratos de clientes, fornecedores, licenciamentos, franquias e imagem da empresa no mercado (ética corporativa).

Hoje não podemos falar de gestão de marca sem definir claramente o conceito de *branding*, que vem a ser a construção de valores e a representação destes valores por meio de uma marca junto aos variados públicos que compõem o que chamamos de comunidade da marca.

O termo *branding* poderia ser definido como conjunto de atividades que visa otimizar a gestão das marcas de uma organização como diferencial competitivo, e pode ser dividido em duas partes: Estratégica e Operacional. Faz parte das atividades estratégicas o Planejamento de Identidade de Marca e a Arquitetura de Marca. Já as atividades operacionais compreendem pesquisa de mercado (*top of mind*), *naming*, comunicação, *design*, avaliação financeira e proteção legal. Apenas a gestão integrada de todas estas atividades pode ser entendida como *branding* (Figura 5.5).

Uma marca forte deve ter uma identidade de marca clara e valiosa e que possibilite criar uma imagem de marca, ou seja, uma representação mental da empresa no imaginário coletivo.

Mas o Que É Identidade de Marca?

Ela pode ser definida como sendo: a promessa feita aos clientes pelos membros da organização. Não pode ser um bordão de propaganda, nem sequer uma afirmação de posicionamento, e estabelece uma relação entre a marca e o cliente, gerando proposta de valor, que envolve benefícios funcionais, emocionais ou autoexpressivos.

BRANDING

Tratar das atividades operacionais isoladamente como sinônimo de *branding* é um erro, sob pena de não serem atingidos os resultados objetivos.

Estratégica

• Planejamento de Identidade de Marca

• Arquitetura de Marca

Operacional

• Pesquisa de mercado (*top of mind*)
• *Naming*
• Comunicação
• Design
• Avaliação financeira
• Proteção legal

Figura 5.5 – *Construção da marca.*

A identidade de marca é dividida em:

- **Real:** é aquilo que a empresa é, faz e diz. É seu DNA, espírito, alma, trajetória, estrutura, funcionários e produçao. É também seu sistema de comunicação.
- **Aspiracional:** representa aquilo que a organização deseja que sua marca signifique. A empresa trabalha duro para implantar um planejamento estratégico e tem um objetivo por trás disto.

Na área da Saúde, a construção de uma imagem de marca baseada em atributos como qualidade dos serviços, em relação à segurança do diagnóstico e tratamentos, agilidade e humanização do atendimento, é essencial para a construção e consolidação de uma marca.

Quando os atributos de um hospital se diferenciam da sua concorrência, a sua marca passa a ser percebida junto à comunidade. Para que isso ocorra, é imprescindível não só o empenho de toda empresa no processo de construção de uma identidade de marca, mas também na implantação de um processo de comunicação claro e eficiente com os públicos de interesse deste hospital.

Assim como um imenso *iceberg*, a empresa é sustentada por uma estrutura que fica submersa e que inclui: valores da marca (atributos), processos, comunicação interna, recursos humanos, desenvolvimento e capacitação dos funcionários, sistema de informação, tecnologia e gestão de conhecimento. Na ponta deste *iceberg*, que fica para fora e é visível para todos, temos: nome, logomarca, publicidade, ambientação e serviços. O que sustenta a estrutura é o que não está visível, por esse motivo afirmamos que as marcas começam de dentro para fora.

O processo de construção de marca, ou *branding,* envolve toda a empresa, mas é importante ressaltar que este trabalho deve ser coordenado por profissionais especializados nas áreas de *marketing,* comunicação e relações públicas, que devem ter como principal característica para exercer a sua função a capacidade de criar, manter, aprimorar e proteger as marcas.

Papel da Comunicação nas Instituições de Saúde

A Comunicação Organizacional, Empresarial ou Corporativa deve dar conta de todo o processo de relacionamento da organização com seus públicos de interesse, normalmente designados de *stakeholders.* Segundo Wilson da Costa Bueno, é evidente que o conceito de comunicação é mais amplo que o de *marketing,* uma vez que este último promove apenas ações específicas.

> *"Entendemos Comunicação Empresarial como o conjunto de ações, estratégias, planos, políticas e produtos planejados e desenvolvidos por uma organização para estabelecer a relação permanente e sistemática com todos os seus públicos de interesse".*

Nos últimos anos esta área tem sido considerada cada vez mais estratégica para as empresas e é impossível pensar essa comunicação sem uma visão de seu planejamento integrado e alinhado à estratégia global da organização. Com base nesse conceito, transferimos esta discussão para o campo de atuação das empresas da área da Saúde, que nos últimos anos estão se modernizando e implementando a melhoria da qualidade dos serviços por meio de processos de acreditação nacional e internacional, implantando planejamentos estratégicos a médio e longo prazos, estabelecendo metas ambiciosas de crescimento e políticas de mudanças constantes, posicionando-se no mercado com atributos diferenciados de marca, enfim, lançando mão de todas as ferramentas administrativas de competitividade global em que as empresas hoje se veem inseridas.

Pegando como exemplo o conceito de planejamento estratégico, como processo lógico, ele se desenvolve ao longo de um conjunto de fases sucessivas, sistemáticas e interativas, que determinam conscientemente o curso de ações a serem realizadas no presente com olhar no futuro. Em termos conceituais, o planejamento deve ser entendido como um processo técnico, racional, lógico e político. É algo dinâmico, complexo e abrangente, com características próprias e aplicações concretas, guiado por uma filosofia e por políticas definidas.

No contexto das organizações, o planejamento ocorre em três níveis: estratégico, tático e operacional, sendo que o primeiro ocupa o topo da pirâmide, ligado às grandes decisões, caracterizando-se como de longo prazo e em constante sintonia com o ambiente. Já o planejamento tático atua em dimensão mais restrita e em curto prazo, sendo mais pontual para demandas mais imediatas, e por fim o planejamento operacional, que é responsável pela formalização, por meio de documentos escritos, de todo o processo e das metodologias a serem adotadas.

Os hospitais no Brasil já têm colhido bons resultados de um planejamento estratégico bem feito, conseguindo adaptar-se às demandas que a todo momento surgem no ambiente em que estão inseridos. O planejamento estratégico, por sua Vez, é a melhor fonte e ponto de partida para um planejamento de Comunicação Organizacional. Planejar e monitorar a comunicação nas empresas de Saúde, no atual contexto de mudanças, requer um gestor com conhecimento em planejamento, gestão e comunicação, que vá além do nível das técnicas e de uma visão linear.

A aplicação do processo do planejamento permite produzir uma análise estratégica capaz de construir um diagnóstico situacional com indicativos das ameaças, demandas e oportunidades do ambiente externo e avaliar o nível de resposta que uma empresa possui em relação às suas possibilidades e fraquezas. Assim como no planejamento de negócio, podemos também utilizar no planejamento de comunicação a técnica de análise SWOT, que permite analisar e avaliar as condições competitivas em relação ao ambiente.

Será Possível Passar por Este Processo Sem Estabelecer Canais de Comunicação Efetivos com Seu Público de Interesse?

A resposta é sim, mas isso terá um custo muito alto para todos os envolvidos. As empresas de saúde que desejarem competir neste novo mercado devem planejar estrategicamente sua comunicação para realizar relacionamentos efetivos; e este objetivo só será alcançado com a integração das ações de comunicação, que devem estar alinhadas com a missão, visão e valores da organização.

Esta área incorpora ações voltadas para os públicos de interesse da empresa. No caso de um hospital, podemos imaginar que este público é formado por: médicos, pacientes e familiares, convênios e planos de saúde, funcionários, alta direção e liderança, Governo, Terceiro Setor, universidades, empresas, doadores ou patrocinadores, imprensa, comunidade do entorno e sociedade.

Reforçamos que a aplicação do planejamento estratégico de comunicação deve ser realizada por um profissional competente que primeiramente tenha uma visão abrangente da complexidade da comunicação na empresa, conheça as bases conceituais e metodológicas de planejamento e gestão, e possua conhecimento amplo do próprio campo da Comunicação Organizacional.

Teoricamente, a Comunicação Organizacional estuda o fenômeno comunicacional do agrupamento de pessoas de uma organização, o que liga essas pessoas, cultura e objetivos comuns. Busca também compreender todo o sistema, processos e fluxos do dia a dia de uma organização, e por fim analisa as manifestações discursivas para se relacionar com os grupos internos e externos. Na prática, deve ser um conjunto de ações integradas e alinhadas com os objetivos estratégicos da organização, que visam agregar valor à marca, reforçar a imagem da empresa junto aos seus públicos de interesse e divulgar seus diferenciais comerciais e institucionais ao mercado.

Essas ações integradas podem ser organizadas em três grandes áreas de atuação e isto não significa que devam ser segmentadas dentro de um departamento, mas juntas ajudam a nortear projetos de forma integrada e complementar. Essas áreas são divididas em:

1. Comunicação Institucional: visa criar relações confiantes e construir reputação positiva com todo o universo de públicos que estão diretamente relacionados com a organização.
2. Comunicação Interna: é responsável por fazer circular as informações, o conhecimento, de forma vertical, ou seja, da direção para os níveis subordinados; e horizontalmente, entre os empregados de mesmo nível de subordinação. É por meio dela que uma organização recebe, oferece, canaliza informação e constrói conhecimento, tomando decisões mais acertadas.
3. Comunicação Mercadológica: A comunicação mercadológica é aquela que contempla as ações desenvolvidas por uma empresa, no sentido de reforçar a imagem das suas marcas, produtos e serviços, colocando-os favoravelmente no mercado e, evidentemente, aumentando as suas vendas e, por extensão, a sua receita.

Para exemplificar, segue na Figura 5.6 um exemplo dos principais projetos e ações que podem ser implementados em cada uma das áreas citadas anteriormente. Modelo elaborado por Margarida Kunch.

Figura 5.6 – Mix *da comunicação organizacional.*

É de se imaginar que, em alguns casos, esta estrutura não se dê de forma harmoniosa, dados os diferentes interesses dos departamentos, ou até mesmo o foco estratégico da empresa, mas com certeza ajuda a tornar o conceito da Comunicação Organizacional mais didático e também pode ajudar as empresas da área da saúde a compreenderem melhor as atribuições desta área imprescindível, que comunica seus diferenciais valorizando seu valor percebido. A definição da mensagem do valor percebido é essencial para tornar o serviço mais atrativo ao cliente. Fazer com que este cliente perceba e entenda a promessa que está por trás de um serviço é o grande desafio da Comunicação, que utiliza várias estratégias, como: propaganda, relações públicas, *marketing* direto, promoções e eventos.

Quando o valor percebido cresce no conceito do cliente, a percepção de preço que é inversamente contrária cai, ou seja, quando um serviço é apresentado de forma valorizada, o cliente não se preocupa com o preço a pagar, simplesmente busca esse serviço, pois sabe que está fazendo a melhor opção para sua saúde (Figura 5.7).

$$\uparrow Vp = Vb + P \downarrow$$

Vp – Valor percebido
Vb – Valor do Benefício
P – Preço

Figura 5.7 – *Relação de valor.*

Bibliografia Consultada

1. Aaker D. "Marcas Líderes". São Paulo: Bookman Companhia Editora; 2007.
2. Anderson CH, Vincze JW. Strategic marketing management. New York: Houghton Mifflin; 2000.
3. Borba VR. Estratégias e plano de marketing para organizações de saúde. Rio de Janeiro: Cultura Médica; 2009.
4. Bueno WC. Comunicação empresarial: políticas e estratégias. São Paulo: Editora Saraiva; 2009.
5. Camalionte E, Moraes A. Marketing aplicado "Cases e exemplos para profissionais de marketing". São Paulo: Saint Paul Editora; 2008.
6. Covey S. Os 7 hábitos das pessoas altamente eficazes. 23ª ed. Rio de Janeiro: Best Seller; 2005.
7. Drucker P. Administração na próxima sociedade. São Paulo: Nobel/Exame; 2002.
8. Gracioso F. Marketing estratégico: planejamento estratégico orientado para o mercado. São Paulo: Atlas; 2007.
9. Kotler P. Marketing para o Século XXI. "Como criar, conquistar e dominar mercados". São Paulo: Editora Futura; 1999.
10. Kotler P, Keller KL. Administração de Marketing: A Bíblia do Marketing. 12ª ed. Prentice Hall Brasil; 2006.
11. Kunsch M. Gestão estratégica em comunicação organizacional e relações públicas. São Paulo: Editora Difusão; 2009.
12. Nascimento A, Lauterborn RF. Os 4 Es de marketing e branding. Rio de Janeiro: Editora Elsevier – Campus; 2007.
13. Pinheiro D, Gullo J. Comunicação integrada de marketing. São Paulo: Editora Atlas; 2009.
14. Porter M. Estratégia competitiva. Rio de Janeiro: Campus; 2004.
15. Kotler P, Kartajaya H, Setiaean I. Marketing 3.0. São Paulo: Editora Elsevier; 2010.

6 Gestão de Serviços em Clínicas e Hospitais

Haino Burmester

Gestão visa racionalizar a execução de processos organizacionais para a produção de bens ou serviços (com qualidade avaliada pelos grupos de interesse da organização). São os grupos de interesse que avaliam o sucesso ou insucesso de uma organização: clientes; donos; as pessoas que trabalham na organização; os fornecedores; e a sociedade como um todo, que tem interesse em que a organização produza bens ou serviços de maneira mais eficiente possível, não gastando mal os recursos e produzindo o máximo, consumindo o mínimo de recursos e com a melhor qualidade. Esses grupos estarão interessados na eficiência, eficácia e efetividade da organização na produção de seus resultados.

Para saber se a qualidade foi alcançada, como desejada, é preciso medi-la. A métrica da qualidade está na diferença entre "fazer" e "fazer bem feito"; medir isso nem sempre é muito fácil. Isto porque, em gestão, muitas pessoas pensam saber **o que** fazer; poucas sabem **como** fazer, e um número ainda menor tem a atitude certa para fazer o que deve ser feito e como deve ser feito. Se o processo de medir a qualidade do que foi feito já era difícil, imaginem-se as dificuldades adicionais devidas a essas indefinições. Medir e avaliar qualidade se faz para saber e identificar se a organização está no caminho certo ou se necessita de correção de rumos. Diante dessas dificuldades, o que se vê são organizações fazendo mais do mesmo pensando que estão fazendo algo novo, melhor e diferente.

Pela falta de comprovação (medição) do que está sendo feito e como está sendo feito, às vezes se fica com o que é possível. Na medida em que a concorrência se acirra e os espaços ficam cada vez mais difíceis de serem ocupados, é importante que cada retrocesso possa ser medido para não ser confundido com avanço. Ganhos de produtividade são fundamentais para que a organização possa permanecer no ambiente competitivo da atualidade, e isso se aplica a qualquer tipo de organização: pública, privada, terceiro setor, pequena, média ou grande. O desafio do século XXI está em fazer a gestão para organizações do século XXI, e não como se ainda estivéssemos no século XX ou XIX. E para fazer a coisa certa é preciso saber o quê e como fazer, portanto, ter a estratégia certa e o método certo. Gestão nada mais é do que aplicar um método; uma técnica, ou seja, saber como fazer. Quem tem a estratégia certa (o que fazer) pode se beneficiar do uso de um método apropriado (como fazer). Aplicando o método há mais chance de se estar fazendo a coisa certa.

O que se verá neste capítulo é como desenvolver a aplicação de um método de gestão, de um modelo de gestão que conduza a organização em direção à excelência. As organizações de excelência, que fazem a diferença e rivalizam com referenciais de excelência, são aquelas que chegaram ao ponto de serem as, assim chamadas, organizações que aprendem, que desafiam seus processos no sentido de aprender com as revisões dos mesmos; que não têm receio de admitir suas falhas e buscar corrigi-las, e para isso é preciso atingir maturidade administrativa, que só se consegue com, entre outros requisitos, muita humildade. Estas organizações sabem que sempre podem fazer melhor e que sempre haverá alguma outra organização fazendo as coisas melhor do que elas[1]. Organizações que estão nesta fase atingiram tal grau de maturidade administrativa que ganharam robustez no conhecimento de si mesmas; souberam adaptar suas forças e fraquezas às oportunidades e ameaças que o meio lhes oferece e sabem se beneficiar disso.

Historicamente, pode-se situar a preocupação da gestão com qualidade nos serviços de saúde em tempos imemoriais. É pouco provável que, mesmo nos primórdios do que seriam serviços de saúde, se atuasse sobre um ser humano sem ter maior preocupação com a qualidade do resultado deste trabalho. Na antiga Grécia há inúmeros exemplos do que teriam sido serviços de saúde que prestavam atendimento de excelente qualidade para a época. Florence Nightingale, na metade do século XIX, lançou as bases da moderna profissão de Enfermagem desenvolvendo um processo de atendimento que visava (e visa ainda hoje) ao máximo em qualidade[2].

Os conceitos mais recentes de gerência com qualidade foram desenvolvidos, principalmente, na União Japonesa de Cientistas e Engenheiros, por W. Edwards Deming (controle estatístico da qualidade); por Joseph M. Juran (importância das pessoas na revolução de qualidade japonesa); e por Kaoru Ishikawa (controle da qualidade total). Estas iniciativas, que fizeram parte do esforço de recuperação do Japão após a Segunda Guerra Mundial, disseminaram-se primeiro para os Estados Unidos e daí para o mundo todo, a partir da década de 1950.

A indústria de serviços de saúde, como sempre muito lenta em incorporar novos desenvolvimentos em técnicas e métodos administrativos, só respondeu no final da década de 1960, começo da década de 1970. É preciso mencionar os trabalhos de Avedis Donabedian, um pediatra armênio radicado nos Estados Unidos, como o pioneiro do setor. Aquele país já tinha visto esforços para melhorar seus hospitais e faculdades de medicina, desde o início do século XX, com os trabalhos de Codman (sistema de padronização de resultados da atividade hospitalar de 1910), Flexner (revisão e análise da qualidade da formação médica) e do Colégio Americano de Cirurgiões, mas foi Donabedian quem primeiro se dedicou, de maneira sistematizada, a estudar e publicar sobre qualidade nos serviços de saúde. A ele se seguiram vários outros autores, entre os quais é importante destacar Donald M. Berwick com seus trabalhos no Hospital Geral de Massachusetts e no Programa de Assistência Médica Kaiser Permanente. Dos esforços do Colégio Americano de Cirurgiões resultou, no início da década de 1950, a formação da Comissão Conjunta de Acreditação Hospitalar, que mais

---

1. Senge P. The fifth discipline: the art and practice of the learning organization. New York: Doubleday; 1994.
2. Nightingale, F. *Hospital Statistics and Hospital Plans. London: Emily Faithful & Co., 1862. In Wright, J. et al. Learning from death: Hospital Mortality Reduction Programme. J R Soc Med. 2006 June;99(6):303-308.*

recentemente passou a se chamar Comissão Conjunta de Acreditação de Organizações de Saúde (CCAOS). Deve-se destacar, também nos Estados Unidos, a criação, em 1995, do Prêmio Nacional da Qualidade na Área de Saúde, baseado no Prêmio Nacional da Qualidade Malcolm Baldrige daquele país.

No Brasil, o Programa Gaúcho de Qualidade e Produtividade, a partir de 1995, baseado no Prêmio Nacional da Qualidade, desenvolveu, inclusive entre hospitais do Rio Grande do Sul, uma cultura organizacional voltada para a qualidade gerencial. A CCAOS inspirou programas como o CQH (também influenciado pelo programa de qualidade do Hospital da Universidade Johns Hopkins), criado em São Paulo, em 1991, pela Associação Paulista de Medicina e pelo Conselho Regional de Medicina do Estado de São Paulo, e também o programa de acreditação hospitalar da Organização Pan-Americana da Saúde que, no Brasil, materializou-se na Organização Nacional de Acreditação, em 1999.

Também é importante destacar os esforços que fizeram, na década de 1960, os antigos Institutos de Aposentadorias e Pensões (IAP's precursores do SUS e INSS), que prestavam assistência à saúde de trabalhadores de diversas categorias profissionais, para avaliar, classificar e credenciar hospitais. Na década de 1970, estes sistemas se unificaram no Relatório de Classificação Hospitalar (RECLAR) utilizado para avaliar a contratação de leitos hospitalares pelo Instituto Nacional de Assistência Médica da Previdência Social (Inamps). Devem-se lembrar também os esforços de Carlos Gentile de Melo, que criou, na década de 1970, a primeira comissão de controle de infecção hospitalar, em hospital público, no Hospital da Lagoa, do Inamps, no Rio de Janeiro. Em São Paulo, Antonio Tadeu Fernandes, em 1979, criou, no Hospital do SEPACO, a primeira comissão de controle de infecção hospitalar em hospital particular. O controle da infecção é um importante componente da qualidade na gestão hospitalar.

Donabedian absorveu da teoria de sistemas a noção de indicadores de estrutura, processo e resultado do atendimento hospitalar, que se tornou clássica nos estudos de qualidade em saúde. A estrutura física, organizacional, de equipamentos e de recursos humanos pode gerar indicadores, como por exemplo, número de funcionários por leito, enfermeiros por leito etc. O processo diz respeito ao atendimento médico, de enfermagem e de outros profissionais que interferem no diagnóstico e/ou terapêutica, gerando indicadores como os ligados ao uso de antibióticos (percentual de pacientes usando; percentual de uso profilático), percentual de condutas invasivas comparado com tratamentos conservadores etc. Os mais comuns e valorizados atualmente são os indicadores relacionados com as saídas do sistema: os produtos, os resultados e o impacto ou efeito. Os indicadores do produto final podem ser identificados nos números de pacientes saídos do sistema, curados ou não; com sequelas ou não. O resultado disso pode ser expresso no número de pacientes que retornam à vida econômica ativa e os que ficam dependentes de alguma ajuda da sociedade. E, por fim, o impacto do retorno deste paciente à atividade econômica. Com frequência se diz que a qualidade do atendimento médico-hospitalar deveria ser medida, antes de tudo, pelos produtos resultantes de sua ação: óbitos ocorridos e suas causas; casos de infecção hospitalar; números de erros médicos; cirurgias realizadas etc.

Em resumo, os antecedentes das práticas contemporâneas de gestão para a qualidade em saúde têm três origens genéricas: o método científico, as associações profissionais e os modelos industriais, com destaque para a melhoria contínua da qualidade (MCQ). Uma pergunta que se impõe é: qual o estímulo para que os gestores se motivem para a mudança e busquem aumentar a qualidade de seus serviços? A motivação pecuniária sempre aparece em primeiro lugar como proposta de estímulo; isto se faria pela remuneração diferenciada para aqueles que apresentassem mais qualidade nos seus serviços, comprovada por meio de indicadores. Embora tentadora, esta proposta deve ser revista por sua simplicidade e diante de exemplos passados, quando foi geradora e alimentadora de corrupção. É bem verdade que os controles de hoje são outros, mais eficientes para evitar a corrupção. Porém, outras formas de estímulo devem ser buscadas: mais instigantes, criativas, desafiadoras e compatíveis com a complexidade da gestão dos serviços de saúde. A Associação Médica Mundial recomenda não se utilizar meios comerciais para estimular a melhoria da qualidade nos serviços de saúde; a qualidade deverá vir por motivação intrínseca da organização de saúde que voluntariamente deseje prestar melhores serviços, e não por estímulos externos, sejam eles do mercado, da mídia ou de outros grupos de pressão.

Segundo Gilmore e Novaes, os serviços de saúde e a Organização Mundial da Saúde definem qualidade do atendimento médico-hospitalar em razão de um conjunto de elementos: alto nível de excelência profissional; uso eficiente dos recursos; um mínimo de riscos, assim como um alto grau de satisfação dos pacientes e um impacto final na saúde. A melhor definição de qualidade na verdade não existe. É extremamente difícil chegar a um consenso quanto ao que constitui boa qualidade da assistência, por causa dos valores inerentes implícitos numa definição. Assistência médico-hospitalar não é um conceito unitário e a sua multidimensionalidade, parcialmente, explica a existência das muitas definições e várias abordagens para mensurar o que seja qualidade da assistência. De Geyndt aconselha abandonar o debate sobre a definição de qualidade da assistência médico-hospitalar para se concentrar no que se espera em termos de qualidade. Também é importante que, apesar das múltiplas definições possíveis, haja um consenso para que todos os envolvidos tenham um mesmo entendimento sobre a qualidade que se está falando no contexto deste programa.

O CQH considera que dois pontos são importantes na definição da qualidade: que esta seja medida em razão de indicadores previamente definidos; e que seja adaptada aos usos e costumes locais, ou seja, que não haja preocupação em defini-la com base no que é possível fazer em contexto diferente daquele no qual se atua. A CCAOS dos Estados Unidos usa, hoje em dia, o conceito de desempenho institucional que é mais preciso do que a palavra qualidade. A informação sobre o desempenho institucional se pode usar para avaliar a qualidade e a CCAOS dá informação sobre as dimensões deste desempenho: fazer o correto (eficácia e adequação) e fazer o correto corretamente (disponibilidade, pontualidade, efetividade, segurança, eficiência, respeito e cuidado em geral com que se prestam os serviços).

O Prêmio Malcolm Baldrige para Saúde (Prêmio Nacional da Qualidade dos Estados Unidos) usa os seguintes critérios para classificar a melhor instituição de saúde: o desempenho da alta administração; como são coletadas e analisadas as informações; como é feito o planejamento estratégico; o desenvolvimento e a gestão dos recursos humanos; a gestão dos processos; os resultados do desempenho da instituição; e a satisfação dos pacientes e de outros beneficiários. Estes são, aproximadamente, os critérios de excelência exigidos pela Fundação Nacional da Qualidade para premiar as empresas brasileiras. O Prêmio Codman, oferecido pela CCAOS, também para classificar essas instituições, considera os seguintes critérios: o envolvimento da alta administração; o uso de dados para medir desempenho; os aspectos técnicos do desempenho; o processo de planejamento; a análise dos dados; as ações para melhoria da qualidade; e os resultados do desempenho.

Como se vê, a avaliação da qualidade na gestão dos serviços em clínicas e hospitais é um conceito amplo e abrangente. Ele se desenvolveu nos últimos anos, à luz do movimento da qualidade. Este movimento é um ciclo na evolução do pensamento administrativo que, como os demais ciclos, também passará e deixará alguma contribuição. Assim foi com a chamada escola de administração científica; do comportamentalismo; da administração sistêmica etc. No caso do presente movimento, os elementos que, possivelmente, serão incorporados de maneira definitiva na qualidade da gestão dos serviços em clínicas e hospitais serão: as assim chamadas ferramentas da qualidade, absorvidas de outras ciências (PDCA, diagrama de Paretto, diagrama de causa e efeito etc.) para o planejamento e a análise de problemas; a revisão por pares e auditores; a avaliação feita pelos clientes; o controle da infecção hospitalar (cujas origens são anteriores ao movimento da qualidade atual); a gerência de risco, tão desenvolvida nos Estados Unidos como forma de minimizar a ameaça dos processos pela, assim chamada, má prática médica; e, por fim, as avaliações externas chamadas de acreditação, certificação etc.

O objetivo básico desta avaliação é o estímulo à melhoria contínua da qualidade nos serviços. Ao estimular a melhoria contínua da qualidade nos serviços, o que se está buscando é a boa *performance* e os resultados reais. Desempenho e resultados são o que, em última análise, contam. Pensando assim se estará ajudando aos serviços a cumprirem sua função social e seu compromisso com a comunidade servida por eles. Por outro lado, estimulam-se organizações criativas e inovadoras a aceitarem o desafio de melhorarem sempre. Naturalmente, este processo exige grande dose de maturidade, respeito e dignidade. É um processo de crescimento tanto para os avaliadores como para os avaliados, do ponto de vista institucional, pessoal e profissional. No bojo desse processo se desenvolvem intrincadas relações, cuja sinergia e resultados podem ser evidenciados pelas mudanças observadas nos serviços avaliados. Também é evidente que a estabilidade organizacional e gerencial é fator preponderante na qualidade dos serviços prestados; esta estabilidade ajuda na autoavaliação, que deve preceder qualquer avaliação externa feita por terceiros.

A qualidade nos serviços de saúde não pode ser entendida como um fim em si mesma, mas como consequência de modelos de gestão e assistenciais integrados, coerentes e sistêmicos. Dessa maneira se sugere que os assim chamados "programas de qualidade" sejam transformados em estímulo à melhoria contínua da qualidade por meio da aplicação de modelos de gestão e assistenciais, definidos. De modo geral, hospitais têm seus modelos assistenciais mais bem definidos, ficando a dificuldade na questão gerencial. A gestão hospitalar tende a seguir o que poderia ser chamado de "modelo médico de gestão", por ser hegemônico o poder médico dentro destas instituições. O modelo de gestão hospitalar tem de seguir uma lógica administrativa, e não uma lógica médica.

A qualidade, como já dizia Aristóteles, deve ser um hábito que se aprende por treinamento e repetição, e não consequência de uma ação pontual. Portanto, qualidade é fruto de um processo continuado que nunca acaba; fala-se na busca contínua da qualidade como se ela fosse uma jornada sem fim. A cada novo patamar de qualidade alcançado, novos desafios devem se apresentar, levando os objetivos sempre para horizontes mais distantes. São importantes estes conceitos para que não se pense a qualidade como uma ação acabada a ser alcançada, mas sim como consequência de um processo em contínuo desenvolvimento; daí a importância da adoção de um modelo de gestão que precisa ser acompanhado e monitorado constantemente. Qualidade não pode ser buscada como resultado de ações mágicas e imediatas. Ela será sempre consequência de trabalho duro e perseverante, sem atalhos ou soluções simplistas[3].

---

3. Burmester H. Manual de gestão hospitalar. Rio de Janeiro: FGV Editora; 2012.

Falar de qualidade em serviços de saúde significa falar na aplicação de modelos de gestão, como têm apregoado os teóricos da moderna administração. É preciso, portanto, não ceder ao fascínio de modismos e enfrentar a dura realidade de que qualidade se consegue com a adoção de um modelo de gestão sistêmico, integrado e coerente. A implementação deste modelo demanda tempo e acompanhamento, antes que resultados possam ser contabilizados. Trata-se de incorporar modernas técnicas de gestão ao segmento da saúde, mesmo em serviços públicos de saúde; estas técnicas podem e devem ser copiadas de outros ramos da atividade econômica. Estudo recente, encomendado pelo Congresso dos EUA, sobre reforma do sistema de saúde naquele país, tinha, como uma de suas primeiras recomendações, o uso de técnicas gerenciais bem-sucedidas fora do setor saúde. Dessa forma, um modelo de gestão proposto para serviços de saúde deverá contemplar:

- elementos ligados com a liderança do serviço;
- elementos ligados ao planejamento estratégico, de maneira a conduzir o serviço a uma administração estratégica;
- aspectos ligados ao *marketing* e à epidemiologia, de maneira que o serviço se preocupe com seus clientes e com o mercado no qual está inserido (mesmo serviços públicos têm que se preocupar com o mercado no qual atuam);
- aspectos ligados à informação como elemento necessário para a análise crítica dos resultados e subsídios para o planejamento;
- a gestão do recurso humano, nuclear na realização de todas as ações nos serviços de saúde;
- e, por fim, a gestão dos processos de atendimento realizados.

Um exemplo de modelo de gestão proposto é apresentado no gráfico da Figura 6.1. Nele estão representados os oito elementos do modelo descrito anteriormente, e vistos com mais detalhes na sequência; o modelo engloba as oito tarefas básicas de qualquer gestor.

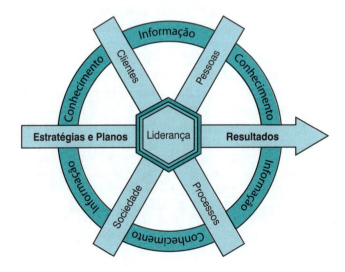

Figura 6.1 – *Exemplo de modelo de gestão.*

Liderança

No elemento liderança, o gestor deverá se preocupar com três itens: o sistema de liderança, a cultura da excelência e a análise crítica do desempenho global do hospital ou da clínica. São os três componentes que o gestor deverá implantar na sua organização para fazer com que a liderança esteja presente. Notar que o termo utilizado é liderança e não líderes. A liderança é um conceito coletivo e não baseado na capacidade messiânica que alguns líderes carismáticos têm de "conduzir os outros a fazerem o que deve ser feito"; se alguém tem esta capacidade, muito provavelmente conduzirá as pessoas a fazerem o que ele(a) quer e não, necessariamente, "o que deve ser feito" ou o que a organização necessite. As organizações a partir do século XXI não podem mais depender de líderes heróis e míticos como os que as conduziram no passado. As organizações do século XXI não precisam ser conduzidas por esses líderes, mas sim pelo consenso de todos os grupos de interesse que se organizam em torno de valores corporificados em referenciais como: valores, missão, visão, políticas e diretrizes básicas.

1) O sistema de liderança define o aspecto formal da liderança, ou seja, como está distribuído o poder e como estão organizados os grupos operacionais e de interesse dentro da organização; quais são as competências necessárias para o exercício da liderança e o processo sucessório; o sistema de reuniões e de comunicação; a gestão dos riscos; e como está estruturada a governança.

2) A cultura organizacional (de preferência tendente à excelência) focaliza o aspecto informal da liderança. Para que ela se desenvolva é necessário estabelecer e disseminar os conceitos básicos que orientarão a organização. Mais importante do que definir esses conceitos é disseminá-los, fazendo com que todas as partes interessadas os conheçam, entendam e se identifiquem com eles. Eles são os valores, a missão, visão e as políticas básicas. A missão da organização se refere ao momento presente e deve responder às perguntas: o que faz a organização? Como faz? Para quem faz? Com que objetivo (ou impacto) maior? A visão nada mais é do que a missão no futuro; onde a organização quer estar daqui a alguns anos. A visão é a grande meta a ser alcançada, é a inspiração a todos na busca do ideal imaginado. Ela deve conter desafios para alcançar novos patamares e metas ousadas. Trata-se de definir onde a organização quer/deseja/deve estar no futuro. Valores referem-se às crenças que devem nortear a conduta das pessoas dentro da organização, dando-lhe um norte, bem como orientação e senso de direção em caso de dúvida sobre como agir. A adoção de valores visa erradicar a anomia das organizações e recuperar o comprometimento dos profissionais com o alto desempenho e a produtividade. Os líderes devem estabelecer um exemplo baseado em valores mediante palavras e atos — a isto se chama de liderança baseada em valores. Por fim, as políticas básicas definem as normas da casa para serem cumpridas por todos; ou seja, como as coisas são feitas por aqui. As políticas básicas respondem às necessidades de ordenamento disciplinar para que a organização possa operar de maneira homogênea. Desenvolver e manter uma cultura organizacional tendente à excelência na organização se constitui no grande desafio para os líderes.

3) A análise crítica do desempenho global considerará as necessidades de todas as partes interessadas para avaliar o progresso em relação às estratégias e aos planos de

ação realizados. É uma das funções básicas da liderança a avaliação do desempenho global, e para isso definirá as informações qualitativas, as informações comparativas e as variáveis do ambiente externo a considerar na análise. Ver-se-á mais adiante, isso se fará em sintonia com o elemento relativo às informações e conhecimento e, principalmente, com os resultados. Também é função da liderança comunicar as conclusões da análise às partes interessadas, mencionando os principais indicadores de desempenho ou as informações qualitativas utilizadas.

Estratégias e Planos

Aqui está se falando do que a organização deve fazer para adaptar suas forças e fraquezas aos desafios do meio no qual está inserida. Neste elemento do modelo são considerados: a formulação das estratégias, a sua operacionalização e o planejamento da medição do desempenho global.

1) Por formulação das estratégias se entende a descrição das realizações necessárias do serviço para caminhar em direção à visão. É uma atividade dinâmica, que pressupõe considerações sobre o passado, presente e futuro. Trata-se de uma definição de intenções que levará em conta os itens listados na sequência: as necessidades dos clientes/pacientes; as necessidades da comunidade, as leis e regulamentações aplicáveis; o ambiente competitivo e suas eventuais mudanças; os aspectos econômicos; as necessidades de capacitação e movimentação de pessoas; as capacidades e necessidades operacionais, a disponibilidade de recursos e as conclusões das análises críticas do desempenho global; as necessidades de desenvolvimento dos fornecedores. O resultado dessa análise constitui a identidade da organização, ou seja, define-se o que o serviço é no momento, como pré-requisito para saber onde se quer chegar. Os quesitos mencionados anteriormente ajudam na revisão dos valores, missão, visão, políticas básicas, nos pontos fortes e fracos no interior da organização, nas oportunidades e ameaças no ambiente externo ao serviço. Pontos fortes e fracos são encontrados nos recursos disponíveis (humanos, materiais, financeiros e organizacionais). As oportunidades e ameaças encontradas no ambiente externo ao serviço podem ser políticas (regulamentações, normas do hospital etc.), econômicas (restrições financeiras), sociais (desemprego, reconhecimento do serviço etc.) e tecnológicas (novas drogas e equipamentos etc.). Também são importantes os elementos relativos à coerência entre as estratégias formuladas e as necessidades das partes interessadas, aos aspectos fundamentais para o êxito das estratégias, e à comunicação das estratégias às partes interessadas. O fim da fase de formulação de estratégias ocorre com a definição de focos estratégicos e ações estratégicas. O planejamento estratégico de um hospital de porte médio poderá gerar, aproximadamente, de três a cinco focos estratégicos os quais, por sua vez, gerarão de duas a cinco ações estratégicas cada um. Estas ações estratégicas darão origem aos planos de ação que constituem o plano estratégico propriamente dito (produto final do planejamento estratégico), e que serão implementados na fase de operacionalização das estratégias.

2) Por operacionalização das estratégias entende-se seu desdobramento em planos de ação de curto e longo prazos. Isso inclui o envolvimento e a designação das pessoas

encarregadas das execuções das tarefas, na alocação dos recursos necessários para atingi-las, a definição de metas a alcançar e seus respectivos indicadores. Também implica no acompanhamento da implementação dos planos de ação e seus resultados. Um exemplo pode ser observado na Tabela 6.1:

Tabela 6.1	
Operacionalização das Estratégias	
FOCO ESTRATÉGICO	AÇÕES ESTRATÉGICAS
Melhoria contínua da qualidade na assistência	Treinamento constante dos profissionais
	Adoção de novas condutas
	Aquisição de novos equipamentos

Exemplos de planos de ação para a ação estratégica referentes a "treinamento constante dos profissionais": definição das necessidades de treinamento de cada profissional; definição do plano de desenvolvimento individual (PDI) de cada profissional; escolha dos cursos; programação das saídas dos profissionais do serviço para frequentar os cursos; realização de reuniões de revisão de casos; frequência a congressos e reuniões científicas etc. Cada um desses planos de ação será desdobrado em itens de execução dos planos de ação, com seus responsáveis, prazos de execução, indicadores de resultados, metas a alcançar e recursos necessários. Esse desdobramento em cascata constitui a elaboração do plano estratégico. O gestor deverá atuar com o plano estratégico sobre sua mesa, monitorando sua execução constantemente e fazendo os redirecionamentos pertinentes sempre que necessário. As modificações de rumo previstas não poderão ser muito constantes, sob pena do plano ser considerado inapropriado e indevidamente elaborado. Haverá sempre momentos previstos para as revisões mais profundas do plano, que poderão acontecer trimestralmente ou, seguramente, a cada ano.

3) No planejamento da medição do desempenho global se fará a avaliação dos rumos e a forma como a organização aprende por meio dos ciclos de controle e aprendizado. Aqui se destaca a definição dos critérios utilizados para fazer a medição do desempenho: como indicadores de desempenho são definidos, integrados e correlacionados, como as metas de curto e longo prazos são estabelecidas, acompanhadas e, inclusive, como são definidos seus referenciais de excelência. Alguns destes critérios podem ser definidos por auditoria permanente e padrões de atendimento. O acompanhamento destes padrões pode identificar algumas não conformidades que demandem ações corretivas.

Clientes

Nos serviços de saúde, ações de *marketing* lembram epidemiologia, instrumento pelo qual é possível conhecer incidência e prevalência de doenças entre as populações e, portanto, as necessidades e expectativas dos pacientes para depois poder satisfazê-las. É importante para o gestor acompanhar como a organização monitora e se antecipa às necessidades dos clientes, como se relaciona com eles e como mede e intensifica satisfação e fidelidade. É necessário à organização definir exatamente quem são seus clientes, os quais podem ser definidos em grupos mais frequentes: os pacientes e seus familiares; os planos de saúde (convênios) ou outros pagadores etc. O elemento "clientes" compreende dois itens: a imagem e o conhecimento que os clientes têm da organização, e como ela se relaciona com os clientes.

1) O item imagem e conhecimento do mercado inclui os critérios adotados para segmentar e agrupar os clientes; quem são os clientes-alvo atuais e potenciais; como as necessidades desses clientes são identificadas, analisadas, compreendidas e monitoradas; os diferentes enfoques necessários para cada grupo de clientes; como os atributos dos serviços prestados pela organização são identificados e como é divulgada sua importância relativa ou valor (requisitos) para os clientes; como as ações de melhoria são divulgadas de forma a criar credibilidade, confiança e imagem positiva; e, por fim, como são identificados e analisados os níveis de conhecimento dos clientes sobre os serviços prestados pela organização.

2) No relacionamento com os clientes são enfatizadas as formas como a organização (hospital, clínica etc.) seleciona e disponibiliza canais de acesso e trata as sugestões e outras solicitações dos usuários; como é assegurado que as reclamações sejam pronta e eficazmente atendidas e/ou solucionadas; como a organização avalia o grau de satisfação, fidelidade e, principalmente, o grau de insatisfação dos clientes, comparando-o com outros serviços; como as informações obtidas dos clientes são utilizadas para intensificar o grau de satisfação e obter referências positivas, incluindo as práticas utilizadas para torná-los fiéis.

Sociedade

Neste ponto, são examinadas as contribuições da organização para o desenvolvimento econômico, social e ambiental de forma sustentável, na busca pela redução dos impactos negativos potenciais dos serviços (ou produtos) e na interação com a sociedade de forma ética e transparente.

1) Responsabilidade socioambiental significa a preocupação em identificar os impactos reais e potenciais da atividade da organização na sociedade, na comunidade local ou no meio ambiente de modo geral. Como exemplos de ações de responsabilidade socioambiental, citamos as campanhas contra o desperdício de água e energia, a coleta e destinação adequada dos resíduos hospitalares etc.

2) Ética e desenvolvimento social têm como foco as ações da organização em favor das comunidades locais que extrapolem a sua missão. Para que essas ações sejam efetivamente compreendidas como ações para a comunidade, é importante evidenciar o alcance das mesmas para além dos clientes da organização. Também estão aqui contempladas as questões relativas ao comportamento ético no relacionamento com as partes interessadas. Exemplos de ações pautadas pela ética são a existência de comissões de ética, disseminação dos códigos de ética das profissões atuando no hospital, realização de eventos sobre o tema etc.

Informações e Conhecimento

Quanto às informações e conhecimento, enfatiza-se a gestão e a utilização das informações, as informações comparativas pertinentes, bem como as formas de proteção do capital intelectual da organização.

1) Na gestão das informações, a preocupação é com o sistema de informações propriamente dito; como são determinadas as necessidades de informações, os critérios de seleção, métodos de obtenção, armazenamento e acesso de dados. Estão englobadas a preocupação com a utilização das informações na gestão e das atividades de rotina. Nela se incluem os procedimentos e as tecnologias para apoiar as estratégias e satisfazer as necessidades dos usuários, no que se refere a confidencialidade, integridade, disponibilidade e nível de atualização dessas.

Cada aspecto do atendimento deve estar associado com a habilidade de medi-lo quantitativa e qualitativamente. Por exemplo, não só deve existir um registro das ações, como padrões definidores dos conteúdos. Cada serviço deve definir o quê e como os indicadores devem medir, desde que eles deem a informação necessária para avaliar se o escopo está sendo alcançado. Cada indicador deve vir acompanhado de um valor mínimo que, quando ultrapassado, chama atenção para a necessidade de ação corretiva. Porém, é preciso ter cuidado com o excesso de dados inúteis para o processo de avaliação, congestionando os sistemas de informação. Recomenda-se definir um painel de controle para monitorar todas as etapas do atendimento e a satisfação dos diversos grupos de interesse nele.

O painel de controle, tal como no painel da cabine de comando de um avião moderno, registra os dados utilizados pelo piloto e pelo computador de bordo para a correção de desvios na qualidade do voo. Também no painel de controle da organização o gestor poderá monitorar os desvios de qualidade. Para finalizar, a importância dos sistemas de informação está na capacidade de comunicar resultados às partes interessadas, permitindo-lhes a gestão das informações comparativas.

2) Quanto à gestão das informações comparativas, o interesse está na utilização das informações para apoiar a análise crítica do desempenho global, bem como para a decisão, melhorias e inovações das práticas de gestão. Enfatizam-se os principais tipos de informações utilizadas e como elas se relacionam aos processos assistenciais e às metas organizacionais. Os principais tipos de informação podem ser colhidos por meio de estágios, cursos e visitas a outros serviços, relatórios de outras organizações, contratação de consultores ou especialistas, palestras, participação em associações profissionais, pesquisas, intercâmbio de informações; participação em congressos, feiras e exposições no País ou no estrangeiro, livros, revistas, periódicos e *websites* etc. Uma forma que está se tornando comum entre empresas (extensiva a organizações da área da saúde) é a prática do *benchmarking*, comparação entre as melhores práticas ou referenciais de excelência[4].

As principais etapas da prática do *benchmarking* são identificar serviços de referência, coletar as informações, analisar as informações e agir. A gestão das informações comparativas é muito útil para os ciclos de controle, onde são feitas as comparações com padrões de trabalho estabelecidos e os principais indicadores de desempenho. Também fornece sub-

---

4. Burmester H. Manual de gestão hospitalar. Rio de Janeiro: FGV Editora; 2012.

sídios para os ciclos de aprendizado, onde a ênfase está na determinação dos principais indicadores de desempenho ou informações qualitativas utilizadas.

3) Quanto ao desenvolvimento do capital intelectual, é difícil, em uma empresa de prestação de serviço, saber como proteger o conhecimento e o capital intelectual. Podemos descrever como estimular, identificar e desenvolver o conhecimento, mas este será, quase que invariavelmente, propriedade do indivíduo. Em serviços com características acadêmicas, é possível certa lealdade dos indivíduos com a instituição e o capital intelectual por ela transmitido; o mesmo pode acontecer em hospitais nos quais o corpo clínico seja vinculado por meio de um contrato de trabalho. No caso de hospitais de corpo clínico aberto, contudo, o capital intelectual entra e sai do prédio com os profissionais.

O modelo de gestão em pauta considera a importância do compartilhamento das inovações tecnológicas e dos conhecimentos adquiridos coletivamente na instituição. Daí recomendar a esta última cultivar o capital intelectual, incentivando o pensamento criativo e inovador nos padrões de trabalho e nas principais práticas assistenciais e de gestão do serviço. Em nossa avaliação, sempre há um compromisso coletivo entre pessoas e organizações, por mais individualizada que possa parecer qualquer prática de serviço. O indivíduo necessita de outros na instituição para praticar o seu ofício e, portanto, o capital intelectual adquirido pelo indivíduo tem dimensões institucionais e deve ser protegido pela instituição.

Pessoas

Muitas vezes o gestor se perde na miríade de problemas que tem no dia a dia da organização e acaba perdendo o foco e concentrando suas atenções em algo que não necessariamente seja o essencial. Nessa situação se aconselha ao gestor que não perca nunca de vista o componente humano de sua organização. Por mais que prédios, equipamentos e materiais sejam importantes, são as pessoas que fazem com que esses insumos se transformem em resultados e produtos acabados. Portanto, deve-se aqui, agora, enfatizar as condições para o desenvolvimento e a utilização plena do potencial das pessoas, bem como dos esforços para criação e manutenção de um clima organizacional compatível com a excelência do desempenho e a plena participação. Para tanto, são necessários sistemas de trabalho para gerir as relações das pessoas com a organização, a preocupação com a capacitação e o desenvolvimento e ações visando à melhoria da qualidade de vida.

1) O sistema de trabalho volta-se para a organização do serviço, ou seja, a elaboração das escalas de plantões e rotinas, manutenção da cobertura dos setores, recrutamento, admissão e integração das novas pessoas ao grupo, divisão das responsabilidades e remuneração, avaliações de desempenho, aplicação de punições e incentivos; competências necessárias para ocupar posições, e assim por diante.

2) Capacitação e desenvolvimento consistem em treinamento, capacitação, desenvolvimento e educação das pessoas dentro da organização. O treinamento deve alinhar-se às estratégias, criando competências e contribuindo para melhor desempenho das pessoas e realização da missão da empresa/clínica/hospital. A avaliação do desempenho determinará as necessidades de treinamento, considerando as diferenças entre

escolas de formação e suas consequências na condução da Organização na busca da eficiência e da qualidade.

Recomenda-se avaliar a influência da cultura de excelência sobre treinamento e como os indicadores qualitativos e quantitativos de desempenho, padrões de trabalho, métodos de controle e as informações comparativas pertinentes afetam o desenvolvimento do serviço. Métodos de orientação ou aconselhamento, empregabilidade e desenvolvimento de carreiras são temas pertinentes à gestão de pessoas e, particularmente, a reflexão sobre as formas mais comuns de treinamento praticadas: participação em congressos e cursos a eles vinculados, acesso às informações veiculadas em revistas especializadas ou na Internet e o treinamento em serviço. A manutenção de biblioteca com acesso garantido a textos básicos e de especialidades, bem como de revistas para atualização ainda são recursos adequados para a manutenção de programas regulares de educação continuada, independentemente das características ou do *status* das pessoas.

3) A qualidade de vida tem estreitas relações com a gestão de pessoas e a busca da excelência organizacional. A rotina estressante e longas jornadas de trabalho comprometem a qualidade de vida e se não bastasse, o conhecimento e a facilidade de acesso às drogas psicoativas podem facilmente se tornar escape para pessoas pressionadas profissional e emocionalmente. As escalas de trabalho devem contemplar as necessidades de repouso e férias. Além dos requisitos legais, as necessidades individuais devem definir intervalos de repouso, de maneira a não comprometer a segurança dos pacientes. Da mesma maneira, a preocupação com a manutenção dos equipamentos usados deve, além da segurança dos pacientes, garantir também a dos profissionais.

Processos

Até aqui, tudo que se viu do modelo é aplicável a qualquer tipo de organização, seja de transformação manufatureira ou de serviços. Todos os conceitos vistos até aqui se aplicam igualmente para o fabricante de porcas e parafusos, bem como para o hotel que atende hóspedes ou ao hospital que presta assistência a pacientes. O que diferencia as organizações são seus processos, ou seja, atender pacientes em um hospital é, obviamente, diferente de atender hóspedes em um hotel ou fabricar porcas e parafusos.

Para se fazer a gestão de processos, o modelo recomenda a padronização de condutas assistenciais baseadas em evidências clínicas e as condutas gerenciais nas melhores práticas. Padronização se traduz, materialmente, em manuais de rotinas e procedimentos, registros dos agentes responsáveis pelas atividades desenvolvidas, sequências de execução das atividades e seus respectivos fluxogramas, políticas específicas e normas dos serviços etc. Quando se fala de gestão de processos, o modelo registra a gestão dos processos fins, ou seja, a aplicação da assistência, a gestão dos processos de apoio administrativo, de higiene--limpeza, segurança, informática etc.

A gestão padronizada de processos se vale muito de uma ferramenta chamada de ciclo PDCA, onde: **P** significa planejar; **D** desenvolver; **C** controlar; e **A** de agir corretamente. Alguns autores sugerem a substituição do **A** por **L** querendo significar que nesta fase a empresa precisa estar aprendendo (*learning*) com a informação e com o conhecimento por ela gerado a partir dos resultados; neste caso, o ciclo seria PDCL. As informações representam a inteligência da organização, permitindo que com elas se façam as análises do desempenho e a execução das ações necessárias.

Padronização é a atividade sistemática de estabelecer e utilizar padrões. Padrão é o produto do consenso para a realização de um método ou procedimento com o objetivo de unificar e simplificar de tal maneira que, de forma honesta, seja conveniente e lucrativo para as pessoas envolvidas. É um conjunto de políticas, regras, normas e procedimentos para os principais processos, o qual serve de linha mestra para possibilitar a todas as pessoas executarem seus trabalhos com êxito. Padrão, enfim, é qualquer coisa reconhecida como correta pelo consentimento geral, pela aprovação na prática ou por aqueles mais competentes para decidir. No dizer de Shigero Mizuno, "os padrões de trabalho são instruções detalhadas, específicas, sobre como executar processos de trabalho". Já Juran diz que os padrões "promovem consistência na execução de processos repetitivos".

Os padrões são estabelecidos, em consenso, pelas próprias pessoas que irão executá-los. Se não for possível reunir todos os operadores responsáveis por um determinado processo, o padrão pode ser elaborado por um grupo representativo da equipe. A busca do consenso aprofunda a análise de um método de trabalho, resultando geralmente em melhorias da tecnologia utilizada. Segundo Juran, "as discussões exaustivas que devem preceder a definição de tais padrões resultam numa profundidade inédita de compreensão do serviço, das responsabilidades, das relações etc. Essa compreensão mais profunda é tão gratificante que constitui, para muitos, o maior valor de estabelecer esses padrões". A propósito, Shigeru Mizuno diz que "por mais sofisticada que seja uma determinada tecnologia, ela fica extremamente limitada se se confinar à habilidade de uma única pessoa. A tecnologia que está apenas na cabeça de uma pessoa não pode ser usada por outros e não contribui para o progresso da organização".

Ainda segundo Mizuno, "padrões efetivos de trabalho só podem ser elaborados por aqueles que fazem o trabalho. É deles a tarefa de manter os padrões de trabalho e eles provavelmente não farão isso direito se os padrões forem arbitrariamente estabelecidos e impostos de cima para baixo". Resumindo, quem tem maior competência para decidir sobre a melhor maneira de realizar um determinado trabalho é o conjunto de profissionais que executam e mantêm a qualidade desse processo no dia a dia. É a equipe que vai para a linha de frente e sabe o que funciona ou não, lá onde termina a teoria e começa a prática; ele tem a competência para decidir o que é melhor.

A padronização é um processo de alta seletividade, não se aplicando a qualquer processo. A padronização é reservada aos processos repetitivos relevantes. A coincidência desses três atributos é o critério para se definir a elegibilidade de padronização. Os três critérios têm que ficar bem claros para não se padronizar as coisas erradas. O conceito de processo repetitivo relevante é explicado a seguir:

- Processo é uma "série sistemática de ações dirigidas para o cumprimento de uma meta" (Juran). É a transformação de insumos em resultados num sistema. A sistematização é caracterizada por uma regularidade proposital. Portanto, o que caracteriza um processo é ser uma série regular de ações, e não uma ação isolada. "Cada caso é um caso" não caracteriza um processo.
- Repetitivo não quer dizer necessariamente frequente, mas sim que ocorre com regularidade, em intervalos de tempo definidos.

- Relevante é o que tem um impacto significativo nos objetivos e metas de uma organização ou de um setor desta.

Alguns exemplos de processos repetitivos relevantes em hospitais são apresentados a seguir:

- Processos principais do serviço de nutrição: compra e recebimento de gêneros; preparo dos alimentos; distribuição dos alimentos; e avaliação nutricional de pacientes.
- Processos principais do serviço de enfermagem em unidade de internação: recepção do paciente na unidade; processo de enfermagem propriamente dito; e alta do paciente da unidade.
- Processos principais de atendimento médico (padronizáveis através de protocolos clínicos): diagnósticos; terapêuticos; reabilitadores; preventivos de doenças/sequelas; e promotores da saúde.
- Processos principais no SAME: abertura de prontuários; guarda de prontuários; arquivamento de prontuários; e confecção de estatísticas.

Cada um destes processos principais são desdobrados em subprocessos integrados, nos quais um processo ora é cliente do processo anterior, ora é fornecedor do processo posterior, formando assim uma cadeia cliente-fornecedor, sempre se levando em consideração a relevância e repetição de cada um deles. Qualquer processo tem uma razão de ser e para ser bem-sucedido, deve oferecer produtos/serviços que: correspondam a uma necessidade, utilização ou aplicação bem definida; satisfaçam as expectativas dos clientes; e atendam às normas e especificações aplicáveis.

É preciso que haja textos explicando a tecnologia de uma maneira que todos entendam e possam aplicá-la. Esses textos detalham as condições e procedimentos de trabalho e são conhecidos com manuais de procedimentos. A importância dos manuais está principalmente na sua confecção, quando são feitas as definições dos padrões a serem seguidos, permitindo a revisão das diferentes atividades executadas em cada unidade: sua relevância, repetição, pontos de estrangulamento e/ou retrabalho etc. Daí se depreende que manuais não podem ser comprados ou elaborados por consultores, por melhor que estes sejam. O processo de elaboração do manual serve como aprendizado; os consultores, no máximo, poderão ajudar como facilitadores do processo, mas nunca como elaboradores do manual. Obviamente que não se pode nem falar na compra de jogos de manuais feitos a granel para consumo de qualquer empresa, por mais parecidas que elas possam ser. Uma vez confeccionado o manual, este servirá para dirimir dúvidas, treinar as pessoas da unidade e, periodicamente, ser revisto quando ocorrem o controle e aprendizado dos processos, com a aplicação do ciclo do PDCA (L). Uma forma de descrever um processo é seguir os seguintes passos: fluxograma; objetivos; referências; responsabilidades; definições; metodologia; documentos; e indicadores.

Um componente particularmente útil dos manuais é o fluxograma. Seguindo a sequência de um ciclo de PDCA, os fluxogramas permitem a visualização, num relance, das principais etapas e providências que devem ser tomadas para se atingir o objetivo de um processo. O fluxograma é a representação gráfica das atividades que integram um processo, sob a forma sequencial de passos, de modo analítico, caracterizando as operações e os agentes executores. Existem vários tipos de fluxogramas, cada um com sua simbologia e seu método próprio.

Um fluxograma permite identificar: lacunas do processo; superposições de trabalho; desperdício de esforços; possibilidades de simplificação e melhorias etc. Um fluxograma se constrói por meio de símbolos que traduzem cada passo da rotina, representando não só a sequência das operações, como também a circulação dos dados e documentos. Através do uso da simbologia se observa que:

- o fluxograma visualiza cada rotina integrante do processo, na sua forma mais completa e torna mais claros fatos que poderiam passar despercebidos em outra forma de representação;
- a elaboração da representação gráfica tem como ponto de partida o levantamento da rotina em seus aspectos de: identificação das entradas e de seus fornecedores; definições de padrões de entrada; identificação das operações executadas no âmbito de cada setor ou pessoa envolvida; identificação das saídas e dos seus clientes; e definição dos padrões de saída;
- os passos da rotina são ordenados de acordo com a sequência lógica de sua execução;
- os símbolos e as técnicas utilizadas na elaboração do fluxograma identificam os setores ou as pessoas responsáveis pela ação.

  1) A gestão de processos relativos aos serviços fins começa com a definição dos principais processos relativos aos serviços fins, bem como das principais etapas e subprocessos desses serviços. Citamos parte dessas etapas e/ou subprocessos: as consultas, cirurgias, ações de reabilitação etc. Para cada uma destas etapas/subprocessos haverá uma definição de normas, rotinas, procedimentos, atividades, agentes executores, fluxo de sequência, com base nos requisitos das partes interessadas (pacientes, familiares, fontes pagadoras, fornecedores etc.) e descritas nos manuais de rotinas e procedimentos. Estes manuais deverão ser aprovados, não só pelos chefes dos serviços, mas também por seus superiores imediatos, sendo revisados periodicamente e, mais importante, seguidos por todos os membros das equipes. Estes manuais deverão conter também os padrões mínimos de qualidade esperados nos serviços: auditoria periódica dos prontuários para comprovação da existência dos registros dos atos profissionais e da qualidade destes atos, bem como de acidentes ocorridos; auditoria periódica dos equipamentos utilizados etc.
  2) A gestão dos processos de apoio começa com a definição das principais etapas/subprocessos existentes e a partir delas, quais normas, rotinas, procedimentos, atividades, agentes e fluxos são necessários. Nos processos de apoio também estão principalmente incluídos os processos administrativos.
  3) A gestão de processos relativos aos fornecedores considera fornecedores externos tradicionais e internos do hospital (laboratório de análises clínicas; serviço de hemoterapia ou banco de sangue; enfermagem e outros profissionais; centros/unidades de terapia intensiva etc.) As relações destas unidades/profissionais internos devem ser reguladas por meio de normas, rotinas, procedimentos, atividades, seus agentes e fluxo de sequência etc. A regulamentação destas relações deverá constar dos manuais de rotinas e procedimentos dos processos de apoio. Quando o fornecedor é externo, contudo, o grande instrumento de gestão é o contrato onde estão delineados os direitos e deveres das partes. O contrato faz,

neste caso, as vezes do manual de rotinas e procedimentos interno. À medida que aumentam as terceirizações nos hospitais, a gestão de processos relativos aos fornecedores também aumenta de importância, uma vez que o fornecedor atua dentro da organização e questões devidas à convivência de duas culturas organizacionais diferentes emergem.

4) A gestão financeira é utilizada para apoiar as estratégias e os planos de ação, incluindo como selecionar as melhores opções de captar recursos, investimentos e aplicações de ativos financeiros para viabilizar as operações da organização.

Há três tipos de processos em qualquer organização: os processos principais do negócio e os processos de apoio; os processos de relacionamento com os fornecedores; e os processos econômico-financeiros. É importante fazer uma ressalva aos nossos leitores da área de gestão de serviços de saúde quanto ao uso da palavra "negócio" neste contexto. Ela se refere à atividade principal da organização, nada tendo a ver com a substantivação do verbo negociar no sentido de comercializar; trata-se daquilo que a empresa faz de mais importante na sua missão.

Processos principais do negócio e os processos de apoio:

- processos principais do negócio são aqueles que agregam valor diretamente aos clientes e estão diretamente relacionados com a missão da organização; são também chamados de processos fim ou primários. Podem ser classificados em cinco tipos básicos, que são mais facilmente entendíveis em indústrias de transformação, mas também se aplicam aos serviços: logística de entrada ou recebimento de insumos; operação ou produção dos bens ou serviços; logística de saída ou expedição de produtos ou resultados; relação com clientes ou *marketing*; vendas ou serviços de pós-venda;

- processos de apoio são os que apoiam os processos principais do negócio e a si mesmos, fornecendo produtos, serviços e insumos adquiridos, equipamentos, tecnologia, *softwares*, manutenção de equipamentos e instalações, recursos humanos, informações e outros próprios de cada organização. Podem ser classificados em quatro tipos básicos: suprimentos; desenvolvimento de tecnologia, gerenciamento de pessoas; e gerenciamento de infraestrutura organizacional ou dos processos organizacionais.

A gestão dos processos principais do negócio e os processos de apoio compreendem uma série de atividades:

- identificação dos processos, principalmente aqueles que agregam valor para a organização, gerando benefícios para os clientes, para o negócio e para as outras partes interessadas. Qualquer processo tem que agregar valor, ou seja, as saídas do processo têm de ser mais valorizadas do que as suas entradas. O processo é uma atividade de transformação que trabalha ou processa as entradas no sistema, agregando principalmente a mão de obra, o que faz que a saída do sistema tenha maior valor do que a entrada. Qualquer processo que não agregue valor deve ser considerado como desnecessário para a organização e sua existência questionada;

- determinação dos requisitos dos processos;

- projeto dos processos;

- gerenciamento dos processos;

- análise e melhoria dos processos.

Resultados

São os resultados que indicam o grau de satisfação ou insatisfação das partes interessadas. São essas partes interessadas que avaliam os resultados de qualquer organização e vão dizer se elas têm sucesso ou não. A satisfação ou insatisfação dessas partes interessadas são manifestadas pelos: pacientes, seus familiares e pelo mercado comprador de serviços hospitalares de um modo geral; financiadoras da organização (administração/donos do hospital, governo, no caso de hospitais do Estado etc.) que têm interesse em indicadores financeiros dos resultados para saber se o dinheiro que estão investindo está tendo o retorno desejado, seja em termos sociais ou monetários; das pessoas que trabalham na organização; dos fornecedores; da sociedade que quer saber se os resultados dos processos relativos aos serviços de atendimento e resultados relativos aos processos de apoio e organizacionais não apresentam desperdícios ou retrabalhos, sendo realizados de maneira eficiente.

Os resultados devem ser expressos por meio de tabelas e gráficos construídos a partir de dados e indicadores e que sejam autoexplicativos, necessitando de muito poucas palavras para interpretá-los. Quando acompanhados de referenciais de excelência ou de mercado, permitem comparações úteis, e quando dispostos em séries históricas permitem avaliar tendências. Dados comparados se transformam em informações e estas, analisadas, transformam-se em conhecimento com relação à organização. O conhecimento na organização significa que ela atingiu níveis bastante elevados de práticas gerenciais, demonstrando maturidade e excelência.

A seguir são apresentadas as formas em que estes resultados podem ser apresentados contemplando os diferentes grupos de interesse.

1) Resultados relativos aos clientes e mercado apontam o grau de satisfação dos pacientes, familiares e das fontes pagadoras. A forma mais comum é por meio de pesquisas.

2) Os resultados financeiros mostram a eficiência no uso dos recursos colocados à disposição da organização. Podem ser utilizados indicadores de receita bruta, lucratividade, rentabilidade, produtividade, custo do ato anestésico etc.

3) Os resultados relativos às pessoas podem avaliar o grau de satisfação das pessoas na organização; costuma-se usar análise de clima organizacional, números de horas de treinamento; investimento em treinamento dividido pela receita; doenças atribuídas às atividades profissionais; frequência e gravidade dos acidentes de trabalho, percentual variável sobre a remuneração total etc.

4) Resultados relativos aos fornecedores consideram tempo de espera para manutenção/reparo de equipamentos; demora na entrega de medicamentos, percentual de não conformidades na entrega de medicamentos/materiais, percentual de fornecedores participantes de eventos promovidos pelo serviço, percentual de acidentes/efeitos adversos devido a material entregue por determinado fornecedor, atrasos/complicações no fornecimento, incompatibilidades clínicas com resultados de exames de laboratório, diferenças no controle de psicotrópicos etc.

5) Resultados dos processos relativos aos serviços apresentam o número de acidentes divididos pelo número total de procedimentos feitos ou pelo número de horas de atendimento, número de acidentes com óbito, número de reações adversas, tempo médio de cirurgia dividido pelo tempo médio de anestesia, tempo de procedimentos com monitoramento cardiocirculatório etc.

122

6) Resultados relativos à sociedade apontam a frequência da organização na mídia de mensagens (visando esclarecer a opinião pública com relação aos serviços prestados pela clínica), números de participação voluntária em pesquisas científicas, números de apresentação voluntária de trabalhos científicos em congressos e/ou revistas, atos médicos realizados gratuitamente etc.

7) Resultados dos processos de apoio e organizacionais relacionam número de ações preventivas dividido pelo número de ações corretivas por equipamentos, horas de procedimento por equipamento, percentual de planos/orçamentos/escalas executados/cumpridos, custo real dos procedimentos dividido pelo custo ideal, percentual de correção no preenchimento das folhas de débito, percentual dominado das tecnologias necessárias.

Modelos similares ao apresentado neste capítulo estão em prática em várias organizações de saúde brasileiras, entre eles, Santa Casa de Porto Alegre (vencedor do PNQ em 2002), Hospital das Clínicas da Faculdade de Medicina da Universidade de São Paulo e, aproximadamente, 200 hospitais, em todo o Brasil, participantes do programa CQH, entre outros.

Bibliografia Consultada

1. Aidar MM. A institucionalização da gestão e do desempenho organizacional por meio do Prêmio Nacional da Qualidade [tese]. São Paulo: Escola de Administração de Empresas de São Paulo da Fundação Getúlio Vargas, 2003.
2. Baldrige National Quality Program. Criteria for Performance Excellence. Gaithersburg, MD: Baldrige Natl. Quality Program, 2006.
3. Blazey ML. Insights to Performance Excellence 2005. Milwaukee, WI: American Society for Quality Press; 2005.
4. Brown MG. Baldrige Award Winning Quality: How to Interpret the Baldrige Criteria for Performance Excellence. 14. ed. Milwaukee, WI: American Society for Quality Press; 2006.
5. Burmester H, Pereira JCR, Scarpi MJ. Modelo de gestão para organizações de saúde. Revista de Administração em Saúde, vol. 9, n. 37. Outubro/Dezembro de 2007.
6. Burmester H. Manual de gestão hospitalar. Rio de Janeiro: FGV Editora; 2012.
7. Burmester H. Gestão da qualidade hospitalar. São Paulo: Saraiva; 2013.
8. Cipriano SL, Pinto VB, Chaves CE. Gestão Estratégica em Farmácia Hospitalar. São Paulo: Atheneu; 2009.
9. CQH. Rumo à Excelência: critérios para a avaliação do desempenho e diagnóstico organizacional. Prêmio Nacional da Gestão em Saúde (ciclo 2008-2009), São Paulo, 2008.
10. CQH. Segundo caderno de indicadores. São Paulo: Mimeo; 2007.
11. CQH. Manual de indicadores de enfermagem. 2ªed. São Paulo: NAGEH; 2012.
12. Donabedian A. The seven pillars of quality. Arch Path Lab Med. 1990;114:1115.
13. European Foundation for Quality Management. Avaliar a excelência: um guia prático para o sucesso no desenvolvimento, implementação e revisão de uma estratégia de auto-avaliação nas organizações. Brussels: European Foundation for Quality Management, 2003.
14. European Foundation for Quality Management. O modelo de excelência da EFQM: versão grandes empresas, unidades operacionais e de negócio. Brussels: European Foundation for Quality Management, 2003.
15. European Foundation for Quality Management. O modelo de excelência da EFQM: versão pequenas e médias empresas. Brussels: European Foundation for Quality Management, 2003.
16. European Foundation for Quality Management. O modelo de excelência da EFQM: versão setores público e voluntário. Brussels: European Foundation for Quality Management, 2003.

17. European Foundation for Quality Management. The Fundamnetal Concepts of Excellence. Brussels: European Foundation for Quality Management, 2003.
18. Fundação Nacional da Qualidade. Critérios de Excelência 2008: o estado da arte da gestão para a excelência do desempenho e para o aumento da cometitividade. São Paulo: FNQ; 2008.
19. Fundação Nacional da Qualidade. Estudo de empresas Serasa. São Paulo: FNQ, 2007. Disponível em: http://www.fnq.org.br/site/640/default.asp
20. Fundação Nacional da Qualidade. Critérios compromisso com a excelência e rumo à excelência 2008: Rede Nacional de Excelência. São Paulo: FNQ, 2008.
21. Harrison MI, Shirom A. Organizational Diagnosis and Assessment: Bridging Theory and Practice. California: Sage Publications; 1999.
22. Hendricks KB, Singhal VR. The Impact of Total Quality Management (TQM) on Financial Performance: Evidence from Quality Award Winners. Disponível em: http://efqm.org/uploads/ excellence/ vinod%20full%20report.pdf
23. Hardie N. The Effects of Quality on Business Performance. Milwaukee, WI: American Society for Quality Press; 1998.
24. Hutton DW. From Baldrige to the Bottom Line: a Road Map for Organizational Change and Improvement. Milwaukee, WI: American Society for Quality Press; 2000.
25. Latham J, Vinyard J. Baldrige User's Guide: Organization Diagnosis, Design and Transformation. New Jersey: John Wiley & Sons; 2006.
26. McLaughlin CP, Kaluzny AD. Continuous quality improvement in health care: theory, implementation, and applications. Gaithersburg (MI): Aspen; 1994.
27. Mulligan D, Shapiro M, Walrod D. Managing risk in healthcare. McKinsey Q. 1996; (3):95-105.
28. National Institute of Standards and Technology. Malcolm Baldrige National Quality Award. Mountainview health system: case study. Gaithersburg (MI): NIST; 1995.
29. Orive A. Total quality management from the Mexican perspective. Total Qual Manag. 2000;11(4-6):S754-61.
30. Pendleton D, King J. Values and leadership. BMJ. 2002;325(7376):1352-5.
31. PQGF. Instrumento de Avaliação da Gestão Pública – Ciclo 2000. Brasília, 2000, 130 p.
32. Roth W, Taleff P. Health care standards: the good, bad, and the ugly in our future. J Qual Partic. 2002;25(2):40-4.
33. Sandelowski M, Barroso J. Classifying the findings in qualitative studies. Qual Health Res. 2003;13(7):905-23.
34. Senge P. The fifth discipline: the art and practice of the learning organization. New York: Doubleday; 1994

7 Sistemas Integrados de Gestão

Cristina L. M. Marques
Fernando Luís de Souza

Introdução

Antes de dar início ao tema, é importante clarificar alguns termos particulares da área de Tecnologia da Informação, ou simplesmente TI, como é conhecida. A convergência dos mercados de Tecnologia da Informação e Telecomunicações fez surgir um novo termo, TIC (Tecnologia da Informação e Comunicação), e desta área derivaram muitas disciplinas. Neste capítulo abordaremos uma das inúmeras áreas de TI, os Sistemas de Informação, mais precisamente os Sistemas Integrados de Gestão.

Por que sistemas de Informação?

Atualmente, todos admitimos que o conhecimento dos Sistemas de Informação é vital para os gestores, pois, em sua grande maioria, eles necessitam dos SI para sobreviver, para criar diferenciais competitivos e para se desenvolver no mercado em que atuam. Precisamos entender o papel dos diversos tipos de Sistemas de Informação existentes nas empresas atualmente, que são necessários para apoiar a tomada de decisão e atividades de trabalho existentes nos diversos níveis e funções organizacionais.

Desta forma, tradicionalmente, temos os sistemas do nível de conhecimento, dos quais fazem parte as estações de trabalho e automação de escritório (com objetivo de controlar o fluxo de documentos, por exemplo, correio eletrônico e colaboração), os Sistemas do Nível Gerencial que atendem a questões de monitoração, controle, regulatórios, tomada de decisões e procedimentos administrativos dos gerentes; e os sistemas de nível estratégico ou executivo, que ajudam a gerência sênior a enfrentar questões e tendências, tanto no ambiente externo como interno da empresa.

Além das características dos sistemas por níveis empresariais, eles também atendem diversas áreas funcionais, como finanças, contabilidade, comercial, recursos humanos, marketing, assistencial etc.

Para encerrarmos o entendimento, um Sistema de Informação foi definido, segundo Laudon & Laudon (2004), como: "(...) um conjunto de componentes inter-relacionados que coleta (ou recupera), processa, armazena e distribui informações destinadas a apoiar a tomada de decisões e o controle em uma Organização[1]."

Aspectos de um SIG (Sistema Integrado de Gestão) e a Arquitetura da Informação

Antes de falarmos propriamente de Sistemas Integrados de Gestão, vamos a alguns conceitos sobre a gestão de TI. A evolução da utilização da Informática pode ser caracterizada pelas diferenças entre a "Era do Computador" e a "Era da Informação". A primeira predominou até fins da década de 1970, e a segunda teve início nos primeiros anos da década de 1980. Listamos algumas das principais diferenças na Tabela 7.1 a seguir.

Comparando as principais mudanças, é possível verificar que a evolução para a era da informação só foi possível graças à evolução dos modelos de gestão das organizações, motivada pela mudança de comportamento dos mercados globalizados, gerando uma intensa competitividade e, por consequência, o avanço da tecnologia disponível, tanto dos equipamentos (*hardware*) quanto dos aplicativos (*software*), e claro, não podemos esquecer as pessoas, que precisaram adquirir outras competências técnicas e comportamentais.

Ainda sobre gerenciamento de TI, existe um reconhecimento crescente de que a informação, como qualquer outro recurso organizacional – financeiro, material e humano – é um recurso que necessita ser gerenciado para ajudar as organizações a melhorar sua produtividade, competitividade e desempenho geral[2].

Devido à importância crescente do processo decisório, da inovação, do gerenciamento de processos e da aquisição e distribuição da informação na sociedade pós-industrial, a Gestão de Recursos Informacionais (GRI) surge como uma estratégia aperfeiçoada para o gerenciamento eficaz da informação e como uma resposta aos problemas "informacionais" das organizações – obter a informação correta, na hora certa, na forma ou meio corretos, e endereçá-la à pessoa certa.

Desta forma, resumimos a arquitetura da Informação de uma Organização, como na Figura 7.1.

Tabela 7.1 Comparação entre a "Era do Computador" e a "Era da Informação"[2]		
CARACTERÍSTICA	ERA DO COMPUTADOR	ERA DA INFORMAÇÃO
Gestão	Gerente de processamento de dados	Diretor de tecnologia da informação
Representante da diretoria	Gerente financeiro	Diretor executivo
Tipo de gestão	Centralizado	Descentralizado
Objetivo da gestão	Processamento de dados e sistemas	Recursos de informação
Objetivo da tecnologia	Produtividade	Vantagem competitiva

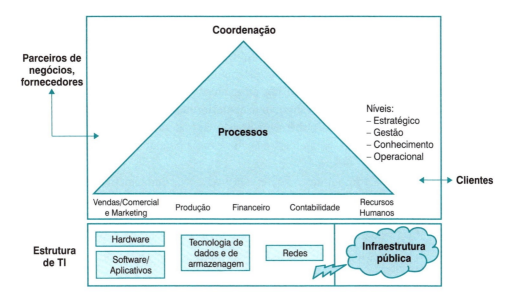

Figura 7.1 – *Arquitetura da Informação e infraestrutura da TI, baseada em Laudon & Laudon.*

Os gestores atuais devem saber como estruturar e coordenar as diversas tecnologias de informação e aplicações de sistemas empresariais para atender às necessidades de informação de cada nível da Organização e às suas necessidades.

Como se verificou anteriormente, as organizações possuem seus processos de negócios e fluxos de informação internos e, evidentemente, quando há integrações, o benefício e a sinergia entre os processos são os diferenciais e agregadores. Para endereçar a questão da integração sistêmica (não só de processos), e eliminar os vários sistemas que acabam fragmentando a informação em vários departamentos, estão os Sistemas Integrados de Gestão – também conhecidos como Sistema de Planejamento de Recursos Empresariais (ERP).

O SIG é um aplicativo que modela e automatiza muitos processos de negócios, como por exemplo, o preenchimento de um pedido de medicamentos à beira do leito, ou no pronto-atendimento. Tal evento, associado a determinado paciente, dispara outro que atualize o estoque, faça lançamentos na conta ou inicie outro processo de negócio como, por exemplo, o serviço de Nutrição ou Hotelaria para outras ações necessárias.

Quais os desafios dos SIGs?

Não obstante, os SIGs melhoraram a coordenação, eficiência e a tomada de decisões organizacionais, em muitos casos constatamos que é muito difícil estabelecermos um SIG. Os investimentos são altos, e as mudanças operacionais e de processos nas empresas demandam muito investimento de tempo, conhecimento e dedicação; pois os processos devem ser os mais claros possíveis para que estes viabilizem que a informação flua de maneira suave entre os processos.

São muitos os desafios, com os colaboradores que deverão assumir novos papéis e responsabilidades com os novos processos, com a Organização, como um todo, que deverá conscientizar-se, ou melhor, convencer-se de que as mudanças decorrentes de ajustes de processos serão necessárias.

Ainda assim, tais empresas poderão não atingir um degrau a mais na integração entre processos funcionais e de negócio. Como vimos anteriormente, dependendo do tamanho e da complexidade do negócio, uma implementação destas poderá levar anos. Uma gestão sistematizada de projetos e/ou de programas se faz necessária para que haja melhores chances de sucesso.

Um dos pontos mais importantes sobre essa decisão de implementação é saber se a empresa está pronta e realmente deseja a mudança e obter o aval e o envolvimento dos altos executivos da empresa.

Para refletir e considerar:

1) Tudo o que temos de benefícios nos SIGs de mercado vão gerar a diferenciação competitiva que o negócio espera?

2) Se hoje possuo sistemas não integrados, mas tenho retorno da informação que necessito, qual o apelo decisivo para uma implementação em termos de relação custo-benefício?

Para auxiliar na reflexão sobre manter ou contratar algo numa Organização, podemos levar em conta alguns fatores que ajudarão na tomada de decisão[3]:

a) maturidade da Organização: tolerância a novas tecnologias e disposição de tomar riscos;

b) flexibilidade: integração entre as aplicações, volatilidade de requerimentos/ plataforma tecnológica;

c) *time to market versus* vantagem competitiva: tempo da solução estar em produção, tipo de necessidade por diferenciação competitiva;

d) conhecimento/domínio da aplicação: disponibilidade de conhecimento/habilidade e entendimento do negócio por parte dos usuários, principalmente se falando da parte analítica;

e) habilidades técnicas: conhecimentos técnicos;

f) custo: aquisição *versus* modificação, levar em consideração o Custo Total de Propriedade, do termo em inglês TCO (*Total Cost of Ownership*).

3) Caso a sua Organização disponha de desenvolvimento próprio e as dúvidas remontem entre a manutenção do existente ou na compra de uma solução "de mercado" ou "de prateleira", como proceder?

A Tabela 7.2 a seguir ajuda a sistematizar alguns critérios para a decisão:

Os SLAs (*Service Level Agreement*) ou Acordos de Níveis de Serviços são um dos grandes diferenciais na escolha por Sistemas Integrados disponíveis no mercado a manter sistemas legados ou totalmente customizados internamente. Atente-se para isso, pois nestes acordos são definidos os papéis e responsabilidades sobre a entrega e sua manutenção.

Outro fator importante diz respeito ao conhecimento adquirido por empresas especiali-Zadas, criando uma base que chamamos de "melhores práticas", que é compartilhada, quase que unanimamente na base instalada, gerando um ciclo de melhoria contínua.

Tabela 7.2
Aspectos Específicos do Clínico Assistencial e Administrativo a Considerar na Decisão em Organizações de Saúde

LEGADO OU CUSTOMIZADO	SISTEMAS INTEGRADOS DISPONÍVEIS NO MERCADO
– Apoio jurídico para alterações obrigatórias	– Alterações obrigatórias automatizadas (baseadas em Acordos de Nível de Serviço – SLA)
– Protocolos desenvolvidos	
– Desenvolvimento de relatórios	– Melhores práticas de mercado
– Desenvolvimento de integração com ERP	– Relatórios padronizados e personalizados – apoio a gestão e planejamento
– Desenvolvimento conforme necessidades e políticas institucionais	– Integração assistencial e financeira just in time
– Desenvolvimento da tecnologia para respostas as demandas	– Revisão de todos os procedimentos para a implantação
– Não há garantias de desempenho do sistema, sem que análises de Q&A (Segurança da Qualidade do Desenvolvimento)	– Resposta rápida às demandas
	– Permite à Organização foco no negócio

Implantação de um SIG em Organizações e Sistemas de Saúde

Para introduzirmos o tema, é importante frisar que a implantação de um SIG deve ser parte integrante do Plano Estratégico Empresarial (PEE) e, por consequência, estar descrito no Plano Estratégico de TI (PETI). Desta forma, é correto deduzirmos que um SIG não é um projeto de Tecnologia da Informação, sendo um projeto de negócio que utiliza TI como meio viabilizador ou orientador, uma vez que a TI é responsável pela guarda dos dados e de algumas informações, e não pelos processos de negócio.

O alinhamento estratégico entre a Organização e TI deve existir para assegurar que os investimentos em TI estarão "adicionando valor ao negócio". As metodologias de formulação de estratégias para TI funcionam melhor em empresas com estratégias de negócios disponíveis ou onde a análise estratégica já tenha sido feita[4]. Essas metodologias poderiam ser consideradas como pressuposto inicial para as empresas que ainda não tenham realizado seu planejamento de negócio, considerando a sua utilização estratégica potencial, sob pena de fracassar em seu objetivo.

Sobre o planejamento de TI ou gestão de portfólio de TI, com base em uma atividade, podemos nos basear em:

- visitação ao planejamento estratégico, encontrar os pontos afins e os dissonantes;
- analisar os requerimentos de informação da Organização;
- alocar os recursos necessários;
- planejar os projetos quanto às suas prioridades, por categorias pré-acordadas com a Organização[6].

Basicamente, uma gestão de portfólio leva em consideração os benefícios esperados e os riscos envolvidos e há sumários executivos ou plano de negócios para cada iniciativa com investimento relevante.

Uma das maneiras de gerirmos os investimentos em TI é a partir de um portfólio de projetos ou demandas de TI que, em linhas gerais, poderia ser um portfólio de projetos. Assim, a implantação de um SIG seria um destes projetos ou um programa formado por vários projetos.

O modelo descrito na Figura 7.2 é muito interessante, pois podemos identificar as capacidades e competências de TI em cada fase do processo de planejamento do portfólio com o alinhamento ao negócio, e assim obtermos melhores artefatos de levantamentos do estado atual (*as is*) e começar a trabalhar como será o estado futuro (*to be*). Ainda, não é um modelo estático e permite retroalimentação e melhoria contínua do processo.

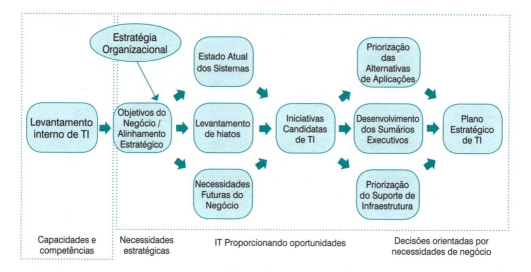

Figura 7.2 – *Gestão de portfólio.*
Fonte: Hickman GT, Smaltz DH. The Healthcare Information Technology Planning Fieldbook – Tactics, Tools and Templates for Building your IT Plan, EUA; 2008. p. 5.

O Ciclo de Vida do Planejamento de TI

Planejamento é o elemento-chave do ciclo de vida de TI e possui algumas atividades predefinidas:
- revisão da estratégia organizacional para assegurar a compreensão;
- um fórum para gerar ideias que examinem o mérito das iniciativas de TI tanto estratégicas como táticas – que viabilizam a missão. Tal fórum deve ser formado pelo primeiro nível de executivos da empresa/ Organização ;
- métodos para assegurar quais iniciativas demonstram alinhamento com a missão e são compatíveis com a identidade de TI da Organização;
- a(s) metodologia(s) para descrever as ideias, medir seu valor e compará-las para a priorização;
- esforço para assegurar a infraestrutura necessária, o gerenciamento de dados e suporte à tecnologia tanto no que concerne às tecnologias já existentes como às novas;
- definição de tomadores de decisão, facilitadores e patrocinadores.

Tipicamente, podemos citar os exemplos a seguir como produtos esperados de um Planejamento Estratégico de TI:

- plano que vislumbre um intervalo de tempo de 3 a 5 anos;
- plano de despesas e investimentos para o mesmo intervalo de tempo;
- plano mestre e macro de implementações de amplo espectro;
- orçamento anual;
- plano tático e estratégico por unidade de negócio.

Como fator crítico de sucesso para TI de uma Organização, considera-se o alinhamento com o planejamento estratégico essencial, dessa forma, sugerimos:

- revisar o Plano de Ação quando necessário, ou pelo menos anualmente;
- atualizar o planejamento com os resultados ou com projetos implantados;
- planejar novamente onde haja desvios do plano original;
- realinhar prioridades e expectativas com o surgimento de novas ideias e iniciativas;
- atualizar os orçamentos, resultados e entregas;
- gerar *dashboard* para acompanhamento de resultados de projetos.

A implantação de um SIG deve constar no Planejamento Estratégico Empresarial e, obviamente, no Planejamento Estratégico de TI, em todos os seus aspectos, de recursos humanos, de infraestrutura, de aplicações, quanto à disponibilidade de tempo e de investimento financeiro.

Outro ponto importante é definir qual será a abrangência e o que se espera de uma implementação de um SIG, quanto à abordagem administrativa/ financeira ou assistencial, ou seja, onde queremos chegar com nosso sistema de informações, quais os dados que serão capturados e quais as informações e as interfaces que serão providas.

Podemos citar uma abordagem de implantação, para servir de guia baseado em modelo com oito etapas do HIMSS *Analytics Electronic Medical Record Adoption Model* (EMRAM), cada etapa representa avançadas competências de Prontuário Eletrônico:

Etapa 0: o hospital não possui aplicações assistenciais ou clínicas de TI chaves implementadas, como laboratório, radiologia ou farmácia;

Etapa 1: foi identificado na Etapa 0 que foi implementado para suportar melhorias na gestão de dados para procedimentos de diagnósticos;

Etapa 2: um repositório de dados clínicos coletados nas aplicações da Etapa 1 está disponível para médicos em qualquer lugar na Organização hospitalar, eliminando a necessidade de se ter acesso a gráficos em papel para dados diagnósticos, desta forma melhorando a dispensação de cuidados;.

Etapa 3: aplicações de enfermagem são implementadas para fornecer documentação padronizada de sinais vitais, planilhas de fluxo e registro eletrônico de administração de medicação. Em muitos casos, a redução de sobrecarga da enfermagem para serviços "administrativos" ou o uso de assistentes administrativas são significativamente reduzidos ou eliminados. Há uma maior satisfação para o corpo de enfermagem com o cumprimento desta etapa;

Etapa 4: médicos começam a utilizar a prescrição eletrônica para gerar pedidos de medicação, diagnósticos e terapêuticos. Um nível de suporte à decisão clínica é acoplado à prescrição eletrônica para checar as interações medicamentosas e de alimentação, fornecendo aumento da segurança do paciente e reduzindo ou eliminando pedidos desnecessários. Estas ações orientam a diminuição de custos associados;

Etapa 5: fechar o ciclo dos processos que asseguram que os pacientes corretos estão recebendo a medicação correta, no tempo correto, pela via correta (oral, injetável, intravenosa etc) e na dose correta. Esta etapa requer que a tecnologia de códigos de barras ou RFID (identificação por radiofrequência) esteja integrada com as aplicações assistenciais ou clínicas. Assim, enfermagem, paciente e medicamentos são todos identificados por código de barras ou RFID. Esta etapa é a mais complexa e custosa devido às integrações de aplicações e reengenharia de fluxos que precisam ser implementadas. Esta etapa irá assegurar o nível mais alto de segurança do paciente para os processos de medicação;

Etapa 6: as modalidades de documentação médica e todos os arquivos de imagem de radiologia e sistemas de comunicação (PACS – *Picture Archiving and Communication Systems*) estão implementadas, fornecendo imagens digitais que podem ser facilmente distribuídas para todos os médicos envolvidos em um caso de paciente. Esta capacidade de Prontuário Eletrônico fornece outro nível de eficiência operacional, melhoria da qualidade, redução de custos, bem como melhores resultados clínicos e satisfação do paciente e de seus familiares;

Etapa 7: o Prontuário Eletrônico é composto por dados confiáveis, imagens de documentos e imagens médicas digitais.

Em todas estas etapas há geração de dados que, combinados, geram informações importantes para a gestão administrativa. Todos os processos assistenciais e clínicos alimentam bases de dados de faturamento, suprimento, pesquisa clínica, e ainda fornecem informações necessárias para atender às questões regulatórias ou outros grupos de apoio regulatório como:

- ANS (Agência Nacional de Saúde Suplementar) – www.ans.gov.br;
- SBIS (Sociedade Brasileira de Informática em Saúde) – www.sbis.org.br;
- ANAHP (Associação Nacional de Hospitais Privados) – www.anahp.com.br;
- CFM (Conselho Federal de Medicina) – www.cfm.org.br.

Ou ainda para atender às questões de qualidade e acreditações nacionais e/ou internacionais.

Como Ter o Melhor Sistema para Minha Organização?

Para respondermos a esta questão, vamos retomar o tópico "Quais os desafios dos SIGs?". A melhor abordagem é construir um Plano de Negócios ou, no mínimo, um sumário executivo analisando suas características, benefícios, investimentos e riscos. Tal Plano de Negócios ou Sumário Executivo é mais bem executado se baseado no Planejamento Estratégico Empresarial e no Planejamento Estratégico de TI, pois levará em consideração o que a organização planeja para o futuro, qual o investimento disponível e em quanto tempo a área de TI irá trabalhar para atender o desenvolvimento da Organização.

O primeiro passo é identificar as "dores" do negócio e os efeitos colaterais gerados nas áreas, inclusive em TI. Há geralmente duas fontes para a identificação de necessidades: de cima para baixo ou na base. Idealmente, os líderes das unidades de negócios e clínicos deveriam dialogar para identificar e eventualmente patrocinar as ideias levantadas. Podemos viabilizar sessões de várias maneiras:

- a governança de TI poderia ser um facilitador para identificar as iniciativas-chave, para assegurar que os itens devidos foram considerados;
- equipes da gestão das unidades de negócio são igualmente facilitadoras quanto às questões de processos;
- médicos, enfermagem e outros membros das equipes clínicas e/ou assistenciais devem estimular a geração de ideias que requerem contribuição de várias áreas;
- ou usar uma combinação das maneiras citadas anteriormente.

Como fator crítico de sucesso, é importante ter em mente as restrições de recursos, e dividir a lista de iniciativas em pelo menos três categorias: "imprescindível", "importante" e "desejável" e ser muito criterioso para tal categorização.

À medida que os trabalhos evoluam, crie comitês com pessoas-chave ou "donos de processos" para a tomada de decisão e defina os grupos de trabalho. A esta altura já deveremos ter as devidas pessoas envolvidas, massa crítica consistentepara definirmos os itens que serão necessários e sua priorização. Veja a seguir a lista de itens sugeridos para sua análise:

- nome da iniciativa;
- identificação do Projeto, de um líder de projeto e nomes dos patrocinadores;
- copatrocinador de TI para suportar a compreensão da relevância tecnológica e qualidade técnica;
- tipo de iniciativa (negócio/administrativa, clínica, acadêmica, infraestrutura);
- orientadores-chave – incluindo questões executivas, de processos, regulatórias ou de conformidade, benefícios esperados etc.;
- suporte a informações adicionais, como duração de atividades e esforço para a implementação, datas tentativas para o início das atividades do novo sistema;
- descrição sumarizada e intenções da implementação;
- características que descrevem o nível de esforço ou necessidade de assegurar necessidades de infraestrutura, plataforma operacional, segurança da informação e/ou identificação de informação pessoal dos pacientes (prerrogativas de CFM), esforço para a substituição de aplicações existentes e matriz custo/benefício, e por fim, um mapa de riscos;
- relevância estratégica – alinhamento com as estratégias-chave da Organização;
- custos preliminares para o esforço de implementação, divididos em investimento (*on-time*) e em custos recorrentes (que serão adicionados anualmente aos orçamentos);
- impacto na receita do negócio;
- impacto operacional – benefícios qualitativos esperados e outras oportunidades transformacionais;
- levantamento de análise de impacto ao negócio, para estabelecer expectativas de continuidade dos negócios;
- mapeamento de riscos, nas abordagens organizacionais e de implementação.

Esta tarefa é de suma importância e, claro, dependendo da complexidade da organização, poderá dispender meses de vários colaboradores, ou ainda existe a possibilidade de se contratar uma consultoria para orientar e realizar um trabalho como este, vale ressaltar que a alta cúpula, ou primeiro escalão executivo, é soberana na tomada de decisão.

Se a decisão for pela aquisição de um novo sistema integrado de gestão, o próximo passo é buscar no mercado uma solução pronta ou contratar um desenvolvimento específico. Este passo deve ser planejado por meio do levantamento das necessidades ou requisitos de cada uma das áreas a ser atendida pelo novo sistema.

Pode-se realizar uma consulta ao mercado através de RFI (*Request for Information*) Requisição de Informação ou RFP (*Request for Proposal*) Requisição de Propostas Técnicas e Comerciais. Ou ainda, buscando-se os principais fornecedores e realizando visitas às organizações clientes. Este passo de visitas é extremamente importante, sobretudo para identificar as impressões dos profissionais envolvidos na implementação e no uso diário, tanto nas áreas assistenciais, como nas áreas administrativas e de gestão.

Tal decisão irá gerar impactos durante anos, assim, esteja seguro, e mais importante, deixe sua instuição segura de que foram eleitas as melhores soluções, plataformas, infraestrutura e os parceiros de negócios para um relacionamento de longo prazo.

Ciclo de Vida de um SIG

Até aqui, falamos de aplicações diversas sobre SIGs e como viabilizar sua implementação. Quais fatores podem gerar mudança no que foi implantado? Como adequar essas mudanças e manter a Organização em plena atividade?

Com relação à primeira questão, podemos citar: questões regulatórias, mudanças de metodologia nos processos de negócio, adequação a uma nova orientação estratégica da companhia, novas necessidades etc. Desta maneira se configura o que chamamos de manutenção em sistemas. Mas, como executá-lo da maneira mais eficaz e eficiente ?

Mencionamos a gestão de um programa para realizar os projetos de implementação. Programa é um grupo de projetos relacionados, gerenciados de modo coordenado e com orçamento predefinido, para a obtenção de benefícios e controles que não estariam disponíveis se eles fossem gerenciados individualmente. Desta forma, um programa não precisa ter um prazo definido para término[7].

Esta abordagem de programa é adequada para avaliarmos o ciclo de vida de um SIG, já que podemos tratar com o conceito do Ciclo de Deming ou Shewhart, mais comumente conhecido como ciclo PDCA (*Plan-Do-Check-Act*) ou Planejar-Fazer-Verificar-Agir. É um ciclo de desenvolvimento que possui foco na melhoria contínua, largamente utilizado em programas de gestão da qualidade, já mencionado no capítulo anterior (Figura 7.3).

Os processos das Organizações não são estáticos e estão em adequação sempre, e para que um SIG possa refletir o processo como ele é, são necessárias metodologias e investimento em capacitação dos usuários, para que qualquer "quebra" de processo ou de sistema seja identificada e corrigida. Ainda revisões periódicas e versões são necessárias para termos a documentação necessária para suportar o ciclo PDCA.

Introduzindo um último conceito sobre gestão de TI, que nos ajudará a mensurar o valor da solução ou dos investimentos para as iniciativas de TI, sugerimos o TCO (*Total Cost of Ownership*) ou CTP, Custo Total de Propriedade. TCO é uma estimativa financeira projetada para que seja possível avaliar os custos diretos e indiretos relacionados à compra de todo investimento importante, tal como *softwares* e *hardwares*, além do gasto inerente

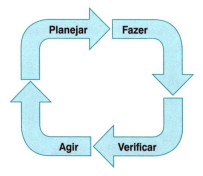

Figura 7.3 – *Ciclo de Deming.*

de tais produtos para mantê-los em funcionamento, ou seja, os gastos para que se continue proprietário daquilo que foi adquirido.

Desta maneira, revisitar o plano original de implementação de um SIG e atualizá-lo é fundamental para a gestão eficiente dos recursos para os investimentos futuros.

Governança de TI

Uma questão sempre presente na gestão e/ou implementação de novos sistemas e tecnologias refere-se às ações e esforços de TI, se estes estão ou não otimizando os investimentos e custos a eles associados. Como falamos anteriormente, a aquisição e/ou adaptação de um SIG requer altos investimentos e riscos elevados.

Para responder a estas questões e aumentar a segurança sobre a adoção de um SIG, além de assegurar que os dados e as informações contidos nos sistemas e na infraestrutura da Organização são confiáveis, e que as equipes técnicas estão aptas a suportar a base instalada de sistemas e infraestruturas, e adicionalmente gerenciar projetos; tudo isto em conformidade às normas e acreditações relevantes à cada Organização, e sobretudo aderentes aos objetivos e estratégias da Organização; existe a governança de TI.

A governança de TI é um braço da governança corporativa, que é o conjunto de processos, costumes, políticas, leis, regulamentos e instituições que regulam a maneira como uma Organização é gerida, administrada ou controlada. Por sua vez, a governança de TI é "um conjunto de práticas, padrões e relacionamentos estruturados, assumidos por executivos, gestores, técnicos e usuários de TI de uma Organização, com a finalidade de garantir controles efetivos, ampliar processos de segurança, minimizar os riscos, assegurar o desempenho ideal, otimizar a aplicação de recursos, reduzir custos, suportar as melhores decisões e consequentemente alinhar TI aos negócios.

Uma boa analogia sobre a necessidade da Governança de TI é : antigamente, ao viajarmos para lugares desconhecidos, precisando utilizar caminhos e estradas desconhecidas, adquiríamos um Guia de estradas da região ou a indicação de amigos, parentes ou mesmo orientação de pessoas ao longo do caminho, geralmente chegávamos em nosso destino, nem sempre com o melhor custo e utilizando o melhor caminho, seja no quesito condições das

135

estradas, seja na questão da opção de menor distância percorrida. Com o surgimento do GPS (*Global Positioning System* – Sistema de Posicionamento Global), os erros de percurso foram extremamente minimizados e as escolhas de caminhos e roteiros de viagem extremamente simplificados, otimizando recursos como tempo e dinheiro investido no percurso. Adicionalmente, aumentando a previsibilidade do tempo de viagem e os custos associados.

A governança se propõe a transformar os processos de TI em engrenagens que atuem para implementar e assegurar a estratégia do negócio, o *framework* ou guia de melhores práticas mais utilizado no mundo para governança de TI é o COBIT[8], mantido pela ISACA (www.isaca.org), que está na sua versão 5.0 lançada em abril de 2012. Ele é composto por 37 processos organizados em quatro domínios que se relacionam de forma primária ou secundária com as quatro dimensões do BSC – *Balanced Scorecard* para objetivos de negócio, que são:

- alinhar, planejar e organizar;
- construir, adquirir e implementar;
- entregar suporte e serviço;
- monitorar, verificar e avaliar.

E com base em cinco princípios, que são :

- satifazer as necessidades dos *stakeholders* (partes interessadas);
- separar governança de gestão;
- habilitar uma visão do todo;
- *framework* (ambiente de trabalho) integrador;
- cobrir o negócio como um todo.

Cada processo fornece princípios globalmente aceitos, práticas, ferramentas e modelos analíticos para aumentar a confiança em TI e nos sistemas de integrados de gestão. Nesse capítulo, o objetivo não é explorar todas as funcionalidades do COBIT, mas apresentar uma visão geral da metodologia e sua contribuição para otimização de TI. Nesse sentido, para ilustrar, apresentaremos três processos dos 37 existentes, com sua aplicação e abrangência :

- AP004 – Gerenciar inovação : Que ações estruturadas a Organização realiza para assegurar a busca e implementação de novas tecnologias associadas ao SIG, com qual periodicidade, de quem é a responsabilidade, como elas são avaliadas, medidas e acompanhadas durante sua implantação e pós-implantação.
- BA001 – Gerenciar programas e projetos : Este processo define que a Organização deve utilizar uma metodologia para gerenciar os projetos e programas (conjunto de projetos) da Organização, o mais difundido é o PMBOK da *PMI Institute*, detalhado no Capítulo 11 – Gestão de Projetos em Saúde. Essa metodologia deve ser conhecida e aplicado por todos, além de ter recursos que assegurem a melhoria contínua e o sucesso nos projetos. Como mencionado anteriormente, uma das maiores causas de insucesso nas implantações de um SIG é a gestão deficiente do projeto ou programa.
- DSS02 – Gerenciar incidentes e solicitação de serviços : Como os incidentes (falhas) são registrados, como são tratados, com que tempo devem ser solucionados, que procedimentos são utilizados para solucioná-los, quem define os procedimentos e as responsabilidades; após solucionados que tratamento devem ter para que não ocorram mais; que indicadores são praticados para assegurar a permanente evolução do processo de gerenciamento de incidentes e solicitação de serviços. Logo após a

implantação de qualquer sistema, o volume de incidentes, ocorrências e problemas a ele relacionados é grande e, se não respondidos/resolvidos rapidamente, causam grande impacto na continuidade dos processos da Organização, daí a necessidade da grande capacidade do processo de gerenciar incidentes.

Na adoção do COBIT, existe um modelo de avaliação do estado de evolução de cada um dos processos, que é muito utilizado na avaliação da área e processos de TI. Este modelo possui seis níveis que determinam como está sua capacidade, com base na ISO15504 IEC e no programa de avaliação do COBIT(CAP). Os seis níveis são :

0. incompleto : não implementado ou sem evidências de alguma sistematização;
1. executado : processo atinge seu propósito;
2. gerenciado : processos são monitorados e medidos;
3. estabelecido : implementado usando um processo definido que é capaz alcançar seus resultados do processo;
4. previsível : opera com limites definidos, alcançando os resultados do processe;
5. otimizado : melhoria contínua para atingir os objetivos empresariais atuais e futuros.

O padrão COBIT de governança pode ser adotado parcialmente, conforme estratégia e interesse da Organização, podendo ser utilizado para uma avaliação inicial da área de TI e/ou para assegurar sua evolução, melhoria contínua, redução de custos e alinhamento das ações, investimentos e objetivos do negócio.

Referências Bibliográficas

1. Laudon KC & Laudon JP. Sistemas de Informações Gerenciais: Administrando a empresa digital. Tradução Arlete Simille Marques; revisão técnica Erico Veras Marques, Belmiro João. São Paulo: Pearson Prentice Hall; 2004.
2. Synnott WR. The information Weapon. New York: John Wiley, 1987.
3. Blechar MJ. Build, Buy and Outsource Decision Factors. Dec-2002. Gartner Group. Disponível em: http://www.gartner.com ID Number: DF-18-7298.
4. Earl MJ. Information systems strategy formulation. In: Boland Jr. RJ, Hirschheim RA. (Eds.). Critical Issues in Information Systems Research. New York: Wiley.
5. Wetherbe JC. Four-stage model for MIS planning concept, techniques and implementation. Londres: Idea Group Publishing; 1993.
6. Hickman GT, Smaltz DH. The Healthcare Information Technology Planning Fieldbook – Tactics, Tools and Templates for Building your IT Plan. EUA, HIMSS; 2008.
7. Rodney TJ. The Handbook of Project Bases Management (O guia de gerenciamento com base em projetos). Nova York: McGraw Hill; 1992.
8. COBIT 5: A Business Framework for the Governance and Management of Enterprise IT. Disponível em: http://www.isaca.org/COBIT/Pages/default.aspx.

8 Cadeia de Suprimentos em Saúde

Geraldo Luiz de Almeida Pinto
Renata Frischer Vilenky

Introdução

A atividade de suprimentos nas clínicas e hospitais brasileiros, à exceção dos anos mais recentes, sempre foi vista como um simples conjunto de atividades operacionais de menor relevância, um mal necessário cujos resultados não se refletiam no desempenho do negócio.

Atividade vista em alguns casos até como meramente administrativa, a logística de suprimentos compreendia um conjunto de disciplinas tratando do fluxo de materiais, dentro de uma óptica de controle e racionalidade de processo. A abordagem principal é funcional, tratando da eficiência no uso de recursos, sem maiores considerações em relação aos impactos na capacidade competitiva das empresas.

Os setores mais competitivos do mercado, como o de alimentos e a indústria automobilística, organizam-se em razão dos conceitos mais modernos de logística integrada e gestão da cadeia de suprimentos (*supply chain management*). Entretanto, parte significativa dos segmentos do mercado ainda não atua em consonância com as melhores práticas, perdendo oportunidades de representativas reduções de custos e aumento da competitividade. Dentre esses segmentos infelizmente se inclui a área de clínicas e hospitais, em que a otimização de recursos na atividade de suprimentos poderia gerar a redução do custo dos procedimentos médicos ou se refletir em melhores resultados financeiros.

Bowersox (2001) comenta que "A logística moderna também é um paradoxo. Existe desde o início da civilização: não constitui de modo algum uma novidade. No entanto, a implementação das melhores práticas logísticas tornou-se uma das áreas operacionais mais desafiadoras e interessantes da administração nos setores público e privado.".

A logística como elemento diferenciador adquire ênfase estratégica, identificada como a última fronteira em que se podem explorar novas vantagens competitivas, é aí que surge o conceito de Gestão da Cadeia de Suprimentos (*Supply Chain Management*), cujo pano de fundo é a globalização e o avanço na tecnologia da informação.

Logística de Suprimento

Tradicionalmente, a área de suprimentos tem sido estruturada por funções, tratando, sem integração maior, as atividades de Compra, Gestão de Estoques, Armazenamento, Qualidade, Cadastro, Classificação etc., modelo condizente com a cultura tradicional. A prevalência da estrutura funcional gera algumas áreas de superposição e indefinição de responsabilidades, bem como impede uma visão de custo total.

A busca de competitividade e da otimização de resultados indicou a necessidade de novos paradigmas, e a tendência geral, no mercado, é a mudança de visão de ação por função para a visão logística do suprimento, avançando para o gerenciamento da cadeia logística, buscando a agregação de valor através da redução do custo total da atividade e maior nível de atendimento aos clientes.

Segundo o *Council of Supply Chain Management Professionals* – CSCMP, "Logística é a parcela do processo da cadeia de suprimentos que planeja, implanta e controla, de forma eficiente e eficaz, o fluxo e fluxo reverso e a estocagem de materiais, serviços e as informações correlacionadas entre o ponto de origem e o ponto de consumo, de forma a atender os requisitos dos clientes".

A atividade, portanto, é voltada ao planejamento e à otimização de processos, e não de funções. Não é seu escopo a gestão operacional de qualquer das funções (compras, gestão de estoques, armazenagem, transporte, distribuição etc.) mas sim a interação das funções, as interfaces, a interferência de cada função no resultado, os *trade offs* possíveis, os desenvolvimentos necessários para reduzir o custo total. É um requisito, entretanto, que a equipe domine as técnicas usadas em cada uma das funções, para poder identificar a necessidade de intervenções.

Entendemos como atribuição da organização de suprimentos o direcionamento da Logística de Suprimento na instituição, através de diretrizes e estratégias, a divulgação de novas técnicas, a avaliação dos processos, o aproveitamento de ganhos de escala e o acionamento de outras atividades quando identificadas oportunidades de ganho.

Gerenciamento da Cadeia de Suprimento (*Supply Chain Management*)

Nos próximos anos, a logística vai representar um diferencial competitivo cada vez mais importante. Nesse contexto, a capacidade das empresas em entender sua Cadeia Logística de Suprimento completa e ampliar as fronteiras dos esforços de melhoria de produtividade para além dos seus próprios muros pode representar a diferença entre o sucesso e o fracasso.

No futuro, cada vez mais a competição será entre cadeias de suprimento integradas e não mais entre empresas individuais. Parcela considerável do esforço para a melhoria de produtividade da cadeia está relacionada com a melhoria de gestão e da troca de informações ágil entre todos os parceiros.

Segundo o *Council of Supply Chain Management Professionals* – CSCMP, "Gerenciamento da Cadeia de Suprimentos é a coordenação estratégica e sistêmica das funções de negócio tradicionais, bem como as ações táticas que perpassam essas funções numa companhia e através de negócios dentro da cadeia logística com o propósito de aprimorar o desempenho de longo prazo das companhias individualmente e da cadeia de suprimento como um todo."

A tradução do termo *supply chain* para o português é cadeia logística. O termo em inglês reforça a imagem de integração dos diversos componentes da cadeia, dos elos da corrente, que são as diversas empresas consideradas individualmente (*chain* = corrente).

Assim, por exemplo, a cadeia logística de medicamentos envolve dentre outros:

- os fornecedores de matéria-prima;
- os laboratórios;
- os distribuidores;
- as farmácias;
- os hospitais e clínicas;
- os clientes e pacientes.

A gestão da cadeia de suprimentos abrange a gestão de todos os recursos de produção, transportes e aquisição de todas as empresas envolvidas na cadeia. Um aspecto muito importante é que o sucesso de cada empresa da cadeia depende do sucesso da cadeia como um todo e qualquer ponto fraco prejudica a competitividade do conjunto. A resistência de uma corrente é igual à resistência de seu elo mais fraco. Idealmente, todos os componentes da cadeia devem lutar por melhoria de competitividade de todos os elementos da cadeia, por uma questão de sobrevivência. A efetividade de atuação da cadeia indica a importância de:

- transparência na troca de informações;
- integração de sistemas;
- gestão conjunta dos inventários e outros recursos de produção e transporte.

Todos esses pontos, se mal administrados, acabam levando a custos desnecessários e perdas de produtividade que são arcados por todos. Quanto maior for a visibilidade logística entre os parceiros, melhor será a utilização desses recursos produtivos. Não é de hoje, a realidade do suprimento hospitalar, onde a postura de confrontação entre os atores é mais presente que o desenvolvimento de parcerias, e o esforço deve focar exatamente a mudança desta mentalidade. São estes novos conceitos que devem permear a estruturação da atividade de suprimentos em clínicas e hospitais.

Organização da área de suprimento

A estrutura organizacional da atividade de suprimentos deve ser projetada de forma a favorecer da melhor forma a execução dos processos que geram os produtos a serem entregues aos clientes. Portanto, devem ser realizadas por meio de uma profunda análise dos processos envolvidos na geração dos produtos responsáveis pela "margem de valor" criada pelo funcionamento da instituição.

A orientação da estrutura organizacional deve favorecer, ainda, o desenvolvimento de projetos voltados para a promoção de saltos de melhoria no suprimento e suportar a introdução de novas ações do tipo: logística e gestão da cadeia de suprimento, desenvolvimento de novas oportunidades de negócio (atender novas áreas da empresa), desenvolvimento do *e--Procurement*, desenvolvimento de novas formas de obtenção de materiais (uso do *sourcing*), entre outras.

Gestão de Suprimentos em Clínicas e Hospitais

Gerenciar suprimentos é a capacidade de disponibilizar o material certo, na quantidade certa e no tempo certo para o seu cliente externo ou interno. Para escolher o material certo é necessário saber selecionar os materiais e classificá-los de forma organizada conforme sequência:

1. identificar o material certo conforme solicitação;
2. gerir o processo de aquisição, armazenagem e manuseio do material;
3. garantir a correta comunicação entre fornecedores, usuários do material e setores financeiros da empresa que pagam pelo material;
4. estabelecer processos de planejamento e controle destes materiais;
5. trabalhar sempre a redução de desperdícios com materiais.

Para a empresa de saúde, quanto maior for o volume de materiais manuseados, maior será a necessidade de administrá-los de forma organizada e controlada de maneira a não impactar suas atividades. Por exemplo: Um hospital que opera com corpo clínico fechado e aberto e permite que os médicos do corpo clínico aberto escolham os materiais cirúrgicos durante seus processos. Se estes materiais não estiverem devidamente catalogados e organizados de acordo com a necessidade do médico, existe o risco de um paciente ficar aberto em uma mesa de cirurgia porque o fio de sutura utilizado pelo cirurgião está em falta no hospital. Isto pode acontecer caso o material não esteja registrado dentro do processo de compras e administração de materiais do hospital.

A seleção dos materiais que serão utilizados pela empresa de saúde deve ser administrada de tal forma que atenda às exigências dos diversos colaboradores envolvidos neste processo: pacientes, compradores, farmacêuticos, almoxarifes, diretores financeiros e médicos. Este acordo pode ser obtido mediante normas e regras claras definidas previamente por um comitê diretivo e apresentadas a cada colaborador antes do início dos seus trabalhos junto à empresa.

Dentro do processo de logística de suprimentos, a parte de abastecimento da empresa é bastante crítica em decorrência do alto impacto nos resultados financeiros da empresa, visto que envolve quantidade de medicamentos armazenados, quantidade de desperdício e, em alguns casos, impactarem diretamente o fluxo de caixa da empresa de saúde.

Estruturação da Atividade de Gestão de Suprimentos

A Gestão de Suprimentos é o conjunto de ações de Planejamento, Organização, Direção, Coordenação e Controle de todas as ações do processo de suprimento dos materiais necessários às atividades de uma empresa. Envolve recursos humanos, recursos físicos, sistemas de informação, uso de ativos etc., constituindo-se, portanto em um sistema complexo, que trataremos como Sistema de Suprimento de Material.

Sistema de suprimento de material

Sistema de Suprimento de Material pode ser definido como o conjunto de recursos humanos, físicos e processos organizacionais para administrar e operar a cadeia de suprimento de materiais necessários ao funcionamento da empresa.

Estes recursos estão distribuídos em todas as unidades da empresa. Como consequência, a gestão do sistema de suprimento é um processo transorganizacional. A adequada formalização deste processo na empresa favorece um melhor desempenho dos relacionamentos que ocorrem nas inúmeras interfaces transorganizacionais envolvidas.

Processos do sistema de suprimento de material

Os processos do Sistema de Suprimento de Material se dividem em três categorias:
- processos gerenciais – conduzem o bom funcionamento de todo o sistema, promovem a melhoria contínua e saltos de melhoria – necessitam das competências clássicas da área de administração de empresas. São básicos:
  – planejamento de suprimento;
  – avaliação de resultados do suprimento.
- processos técnicos de suprimento – produzem o atendimento das demandas de materiais, objetivo principal do sistema de suprimento – necessitam das competências específicas da área de suprimento de material. Dividem-se em:
  – gestão da demanda;
  – contratação de bens e serviços;
  – gestão dos estoques;
  – armazenagem e distribuição;
  – classificação e codificação de materiais.
- processos de apoio – suportam todas as atividades da empresa – necessitam de competências características das diversas áreas envolvidas, tais como: TI, RH, apoio administrativo, tributário etc.

Os Processos Gerenciais e Técnicos são comentados nos itens seguintes.

Planejamento do Suprimento

Processo que promove o desdobramento do Plano Estratégico da empresa, avalia os cenários para a atividade de suprimentos, realiza diagnósticos e análises estratégicas que impactem o suprimento e define as Políticas para o Suprimento de Materiais.

Divulga as políticas, diretrizes e estratégias (orientação estratégica) e, ainda, estabelece as diretrizes de relacionamento com o mercado fornecedor.

O Planejamento de Suprimento abrange todas as suas funções (compras, gestão, qualidade, movimentação, transporte, estocagem etc.), devendo haver uma avaliação conjunta de forma a gerar, para cada função, objetivos e metas que sejam harmônicos e efetivamente direcionem o sistema para um rumo comum. É necessário, portanto, enfocar a área de suprimentos considerando todo o ciclo logístico dos materiais. Os produtos da atividade são o conjunto de objetivos e metas, as estratégias, diretrizes e a Política de Estoques.

Avaliação de Resultados do Suprimento

Processo que define os indicadores de desempenho corporativos, promovendo o acompanhamento periódico dos mesmos, através de relatórios gerenciais; identifica referenciais de excelência (*benchmark*) no mercado e efetua comparações com os indicadores selecionados; planeja e coordena a execução de auditorias de suprimento.

Efetua, em resumo, a análise do desempenho global da área de suprimento e sua contribuição para os resultados da companhia.

Gestão da Demanda

Processo que promove a análise das demandas. Orienta as demandas imediatas para que o atendimento seja por meio de compras ou pelo estoque, incluindo uma possível transferência interna de material. Planeja o atendimento de demandas em busca dos menores custos de suprir, com a manutenção ou melhoria do nível de atendimento.

Para demandas que se repetem, identifica-as com potencial de benefícios (principalmente a redução do preço na compra), prioriza o tratamento dessas demandas e seleciona a estratégia de aquisição a ser adotada para cada uma delas. Por outro lado, em outra vertente, planeja o atendimento de demandas pontuais associadas aos investimentos da Companhia.

A falta do adequado reconhecimento do processo "Gestão da Demanda" tem como consequência iniciativas simultâneas e desordenadas em diferentes áreas do sistema de suprimento, tendo em vista que a necessidade de se trabalhar as demandas é percebida pelos que fazem aquisições, pelos que lidam com estoques, pelos que desenvolvem fornecedores e produtos etc.

É a etapa do processo de suprimento em que são analisadas as demandas informadas pelos clientes, com o objetivo de estabelecer o modelo logístico de suprimento de cada item.

A Figura 8.1, a seguir, ilustra o modelo de previsão da demanda.

Contratação de Bens e Serviços

Contratação de Bens e Serviços é o conjunto de atividades relacionadas à obtenção de materiais e serviços necessários à empresa, no mercado interno e externo, em condições técnicas e econômicas adequadas. O processo abrange o ciclo desde a identificação de necessidades de aquisição até a liberação dos materiais pelos fornecedores para a posse pela empresa compradora.

Um processo de compra, que resulta em desembolso, somente deve ser iniciado depois de esgotadas todas as possibilidades de atendimento da necessidade por meio de utilização de itens em estoque, inclusive alternativos, quando possível, bem como transferências entre unidades do mesmo grupo.

Figura 8.1 – *Modelo de previsão da demanda.*

Planejamento da função de contratação de bens e serviços

A orientação mais atualizada do papel de contratação é o foco na ação estratégica, com os aspectos rotineiros da atividade automatizados ou controlados pelo pessoal de escritório, cabendo à alta administração envolver a atividade de compras no processo de decisão estratégica.

O envolvimento no planejamento do negócio necessita do domínio de toda a operação, bem como de um entendimento claro dos relacionamentos internos complexos da empresa em relação aos materiais, às informações exigidas e às pessoas envolvidas.

Estratégias de compra básicas

Compras através de processo competitivo

Processo competitivo é o procedimento de abordagem do mercado fornecedor com vistas a obter propostas para a aquisição de material, em processo licitatório, selecionando a proposta mais vantajosa em função das variáveis de decisão definidas. É a estratégia predominante e inicial, por permitir a avaliação das oportunidades oferecidas pelo mercado e reduzir os dispêndios com a aquisição de bens e materiais.

A análise da complexidade do mercado e da importância do material para a empresa deverá indicar a modalidade de compra de cada categoria de material.

A seleção de propostas de fornecedores deve ter critérios claros e previamente definidos para todos os participantes do processo de compras. Exemplos de critérios para avaliar propostas: Qualidade, Preço e condições de Pagamento, Nível de Atendimento, Prazo de entrega, Pontualidade, Situação Financeira da Empresa, Suporte local ao produto vendido e Flexibilidade para atender processos sazonais.

A seleção dos critérios de escolha depende do produto e da modalidade de compras envolvida. Os critérios comuns para produtos padronizados e de baixa criticidade geralmente são preço, prazo de entrega, pontualidade, preço e condição de pagamento. Geralmente estes produtos são comprados através de leilão, por meio de concorrência aberta, como por exemplo, leilão invertido através da *web*.

Os critérios básicos de decisão de licitações são de modo geral:

- melhor preço – quando não há fatores relevantes de ordem técnica que devam ser ponderados, podendo-se privilegiar o menor dispêndio da empresa;
- preço e técnica – utilizado sempre que fatores relevantes de ordem técnica devam ser ponderados com os preços ofertados;
- melhor técnica – utilizado sempre que os fatores de ordem técnica sejam preponderantes sobre os preços ofertados.

Vale comentar ainda que, para os materiais de valor relevante, a avaliação de preços não deve se restringir à comparação com preços de compras anteriores, devendo ser estabelecidos critérios de estimativas de preços que considerem as especificidades do bem em aquisição.

O importante em todo o processo é que os critérios fiquem claros e que a empresa possua indicadores e métricas para pontuar e avaliar o fornecedor, criando uma base de conhecimento e permitindo que, além dos critérios padrão para escolha de uma proposta, os indicadores históricos do fornecedor sejam fatores críticos de sucesso na decisão por qual proposta optar, visto que desta forma a área de compras trará segurança e transparência para o processo como um todo e possibilitará a criação de relações de confiança e parceria em prol da empresa.

Compras sem processo competitivo

Ocorrem em circunstâncias específicas, em que o processo competitivo não traz benefícios, como compras de pequeno valor, casos de emergência, materiais com fornecedor exclusivo, *softwares*, sobressalentes adquiridos do fabricante, entre outros.

Processo de execução da contratação

Análise dos pedidos de compras

A análise dos dados dos pedidos de compras, pela área de Compras, consiste em verificar todos os aspectos que influenciem a execução correta do procedimento de compra, bem como permite identificar a melhor estratégia de consulta ao mercado fornecedor.

Convocação de fornecedores

Trata-se do processo, documentado em grau correspondente à complexidade da compra, através do qual o mercado toma conhecimento das condições para habilitação dos interessados, os critérios para processamento e julgamento da licitação, assim como as condições para o fornecimento do material requisitado.

O critério de julgamento estabelecido no documento convocatório deve ser objetivo e com o detalhamento necessário para definição da proposta vencedora.

Análise de propostas

Análise é a fase da licitação na qual é efetuado o exame das propostas apresentadas para fornecimento do material, em confronto com o estipulado no documento convocatório, e tem por objetivo sua classificação, com base no critério de julgamento estabelecido.

Julgamento de propostas

É a escolha do proponente vencedor de um processo competitivo, tendo por base o critério de julgamento estabelecido no documento convocatório, podendo considerar os resultados das análises técnica, comercial e técnico-econômica.

Em qualquer critério de julgamento utilizado, poderá ser estabelecido processo de negociação com a licitante vencedora.

Colocação da compra

Nesta fase é emitido o documento contratual (Notas de Empenho, Autorizações de Entrega de Material, *Purchase Order* etc.), através do qual se formaliza a contratação junto ao fornecedor, com detalhamento compatível à complexidade e condições da compra.

É dispensável o contrato, além das compras de pequeno valor, nos casos de compra com entrega integral imediata, em que não haja pagamento de adiantamento, procedimento de controle de qualidade posterior ao recebimento e necessidade de estabelecimento de condições contratuais especiais.

Diligenciamento da compra

É o conjunto de atividades exercidas com a finalidade de assegurar o cumprimento de todos os eventos e condições constantes do documento contratual, tanto por parte do Fornecedor quanto pela própria Empresa.

Encerramento do processo de compra

Nesta fase finaliza-se o processamento da compra, em relação ao atendimento integral de todos os itens constantes do pedido de compras, bem como as providências de pagamento.

Indicadores de desempenho

Os indicadores de desempenho, na contratação, podem estar associados a várias dimensões:

a) **atendimento**, com indicadores como: itens atendidos na data requerida, prazo médio de colocação de itens, tempo médio de atendimento a pagamento, nível de satisfação dos clientes;

b) '**Desempenho quantitativo**, com indicadores como quantidade de compras colocadas e valor, pedidos de compra sem colocação por faixa de prazo, itens em diligenciamento, processamento de pedidos de pagamento;

c) '**Produtividade**, como total de pedidos de compra colocados/total de empregados;

d) '**Qualidade**, como exemplo, a confiabilidade das informações no banco de Dados.

e) '**Custo**, com indicadores de custo operacional por empregado, custo de administração da área de compras, custo agregado de compras.

Tecnologia como suporte ao processo de contratação

A tecnologia tem modificado os processos organizacionais em um ritmo surpreendente, envolvendo altos volumes financeiros com foco em melhoria de qualidade e produtividade nas empresas.

A negociação pela *web* (*e-procurement*) vem crescendo há anos e seu ponto de partida foi o EDI (*Electronic Data Interchange*), meio seguro para transferência de dados e arquivos entre empresas. Estes negócios via *web*, como B2B (*Business to Business*), têm o objetivo de criar o elo da cadeia de suprimentos, por meio do uso da tecnologia, provendo informações, automatizando processos necessários e trazendo benefícios ao desempenho da logística.

A tecnologia agiliza o manuseio de dados, gera a base de conhecimento pelo seu uso e permite a comunicação *on-line* entre parceiros de negócios. Porém a comunicação é um dos pilares da negociação e traz certa complexidade na gestão da cadeia de suprimentos, visto que existem interesses distintos entre fornecedor e cliente. Por isso, nasce a necessidade da comunicação eletrônica entre empresas com a coleta, o processamento e a distribuição eletrônica de dados em ambiente seguro, onde crescem os modelos de negócios transacionais.

Esses ambientes onde ocorrem transações comerciais podem ser públicos ou privados e as relações de comércio podem ser exclusivas entre uma organização e um fornecedor envolvendo produtos ou grupos de produtos específicos (modelo de negócio tipicamente privado entre duas empresas).

Outro tipo de modelo privado pode ser o tradicional, em que uma empresa constrói seu *site* para compras *on-line* onde os fornecedores são previamente cadastrados e o sistema emite a RCF (requisição de cotação para o fornecedor) de forma automática para os fornecedores cadastrados e estes postam suas propostas no *site* através de *upload* de arquivo ou digitação em tela. Este processo reduz tempo, custo, erros e traz transparência e segurança ao processo, que fica 100% registrado na ferramenta.

Outra forma possível para realizar compras eletronicamente é através da participação da empresa compradora em *sites* de acesso público, tais como distribuidores virtuais, portais de compras, serviços de remessa, entre outros. Este tipo de modelo de negócios cria o espaço público virtual também conhecido como *e-market,* em que compradores e vendedores realizam transações comerciais *on-line*.

O processo eletrônico de compras, independentemente do modelo público ou privado, busca neste espaço virtual reduzir custos, melhorar o processo de entrega, aumentar o leque de opções de compra e conseguir gerenciar de forma integrada a cadeia de suprimentos, visto que o processo automatizado integra todos os participantes do processo de compras de um ou mais produtos.

Gestão de Estoques

O atendimento das necessidades de material aos clientes do suprimento é realizado de duas formas:

- obtenção do material (compra, transferências, produção etc.) a cada solicitação; ou
- uso dos estoques existentes.

O ideal é que pudéssemos dispor de condições de não formar estoques, que representam imobilização de capital. Entretanto, como o mercado não pode nos atender sempre de forma imediata, torna-se necessário mantermos em estoque os materiais necessários ao atendimento das demandas, de forma a evitarmos paralisações das atividades que gerem prejuízos ou comprometam a segurança de pessoas e do meio-ambiente. A Gestão de Estoques, nesse contexto, pode ser definida como: "Função responsável pelo planejamento e controle da formação, manutenção e desmobilização de estoques, de acordo com os níveis de investimento e de serviço estabelecidos na Política de Suprimento".

O desafio da Gestão de Estoques é, portanto, conseguir o equilíbrio entre a necessidade de investir o menos possível em estoques, e, ao mesmo tempo, garantir satisfação ao cliente, atendendo suas necessidades de forma adequada. Executa as atividades necessárias para que os estoques sejam mantidos nos níveis planejados. Aciona obtenções, transferências e alienações.

Classificações básicas dos estoques

Classificação ABC

A Classificação ABC classifica os produtos conforme sua classe de valor , isso ocorre porque as empresas trabalham com uma gama de produtos bastante diversificada e tornam--se muito complexos a administração e o controle dos produtos de forma única, visto que armazenamento, preço, prazo de entrega, fontes de fornecimento e giro de estoque dos mesmos são bastante diferentes.

A classificação ABC, também conhecida como classificação de Pareto (prioriza 20% das causas que geram 80% das consequências) visa identificar os produtos em razão do valor que eles representam no faturamento e assim gerir de forma otimizada e adequada cada item segundo sua representatividade para empresa. A Classificação pode ser aplicada de diferentes formas, como por exemplo: classificação do consumo de materiais, classificação do estoque dos fornecedores, entre outros.

Geralmente, na classificação ABC, o estoque de materiais médicos e medicamentos é separado em três classes de itens. Os itens "A" são aqueles de grandes valores e pequenas quantidades físicas. Os itens "C" são os de baixos valores e grandes quantidades físicas. Os itens "B" são aqueles de valores e quantidades médias em relação aos itens A e C. Este tipo de segmentação gera redução de custo significativa na aquisição de materiais médicos e medicamentos.

Para classificação de materiais pelo consumo, os itens classificados como "A" são os materiais de pouca quantidade e com alta representatividade perante o valor total de um período estabelecido. Os itens "B" são os de valor e quantidade intermediários entre os itens A e C. Os itens "C" são pouco representativos em termos de valor e quantidade elevada.

O objetivo principal da classificação ABC é subsidiar as empresas de informações para que se estabeleçam políticas, estratégias e controles diferenciados para os itens adquiridos e consumidos, e que estes recebam a atenção necessária de acordo com sua representatividade para empresa de saúde. Portanto não se administra o processo de logística para *band-aid* da mesma forma que se administra o processo para um medicamento controlado, e com isso é possível reduzir o volume de estoques de acordo com um sistema de reposição apropriado à importância de cada item no estoque total.

Classificação XYZ

A Classificação XYZ atribui níveis de serviço, tais como atendimento, rapidez, pontualidade da entrega, suporte local, flexibilidade para atendimentos sazonais, entre outros, em razão da criticidade ou imprevisibilidade do material para as atividades em que são utilizados. Exemplo de classificação XYZ:

- classificação X:
  – baixa criticidade;
  – se faltar não paralisa as atividades;
  – possui material equivalente que o substitui;
  – fácil de adquirir;
- classificação Y:
  – média criticidade;
  – se faltar pode interromper atividades e colocar pessoas em risco;
  – pode ser substituído por outro material;
- classificação Z:
  – imprescindível;
  – se faltar pode interromper as atividades e colocar pessoas em risco;
  – não pode ser substituído por outro produto equivalente.

A qualificação de criticidade é dada através da resposta das questões a seguir:

1. O item é essencial para alguma atividade vital da empresa?

2. O item pode ser adquirido facilmente?
3. O item já possui equivalente especificado?
4. O item equivalente pode ser adquirido facilmente?

Se a resposta das perguntas 2 e 3 for sim, este item é classificado como "X".

Se a resposta do item 3 for inversa à resposta do item 2, este item é classificado como Y.

Se o item for imprescindível e as respostas dos itens 2 e 3 forem não, este item é classificado como Z.

A classificação XYZ permitirá aos gestores da empresa determinarem níveis de atendimento de acordo com os diferentes graus de criticidade dos materiais utilizados. Por exemplo, a falta de um material Z no hospital coloca a vida do paciente em risco e afeta a reputação do hospital, podendo inclusive incorrer em processos judiciais por indenizações.

Planejamento na gestão de estoques

Na definição dos objetivos e metas, duas visões, às vezes conflitantes, devem ser trabalhadas:

a) **Nível de imobilização de capital em estoques**, gerando ações como aumento do giro de estoques ou redução de itens inativos;

b) **Nível de atendimento aos clientes**, com ações como melhoria no nível de atendimento ou redução dos prazos de atendimento.

A política de estoques, decorrente do Planejamento, é o conjunto de diretrizes, compatibilizadas com os objetivos, que direcionam a:

• formação de estoques;
• manutenção de estoques;
• desmobilização de estoques.

Controle de estoques

É a etapa executiva da Gestão de Estoques. Podemos definir Controle de Estoques como: "Conjunto de atividades de registro, controle e análise da movimentação de materiais, visando a determinação de quantidades a serem adquiridas (quanto) e o período adequado para as compras (quando), a fim de permitir a continuidade operacional da empresa, em conformidade com os objetivos e políticas determinados para a Gestão de Estoques."

A operacionalização do controle de estoques é efetuada através dos métodos de controle, que obrigatoriamente devem responder às questões de quando e quanto comprar. Todo e qualquer item de estoque deve estar associado a um método, garantindo seu gerenciamento.

Saneamento e destinação de estoques

Idealmente, todos os materiais estocados deveriam ser integralmente utilizados, sem sobras nem faltas. Isso nem sempre é possível, por razões como:

• previsões de consumo imprecisas;

- paralisação/adiamento de programas;
- mudanças de programação;
- sobras de obras e de programação;
- deterioração/obsolescência de materiais/equipamentos;
- mudanças de tecnologia;
- alterações de políticas de estoque etc.

Tais fatos geram a existência de materiais desnecessários, cuja identificação é uma tarefa importante da Gestão de Estoques, desde que só devem ser mantidos em estoque os materiais necessários às atividades. Os objetivos básicos do saneamento são:
- reduzir o valor das imobilizações em estoque;
- reduzir os custos de manutenção de estoques;
- liberar áreas de armazenamento;
- eliminar materiais que não mais satisfazem às exigências técnicas da empresa.

Avaliação de desempenho da gestão de estoques

A avaliação de desempenho é uma atividade permanente e fundamental, não só para a gestão de estoque como para qualquer outra função. Através dos índices de avaliação podemos aferir a qualidade e efetividade das nossas ações, verificar o cumprimento dos objetivos e metas e analisar se a evolução dos níveis de estoques é compatível com as diretrizes da Política de Estoques.

Os indicadores mais usuais são a rotatividade dos estoques, cobertura dos estoques, nível de serviço e percentagem de itens sem consumo.

Armazenagem e Distribuição

A Armazenagem executa todas as atividades de recebimento, estocagem, entrega e preservação de materiais, ao passo que a Distribuição garante as atividades necessárias para que os materiais colocados na posse da empresa sejam movimentados desde o ponto onde a transferência da posse tenha ocorrido até a entrega ao usuário que irá utilizar o material.

O hospital atualmente é resultado de diversas pesquisas no campo médico para curar doenças e recuperar a saúde dos pacientes, além de diagnosticar precocemente doenças de forma a salvar vidas, retardando a evolução dos problemas ou solucionando-os definitivamente.

Para conquistar este posto, os hospitais investiram em estrutura física funcional com uma localização estratégica, automatização de estoques e do processo de compras de medicamentos para reduzir custos e otimizar abastecimento e armazenamento em suas farmácias hospitalares. Mas é importante entender que a demanda de medicamento para este setor vem prioritariamente de três áreas do hospital: pronto-atendimento (entrada do paciente no hospital), centro cirúrgico (paciente já internado no hospital ou cirurgia de emergência) e exames laboratoriais.

A farmácia hospitalar possui duas funções: a) receber, armazenar e distribuir medicamentos aos pacientes; e b) preparar ou fabricar medicamentos, produtos químicos e de limpeza e materiais diversos. Por isto seu armazenamento consiste em três tipos:
1. medicamentos de prateleira, agulhas, seringas e outros insumos farmacêuticos;

2. psicotrópicos, drogas com controle rigoroso de utilização, devendo informar constantemente as autoridades da saúde sobre seu uso e o estoque existente;
3. materiais refrigerados como por exemplo antibióticos, que costumam ser feitos em geladeira comum, tipo doméstico.

Existem pelo menos 30 mil medicamentos registrados mundialmente em farmacopeias. Cerca de 10 mil são realmente fabricados e utilizados.

A dimensão da farmácia e das áreas internas deve seguir a norma de regulamentação de cada país. A RDC nº 50 de 21/02/2002 é um instrumento que consolida num regulamento técnico, várias normas voltadas para orientar o planejamento, programação, elaboração, avaliação e aprovação de projetos físicos de estabelecimentos assistenciais de saúde. Se as construções novas ou ampliações não obedecerem às disposições desta resolução, ficarão sujeitas a sanções por infringir a legislação sanitária federal.

Classificação e Codificação de Materiais

Processo de apoio que identifica, classifica, codifica e cataloga os materiais, garantindo uma linguagem comum para o processamento de informações e execução otimizada das atividades de suprimento.

Existem inúmeros critérios para classificar materiais como, por exemplo: dificuldades de armazenamento, dificuldades de aquisição, periculosidade ou perecibilidade do material, valor de utilização, criticidade para as atividades e rotatividade dos materiais. Cada classificação atende a um objetivo diferente e possui uma área responsável por suas definições. Mais adiante falaremos sobre critérios de criticidade e valor de utilização.

A codificação é uma sequência de símbolos atribuída a cada material. Um tipo de codificação é o código de barras e no Brasil o utilizado é o Código Nacional de Produtos, padrão EAN (*European Article Numbering*) estabelecido pelo Decreto-lei 90.595/1984. Este padrão é administrado pela *EAN International*, e no Brasil, pela EAN Brasil Associação Brasileira de Automação Comercial.

A EAN Brasil conta com um grupo focado em saúde desde 1990, constituído por profissionais e representantes de hospitais e fabricantes de medicamentos e outros produtos hospitalares. A automação hospitalar utiliza os códigos de barras padronizados para toda cadeia logística identificando os produtos para laboratórios, distribuidores, transportadoras, farmácias e hospitais, reduzindo custos, otimizando as entregas e permitindo flexibilizar o atendimento.

O grande ganho do controle da cadeia logística é a rastreabilidade do produto desde a sua produção até o seu consumo dentro dos hospitais. E o mais importante é que a legislação brasileira estabelece que todos os participantes da cadeia de suprimentos de produtos farmacêuticos, ou seja, fabricantes/importadores, transportadores, distribuidores entre outros, respondem solidariamente pela identificação, eficácia, qualidade e segurança dos produtos.

Considerações Finais

O suprimento de bens e serviços, em clínicas e hospitais, não raro supera mais de 50% do total de custos envolvidos no funcionamento da instituição. Como visto, é um setor que ainda não se beneficia das possibilidades de redução de custos com a utilização de técnicas mais adequadas no gerenciamento de suprimentos, e, portanto, não usufrui das vantagens decorrentes.

Este capítulo procurou indicar os pontos essenciais que devem ser considerados na organização, estruturação e operação da atividade de suprimentos, o QUE fazer, deixando aos gestores a necessidade de aprofundar o conhecimento, na busca do COMO fazer e executar cada um dos processos evidenciados.

Bibliografia Consultada

1. Baily PF, Jessop DD, Jones D. Compras. São Paulo: Editora Atlas; 2000.
2. Ballou RH. Gerenciamento da cadeia de suprimentos. Porto Alegre: Editora Bookman; 2001. Bowersox D J & Closs DJ. Logística empresarial. São Paulo: Editora Atlas; 2001.
3. Christopher M. Logística e gerenciamento da cadeia de suprimentos. São Paulo: Editora Pioneira; 1997.
4. Dias MAP. Administração de Materiais. São Paulo: Editora Atlas; 1993.Plantullo VL. Economia em compras. Rio de Janeiro: Editora FGV; 2000.

9 Medicina Baseada em Evidências

Otavio Berwanger
Camille Rodrigues da Silva

"O Conhecimento é o Maior Inimigo da Doença"
(Muir Gray)

Introdução

Medicina Baseada em Evidências (MBE), termo cunhado e primeiramente utilizado na Faculdade de Medicina da *Universidade McMaster* pelo *Dr. Gordon Guyatt*, Canadá, na década de 1980, para denominar uma estratégia de aprendizado clínico, pode ser definida como o uso consciente, explícito e criterioso das melhores evidências científicas disponíveis na literatura médica para tomar decisões em relação ao manejo dos pacientes[1,2]. Podemos considerá-la também o processo sistemático de selecionar, analisar e aplicar resultados válidos de publicações científicas como base para decisões clínicas, para o paciente individual. Posteriormente, estes conceitos foram extrapolados para a área de gestão em saúde pelo Professor Muir Gray, da Universidade de Oxford, dando origem ao termo *Evidence Based Healthcare*, o qual poderíamos adaptar para "Gestão em Saúde Baseada em Evidências". Atualmente, a implementação de um Programa Institucional de Medicina Baseada em Evidências é parte fundamental para a busca de excelência em saúde e consequente melhoria de qualidade assistencial.

O que se considera como "evidências" (que muitos autores também traduzem como provas científicas ou fatos) são estudos clínicos publicados em diferentes periódicos ou bancos de dados eletrônicos, sob forma de artigos originais, resumos estruturados de artigos originais, revisões sistemáticas, Avaliações de Tecnologia em Saúde (ATS) e Diretrizes (*Guidelines*) e Protocolos Clínicos. Apesar de os conceitos clínico-epidemiológicos já serem conhecidos há bastante tempo, foi nas 2 últimas décadas que grupos de especialistas no tema de MBE vêm desenvolvendo uma série de métodos, cursos, publicações, bancos de dados eletrônicos e *websites* que permitem, cada vez mais, a aplicação destas ideias na prática clínica diária. Tal esforço traduz-se por uma prática da medicina mais eficaz e efetiva e, consequentemente, mais científica, o que resulta em melhores proventos para gestores, pacientes, médicos e profissionais da saúde.

Um aspecto importante a ser garantido é a maturidade da evidência selecionada. Antes de gastar esforços na implementação de uma evidência científica, é fundamental realizar uma análise da evidência em um prazo mais longo e de forma comparativa aos recursos atuais disponíveis.

Em resumo, implementar uma Prática Baseada em Evidências nada mais é do que garantir que todos os procedimentos e serviços de saúde oferecidos pela instituição possuam base nas melhores evidências científicas disponíveis. Ou seja, quando um determinado cliente é submetido a um procedimento cirúrgico, por exemplo, a escolha por este procedimento é baseada em pesquisas que comprovam a sua eficácia e segurança. Quando o Departamento de Compras decide adquirir determinado equipamento, esta escolha também está baseada em informação científica sólida.

Implementar a MBE é um passo essencial em instituições que querem melhorar a qualidade de sua prestação de serviços em saúde. Nos dias atuais é estimado que cerca de 30-40% dos pacientes internados em instituições de saúde não recebem tratamentos apropriados, ou seja, baseados em evidências. Um bom exemplo desta realidade é que, embora diversos estudos randomizados tenham comprovado que as estatinas são capazes de diminuir a mortalidade e morbidade em pacientes pós-infarto com hipercolesterolemia, a medicação continua não sendo prescrita em um grupo significativo de pacientes. Do mesmo modo, antibióticos continuam sendo prescritos em excesso em crianças com sintomas clínicos relacionados ao trato respiratório superior.

Da mesma forma que a melhor evidência científica não é ocasionalmente oferecida aos pacientes, em outras situações, cuidados em saúde desatualizados, caros e desnecessários continuam a ser fornecidos. Um estudo americano estimou que entre 8 a 86% dos procedimentos médicos realizados anualmente naquele país são desnecessários[3]. Ações clínicas ineficientes têm grande impacto nos custos pessoais e sociais.

Assim, é fundamental buscar aumentar o **valor** (isto é, disponibilizar aos clientes condutas custo-efetivas e seguras que tenham base em evidências) e reduzir o **desperdício** (isto é, práticas que não possuam base científica sólida).

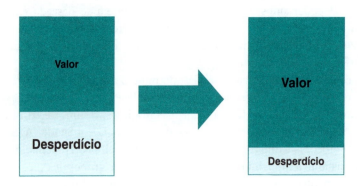

Figura 9.1– *Relação entre valor e desperdício em serviços de saúde.*

No século passado, o conhecimento basicamente era privilégio do médico e de profissionais de saúde que apenas informavam o paciente de suas decisões. Com o advento da internet, das redes sociais e *smartphones*, atualmente a informação está disseminada e muitas vezes é o próprio cliente que traz a informação atualizada para as instituições prestadoras de serviços em saúde, conforme mostra a Figura 9.2. Isto torna necessário que os profissionais que atuam na instituição estejam atualizados em relação às melhores evidências disponíveis, o que, cada vez mais, será um aspecto diferencial.

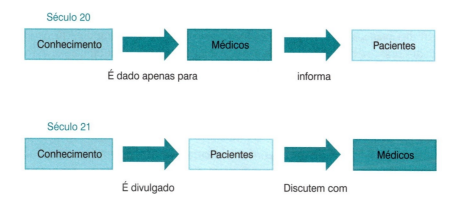

Figura 9.2 – *Fluxo de conhecimento em saúde (diferenças entre século 20 e século 21).*

Expandir o conhecimento nas organizações é uma das principais estratégias para aumentar a qualidade do atendimento nas instituições de saúde. Quanto mais qualificados forem os profissionais, mais assertivas serão as decisões, os processos e, consequentemente, os resultados das instituições.

Qual a importância da Medicina Baseada em Evidências para gestores de organizações da área da saúde?

As vantagens da MBE podem ser vistas sob a perspectiva do gestor, do corpo clínico e do paciente e familiares[4].Em relação ao gestor, ela auxilia na escolha das intervenções mais custo-efetivas, propiciando maior satisfação dos clientes e melhores resultados clínicos e financeiros para a instituição. Do ponto de vista do corpo clínico e dos demais profissionais de saúde, ela propicia atualização permanente, aprendizado, conhecimento de métodos de pesquisa e, consequentemente, dos problemas dos pacientes de forma científica, oportunidades de formar grupos de pesquisa e clubes de revisão, além de permitir que estudantes participem de forma mais ativa das decisões médicas. Já, do ponto de vista do paciente, o emprego da MBE promove o uso de intervenções com benefício comprovado e a aplicação mais efetiva e racional dos recursos, além de permitir que suas dúvidas sejam esclarecidas de forma mais segura e objetiva. Assim, a equação da excelência em serviços de saúde pode ser assim resumida:

Alta qualidade + Baixo custo = Serviços eficientes com tomada de decisão adequada

No entanto, com o passar do tempo reconheceu-se que os médicos necessitavam de uma orientação em como incorporar as evidências científicas em sua prática clínica. Além disso, o conceito da Medicina Baseada em Evidências amadureceu e passou a envolver outros componentes, valorizando a decisão do paciente na escolha da proposta terapêutica, também levando em conta os recursos de saúde disponíveis, além de incorporar a equipe multiprofissional envolvida no sistema de saúde.

Apesar dos avanços, a forma ideal de disseminar os novos conceitos científicos é motivo de grande discussão nos dias atuais, uma vez que para garantir que a audiência-alvo receba as informações corretas há necessidade de um plano de disseminação adequado. Sendo assim, ressalta-se o valor das comunidades de prática e o *networking*, além de meios inovadores de disseminação e facilitadores para aplicação das evidências científicas.

Como implementar um programa institucional de Medicina Baseada em Evidências?

Uma das principais dificuldades em fornecer um atendimento de saúde de alta qualidade está na barreira entre o acesso a evidência científica qualificada e a prática clínica. Diversas publicações são unânimes em demonstrar que os avanços científicos das últimas décadas não se traduziram em benefícios imediatos na prática clínica, mesmo em países desenvolvidos como nos Estados Unidos ou na Europa. O grande desafio que vivenciamos nos dias atuais está justamente em transformar os avanços científicos já disponíveis em benefícios clínicos.

A comunicação dos dados científicos em publicações especializadas e apresentações em encontros científicos, em geral, não é suficiente para promover mudança nos cuidados de saúde.

Implementar MBE em uma instituição de Saúde antes de mais nada representa uma importante mudança cultural. Para tanto, é necessário um plano que englobe estratégias e ferramentas validadas de melhoria de prática clínica, bem como que claramente seja inclusiva, representando um trabalho conjunto entre a administração do hospital com o corpo clínico e com profissionais da área da Saúde. Um projeto institucional estruturado e sistemático deve ser implementado, tendo metas claras e investimento apropriado. Para implementação de um programa institucional de medicina baseada em evidências é necessário identificar as partes interessadas em um programa de tal natureza.

De modo geral, as partes interessadas incluem:

- diretores/superintendentes;
- corpo clínico;
- outros profissionais de saúde;
- administrativo/gerentes (comercial, controladoria, marketing, financeiro);
- pacientes.

Na sequência, é necessário motivar e convencer as partes interessadas a participar em tal programa. Para tanto, uma abordagem sistemática por passos se faz necessária (Figura 9.3).

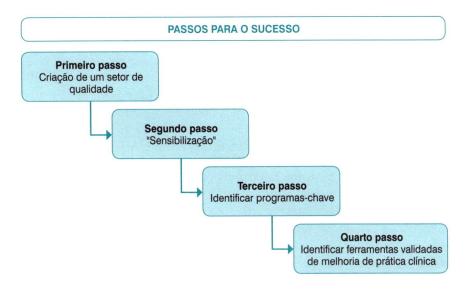

Figura 9.3 – *Passos ou etapas essenciais para implementação de um programa institucional de medicina baseada em evidências.*

Primeiro passo
Criação de um setor de qualidade

O setor de qualidade (ou de prática baseada em evidências) idealmente deve ser multidisciplinar, envolvendo um médico com treinamento formal de técnicas de MBE (contratado para tal ou com perspectiva de treinamento), bem como outros profissionais de saúde, de acordo com o perfil da instituição. Outro profissional-chave neste processo é um bibliotecário (profissional-chave), o qual pode ser um grande facilitador na busca de informações (evidência) relevantes em diferentes fontes de dados, como veremos na sequência. Outro ponto importante a ser considerado é deixar este setor ligado aos setores com possibilidade de tomada de decisão dentro da instituição (alta direção), a exemplo de um Superintendente Corporativo (CEO). Inicialmente, a estrutura física necessária pode ser enxuta, incluindo uma a duas salas com acesso a internet, computadores e estações de trabalho e uma sala de reuniões com possibilidade de realização de teleconferência.

O escopo de atividades deste setor pode envolver, dentre outras:
- sessões semanais de MBE (incluindo discussão de problemas clínicos reais);
- estabelecimento de protocolos assistenciais (participação ativa de corpo clínico e administração);
- desenvolvimento de ferramentas de melhoria de prática clínica;
- sistema contínuo de auditoria e *feedback*;

- disponibilidade de fontes de evidência à beira do leito;
- estabelecimento de indicadores de qualidade assistencial.

Segundo passo
Sensibilização das partes interessadas

A sensibilização das partes interessadas pode ser realizada "agudamente" e "cronicamente". Para a sensibilização "aguda", uma estratégia interessante pode ser a realização de uma oficina com duração de 2-3 dias, idealmente fora do local de trabalho, a qual utilizaria técnicas de aprendizado baseado em problema e construção em pequenos grupos. O público-alvo seria constituído por profissionais da saúde e gestores (corpo gerencial). Neste *workshop* seriam apresentadas e identificadas potenciais áreas para atuação do Setor de Qualidade, bem como ferramentas de medicina baseada em evidências que podem ser utilizadas para obter melhoria em processos, bem como em desfechos dos pacientes.

Na sequência, é de fundamental importância o estabelecimento de uma reunião quinzenal ou mensal, na qual podem ser discutidos e atualizados protocolos assistenciais e ferramentas de melhoria de prática clínica.

No entanto, mudanças de comportamentos são processos complexos, havendo necessidade de avaliação de todo o sistema de saúde, identificando barreiras sistemáticas para que as mudanças ocorram, com um enfoque dirigido a todos os envolvidos no processo decisório relacionado à promoção da saúde.

Terceiro passo
Identificar programas-chave

Uma vez estruturado o setor de Qualidade, é necessário identificar potenciais áreas assistenciais-chave, onde a atuação por meio de protocolos assistenciais e ferramentas de melhoria de qualidade podem levar a melhoria de processos e desfechos. Exemplos são apresentados na sequência, a saber:
- lavagem de mãos;
- prevenção de quedas;
- atendimento ao paciente com infarto agudo do miocárdio;
- atendimento ao paciente com acidente vascular cerebral;
- atendimento de parada cardíaca;
- critérios para padronização de medicamentos.

Para a elaboração dos protocolos assistenciais, devem ser consultadas evidências disponíveis na literatura, as quais estão organizadas em diferentes fontes eletrônicas de dados. Atualmente existem diversas fontes de evidência (bancos de dados) que podem ser consultadas e disponibilizadas visando apoiar a tomada de decisão por parte de profissionais do corpo clínico e da área da saúde. Para cada uma dessas fontes de evidências existem formas de se proceder a buscas na literatura, as quais fogem dos objetivos desse capítulo. A Tabela 9.1 fornece o endereço eletrônico de alguns *websites* que podem ser facilmente acessados para a busca de evidências. Para a busca de evidências na prática clínica diária, a forma mais rápida e eficaz de encontrar evidências é consultar os chamados bancos de dados pré-filtrados[5]. Esses bancos de dados são chamados de pré-filtrados por apresentarem a evidência já "digerida", ou seja, avaliada criticamente quanto a aspectos de qualidade metodológica e com resultados resumidos sob a forma de parâmetros clínicos-epidemiológicos de impacto (p. ex., o número de pacientes a tratar para se evitar um desfecho clinicamente relevante - NNT - as razões de verossimilhança – *likelihood ratios* – e de custo-efetividade). Além disso, diferentemente de bancos de dados como o PubMed/MEDLINE e o EMBASE, realizar busca em bancos pré-filtrados não requer habilidades avançadas, de forma que, em poucos segundos, o profissional de saúde é capaz de encontrar evidências relevantes. Exemplos de bancos de dados pré-filtrados são o *ACP Journal Club*, o *Clinical Evidence* e o *Evidence-Based On Call*, cujos endereços eletrônicos podem ser encontrados na Tabela 9.1.

Tabela 9.1
Web Sites Recomendados para a Busca de Evidências

SITE	ENDEREÇO ELETRÔNICO
Bancos de dados pré-filtrados	
ACP Journal Club on-line	www.acpjc.org
Evidence-Based Medicine Journal	ebm.bmjjournals.com
Clinical Evidence	www.clinicalevidence.com
Sites gerais de MBE	
Centre for Evidence Based Medicine (Oxford)	www.cebm.net
Centre for Evidence Based Medicine (Toronto)	www.cebm.utoronto.ca/
Netting the Evidence	www.shef.ac.uk/~scharr/ir/netting
McMaster University Health Information Research Unit	hiru.mcmaster.ca/
Evidence-BasedMedicine Education Center of Excellence.- North Carolina	www.hsl.unc.edu/ahec/ebmcoe/pages/index.htm
Bandolier	www.jr2.ox.ac.uk/bandolier/
Revisões Sistemáticas	
Cochrane Collaboration (full-text)	www.bireme.br/cochrane/
Database of Abstracts of Reviews of Effectiveness (DARE)	www.agatha.york.ac.uk/darehp.htm
Artigos Originais	
PubMed (Medline)	www.pubmed.com
EMBASE	www.embase .com
Análises Econômicas	
NHS Economic Evaluation Database, University of York	Agatha.York.ac.uk/nhsdhp.htm
Diretrizes e Avaliações de Tecnologia em Saúde	
National Guideline Clearinghouse	www.guideline.gov
HSTAT (Health Services Technology Assessment Text)	text.nlm.nih.gov
U.K. National Electronic Library for Health	www.nelh.nhs.uk/guidelines_database.asp
SIGN Guidelines	www.sign.ac.uk
NICE/NHS – Guidelines	www.nice.org.uk
Evidence-Based Practice Centers/Evidence-Based Reports	www.ahcpr.gov/clinic/epc
Guidelines International Network	www.g-i-n.net
Buscas Integradas	
SumSearch	sumsearch.uthscsa.edu/searchform45.htm
TRIP Database	www.tripdatabase.com
Ovid (EBM reviews)	www.ovid.com

As principais evidências que podem ser buscadas em diferentes fontes de dados são: revisões sistemáticas, análises econômicas em saúde e diretrizes (*guidelines*).

Revisões sistemáticas

Revisões sistemáticas podem ser definidas como investigações científicas, com métodos definidos *a priori*, utilizando estudos originais como a sua "população". Este tipo de estudo objetiva sintetizar os resultados de investigações primárias utilizando estratégias que minimizem a ocorrência de erros aleatórios e sistemáticos. Ou seja, uma revisão sistemática é um tipo de delineamento e pesquisa no qual os resultados de vários estudos de delineamento semelhante são analisados de forma conjunta (p. ex., revisão sistemática de ensaios clínicos randomizados que testaram o efeito do uso de corticoides inalatórios no tratamento de asma brônquica). Nesse tipo de estudo podem ser empregados métodos estatísticos visando sumarizar os resultados dos diferentes estudos incluídos em uma única medida. Nesse caso, as revisões sistemáticas são denominadas *metanálises*. As demais revisões sistemáticas que não combinam estatisticamente os resultados dos estudos individuais são denominadas *revisões sistemáticas qualitativas*.

Análises econômicas em saúde

O principal objetivo das análises econômicas em saúde é comparar o valor relativo de diferentes intervenções, dirigidas à promoção da saúde ou ao prolongamento da vida, fornecendo informações concretas para que a tomada de decisões na alocação de recursos seja a mais apropriada. Os tipos de análises econômicas mais comuns são: custo-efetividade, custo benefício, custo-utilidade. De acordo com o tipo de análise realizada, o benefício em saúde pode ser expresso em anos de vida salvos ou expectativa de vida, na qual são estimadas razões de custo-efetividade. Se a unidade do desfecho clínico ou efetividade utilizada é a preferência do paciente ou a qualidade de vida, então o estudo avalia razões de custo-utilidade ou custo-preferência. Se o estudo converte o desfecho clínico em dólares ou unidade monetária, a relação calculada é expressa como custo-benefício.

Vale lembrar que a análise da eficiência de tecnologias em saúde não necessariamente deve incorporar um estudo econômico. Assim, tecnologias que comprovadamente agregam valor clínico (maior efetividade) em relação a sua alternativa e apresentam um menor custo global, por definição, são mais eficientes e devem ser implementadas (intervenções dominantes). Para as situações em que as tecnologias têm efetividade similar, é indispensável o cálculo da diferença de custo entre as estratégias, constituindo os estudos de custo minimização.

A Tabela 9.2 traz as principais avaliações econômicas em saúde.

Diretrizes e protocolos assistenciais

Uma definição formal de diretrizes é aquela proposta por Sackett[4], para quem elas podem ser consideradas "declarações sistematicamente desenvolvidas para auxiliar o médico e o paciente nas decisões relativas aos cuidados de saúde em determinada situação clínica".

Tabela 9.2
Principais Avaliações Econômicas em Saúde

AVALIAÇÃO ECONÔMICA EM SAÚDE	DEFINIÇÃO DA AVALIAÇÃO
Análise de custo-utilidade	A implementação de estratégias é comparada de forma a avaliar a saúde dos pacientes em uma medida graduada e útil, variando de 0 a 1; na qual 1 equivale a saúde perfeita e 0 a pior saúde possível
Análise de custo-minimização	A avaliação econômica é limitada à análise dos custos, não avalia as consequências da intervenção. Parte do princípio que, ao comparar os benefícios de uma intervenção, os resultados são equiparáveis e apenas os custos são avaliados
Análise de custo-efetividade	Expressa a consequência de uma intervenção em sua unidade de medida original, por exemplo: número de médicos que utilizam a intervenção, numero de pacientes que recebem o tratamento ideal etc.
Análise de custo-benefício	Avalia custos e consequências em termos financeiros e estabelece o benefício monetário da implementação de uma estratégia. Para converter benefícios gerais em financeiros, os anos de vida ou outros benefícios em saúde são multiplicados por uma unidade de valor em euros ou dólares
Análise de custo-consequência	Esta abordagem não correlaciona os custos de forma explícita com as consequências, mas sim, apresenta uma análise geral de custos e desfechos em unidades de medidas distintas. É utilizada quando não se tem ideia exata de custos ou consequências de uma intervenção

Dado o volume de informações disponíveis na literatura, as diretrizes se fazem úteis por reunir e avaliar criticamente as melhores evidências disponíveis, bem como por sugerir estratégias de conduta podem agregar valor à experiência clínica e às preferências do paciente para a tomada de decisao clínica. O termo diretriz também é considerado a tradução de *guidelines* e é também utilizado com frequência como sinônimo de consenso. Muitas instituições de excelência tendem a definir as suas diretrizes de conduta para problemas frequentes por meio de *protocolos assistenciais.*

O ciclo de ação, monitoramento e controle na implementação da MBE de Straus e cols.[6] define que a evidência científica deve ser cuidadosamente selecionada e adaptada ao contexto de saúde da instituição-alvo. As barreiras para implementação devem ser checadas e monitoradas, assim como as atividades de execução adequadas ao sistema de saúde. O monitoramento do uso do conhecimento e a sua aplicabilidade devem ser constantes, com medidas corretivas, se necessário, e reforços positivos (Figura 9.4).

No modelo do ciclo de ação de Straus e cols., o processo de transformar conhecimento em ação é iterativo e dinâmico. Este é um processo complexo que envolve criação de conhecimento e sua aplicação na prática clínica. O monitoramento e reforço constante garantem a manutenção do ciclo de ação conforme planejado. O aspecto fundamental do Ciclo de Ação é garantir que o resultado da implementação de novas condutas assistenciais baseada em

Figura 9.4 – *Ciclo de ação. Adaptado de Straus e cols.*

evidências científicas seja efetivamente traduzido em desfechos clínicos válidos e benefícios assistenciais mensuráveis.

Quarto passo
Identificar ferramentas validadas de melhoria de prática clínica

Nos últimos anos se tem estudado o efeito de diferentes estratégias que visem aumentar a incorporação de evidências na prática diária. Esses estudos foram recentemente reunidos em uma "revisão sistemática de revisões sistemáticas". O principal resultado dessas 18 revisões (cinco das quais realizaram metanálise) sugere que, dentre as intervenções com benefício comprovado, destacam-se:

- uso de sistemas de alerta e lembretes (*reminder systems*);
- *academic detailing* (que são visitas educacionais e individuais "corpo a corpo") nas quais o médico recebe diretamente informações e material atualizado;
- auditoria e *feedback*;
- estratégias multifacetadas;
- *meetings* interativos, nos quais o médico diretamente participa, opina e obtém as informações conforme a sua necessidade.

Outras estratégias como auditoria e líderes formadores de opinião, por sua vez, possuíram efeito moderado, sendo menos eficazes do que as intervenções citadas anteriormente.

O resultado interessante dessa publicação é que palestras de especialistas e a distribuição de materiais educativos apresentaram efeito praticamente nulo na incorporação de recomendações na prática clínica. A provável explicação para esses achados é de que, com esse dois tipos de intervenção, o médico não participa ativamente da busca de informações e dessa forma, as informações não necessariamente vão de encontro com as suas necessidades e dúvidas.

Adicionalmente, a disponibilidade de *smartphones* e *tablets* permite que o médico tenha acesso à beira do leito a recomendações de diretrizes, o que, em muito, pode facilitar a incorporação de evidências na prática clínica. A incorporação de diretrizes científicas sob a forma de protocolos assistenciais requer planejamento, monitoramento e controle constante, além da seleção de indicadores que irão acompanhar o impacto da prestação de serviço.

A forma de medir o impacto de uma intervenção é crucial para avaliar de forma adequada os seus resultados. A utilização de indicadores é ideal para analisar o impacto na vida real da implementação de protocolos assistenciais baseados em diretrizes científicas. Os indicadores mais importantes estão relacionados ao desfecho de uma intervenção terapêutica, como evolução da doença, tempo de hospitalização e desfechos relacionados a mortalidade. O acompanhamento de indicadores pode ser realizado individualmente pela instituição, mas a análise comparativa entre diversas instituições traz troca de experiências construtivas e agrega valor.

Muitas vezes a seleção dos indicadores corretos e a coleta de informações confiáveis para a avaliação dos resultados da implementação de novas condutas assistenciais pode ser complexa e trabalhosa. A seleção de indicadores de uso frequente na literatura pode facilitar o monitoramento e estabelecimento de metas a serem alcançadas.

Considerações Finais

Dado o exposto, entende-se que estamos vivendo fase única na história da Medicina, uma vez que a disponibilidade de evidências passa a ser aliada à experiência de gestores, à experiência clínica individual e às preferências do paciente, no sentido de se instituir condutas médicas que tragam mais benefícios do que prejuízos, além de promover o uso mais racional dos recursos médicos e financeiros. A utilização das melhores evidências científicas disponíveis pode não garantir o acerto em todos os casos, mas, indubitavelmente, diminui de forma importante a margem de erro. É fundamental, ainda, que se tenha em mente que não há respostas para tudo, devendo reconhecer-se que, dentro desse novo paradigma, lidamos diariamente com a incerteza, a qual fornece, justamente, o estímulo à pesquisa e geração de novos conhecimentos na área da saúde.

Referências Bibliográficas

1. Guyatt G, Cook D, Haynes B. Evidence based medicine has come a long way. BMJ. 2004; 329(7473):990-991.
2. Montori VM, Guyatt GH. Progress in evidence-based medicine. JAMA. 2008; 300(15):1814-1816.
3. Grol R, Wensing M , Eccles M. Improving patient care. The implementation of change in health care. Wiley Blackwell; 2013,
4. Sackett DL, Rosenberg WM. The need for evidence-based medicine. J R Soc Med. 1995;88(11):620-624.

5. Haynes B. Of studies, syntheses, synopses, summaries, and systems: the "5S" evolution of information services for evidence-based healthcare decisions. Evid Based Nurs. 2007;10(1):6-7.
6. Straus SE, Tetroe JM, Graham ID. Knowledge translation is the use of knowledge in health care decision making. Journal of Clinical Epidemiology. 2011;64: 6-10.

10 Operadoras de Planos Privados de Saúde

Ricardo Ota

Introdução

A saúde suplementar adquiriu grande relevância nos últimos anos no Brasil, não somente como um mercado de planos privados de saúde que apresentou um expressivo crescimento, mas também como subsistema que conquistou importância significativa dentro do Sistema de Saúde Brasileiro. Em paralelo, desafios, dilemas, ameaças e oportunidades revelaram-se em igual proporção.

O mercado de planos de saúde no Brasil apresenta uma dinâmica permeada de complexidades e marcada por interesses antagônicos entre seus participantes. Também enfrenta entraves ao seu desenvolvimento, dentre eles: a prática de um modelo assistencial considerado "curativo e fragmentado" que não atende às mudanças dos perfis demográfico e epidemiológico brasileiros[1], a incorporação tecnológica[2] acrítica, a "inflação médica" em percentuais frequentemente acima da inflação geral e o modelo de remuneração majoritariamente praticado[2a]. Além disso, esses fatores contribuem para a oferta de uma qualidade questionável da assistência à saúde e em custos crescentes no setor. As pressões advindas das exigências da regulação estatal completam o complexo quadro.

Apesar das dificuldades e dos desafios existentes, também é um mercado em franco processo de amadurecimento e que apresentou rápido crescimento nos últimos 15 anos. Há ainda um terreno propício ao florescimento de oportunidades de negócios para empresas

---

1. Mendes (2011) ressalta que, no Brasil, há "*um completo divórcio entre uma situação epidemiológica de dupla carga das doenças, com forte prevalência de condições crônicas e um sistema de atenção fragmentado, voltado para a atenção às condições agudas*". Ainda, segundo análises e projeções do IBGE (www.ibge. gov.br), o Brasil passa por um processo de envelhecimento populacional. Sabemos que, se comparados com os jovens, naturalmente os idosos apresentam mais condições crônicas e demandam mais atenção à saúde, tanto em quantidade, como em complexidade da assistência.
2. Novas tecnologias mais custosas e que nem sempre substituem as que estão em uso; ao contrário, na maior parte dos casos, agregam-se àquelas já existentes.
2a. Vide adiante "Fee-for-service": p.198.

e, sobretudo, para aqueles profissionais que queiram trabalhar ou empreender nele. Para tanto, torna-se fundamental compreender as peculiaridades e complexidades da trama desse mercado, bem como a dimensão da regulação estatal que se impõe sobre ele.

Especificamente para os profissionais ou empresas que vão desempenhar o papel de prestadores de serviços, a compreensão das peculiaridades da saúde suplementar, do SUS e da interface entre ambos, é de vital importância para o aprimoramento da gestão de suas organizações (hospitais, clínicas, laboratórios etc.). Isso porque o setor público conjuntamente com as operadoras de planos de saúde constituem-se nos mais relevantes financiadores de serviços em saúde no Brasil. Por vezes, muitos estabelecimentos de saúde prestam serviços tanto para o SUS, quanto para a saúde suplementar.

Compreender o tema "operadoras de planos privados de saúde" passa necessariamente pelo entendimento da dinâmica intrínseca à saúde suplementar. Por conseguinte, com o intuito de transmitir ao leitor uma visão sistêmica abrangente desse mercado com enfoque nas suas peculiaridades (mas sem a pretensão de esgotar o assunto), este capítulo será organizado e priorizará os seguintes temas: a) aspectos do principal produto comercializado nesse mercado - planos de saúde; b) a regulação imposta ao mercado e seus reflexos no modo de organização e funcionamento das operadoras de planos de saúde e, indiretamente, no dos prestadores de serviços; c) o relacionamento entre operadoras e prestadores de serviços.

O Mercado da Saúde Suplementar

A compreensão das peculiaridades sobre a gestão de empresas operadoras de planos de saúde atrela-se necessariamente ao entendimento da natureza do plano de saúde, da história da formação da saúde suplementar no Brasil e da dinâmica que permeia esse mercado.

Delimitamos no sistema de saúde brasileiro dois subsistemas: o público, correspondente ao Sistema Único de Saúde – SUS, e o privado, constituído pela saúde suplementar composta pelos serviços financiados pelos planos de saúde; e pelo liberal clássico composto pelos serviços particulares autônomos (CONASS, 2011). A despeito dessa divisão, há um grande mercado privado que vende serviços de saúde tanto para o setor público como para o privado[3].

A saúde suplementar abrange um mercado com aproximadamente 71 milhões de beneficiários[4] vinculados a planos de saúde, 1.469 empresas operadoras de planos de saúde[4a] e milhares de prestadores de serviços (hospitais, laboratórios, clínicas, profissionais da saúde). Movimentou no ano de 2013 cerca de R$ 110,5 bilhões em receitas advindas de contraprestações pecuniárias ("mensalidades")[5].

---

3. As questões que envolvem as interfaces entre SUS e saúde suplementar, tais como a "dupla porta" e o "ressarcimento ao SUS", não serão abordadas neste capítulo.
4. Segundo o Caderno de Informação da Saúde Suplementar (ANS, 03/2014) o termo beneficiário refere-se *"ao vínculo de uma pessoa a um determinado plano de saúde de uma determinada operadora. Como um mesmo indivíduo pode possuir mais de um plano de saúde e, portanto, mais de um vínculo, o número de beneficiários cadastrados é superior ao número de indivíduos que possuem planos privados de assistência à saúde"*. Neste capítulo optou-se por adotar o termo oficial "beneficiários", em detrimento de outros termos correntes ("consumidores", "usuários" etc.).
4a. Há 1.469 operadoras registradas na ANS e, dentre elas, 1.268 operadoras efetivamente possuem beneficiários ativos (Caderno de Informação da Saúde Suplementar; ANS, 03/2014)
5. Caderno de Informação da Saúde Suplementar (ANS, 03/2014).

Operadoras de planos privados de saúde

Vem adquirindo relevância como subsistema privado do sistema de saúde brasileiro, pois engloba participação de fatia expressiva da população. Segundo informação da ANS, a taxa de cobertura[6] média dos planos de saúde no Brasil é de 25,9%[7], o que indica que aproximadamente um a cada quatro brasileiros está vinculado a plano de saúde.

Considerando dados desde o ano de 2000, o número de beneficiários participantes do setor registrou um aumento significativo (Figura 10.1). No período de 2000 a 2009 houve incremento de 64,54% no número de beneficiários de planos de saúde, enquanto a população geral brasileira aumentou 11,79% (CONASS, 2011).

A abrangência dos planos de saúde no Brasil não apresenta distribuição uniforme. Predomina em áreas urbanas, nas camadas da população de maior atividade econômica (25 a 45 anos)[8], de maior rendimento[9] e melhores condições de saúde[10]. Seu crescimento apresenta íntima correlação com desenvolvimento econômico, emprego e renda.

A região Sudeste possui a maior taxa de cobertura para planos médico-hospitalares (39,2%) e concentra a maior parte dos beneficiários (63,6% do total) e operadoras atuantes. Em contrapartida, as regiões Nordeste e Norte possuem taxas de cobertura de 12,7% e 11,2%, respectivamente[11].

Quanto ao quesito distribuição de beneficiários por operadoras, temos que, para planos de assistência médica, 27 operadoras detêm 50,9% do número de beneficiários, e para planos exclusivamente odontológicos, cinco operadoras concentram 52,7% dos beneficiários[12].

Sobre a concentração do mercado, utilizando o Índice HHI[13] e o critério de fronteiras geopolíticas (divisão por Unidades da Federação e Regiões Metropolitanas) para delimitação de mercado relevante[14], a ANS[15] (2012) concluiu e apontou que o mercado de planos de assistência médica apresentou crescimento do HHI de 1,2% para 2,5%, e o de planos

---

6. *"Razão, expressa em porcentagem, entre o número de beneficiários e a população em uma área específica"* (Caderno de Informação da Saúde Suplementar - ANS, 03/2014). Expressa valor aproximado porque o cálculo envolve o número de "vínculos ao plano de saúde", e não "por indivíduo".
7. Dado referente aos planos médico-hospitalares. Para planos exclusivamente odontológicos, a taxa de cobertura média no Brasil é de 10,7% (Caderno de Informação da Saúde Suplementar - ANS, 03/2014).
8. Foco Saúde Suplementar (ANS, 03/2013).
9. Segundo PNAD 2008/2009, 82,5% das famílias brasileiras com rendimento acima de cinco salários mínimos possuem planos de saúde (CONASS, 2011).
10. Bahia e Scheffer (2010).
11. Caderno de Informação da Saúde Suplementar (ANS, 03/2014).
12. Caderno de Informação da Saúde Suplementar (ANS, 03/2015).
13. Segundo a ANS (2012) o HHI (Herfindahl-Hirschman Index) *é a soma dos quadrados das participações de cada empresa no mercado considerando o total de mercado, considerando o total de beneficiários. O Federal Trade Commission (EUA) adota os seguintes critérios sobre o nível de competição em um mercado : HHI < 10%: mercado altamente competitivo; 10% < HHI < 18%: mercado moderadamente concentrado; 18% < HHI < 100%: mercado altamente concentrado; HHI = 100%: monopólio puro* (Foco Saúde Suplementar, 12/2012). Entretanto, critérios como o CR1 (avalia a participação da empresa líder no mercado; acima de 25% indica domínio da empresa no mercado) e o CR4 (avalia a participação das quatro maiores empresas no mercado; acima de 75% indica grande potencial de coordenação entre as empresas no mercado) também são utilizados para análises do nível de competição em um mercado.
14. O mercado relevante é aquele delimitado para análise da concentração e concorrência do mercado. Segundo Machado e Ragazzo (2011, p. 210), definir mercado relevante *consiste em delimitar quais os produtos ou serviços devem ser considerados concorrentes daquele objeto da operação (ou afetado pela operação). O mercado relevante geográfico delimita a área no qual a venda do produto ou fornecimento do serviço é economicamente viável.*
15. Foco Saúde Suplementar (12/2012).

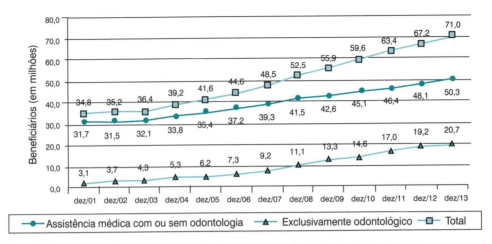

Figura 10.1 – *Evolução do número de beneficiários de planos privados de assistência à saúde, segundo época de contratação do plano (Brasil 2000-2012).*
Fonte: Caderno de Informação da Saúde Suplementar. (ANS, março/2013)

exclusivamente odontológicos, de 6,1% para 10,9%, nos últimos três anos, o que indica tendência à concentração do mercado. Ainda, Regiões Metropolitanas como Belo Horizonte (HHI = 16,1%) e Porto Alegre (HHI = 11,6%) foram consideradas mercados moderadamente concentrados, enquanto São Paulo, Rio de Janeiro, Salvador e Recife, mercados altamente competitivos.

Andrade e cols. (2012) utilizando modelo gravitacional[16] para definir mercado relevante, constataram haver concentração de mercado na grande maioria dos 89 mercados relevantes avaliados, sendo que mais de 94% dos mercados de planos individuais e 89% dos mercados para planos coletivos podem ser considerados concentrados (este último dependendo do índice de concentração adotado).

> *os mercados não concentrados são mais populosos, apresentam municípios com maior densidade demográfica e têm uma oferta de serviços de saúde significativamente maior. Essas características evidenciam que a desconcentração dos mercados no Brasil está associada à presença de economias de escala. Os mercados concentrados não apresentam escala populacional suficiente para permitir uma configuração de mercado com múltiplas operadoras* (Andrade et al., 2012, p. 353).

Regulação da saúde suplementar

A origem e o desenvolvimento do mercado de planos privados de assistência à saúde sempre esteve vinculado à história da industrialização, da urbanização e da estruturação da

---

16. Segundo Andrade e cols. (2012, p. 340), *o método parte do pressuposto de que os serviços de saúde, inclusive planos de saúde e seguros-saúde, apresentam características locais tanto no consumo quanto na produção e buscam captar o grau de integração entre as regiões, o qual é mensurado pelo fluxo de bens e serviços entre as mesmas. Se duas regiões possuem grande fluxo de bens e serviços, elas são altamente integradas e, portanto, estão no mesmo mercado relevante. A definição das áreas de mercado segue o fluxo de relações de troca observado, o qual depende da oferta de serviços, da demanda potencial, e das variáveis de atrito que podem facilitar ou dificultar esses fluxos.*

previdência social no Brasil, *portanto, com as relações entre empregado, empregador e Estado* (Figueiredo e Neto, 2011).

Em breve síntese do ponto de vista histórico, a regulação desse mercado insere-se no contexto do movimento de reforma administrativa do Estado iniciado na década de 1990, após a implantação do Plano Real, junto à *redução do papel do Estado nas políticas sociais e com a deterioração dos serviços públicos de saúde* (CONASS, 2011), culminando com a adoção do modelo de agências reguladoras[17].

Muitos fatores catalisaram a implantação da regulação na saúde suplementar, entre os quais, o crescimento desordenado do setor, o aumento da concorrência empresarial e da massa de beneficiários, o incremento do modelo de negócios das empresas médicas, segundo Montone (2009), considerado "predatório" em relação aos consumidores (principalmente dos planos individuais e familiares), aos prestadores de serviços e ao SUS.

O conceito de regulação advém da Teoria Econômica e remete à intervenção estatal para corrigir as chamadas falhas de mercado, quando não há perfeitas condições de competição. No caso da saúde suplementar, detectam-se algumas falhas de mercado:

a) **assimetria de informações** - desproporção de informações entre os atores do sistema. A parte que detém mais informação a usa em seu proveito, e não em função de uma teórica eficiência do mercado;

b) **seleção adversa** - relaciona-se com a organização do mercado e a decisão dos indivíduos em participar ou não dele. Haveria uma maior probabilidade daqueles indivíduos com maior risco de ter gastos com saúde, de se vincularem a um plano de saúde, o que se refletiria na formação/elevação dos preços. Posteriormente, preços elevados selecionariam indivíduos com piores condições de saúde, já que os mais saudáveis tenderiam a evitar gastar muito com sua saúde, posto seu baixo risco;

c) **risco moral** (*moral hazard*) - advém da tendência à maior utilização dos serviços além do "necessário", devido à própria cobertura "ilimitada" do plano de saúde e ao pagamento do "a mais" feito por um "terceiro". Em teoria, o indivíduo não promove a maior utilização ou utilização excessiva se tiver que pagar pelos serviços diretamente;

d) **demanda induzida pela oferta** – ao ter maior informação sobre a saúde dos beneficiários, os prestadores de serviços poderiam induzi-los a utilizar os serviços de saúde mais do que realmente o necessário, o que geraria maiores ganhos para o próprio prestador ou para a indústria de insumos;

e) **seleção de risco** - aplicada pelas empresas com o fim de criar barreiras de acesso aos consumidores com maiores riscos para gastos com saúde.

A regulação da saúde suplementar teve seu marco legal com a promulgação da Lei n°.9.656, de 03/06/1998 (com vigência a partir de 02/01/1999), alterada pela Medida Provisória n°.1.655. A agência reguladora desse mercado[18], a Agência Nacional de Saúde Suplementar (ANS) foi criada com a promulgação da Lei n°.9.961, de 2000.

---

17. No caso da Saúde Suplementar no Brasil, o conceito de regulação extrapolou a pura "regulação econômico-financeira", já que se agregou a acepção de "regulação da assistência à saúde" com uma vertente de "cunho social". A criação da ANS seguiu essa acepção, divergindo da natureza primordial da criação de outras agências como a ANEEL, ANATEL e ANP.

18. Por lei, a ANS somente tem ingerência sobre as operadoras de planos de saúde, e não sobre os prestadores de serviços.

A regulamentação do setor composta pelas citadas Leis e pelo conjunto de normatizações posteriores impôs regras, controle e fiscalização, em sua essência, sobre: as condições de ingresso, operação e saída das empresas desse mercado; as garantias de solvência das operadoras; os padrões mínimos dos produtos comercializados (planos de saúde), quanto às coberturas assistenciais obrigatórias, condições de acesso e preços; o ressarcimento ao SUS; a comunicação e as informações trocadas entre os atores do sistema.

Para sua agenda referente ao biênio 2013-2014[19], a ANS definiu sete eixos temáticos que pautarão suas ações prioritárias: sustentabilidade do setor; garantia de acesso e qualidade assistencial; relacionamento entre operadoras e prestadores; incentivo à concorrência; garantia de acesso à informação; integração da saúde suplementar com o SUS; e governança regulatória.

De modo esquemático (Figura 10.2), hoje o mercado da saúde suplementar apresenta uma dinâmica baseada na triangulação entre atores do sistema (operadoras de planos de saúde, beneficiários e prestadores de serviços) que gravita ao redor da figura do plano privado de saúde. A indústria de insumos (equipamentos, materiais e medicamentos) representa um quarto ator não menos importante para esse mercado. Recheada de pontos de tensão, tal triangulação está permeada por ações do Poder Judiciário e órgãos de defesa do consumidor. A Agência Nacional de Saúde Suplementar - ANS estaria no centro dessas forças, exercendo maior influência e ingerência sobre as operadoras de planos de saúde.

A Empresa Operadora de Planos de Saúde

A Lei n°.9.656/98 define uma empresa operadora de planos de saúde como *pessoa jurídica constituída sob a modalidade de sociedade civil ou comercial, cooperativa, ou entidade de autogestão, que opere produto, serviço ou contrato* de plano privado de assistência à saúde.

Apesar de termos um único conceito legal de operadora de plano de saúde, são reconhecidas oito modalidades distintas de empresas que operam no mercado[20]. São elas:

- **cooperativa médica**: sociedade de pessoas sem fins lucrativos conforme o disposto na Lei das Cooperativas (Lei n° 5.764, de 1971), que opera planos privados de assistência à saúde. A **cooperativa odontológica** opera planos exclusivamente odontológicos;
- **seguradora especializada em seguro-saúde**: empresa com fins lucrativos que comercializa exclusivamente a modalidade de contratação denominada "seguro saúde"[21];

---

19. www.ans.gov.br - acesso em 06 mai. 2013.
20. Em parte, essas diferenças entre as modalidades de operadoras de planos de saúde são fruto da correlação entre as peculiaridades históricas da evolução da medicina privada no Brasil (existentes antes da Lei n°.9.656/98) e as formas distintas de organização empresarial para comercialização e gestão de planos de saúde.
21. Importante observar que "seguro-saúde" se insere no conceito legal de "plano privado de assistência à saúde" e, portanto, prefere-se o uso do termo "plano de saúde" a "seguro-saúde". A figura do "seguro-saúde" existe desde 1966 (Decreto-Lei n°. 73, de 21/11/1966) e tem como objeto do contrato o conceito de "reembolso das despesas nos limites da apólice". Antes da vigência da Lei n°.9.656/98, muitas empresas seguradoras ofertavam produtos de diversos ramos do seguro. Em 2001 houve a necessidade de se criar a figura da "seguradora especializada em seguro saúde", ou seja, as empresas seguradoras tiveram que criar pessoa jurídica voltada exclusivamente para a comercialização de "seguro-saúde".

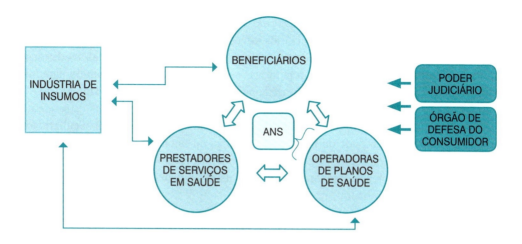

Figura 10.2 – *Relações entre os principais atores do mercado de saúde suplementar.*

- **autogestão:** pessoa jurídica de direito privado que opera planos de saúde para grupos específicos e delimitados de beneficiários, em uma das seguintes situações: por intermédio de departamentos de recursos humanos ou órgão assemelhado; vinculada a entidade pública ou privada patrocinadora, instituidora ou mantenedora; constituída sob a forma de associação ou fundação[22];
- **filantrópica:** entidade sem fins lucrativos que opera planos privados de assistência à saúde, certificada como entidade filantrópica junto ao Ministério da Saúde;
- **medicina de grupo:** empresa ou entidade que opera planos privados de assistência à saúde, excetuando-se aquelas classificadas nas demais modalidades de operadoras. A **odontologia de grupo** opera exclusivamente planos odontológicos;
- **administradora de benefícios:** *pessoa jurídica que propõe a contratação de plano coletivo na condição de estipulante ou que presta serviços para pessoas jurídicas contratantes de planos privados de assistência à saúde coletivos*[23]. Não se constitui em operadora de plano de saúde no sentido estrito do termo.

---

22. Associação ou fundação relacionada a alguma categoria profissional. Permite a inclusão de outros beneficiários vinculados à própria entidade de autogestão (empregados, ex-empregados, administradores, ex-administradores, aposentados, pensionistas, grupo familiar dos beneficiários).
23. Conceito apresentado pela Resolução Normativa ANS n°.196. Essa Norma veda à Administradora de Benefícios a execução de qualquer atividade típica da operação de planos de saúde, mas permite: *"promover a reunião de pessoas jurídicas contratantes; contratar plano privado de assistência à saúde coletivo, na condição de estipulante, a ser disponibilizado para as pessoas jurídicas legitimadas para contratar; oferecimento de planos para associados das pessoas jurídicas contratantes; apoio técnico na discussão de aspectos operacionais, tais como negociação de reajuste, aplicação de mecanismos de regulação pela operadora de plano de saúde, alteração de rede assistencial, apoio à área de recursos humanos na gestão de benefícios do plano; terceirização de serviços administrativos; movimentação cadastral; conferência de faturas; cobrança ao beneficiário por delegação; consultoria para prospectar o mercado, sugerir desenho de plano, modelo de gestão."* (Resolução Normativa ANS n°.196, artigo 2°).

Segundo dados divulgados pela ANS[24], das 1.268 operadoras que efetivamente operam no mercado (ou seja, possuem beneficiários ativos), 922 constituem-se em operadoras de assistência médica e 346 em operadoras exclusivamente odontológicas. As medicinas e odontologias de grupo junto com as cooperativas médicas e odontológicas contemplam mais de 70% do número total de operadoras e de beneficiários ativos (Figura 10.3).

O padrão de estrutura organizacional de uma empresa que opera planos de saúde não diverge muito das demais empresas de outros segmentos. Contudo apresenta peculiaridades no que se refere à necessidade de inserção e operação em mercado regulado e à forma de gestão de seu produto específico comercializado (plano de saúde).

Para que uma empresa possa iniciar suas operações no mercado da saúde suplementar, de modo lícito, primeiramente é necessário que ela cumpra os requisitos estabelecidos pela ANS. O requisito primordial é a obtenção da chamada "autorização de funcionamento".

O rito para obtenção da "autorização de funcionamento" concedida pela ANS compõem-se de dois passos: a) "registro de operadora"; b) "registro de produto". O primeiro passo refere-se a uma inscrição e registro da empresa na ANS como operadora de plano de saúde; o segundo remete ao registro dos produtos (planos de saúde) que serão operados e comercializados pela empresa no mercado.

Além dos requisitos documentais, a empresa candidata deverá demonstrar que possui um plano de negócios consistente e a capitalização necessária mínima requerida para operar no setor.

Cada produto (plano de saúde) que a empresa irá ofertar no mercado deverá possuir um número de registro na ANS. Para obtê-lo, a empresa deverá pagar a "taxa de registro de produto", fornecer documentos e informações sobre as especificidades do produto a ser comercializado (destaque para os dados dos prestadores que comporão a rede prestadora do produto), mais a "Nota Técnica de Registro de Produto" (NTRP)[25]. Vale destacar que a legislação obriga que a operadora tenha, ao menos, o registro de um plano do tipo "referência" no seu portfólio.

A obtenção do "registro de operadora", "registro de produtos" e a consequente "autorização de funcionamento" comprometem a empresa a operar no mercado segundo as características registradas na ANS. Essas características somente poderão sofrer posterior alteração se houver autorização prévia da ANS.

Toda operadora ativa deve periodicamente fornecer para a ANS as informações sobre seus beneficiários, suas atividades assistenciais, suas demonstrações contábeis[26] e comprovar possuir garantias de solvência[27].

Caso sejam detectadas anormalidades administrativas graves com risco patente à continuidade e à qualidade dos atendimentos assistenciais aos beneficiários, e/ou anormalidades

---

24. Caderno de Informação da Saúde Suplementar (ANS, 03/2014).
25. Segundo o Glossário Temático: Saúde Suplementar (ANS, 2012) a NTRP é o *documento elaborado por atuário, legalmente habilitado, no qual são descritas as formulações e observações necessárias ao cálculo da formação dos preços dos planos e produtos de assistência suplementar à saúde.*
26. As demonstrações contábeis são apresentadas na forma do chamado "Plano de Contas Padrão", instrumento que serve para que o órgão regulador monitore a situação econômico-financeira da operadora.
27. Visa diminuir o risco de insolvência de eventuais operadoras (risco financeiro superior à estrutura patrimonial). Assim, há regras muito específicas sobre "recursos próprios mínimos", "provisões técnicas" e "ativos garantidores" que não serão apresentadas neste capítulo.

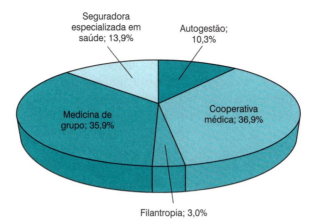

Figura 10.3 – *Distribuição percentual dos 50,3 milhões de beneficiários de planos de assistência médica, por modalidade da operadora (Brasil – 12/2013).*
Fonte: Foco Saúde Suplementar (ANS, 03/2014). Adaptado pelo autor.

econômico-financeiras graves[28], a ANS poderá notificar a operadora para apresentar um plano de contingenciamento e resolução dos problemas encontrados[29].

As operadoras são passíveis de sofrer processos de intervenção (regimes especiais) em suas atividades, por parte da ANS, na forma de direção fiscal ou técnica. A intervenção da ANS ocorrerá quando houver sinais de anormalidades econômico-financeiras e/ou administrativas graves que estão comprometendo a continuidade da prestação da assistência aos beneficiários, e quando as operadoras não apresentarem ou não cumprirem seus planos de resolução dos problemas. Durante a intervenção, que pode durar até 365 dias, a atividade da operadora continua, mas sob acompanhamento de um diretor fiscal ou diretor técnico nomeado pela ANS.

Se os regimes de direção técnica e/ou fiscal não atingirem seu objetivo de saneamento dos problemas encontrados, e for constatada a insolvência econômico-financeira da Operadora, não se pode requerer, num primeiro momento, a concordata ou falência da empresa, nem

---

28. Segundo a Resolução Normativa ANS nº. 307, são exemplos de anormalidades econômico-financeiras graves: *totalidade do ativo em valor inferior ao passivo exigível; insuficiência de garantias financeiras, tais como patrimônio mínimo ajustado, margem de solvência e provisões técnicas; insuficiência de recursos garantidores, em relação ao montante total das provisões técnicas.*
29. Plano de Recuperação Assistencial é proposto pela operadora e deverá conter um planejamento de ações, metas e prazos, visando a resolução das anormalidades administrativas graves detectadas, no prazo de 180 dias. No caso de anormalidades econômico-financeiras, a operadora é convocada a corrigi-las num prazo de 30 dias. Operadoras com mais de 100 mil beneficiários são requeridas a propor um "Plano de Adequação Econômico-Financeira - PLAEF" que corresponde a um planejamento para efetuação das correções e ajustes necessários, bem como a projeção da sua recuperação econômico-financeira, num prazo máximo de 18 meses. Operadoras com menos de 100 mil beneficiários são requeridas a apresentar o "Termo de Assunção de Obrigações Econômico-Financeiras - TAOEF", que equivale a um compromisso para correção planejada das anormalidades, num prazo máximo de 24 meses, e o compromisso do atendimento às disposições regulamentares sobre garantias financeiras, ativos garantidores, envio de informações econômico-financeiras à ANS e adoção do Plano de Contas Padrão.

a sua insolvência civil, mas tão somente a sua liquidação extrajudicial e a alienação[30] compulsória da carteira de beneficiários. Como alternativa à alienação, a ANS pode possibilitar a portabilidade especial de carências para os beneficiários remanescentes.

Na hipótese da empresa querer se retirar do mercado, é necessária a aprovação prévia da ANS mais a concomitante transferência da carteira de beneficiários para outra operadora. Qualquer ato societário de operadora (alterações ou transferências de controle societário, cisões, desmembramentos, incorporações, fusões) também deve ser submetido à aprovação da ANS.

O Produto Comercializado: Plano de Saúde

Conceito

A Lei n°. 9.656/98 define plano privado de assistência à saúde como:

> *... prestação continuada de serviços ou cobertura de custos assistenciais a preço pré- ou pós-estabelecido, por prazo indeterminado, com a finalidade de garantir, sem limite financeiro, a assistência à saúde, pela faculdade de acesso e atendimento por profissionais ou serviços de saúde, livremente escolhidos, integrantes ou não de rede credenciada, contratada ou referenciada, visando a assistência médica, hospitalar e odontológica, a ser paga integral ou parcialmente às expensas da operadora contratada, mediante reembolso ou pagamento direto ao prestador, por conta e ordem do consumidor. (Lei n. 9.656/98, artigo 1°, inciso I).*

Em termos menos técnicos, podemos afirmar que o consumidor contrata o plano de saúde para obter a segurança e a garantia de futuros atendimentos médico-hospitalares e/ou odontológicos a sua saúde, prestados pela operadora contratada, mediante o pagamento de "mensalidades" (contraprestações pecuniárias). Do outro lado, a operadora contratada assume um risco futuro, mas aposta em duas premissas: 1) somente os indivíduos de uma fatia do grupo que contratou o plano de saúde necessitarão de assistência à saúde, no mesmo intervalo de tempo; 2) periodicamente a soma dos pagamentos de todos os indivíduos do grupo cobrirá as despesas efetuadas com a assistência à saúde de pequena parcela deles, e ainda restará um excedente para cobrir seus "custos administrativos" e gerar "lucro". Desse modo, para que as premissas sejam factíveis, é imprescindível que a operadora calcule e precifique corretamente seu plano de saúde[31].

---

30. A alienação de carteira é a transferência da carteira de beneficiários de uma operadora para outra. A operadora adquirente deverá manter todas as condições contratuais anteriores contratadas por esses beneficiários. Poderá ser parcial ou total, dependendo do montante de beneficiários transferidos, e ocorrer de modo voluntário por parte da operadora, ou compulsório por determinação da ANS. De qualquer maneira, haverá a necessidade da prévia autorização da ANS. A alienação compulsória é decretada pela ANS quando houver insolvência, liquidação extrajudicial e/ou cancelamento da autorização de funcionamento da operadora.

31. Precificação feita através da utilização de "cálculos atuariais" baseados em ciência atuarial que utiliza matemática pura, matemática financeira, estatística e outras disciplinas para fixação do valor correto.

O entendimento do conceito de "plano de saúde" passa pela compreensão de conceitos advindos do mercado de seguros[32], tais como: prêmio, sinistro[33], sinistralidade[34], mutualismo[35], cálculo atuarial. No entanto, não podemos afirmar que o plano de saúde é exatamente um seguro igual àqueles utilizados, por exemplo, para automóveis. Isso porque adoecer em si não seria fato indenizável, mas indiretamente reparável através da prestação de serviços de assistência à saúde. Além disso, no seguro para automóveis a indenização apresenta valor previamente limitado, e no plano de saúde, por vezes, há na assistência à saúde uma imprevisibilidade para valores futuros. Bahia (1999) ressalta que as *características do processo saúde-doença e da prática médica não se ajustam aos conceitos de evento e ao cálculo de probabilidades baseado em despesas pretéritas*".

A regulamentação do setor trata oficialmente o plano de saúde como um produto cuja comercialização no mercado deve ser aprovada pela ANS através do fornecimento de um "registro de produto".

Com a delimitação legal das coberturas básicas obrigatórias para os planos de saúde, as operadoras são forçadas a ofertar produtos com características claras e muito semelhantes entre si, o que assegura ao consumidor um padrão e uma teórica comparabilidade de preços e serviços entre várias operadoras[36].

A aquisição do plano de saúde pelo consumidor consolida-se na assinatura de um contrato de plano de saúde que é o *instrumento jurídico que registra o acordo firmado entre uma pessoa física ou jurídica com uma operadora de plano privado, para garantir a assistência à saúde*[37]. Esse contrato possui renovação automática anual e deve conter em suas cláusulas todas as características do produto comercializado.

---

32. Souza e Ribeiro (2000) descrevem o conceito de seguro: *Contrato pelo qual uma das partes se obriga, mediante cobrança de prêmio, a indenizar a outra pela ocorrência de determinados eventos ou por eventuais prejuízos. É a proteção econômica que o indivíduo busca para prevenir-se contra necessidade aleatória. É uma operação pela qual, mediante o pagamento da remuneração adequada, uma pessoa se faz prometer para si ou para outrem, no caso da efetivação de um evento determinado, uma prestação de uma terceira pessoa, o segurador que, assumindo o conjunto de eventos determinados, os compensa de acordo com as leis da estatística e o princípio do mutualismo. É a compensação dos efeitos do acaso pela mutualidade organizada segundo as leis da estatística. O contrato de seguro é aleatório, bilateral, oneroso, solene e da mais estrita boa-fé, e é essencial, para a sua formação, a existência de segurado, segurador, risco, objeto do seguro, prêmio (prestação do segurado) e indenização (prestação do segurador). 1. CARACTERÍSTICAS BÁSICAS - Todo e qualquer seguro possui três características básicas, a saber: incerteza, mutualismo e previdência.*
33. Segundo Souza e Ribeiro (2000), sinistro é a *ocorrência do acontecimento previsto no contrato de seguro e que, legalmente, obriga a seguradora a indenizar.*
34. Sinistralidade: *Número de vezes que os sinistros ocorrem e seus valores. Mede a expectativa de perda, que é imprescindível para estabelecer o prêmio básico ou o custo puro de proteção* (Souza e Ribeiro, 2000). Índice de sinistralidade: *É o coeficiente ou percentagem que indica a proporção existente entre o custo dos sinistros, ocorridos num conjunto de riscos ou carteira de apólices, e o volume global dos prêmios advindos de tais operações no mesmo período V. tb. Limite de Perda e Resseguro Excesso de Sinistralidade* (Souza e Ribeiro, 2000).
35. No mutualismo o agrupamento de um grande número de pessoas expostas ao mesmo risco garante o equilíbrio entre os pagamentos dos expostos ao risco (prêmios) e as indenizações da seguradora frente aos sinistros.
36. Notemos que a Lei nº.9.656/98 unificou o conceito de plano de saúde, sem considerar as diversas modalidades das operadoras existentes.
37. Glossário Temático: Saúde Suplementar (ANS, 2012).

Destaca-se que a Lei nº.9.656/98 determina que ninguém poderá ser impedido de participar de plano de saúde. A mesma Lei também proíbe a rescisão unilateral dos contratos individuais, exceto nos casos de fraude ou inadimplência[38].

Formação de preços e reajustes

A formação dos preços dos produtos é delimitada pela própria operadora, mediante cálculo atuarial demonstrado em Nota Técnica (NTRP), como dito, entregue à ANS no ato do registro do produto. Nessa Nota Técnica haverá o demonstrativo do custo mínimo do plano e a indicação do valor mínimo que o produto poderá ser comercializado. Devido aos perfis de risco etário, os preços são diferenciados por faixas etárias dentro de um mesmo produto. É permitida a aplicação de dez faixas etárias.

Os reajustes dos preços dos produtos podem ser aplicados em função da variação de custos e/ou da variação de faixas etárias.

No primeiro caso, o reajuste somente poderá ser aplicado uma vez ao ano, com base na data do aniversário do contrato (princípio da anualidade). A ANS determina e autoriza a aplicação do percentual máximo de reajuste para os planos individuais novos[39], e somente monitora aqueles aplicados para os planos coletivos novos pactuados em contrato, exigindo que os percentuais sejam comunicados em até 30 dias após sua aplicação[40]. Para os planos denominados antigos, vale o índice de reajuste previsto em contrato[41].

No segundo caso, a legislação não determina os percentuais para reajuste de faixa etária, mas tão somente fixa parâmetros para seu cálculo, sendo que os percentuais devem estar estipulados no contrato, caso contrário, não poderão ser aplicados (Tabela 10.1).

---

38. Segundo o artigo 13, inciso II, da Lei nº.9.656/98, para os planos individuais considera-se a inadimplência o *"não pagamento da mensalidade por período superior a 60 dias, consecutivo ou não, nos últimos 12 meses de vigência do contrato, desde que o consumidor seja comprovadamente notificado até o quinquagésimo dia de inadimplência"*. Para os planos coletivos, as regras de suspensão ou rescisão contratual devem estar descritas no contrato firmado entre as partes. Entretanto, há a possibilidade da rescisão imotivada *"após a vigência do período de 12 meses e mediante prévia notificação da outra parte com antecedência mínima de 60 dias"* (Resolução Normativa ANS nº. 195).

39. Exceção para os exclusivamente odontológicos: o percentual de reajuste deve estar previsto em contrato, sendo necessariamente baseado em índice de preços divulgado por instituição externa (IPCA, IGP-M).

40. Para contratos de planos coletivos com menos de 30 beneficiários, a ANS estipulou uma metodologia de cálculo baseada no "agrupamento de contratos". Neste caso a operadora promove o agrupamento de todos os seus contratos com menos de 30 beneficiários e calcula um único percentual de reajuste que será aplicado igualmente para todos os contratos agregados a esse agrupamento.

41. Se as cláusulas sobre reajustes são obscuras ou não contenham parâmetros claros para o reajuste, valem as regras estipuladas para os planos individuais novos.

Tabela 10.1
Resumo sobre as regras de reajuste de planos de saúde, segundo tipo de contratação

TIPO DE REAJUSTE	TIPO DE PLANO		ANTIGO	NOVO
VARIAÇÃO DE CUSTOS	INDIVIDUAL		Critério de cálculo ou índice de reajuste previsto no contrato	ANS determina a % máxima de reajuste (exceto para exclusivamente odontológicos)
	COLETIVO	Mais que 30 beneficiários	Previsão do critério delimitado no contrato acordado entre as partes (operadora comunica % aplicado à ANS)	
		Menos que 30 beneficiários	Previsão do critério delimitado no contrato acordado entre as partes (operadora comunica % aplicado à ANS)	Critério de cálculo baseado no agrupamento de contratos (operadora deve comunicar % aplicado à ANS)*
VARIAÇÃO DE FAIXA ETÁRIA	INDIVIDUAL			Dez faixas etárias: o valor da 10ª não pode ser maior que seis vezes o valor da 1ª; variação acumulada entre a 7ª e a 10ª não pode ser superior à variação acumulada entre a 1ª e a 7ª faixa; proibida a aplicação de reajuste para pessoas com 60 anos ou mais de idade
	COLETIVO		Aplicação dos percentuais e faixas estipulados no contrato	

* Não se aplica para planos exclusivamente odontológicos, contratos de planos coletivos exclusivos para ex-empregados demitidos ou exonerados sem justa causa ou aposentados, contratos com formação de preço pós-estabelecido.
Fonte: elaborado pelo autor com base nas Resoluções ANS específicas sobre o tema.

Diferenças entre carências e Cobertura Parcial Temporária (CPT)

As regras sobre carências e CPT existem com o intuito de atenuar a assimetria de informações entre beneficiários contratantes e operadoras, a seleção de risco, bem como a seleção adversa. Assim, a legislação permite que as operadoras possam imputar ou não nos contratos firmados, cláusulas sobre carências, cobertura parcial temporária (CPT) ou agravo, dependendo do tipo de produto segundo a contratação efetuada (Tabela 10.2).

Conceitua-se carência como:

> o *período corrido e ininterrupto, determinado em contrato, contado a partir da data de início da vigência do contrato do plano privado de assistência à saúde, durante o qual o contratante paga as contraprestações pecuniárias, mas ainda não tem acesso a determinadas coberturas previstas no contrato.* (Glossário Temático: Saúde Suplementar; ANS, 2012).

Os prazos máximos de carências permitidos pela Lei n°.9.656 são: a) urgência e emergência: 24 horas; b) parto a termo: 300 dias; c) demais casos tais como consultas, exames, internações, cirurgias: 180 dias.

Já os conceitos de cobertura parcial temporária e o agravo têm estrita relação com as regras referentes às doenças e lesões preexistentes. No ato da contratação do plano de saúde, o beneficiário deve declarar (no formulário "declaração de saúde"[42]) todas as doenças ou lesões preexistentes, ou seja, aquelas que ele ou seu representante legal saiba ser portador ou sofredor, naquele momento da contratação ou adesão ao plano de saúde. Declarada uma doença ou lesão preexistente pelo beneficiário, a operadora poderá oferecer a chamada cobertura parcial temporária (CPT) ou o agravo. A CPT sempre deverá ser ofertada, e o agravo[43] será opcional à CPT.

Na aplicação da CPT, o beneficiário será submetido a um período máximo de 24 meses sem a cobertura para os chamados "procedimentos de alta complexidade", "leitos de alta tecnologia"[44] e "eventos cirúrgicos", relacionados exclusivamente com a doença ou lesão preexistente declarada. Os demais procedimentos não abordados pela CPT deverão ser cobertos pela operadora após o cumprimento dos prazos de carência previstos no contrato.

A omissão da declaração de doença ou lesão preexistente pelo beneficiário poderá ser caracterizada como fraude, permitindo à operadora rescindir de modo unilateral o contrato com o beneficiário. Norma específica[45] da ANS dispõe sobre a caracterização desse tipo de fraude.

A portabilidade de carências

As novas regras da portabilidade de carências permitem que beneficiários (exceto de planos coletivos empresariais), cujos contratos foram firmados a partir de 02/01/1999 ou adaptados à Lei nº. 9.656/98, possam trocar de plano de saúde (da mesma ou de outra operadora) "portando" as carências e/ou a cobertura parcial temporária já cumpridas no plano de origem. Para obter esse direito, o beneficiário deverá preencher alguns requisitos estipulados pela ANS[46].

Há situações consideradas "especiais" em que somente determinados grupos de beneficiários poderão exercer a portabilidade de carências: a) situação de insolvência da operadora

---

42. Denomina-se entrevista qualificada o preenchimento da Declaração de Saúde pelo beneficiário, mediante a orientação de um médico indicado pela operadora. Se o beneficiário optar por ser orientado por médico particular, a operadora não tem a obrigação de custear esse médico. A legislação faculta à operadora submeter o beneficiário a uma perícia ou exame médico, para avaliação do estado de saúde do beneficiário. Se optar pela perícia, a operadora não poderá alegar no futuro que o beneficiário omitiu uma doença ou lesão preexistente em sua declaração.

43. *Qualquer acréscimo no valor da contraprestação paga ao plano privado de assistência à saúde, para que o beneficiário tenha direito integral à cobertura contratada, para a doença ou lesão preexistente declarada, após os prazos de carências contratuais, de acordo com as condições negociadas entre a operadora e o beneficiário.* (Resolução Normativa ANS nº.162, de 2007). O agravo é uma alternativa à CPT pouco utilizada na prática.

44. Procedimentos de alta complexidade são discriminados no Rol de Procedimentos. Leitos de alta tecnologia remetem ao uso de unidades de terapia intensiva (UTI) e semi-intensiva.

45. Vide Resolução Normativa ANS nº.162, alterada pelas Resoluções Normativas nº.195 e 200.

46. a) a operadora, bem como o plano de saúde de destino, deverão possuir situação regular na ANS; b) estar adimplente com a operadora do plano de origem; c) no exercício da 1ª portabilidade: permanência anterior de, no mínimo, 02 anos no plano de origem, ou 03 anos se cumpriu alguma cobertura parcial temporária; d) no exercício da 2ª portabilidade: permanência mínima de 01 ano no plano de origem; e) a solicitação da troca de planos deverá ocorrer no período compreendido entre o 1º dia do mês do aniversário do contrato e último dia útil do terceiro mês subsequente; f) o plano de origem deverá ser compatível com o plano de destino, conforme indicado pela ANS em aplicativo disponível em seu site na internet; g) a faixa de preço do plano de destino deve ser igual ou menor à do plano de origem (valor é tomado com base no preço vigente na data da assinatura da proposta de adesão ao plano de destino).

Operadoras de planos privados de saúde

de origem; b) morte do titular; c) demitidos, exonerados, ou aposentados com manutenção em plano coletivo empresarial. Suas regras[47] apresentam diferenças com relação à portabilidade convencional.

A questão das carências e da cobertura parcial temporária sempre significou uma barreira para o beneficiário que desejava trocar de operadora de planos de saúde. Ao eliminá-la e possibilitar uma maior mobilidade do beneficiário e liberdade para abandonar a operadora que não o satisfaz, a portabilidade de carências tornou-se um fator de estímulo para o incremento da concorrência no setor.

Características básicas e diferenças entre produtos (planos de saúde)

As operadoras podem atribuir um formato aos seus produtos a partir do "arranjo" dentre características predefinidas pela regulamentação. A seguir, são relacionadas as características básicas mais utilizadas para definir um produto.

Época de contratação

Com o advento da Lei n°.9.656/98, o universo dos produtos contratados dividiu-se em duas categorias: a) produtos antigos (contratos firmados antes da vigência da Lei n°.9.656/98, em 02/01/1999, mas mantidos em operação por tempo indeterminado, sem a possibilidade de novas comercializações); b) produtos novos (contratos firmados a partir de 02/01/1999), ou produtos adaptados por vontade do beneficiário aos termos da Lei n°.9.656/98.

Hoje ainda temos cerca de 9,3% dos beneficiários ativos (aproximadamente 6,6 milhões) vinculados aos planos contratados antes de 02/01/1999 (planos antigos)[48].

Importante observar que a Lei n°.9.656/98, através de seu artigo 35-E, estendia alguns de seus determinantes aos planos antigos. Ocorre que, em 21/08/2003, o Supremo Tribunal Federal – STF julgou em sede liminar a Ação Direta de Inconstitucionalidade (ADIN) n°.1.931-8, de autoria da Confederação Nacional de Saúde, e suspendeu a eficácia do artigo 35-E. Em consequência, até que haja uma decisão final do STF, considera-se que os planos antigos somente são regidos pelo que está previsto em contrato.

A qualquer tempo, os beneficiários de planos antigos poderão solicitar a adaptação[49] de seus contratos ou a migração[50] contratual.

---

47. Vide Resolução Normativa ANS n°.186, alterada pelas Resoluções Normativas n°.252 e n°.279.
48. Caderno de Informação da Saúde Suplementar (ANS, 03/2014).
49. A **adaptação contratual** corresponde ao aditamento do contrato de plano de saúde firmado em data anterior a 01/01/1999, com o objetivo de adaptá-lo às disposições da Lei n°.9.656/98. Nesse caso mantém-se o mesmo tipo de contratação e segmentação anteriores, e não há a imposição de nova contagem de carências. Também haverá um ajuste no valor da contraprestação pecuniária que será proporcional ao aumento das coberturas, mas até o limite de 20,59%. Por fim, serão mantidas todas as cláusulas contratuais originais que não desrespeitem os termos da Lei n°.9.656 e/ou que prevejam coberturas assistenciais excedentes ao mínimo obrigatório legal. Não poderá ser solicitado ao beneficiário o preenchimento da declaração de saúde sobre doenças ou lesões preexistentes.
50. A **migração contratual** corresponde a passagem do beneficiário de um plano antigo para um plano novo, ambos ofertados pela mesma operadora. Os planos somente poderão ser do tipo individual ou coletivo por adesão, compatíveis entre si e que a faixa de preço do plano de destino seja igual ou menor que a de origem. Nesse caso, há a extinção do contrato antigo e também não há imposição de novas carências. Não poderá ser solicitado ao beneficiário o preenchimento da declaração de saúde sobre doenças ou lesões preexistentes.

Por tipo de contratação

Existem três tipos de produtos:

- **individual ou familiar:** produto voltado somente para pessoas naturais (físicas), com ou sem inclusão de dependentes e grupo familiar;
- **coletivo empresarial:** produto voltado para uma população delimitada e vinculada à pessoa jurídica por relação empregatícia ou estatutária[51];
- **coletivo por adesão:** produto voltado para uma população vinculada à pessoa jurídica de caráter profissional, classista ou setorial[52], constituída há pelo menos 1 ano.

Aproximadamente 79,8% do total de 71,0 milhões de beneficiários de planos de saúde no Brasil estão vinculados a um plano do tipo coletivo[53], dado que sugere a preferência das operadoras pela comercialização dos planos coletivos, em detrimento dos planos individuais. São hipóteses que podem estar correlacionadas a esse fenômeno (excetuando-se fatores históricos):

- a regulamentação do mercado da saúde suplementar trouxe uma maior proteção legal aos beneficiários de planos individuais, principalmente quanto às questões sobre "reajustes de preços" e "suspensão ou rescisão contratual";
- percentuais de reajuste de preços de planos coletivos não são determinados pela ANS e, sim, estabelecidos através da livre negociação entre as partes, o que facilita o repasse do risco da operadora para as pessoas jurídicas contratantes. Para planos individuais, a ANS impõe percentual máximo permitido para reajustes;
- perfil dos beneficiários dos planos coletivos (sobretudo empresariais), em geral, abrange população ativa, empregada, de adultos "jovens", enquanto planos individuais comportam mais idosos e crianças (Figura 10.4). Esses perfis refletem-se na utilização do plano de saúde: as taxas de sinistralidade dos planos coletivos apresentam-se, no geral, menores que aquelas dos planos individuais[54];
- empregador usa o plano coletivo empresarial como "benefício" e forma de manutenção da força de trabalho, mas também como fator de controle sobre o absenteís-

---

51. Neste conceito são incluídos, se previsto no contrato: sócios, administradores, demitidos e aposentados, agentes políticos, trabalhadores temporários, estagiários e menores aprendizes, grupo familiar até o terceiro grau de parentesco consanguíneo, até o segundo grau de parentesco por afinidade, cônjuge ou companheiro dos empregados e servidores públicos.

52. Engloba conselhos profissionais e entidades de classe, sindicatos, centrais sindicais e respectivas federações e confederações, associações profissionais legalmente constituídas, cooperativas que congreguem membros de categorias ou classes de profissões regulamentadas, caixas de assistência e fundações de direito privado, entidades previstas na Lei no 7.395, de 1985, e na Lei no 7.398, de 1985. Admite a inclusão do grupo familiar do beneficiário titular até o terceiro grau de parentesco consanguíneo, e até o segundo grau de parentesco por afinidade, cônjuge ou companheiro, se previsto no contrato

53. Para planos médico-hospitalares: 79,0%. Para planos exclusivamente odontológicos: 81,7% (Caderno de Informação da Saúde Suplementar - ANS, 03/2013).

54. Dados fornecidos pela ANS sobre internações hospitalares e consultas médicas referentes ao ano de 2011 apontaram: a) internações - planos coletivos apresentaram taxa de internação de 13,6% e gasto médio por internação de R$ 4.897,76; os planos individuais, taxa de internação de 15,9% e gasto médio por internação de R$ 5.206,56; b) consultas médicas - para os planos coletivos, o número médio de consultas médicas por beneficiário foi de 5,4, ao passo que, para os planos individuais, 6,5. Já o gasto médio por consulta foi: R$ 46,39 para planos coletivos e R$ 45,33 para planos individuais (Caderno de Informação da Saúde Suplementar - ANS, 03/2013).

mo. Ele tem interesse direto no controle da utilização do plano de saúde, posto que o aumento dessa utilização, por parte de seus empregados, reflete-se no reajuste. Indiretamente o controle do empregador sobre o comportamento de seus empregados atenua o risco moral;

- planos individuais estão mais sujeitos à seleção adversa do que planos coletivos empresariais. Em tese, a adesão do indivíduo ao plano coletivo empresarial ocorreu em função do vínculo empregatício com a posterior oferta do benefício (plano de saúde) por parte do empregador. O indivíduo não buscou prioritariamente a adesão ao plano, mas a adesão ao plano foi consequência da consecução do emprego. Indiretamente houve a "seleção do bom risco", já que o empregado está apto ao trabalho;
- perfil dos indivíduos, tamanhos dos grupos, taxas de sinistralidade menores e maior diluição do risco são alguns fatores que possibilitam a oferta de preços *per capita* para planos coletivos "mais convidativos".

Dados apresentados pela ANS[55] sugerem que houve correlação positiva entre a variação anual do PIB e do número de beneficiários de planos coletivos novos, ao menos nos anos entre 2007 e 2012, e deste último com a variação de empregos formais no Brasil (entre 2003 - 2012), reforçando a percepção de que o crescimento do número de beneficiários de planos de saúde apresenta forte relação com o crescimento econômico, mas, sobretudo, com o mercado de trabalho e aumento da renda da população.

Há no mercado cerca de 775 mil empresas contratantes de planos coletivos, responsáveis por 34,6 milhões de beneficiários de planos de assistência médica e 13,5 milhões de beneficiários de planos exclusivamente odontológicos no Brasil [56].

Especificamente para os beneficiários de planos coletivos empresariais novos, a legislação assegurou a possibilidade de demitidos/exonerados e aposentados permanecerem no plano de saúde coletivo, sem a recontagem de carências e gozando das mesmas condições de cobertura assistencial (inclusive vantagens obtidas pelos empregados em negociações ou acordos coletivos de trabalho), desde que tais beneficiários tenham contribuído para o plano na sua ativa, e preencham requisitos específicos discriminados em norma própria[57].

---

55. Foco Saúde Suplementar (ANS, 09/2012).
56. Sobre o perfil dessas empresas contratantes de planos de assistência médica, 45,4% do total de 686,6 mil empresas possuem de um a quatro beneficiários, e 26,8%, de seis a nove beneficiários. Entretanto, esse grupo de 72,2% das empresas é responsável por apenas 6,0% dos beneficiários de planos coletivos, enquanto que 4,7 mil empresas (com 1.000 ou mais beneficiários) são responsáveis por 57,7% do total de beneficiários (Foco Saúde Suplementar - ANS, 03/2013).
57. Vide Resolução Normativa ANS n°. 279, de 24/11/2011. Esse direito abrange o grupo familiar do ex-empregado e possibilita a inclusão de novo cônjuge e/ou filho. Se houver a morte do beneficiário titular, é obrigatória a manutenção do plano para os dependentes, resguardadas as demais regras. Para **demitidos ou exonerados**: período da manutenção do plano de saúde correspondente a 1/3 do período de contribuição para o plano feita pelo beneficiário na sua ativa, respeitados os limites mínimo de 6 meses e máximo de 24 meses. São requisitos mínimos: a) demissão ou exoneração deve ter ocorrido "sem justa causa", a partir de 01/01/1999; b) contribuição mensal para o pagamento do plano na ativa; c) formalização para a empresa empregadora da opção pela manutenção do plano de saúde após comunicação de aviso prévio a ser cumprido ou indenizado (até 30 dias após o comunicado do empregador ao ex-empregado); d) assunção do pagamento integral das mensalidades. Para **aposentados**: período da manutenção do plano de saúde correspondente à proporção de 1 ano para cada ano de contribuição para o plano de saúde na sua ativa (se mais de 10 anos, é assegurado o usufruto do benefício por tempo ilimitado). São requisitos mínimos: a) existência de contribuição mensal para o pagamento do plano na ativa; b) formalização para a empresa empregadora da opção pela manutenção do plano, após a comunicação da aposentadoria (ocorrida a partir de 01/01/1999), em até 30 dias após o comunicado do empregador ao ex-empregado; c) assunção do pagamento integral das mensalidades.

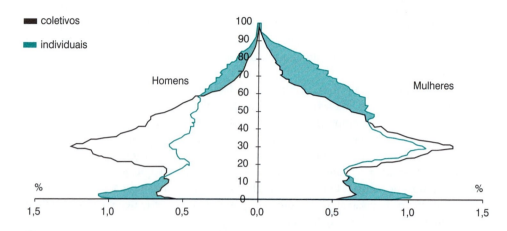

Figura 10.4 – *Pirâmide etária do percentual de beneficiários em planos de assistência médica, por sexo e tipo de contratação do plano (Brasil - 09/2012)*
Fonte: Foco Saúde Suplementar (ANS; 12/2012)

Cobertura assistencial mínima: as segmentações

A legislação determina quais são as coberturas assistenciais mínimas obrigatórias que os planos de saúde deverão garantir aos seus beneficiários contratantes de planos novos ou adaptados, para fins de tratamento de quaisquer das doenças listadas na Classificação Estatística Internacional de Doenças e Problemas Relacionados com a Saúde (CID, da OMS). Dentro do contexto legal, a ANS estipulou uma lista fechada de procedimentos de cobertura mínima obrigatória denominada Rol de Procedimentos e Eventos em Saúde, passível de revisão bienal.

No referido Rol encontramos os procedimentos de cobertura mínima obrigatória listados e classificados conforme as seguintes segmentações básicas:

- ambulatorial;
- hospitalar com obstetrícia;
- hospitalar sem obstetrícia;
- odontológico.

Além de apontar as segmentações, o Rol de Procedimentos discrimina os procedimentos considerados de "alta complexidade"[58] e aqueles passíveis da aplicação de "Diretriz de Utilização"[59].

É facultado à operadora ofertar produtos compostos das combinações das quatro segmentações básicas: ambulatorial; hospitalar com obstetrícia; hospitalar sem obstetrícia; odontológico. Entretanto, há uma quinta segmentação denominada "referência" que, por

---

58. Para fins de aplicação de Cobertura Parcial Temporária. Vide doenças ou lesões preexistentes.
59. As diretrizes foram confeccionadas com base em critérios baseados em evidências científicas e de gestão da incorporação de tecnologias em saúde. A Diretriz de Utilização aponta os parâmetros técnicos mínimos requeridos para que determinado procedimento seja considerado de cobertura obrigatória para o beneficiário. Em outras palavras, o beneficiário deve apresentar os requisitos clínicos mínimos estipulados pela Diretriz de Utilização para que tenha o direito à cobertura daquele determinado procedimento.

Tabela 10.2
Tipos de contratação de planos de saúde e possibilidade de exigência de carências, cobertura parcial temporária (CPT) e agravo

TIPO DE CONTRATAÇÃO		PERMITIDA APLICABILIDADE?		
		CARÊNCIAS	COBERTURA PARCIAL TEMPORÁRIA	AGRAVO
INDIVIDUAL OU FAMILIAR		SIM	SIM	SIM
COLETIVO POR ADESÃO	ADESÃO DO BENEFICIÁRIO – NO PRAZO*	NÃO	SIM	SIM
	ADESÃO DO BENEFICIÁRIO – FORA DO PRAZO *	SIM	SIM	SIM
COLETIVO EMPRESARIAL	MENOS QUE 30 PARTICIPANTES	SIM	SIM	SIM
	MAIS QUE 30 PARTICIPANTES – FORA DO PRAZO**	SIM	SIM	SIM
	MAIS QUE 30 PARTICIPANTES – DENTRO DO PRAZO**	NÃO	NÃO	NÃO

* Prazo até 30 dias do início contrato ou seu aniversário.
** Se até 30 dias da celebração do contrato ou vinculação do beneficiário com a pessoa jurídica.
Fonte: Elaborado pelo autor com base no conteúdo da Resolução Normativa ANS nº. 195.

si, constitui-se em segmentação única, não passível de combinação com as demais. Na realidade, a segmentação "referência" apresenta coberturas equivalentes às das segmentações ambulatorial mais hospitalar com obstetrícia, com a previsão da internação do beneficiário em acomodação padrão enfermaria. Um produto de segmentação referência deverá ser sempre ofertado pela operadora a todos seus potenciais beneficiários, antes da oferta de seus demais produtos.

Plano ambulatorial

Compreende a cobertura de tudo que envolve um atendimento ambulatorial[60] e de todos os procedimentos identificados no Rol de Procedimentos como pertencentes à segmentação ambulatorial. Assim, essa segmentação contempla:

- consultas médicas nas especialidades reconhecidas pelo Conselho Federal de Medicina, em número ilimitado;
- serviços de apoio diagnóstico, tratamentos e demais procedimentos ambulatoriais solicitados pelo médico ou dentista assistente, inclusive consultas e sessões com nutricionista, fonoaudiólogo, terapeuta ocupacional e psicólogo;

---

60. No entanto, exclui procedimentos que necessitem ser realizados com o apoio de estrutura hospitalar por período superior a 12 horas (mesmo que não configurada uma "internação hospitalar"); ou aqueles que exijam forma de anestesia diversa da anestesia local, sedação ou bloqueio.

- atendimentos considerados de urgência ou emergência[61], ocorridos no período de até 12 horas, ou menos, até a caracterização da necessidade de internação hospitalar[62].

Plano hospitalar sem obstetrícia

Envolve a cobertura dos atendimentos e procedimentos em internações hospitalares[63], desde que indicados no Rol de Procedimentos como pertencentes à segmentação hospitalar sem obstetrícia. No entanto, exclui os atendimentos ambulatoriais e os procedimentos relacionados ao pré-natal, parto e puerpério. Ainda, há cobertura para as seguintes situações:

- atendimentos aos casos de urgências e emergências;
- hospital-dia para tratamento de transtornos mentais[64];
- procedimentos considerados especiais[65] relacionados à continuidade da assistência prestada na internação hospitalar;
- procedimentos cirúrgicos bucomaxilofaciais indicados no Rol de Procedimentos para esta segmentação;
- a estrutura hospitalar necessária à realização de procedimentos odontológicos passíveis de realização em consultório, mas que, por imperativo clínico, necessitem de internação hospitalar[66];
- internação domiciliar efetuada como substituição à internação hospitalar, mesmo que não haja sua previsão no contrato;
- cobertura para o tratamento das complicações oriundas da realização de procedimentos não cobertos, desde que o atendimento e os procedimentos necessários a esse tratamento estejam previstos nesta segmentação.

Plano hospitalar com obstetrícia

Compreende as coberturas anteriores do plano hospitalar sem obstetrícia, acrescidas de todos os procedimentos listados no Rol relativos ao pré-natal, à assistência ao parto e

---

61. O artigo 35-C da Lei nº. 9.656/98 conceitua **urgências** como os casos "*resultantes de acidentes pessoais ou de complicações no processo gestacional*", e **emergências** como aqueles casos que "*implicarem risco imediato de vida ou de lesões irreparáveis para o paciente, caracterizado em declaração do médico assistente*". Para detalhes sobre as regras acerca da cobertura para os atendimentos de urgência e emergência, vide Resolução CONSU nº.13, alterada pela Resolução CONSU nº.15.
62. A remoção hospitalar do beneficiário para unidade do SUS deverá ser coberta pela operadora, no caso de o médico assistente indicar a internação hospitalar do beneficiário ou declarar a insuficiência de recursos da unidade para o atendimento pertinente.
63. Sem limitação de diárias. Inclui despesas (alimentação e acomodação) relacionadas aos acompanhantes de menores de 18 anos, idosos acima de 60 anos e portadores de deficiências.
64. Se contemplados pela Diretriz de Utilização correlacionada.
65. Hemodiálise e diálise peritoneal; quimioterapia oncológica ambulatorial; procedimentos radioterápicos; hemoterapia; nutrição parenteral ou enteral; procedimentos em hemodinâmica; radiologia intervencionista; exames pré-anestésicos ou pré-cirúrgicos; procedimentos de reeducação e reabilitação física; acompanhamento clínico no pós-operatório imediato e tardio dos pacientes submetidos aos transplantes.
66. A operadora deverá cobrir todos os recursos que suportarão esse atendimento, com exceção dos honorários do cirurgião-dentista e os materiais odontológicos utilizados. Esses honorários e materiais somente estarão cobertos se o beneficiário possuir um plano odontológico.

ao puerpério[67]. Ainda, é assegurada a cobertura assistencial ao recém-nascido, filho natural ou adotivo, durante os primeiros 30 dias após o parto, e assegurada a inscrição do recém-nascido, filho natural ou adotivo, como dependente, isento do cumprimento dos períodos de carência, desde que a inscrição ocorra no prazo máximo de 30 dias do nascimento ou da adoção[68].

Plano odontológico

Compreende todos os procedimentos odontológicos realizados em consultório e listados no Rol de Procedimentos como pertencentes a esta segmentação.

Coberturas não obrigatórias permitidas pela Lei

A Lei n°.9.656/98 permite a não cobertura obrigatória para: tratamentos clínicos ou cirúrgicos experimentais[69]; fornecimento de medicamentos e produtos para a saúde importados não nacionalizados[70]; fornecimento de medicamentos para tratamento domiciliar[71]; procedimentos clínicos ou cirúrgicos para fins estéticos; inseminação artificial; tratamento de rejuvenescimento ou de emagrecimento com finalidade estética; fornecimento de próteses, órteses e seus acessórios não ligados ao ato cirúrgico; tratamentos ilícitos ou antiéticos; casos de cataclismos, guerras e comoções internas, quando declarados pela autoridade competente; estabelecimentos para acolhimento de idosos e internações que não necessitem de cuidados médicos em ambiente hospitalar.

Abrangência geográfica contratual

Corresponde à área geográfica na qual a operadora estará obrigada a garantir todas as coberturas de assistência à saúde contratadas pelo beneficiário. Os tipos de abrangência geográfica são:
- municipal: um município;
- grupo de municípios: mais de um e até 50% dos municípios do estado;

---

67. Inclui as despesas relativas ao acompanhante da mulher (paramentação, acomodação e alimentação) durante o pré-parto, parto e pós-parto imediato por 48 horas (exceto se houver contraindicação do médico assistente) ou até 10 dias (se indicado pelo médico assistente).
68. Lei n°. 9.656/1998, art. 12, inciso III.
69. A Resolução Normativa ANS n°.211 alterada pela Resolução Normativa n°.262, conceitua tratamento experimental como aquele que: *"emprega medicamentos, produtos para a saúde ou técnicas não registrados/não regularizados no país; é considerado experimental pelo Conselho Federal de Medicina - CFM ou pelo Conselho Federal de Odontologia - CFO; ou não possui as indicações descritas na bula/manual registrado na ANVISA (uso off-label)."*
70. Não produzidos no Brasil e sem registro ativo na ANVISA.
71. Segundo a Resolução Normativa ANS n°.338 (artigo 19, inciso VI), alterada pela Resolução Normativa ANS n°.349, medicamentos para tratamento domiciliar são *"aqueles prescritos pelo médico assistente para administração em ambiente externo ao de unidade de saúde".* Entretanto, a Lei n°.12.880, de 2013, introduziu na Lei n°. 9.656/98 a obrigatoriedade, tanto para planos ambulatoriais como hospitalares, da cobertura para medicamentos antineoplásicos orais listados pela ANS e/ou medicamentos para o controle de efeitos adversos e adjuvantes de uso domiciliar relacionados ao tratamento antineoplásico oral e/ou venoso. Ou seja, a citada cobertura não obrigatória (fornecimento de medicamentos para tratamento domiciliar) não se estende para a situação acima citada.

- estadual: todos os municípios do estado;
- grupo de estados: todos os municípios de pelo menos dois estados limítrofes ou não, não atingindo a cobertura nacional;
- nacional: todo o território nacional.

Padrão de acomodação em internação

Corresponde ao padrão da acomodação em que o beneficiário permanecerá no caso de sua internação hospitalar: apartamento (individual) ou enfermaria (coletiva).

Previsão ou não de reembolso

O contrato deve prever se o produto ofertará ou não a livre escolha de prestadores não participantes da rede credenciada ou própria, para atendimentos eletivos e posterior reembolso.

Composição da rede de prestadores

Para assegurar os atendimentos assistenciais aos seus beneficiários, as operadoras montam redes assistenciais compostas por hospitais, laboratórios, clínicas, médicos e demais prestadores de serviços na área da saúde. Cada produto deve ser registrado na ANS com a indicação da lista de prestadores que o caracterizará, principalmente no que tange aos hospitais.

A regulação impôs uma "padronização" das características dos produtos, o que tornou a composição da rede de prestadores um dos fatores mais importantes na caracterização e diferenciação entre os produtos de uma operadora, pois: a) determina indiretamente o preço do produto e o padrão de atendimento ofertado; b) é utilizada pela operadora como fator de atratividade do consumidor, com base na quantidade e/ou no prestígio dos prestadores ofertados.

Interfaces entre Operadoras e Prestadores de Serviços

No arcabouço da política regulatória em voga nos últimos 15 anos, distinguimos claramente dois eixos principais de fomento ao mercado: 1) econômico-financeiro -assegurar que as empresas operadoras se mantenham solventes; 2) assistencial - mudar o papel das operadoras quanto à assistência à saúde dos beneficiários e incentivar a mudança do atual modelo de atenção à saúde ainda fragmentado e com foco curativo.

Sobre a vertente assistencial, são incentivadas práticas mais calcadas em ações de promoção da saúde e prevenção de doenças, concomitante ao deslocamento do papel das operadoras, da posição de "menos" intermediárias e fontes pagadoras, para "mais" gestoras de uma saúde integrada de seus beneficiários em todas suas dimensões (promoção, prevenção, diagnóstico, tratamento e reabilitação). Paralelamente espera-se uma melhoria na qualidade da assistência à saúde prestada aos beneficiários. Nesse sentido, os programas lançados pela ANS nos últimos anos (Tabela 10.3) ratificam esta assertiva.

Tabela 10.3		
Resumo sobre os atuais programas instituídos pela ANS		
NOME DO PROGRAMA	**DESCRIÇÃO SUMÁRIA**	**OBJETIVO**
Qualificação na saúde suplementar	Avaliação anual do desempenho das operadoras de planos de saúde, por meio do acompanhamento do Índice de Desempenho da Saúde Suplementar da Operadora (IDSS). Cálculo do IDSS considera o somatório ponderado dos indicadores de desempenho definidos para avaliação de quatro dimensões: atenção à saúde; econômico-financeiro; estrutura e operação; satisfação dos beneficiários. IDSS varia de 0 a 1	Avaliação do desempenho das operadoras e fomento de ações para melhoria do padrão segundo dimensões avaliadas
Monitoramento da qualidade dos prestadores de serviços na saúde suplementar (QUALISS)	Avaliação de prestadores de serviços voluntários (mas compulsório para rede própria) com a utilização de indicadores de monitoramento correlacionados à qualidade em saúde, com base nos domínios: efetividade, eficiência, equidade, acesso, segurança e centralidade no paciente	Avaliação da qualidade dos prestadores de serviços em saúde e fomento de ações para melhoria de padrões de qualidade segundo indicadores avaliados
Tabela 10.3		
Resumo sobre os atuais programas instituídos pela ANS		
NOME DO PROGRAMA	**DESCRIÇÃO SUMÁRIA**	**OBJETIVO**
Acreditação de operadoras	Avaliação da operadora feita por entidade acreditora. Processo prevê a aplicação de um protocolo de avaliação da operadora, segundo sete dimensões: programa de melhoria da qualidade – PMQ; dinâmica da qualidade e desempenho da rede prestadora; sistemáticas de gerenciamento das ações dos serviços de saúde; satisfação dos beneficiários; programas de gerenciamento de doenças e promoção da saúde; estrutura e operação; gestão. Ao final, a operadora poderá ser certificada	Expandir a cultura da acreditação para o universo das operadoras
Promoção da saúde e prevenção de riscos e doenças	Operadora voluntária desenvolve e aplica, para seus beneficiários, programas de promoção da saúde e de prevenção de riscos e doenças, dentro de três possíveis modelagens: promoção do envelhecimento; população-alvo específica; gerenciamento de doentes crônicos. Poderá oferecer bônus ou prêmios aos beneficiários participantes. Em contrapartida recebe incentivos da ANS (p. ex., pontuação bônus no cálculo de seu IDSS)	Fomentar a cultura e a prática assistencial calcada na promoção da saúde e prevenção de riscos e doenças
Divulgação da qualificação de prestadores de serviços na saúde suplementar	Divulgação pelas operadoras de atributos de qualificação de seus prestadores de serviços, segundo critérios estipulados pela ANS	Melhoria da divulgação de informações sobre a qualificação dos prestadores de serviços disponibilizadas para os beneficiários e mercado

Fonte: Elaboração do autor baseada no teor de Resoluções editadas pela ANS correlacionadas ao tema.

De qualquer modo, a despeito dos intentos da política regulatória, não se pode negar que os prestadores de serviços desempenham um papel fundamental no equilíbrio entre o controle das despesas assistenciais das operadoras e a melhoria da qualidade da assistência à saúde e da satisfação dos beneficiários.

No entanto, ainda encontramos no mercado muitos relacionamentos entre operadoras e prestadores de serviços fundados sobre uma dinâmica que busca eminentemente a minimização e/ou transferência de custos e a limitação de serviços ofertados, em detrimento de uma "parceria estratégica" baseada mais na geração de valor aos beneficiários do sistema e no ganho mútuo dos envolvidos.

O controle de despesas assistenciais e os prestadores de serviços

Como qualquer outro tipo de empresa, o equilíbrio financeiro das operadoras de planos de saúde resulta do balanço entre suas receitas e despesas. Majorar receitas e minorar despesas também é o mote de qualquer operadora de planos de saúde.

As receitas de uma operadora de planos de saúde basicamente constituem-se a partir dos valores pagos pelos seus beneficiários na forma de contraprestações pecuniárias ("mensalidades"). Didaticamente, as despesas de uma operadora dividem-se entre assistenciais e não assistenciais (despesas administrativas, de comercialização e outras).

As despesas assistenciais correspondem aos gastos necessários para suportar toda a assistência à saúde dos beneficiários, traduzida na realização de consultas médicas, exames, terapias, internações hospitalares e demais atendimentos à saúde. Uma forma simples de calcular o montante gasto é utilizar o somatório de todos os itens segundo suas "quantidades de utilização (frequências)" multiplicadas pelo "custo médio de cada item".

Um conceito muito utilizado para acompanhamento do equilíbrio financeiro das operadoras (e/ou especificamente de contratos de planos coletivos), é a taxa de sinistralidade. Trata-se da relação, expressa em porcentagem, entre a despesa assistencial e a receita de contraprestações das operadoras. Daí se origina um jargão muito utilizado no mercado: "redução da sinistralidade". Traduz a preocupação das operadoras em reduzir suas despesas assistenciais.

Segundo dados fornecidos pela ANS[72], no ano de 2013 o setor registrou uma taxa de sinistralidade média de 82,9% (83,7% para operadoras médico-hospitalares e 45,6% para operadoras exclusivamente odontológicas). Desde 2004 o setor tem apresentado uma taxa de sinistralidade média anual ao redor de 81,2% (81.9% para operadoras médico-hospitalares e 48,1% para operadoras exclusivamente odontológicas).

Uma das maiores peculiaridades da gestão de uma operadora de planos de saúde diz respeito ao controle das despesas assistenciais. As estratégias adotadas pelas operadoras para redução/contenção dessas suas despesas assistenciais podem ser distinguidas em duas formas: 1) gerenciamento da utilização do plano de saúde; 2) gerenciamento da rede prestadora.

---

72. Caderno de Informação da Saúde Suplementar (ANS, 03/2014).

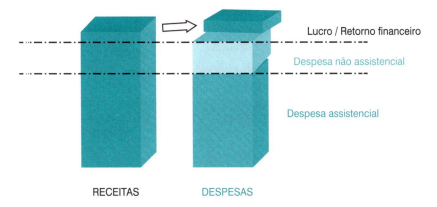

Figura 10.5 – *Equilíbrio entre receitas e despesas das operadoras de planos de saúde.*
Fonte: Elaborado pelo autor.

Gerenciamento da utilização do plano de saúde

Mecanismos de regulação

Os mecanismos de regulação são *meios ou recursos técnicos, administrativos ou financeiros utilizados pelas operadoras para gerenciamento da prestação de ações e serviços de saúde* (ANS, 2012)[73]. Correspondem às ações de controle ou regulação, tanto no momento da demanda quanto da utilização pelos beneficiários dos serviços assistenciais, visando impedir uma utilização do plano de saúde considerada "inadequada", o que teoricamente evitaria "gastos desnecessários".

Para que o mecanismo de regulação aplicado seja considerado lícito, é necessário que ele esteja descrito no contrato do plano de saúde (ou manual da rede prestadora fornecido ao beneficiário), e não desrespeite algumas situações proibidas pela legislação[74].

Os mecanismos de regulação considerados "clássicos" e mais utilizados pelas operadoras são descritos a seguir.

Autorização prévia

Constitui-se na exigência para que o beneficiário previamente solicite à operadora a emissão de autorização para realização e cobertura de determinados procedimentos. De um

---

73. Glossário Temático: Saúde Suplementar (ANS, 2012)
74. Exemplos: infração ao Código de Ética Médica ou de Odontologia; limitação à assistência com a adoção de valores máximos ou teto de remuneração; mecanismos de regulação diferenciados, por estratificações dentro de um mesmo plano; impedir ou dificultar o atendimento em situações de urgência ou emergência; negar autorização em razão do profissional solicitante não pertencer à rede própria ou credenciada da operadora; coparticipação ou franquia que caracterize financiamento integral do procedimento por parte do usuário, ou fator restritor severo ao acesso aos serviços; estabelecimento em casos de internação, de fator moderador em forma de percentual por evento (exceção: internação psiquiátrica que é permitida coparticipação, crescente ou não, no limite máximo de 50% do valor contratualizado com o prestador, para internações cujo prazo exceda 30 dias por ano de contrato); reembolso com valor inferior ao praticado diretamente na rede credenciada ou referenciada. Vide Resolução CONSU nº 08, de 1998, alterada pela Resolução CONSU nº 15, de 1999.

modo geral, as operadoras utilizam a autorização prévia com algumas finalidades imbricadas entre si: 1) checar a elegibilidade do beneficiário para a cobertura requerida, mediante a verificação de itens como cobertura contratual e vigências de carências e cobertura parcial temporária (CPT); 2) conferir a pertinência técnica para realização do solicitado; 3) filtrar doenças ou lesões preexistentes não declaradas pelo beneficiário; 4) direcionar o beneficiário para seus prestadores que oferecem "menores custos"; 5) controlar a utilização de materiais e medicamentos de "alto custo"; 6) validar e definir pagamentos futuros aos seus prestadores.

A autorização prévia é amplamente utilizada pela maioria das operadoras. Figura como um dos mais importantes mecanismos de regulação, tanto que muitas operadoras designam um setor específico da organização voltado para essa ação, às vezes, casando-o com sua "central de atendimento aos clientes" e/ou "de agendamento de consultas". Inclusive operadoras que possuem recursos próprios ambulatoriais, por vezes, recorrem ao controle da realização de consultas médicas, canalizando o agendamento das consultas eletivas nessas "centrais".

Por uma questão de eficácia e economia, a maioria das operadoras foca a ação da autorização prévia no controle dos procedimentos de menor volume de solicitações, de mais alto custo e que envolvam análises técnicas mais apuradas como, por exemplo, internações hospitalares, procedimentos de alta complexidade/tecnologia, OPME (órteses, próteses e materiais especiais).

Considerando que materiais e medicamentos têm participação percentual relevante no valor final de suas despesas assistenciais, algumas operadoras organizam grupos formados por técnicos especializados, visando à análise e à autorização dos pedidos de materiais e medicamentos de alto custo. Em complemento a esse controle, algumas operadoras optam por constituir uma "central de compras" que negocia diretamente com os fornecedores a aquisição dos materiais e medicamentos, para posterior repasse aos seus prestadores. Ou simplesmente, para cotar preços no mercado e compor valores de referência visando negociações com seus prestadores de serviços e a aplicação de auditoria em contas.

Comumente, as operadoras utilizam uma equipe médica para verificar solicitações de internações, cirurgias, quimioterapias, radioterapias, materiais especiais e outros. Em alguns casos, o médico da operadora pode não concordar com a indicação técnica do médico assistente do beneficiário. No entanto, a operadora não poderá simplesmente negar o pedido do médico assistente do beneficiário. A legislação prevê a possibilidade da resolução da divergência técnica, via composição de junta médica[75] que deve ser garantida pela operadora. Essa junta será constituída pelo profissional solicitante ou nomeado pelo beneficiário, pelo médico da operadora e por um terceiro escolhido de comum acordo pelos dois primeiros profissionais. A remuneração desse terceiro ficará a cargo da operadora.

---

75. A legislação determina uma regra específica para OPME (órteses, próteses e materiais especiais). O médico assistente (ou cirurgião dentista) possui a prerrogativa de determinar as características do material (tipo, matéria-prima e dimensões) a ser utilizado no procedimento requerido. Entretanto, a operadora poderá solicitar que o requerente apresente a justificativa técnica de sua indicação e pelo menos três marcas desse material (produzido por diferentes fabricantes regularizados na ANVISA) que contemplem as especificidades desejadas. Se houver divergência, esta deverá ser resolvida via o mecanismo de junta médica.

Algumas operadoras encaminham seus beneficiários para realização de perícia médica, que é uma forma de avaliar as condições de saúde do beneficiário e constatar ou não a indicação do médico assistente, via um médico perito contratado pela operadora. Vale lembrar que a aplicação de "perícia médica", para ser considerada lícita, também deve estar prevista no contrato do plano de saúde.

As operadoras devem respeitar prazos para concessão de autorizações conforme parâmetros impostos pela ANS[76]. Para tanto, elas devem fornecer ao beneficiário demandante da cobertura assistencial, um número de protocolo, na data do pedido, a partir da qual começará a contagem do prazo. A cobertura do atendimento, no prazo estipulado, deverá ser garantida para realização em prestador de serviços apto, e não necessariamente para aquele específico escolhido pelo beneficiário. Caso haja a negativa para autorização/cobertura do procedimento solicitado, a operadora deverá apresentar ao beneficiário a sua justificativa discriminada com a indicação da cláusula contratual ou do dispositivo legal que embasou a negativa, num prazo de 48 horas.

Fator moderador

Trata-se de mecanismo financeiro de regulação no qual o beneficiário paga um valor fixo ou percentual (segundo estipulado em contrato) para cada procedimento realizado. Em teoria, o fator moderador pode inibir a utilização excessiva do plano de saúde, através do pagamento participativo do beneficiário, o que atenua o risco moral. Tal valor não pode significar o financiamento integral do atendimento por parte do beneficiário. Há dois tipos de fatores moderadores:

- **Franquia**: valor estabelecido em contrato *até o qual a operadora não tem responsabilidade de reembolso, nem de pagamento da assistência à rede credenciada ou referenciada, a ser pago pelo beneficiário diretamente ao prestador da rede credenciada ou referenciada no ato da utilização do serviço*[77].
- **Coparticipação**: *percentual de participação na despesa assistencial a ser pago pelo beneficiário diretamente à operadora, em caso de plano individual e familiar, ou diretamente à pessoa jurídica, em caso de plano coletivo, após a realização de procedimento*[78].

---

76. Resoluções Normativas ANS nº.259 e nº.319. Os prazos máximos (em dias úteis) são: urgência e emergência (imediato); serviços de diagnóstico por laboratório de análises clínicas em regime ambulatorial (3 dias); consulta básica - pediatria, clínica médica, cirurgia geral, ginecologia e obstetrícia + consulta e procedimentos realizados em consultório/clínica com cirurgião-dentista (7 dias); consulta/sessão com fonoaudiólogo, nutricionista, psicólogo, terapeuta ocupacional, fisioterapeuta + atendimento em regime de hospital-dia + demais serviços de diagnóstico e terapia em regime ambulatorial (10 dias); consulta nas demais especialidades médicas (14 dias); procedimentos de alta complexidade - PAC + atendimento em regime de internação eletiva (21 dias).
77. Glossário Temático: Saúde Suplementar (ANS, 2012). A franquia para planos de saúde equivale ao "dedutível" empregado nas franquias de seguros.
78. Glossário Temático: Saúde Suplementar (ANS, 2012). Mecanismo bastante aplicado nos planos coletivos empresariais como forma de conter a utilização e, por conseguinte, a "sinistralidade".

Direcionamento

A operadora direciona o atendimento do beneficiário, principalmente internações hospitalares, ao prestador que melhor lhe convier. Por trás do direcionamento, na realidade, está um mecanismo de imposição do uso de prestadores que ofertam melhores condições comerciais à operadora, ou do uso da rede própria da operadora, em detrimento dos prestadores credenciados (considerados menos "controláveis" e mais "caros").

Porta de entrada

O beneficiário deve necessariamente ser primeiramente avaliado por um médico "generalista" como forma de "entrar" no sistema de atendimento da operadora. O médico generalista trata os casos mais simples e encaminha os demais casos para serem atendidos em recursos mais complexos da operadora (outras especialidades médicas, hospitais, exames, tratamentos).

Outras formas de gerenciamento da utilização do plano de saúde

Atenção domiciliar ("assistência domiciliar"; "internação domiciliar"; "home care")

Para uma operadora de planos de saúde, a oferta de atenção domiciliar aos beneficiários é interessante em alguns casos selecionados. Por exemplo, para beneficiários em internações prolongadas, as operadoras ofertam a substituição da internação hospitalar pela domiciliar, pois, em teoria, a internação domiciliar demandaria menos gastos e evitaria o risco de infecção hospitalar.

Vale ressaltar que a atenção domiciliar não é de cobertura obrigatória pelos planos de saúde, exceto quando a operadora notadamente substituir a internação hospitalar de seu beneficiário por uma internação domiciliar. Nos demais casos, vale o que está previsto em contrato.

Gerenciamento de doenças crônicas e gerenciamento de casos

O gerenciamento de casos (*case management*) e o gerenciamento de doenças crônicas (*disease management*) são utilizados pelas operadoras como formas de conter futuros gastos excessivos de beneficiários-alvos portadores de doenças ou condições de saúde consideradas dispendiosas e com maior potencial de geração da utilização do plano de saúde.

O gerenciamento de doenças crônicas[79] baseia-se no conceito de que a atenção cuidadosa ambulatorial para determinadas doenças crônicas, tais como diabetes, hipertensão arterial, asma brônquica, pode prevenir descompensações agudas que levem a internações hospitalares, ou complicações da condição crônica que necessitem de intervenções mais complexas. Há um acompanhamento mais próximo e diferenciado dos beneficiários (monitoramento) com o fornecimento de orientações sobre uso do sistema (direcionamentos, marcação de consultas médicas, realização de exames etc.), acompanhamento de equipes multidisciplinares, adoção de benefícios para uso de medicamentos e mensuração dos resultados do plano de gerenciamento.

---

79. Com uma visão mais ampla de saúde pública, Mendes (2011) prefere utilizar o termo "gestão da condição de saúde", já que, segundo ele, nem sempre há uma doença, mas uma "condição crônica" de saúde.

O gerenciamento de casos visa pacientes com vários problemas de saúde e/ou com quadros clínicos mais complexos, por conseguinte, com maior potencial de utilização do plano de saúde (alto risco/custo). Destaca-se um gestor do caso que será o responsável por implantar, acompanhar e avaliar os resultados de um plano de cuidados estipulado para o caso, o que implica promover a adesão e o direcionamento do paciente ao plano terapêutico, o acompanhamento do paciente e de seus resultados.

Gerenciamento da rede de prestadores

Como dito, quando o consumidor adquire um plano de saúde, contrata potenciais atendimentos assistenciais ofertados por uma delimitada rede de prestadores. Por outro lado, a operadora montou a rede prestadora de modo seletivo, combinando as características do produto com as dos prestadores vinculados (localização geográfica, prestígio, custos implicados).

Um produto recebe a aprovação e o registro da ANS mediante a vinculação dos prestadores que comporão a sua rede prestadora, especialmente no que tange aos hospitais. Grupos de hospitais constituem-se no cerne dos desenhos dos produtos e influenciam diretamente no cálculo atuarial dos valores das mensalidades.

Os recursos disponibilizados nessas redes poderão ser próprios (sob controle e/ou pertencentes à operadora) ou contratados (credenciados).

No credenciamento deverá haver a contratualização entre as partes, de modo direto ou indireto[80]. A operadora é obrigada pela legislação a estabelecer contratos com seus prestadores de serviços, dentro de moldes previamente definidos pela ANS[81].

A Lei n°.9.656/98 impõe regras específicas para o credenciamento e descredenciamento dos prestadores de serviços de saúde. Caso a operadora queira inserir novo prestador na rede de um de seus produtos já registrado, deverá comunicar à ANS essa inclusão.

No descredenciamento de um hospital de uma rede prestadora de um produto, a operadora poderá realizar duas ações de redimensionamento da rede: 1) por substituição; 2) por redução.

No redimensionamento da rede por substituição, a operadora troca um hospital de sua rede por outro, o que pode ser feito desde que haja equivalência entre esses

---

80. São formas indiretas: convênio de reciprocidade, intercâmbio operacional ou intermediação de outra operadora.

81. A Lei 13.003, de 24/06/2014, com vigência a partir do início de 2015, acrescentou o artigo 17-A na Lei 9.656/98. Esse artigo estabelece a obrigatoriedade da estipulação de contratos escritos entre operadoras de planos de saúde e prestadores de serviços. O contrato deverá conter cláusulas que versem sobre as condições da prestação de serviços, incluindo tópicos, tais como: qualificação das partes, objeto do contrato, vigência, critérios para prorrogação, renovação e rescisão contratual, descrição e valores dos serviços contratados, prazos e procedimentos para faturamentos e pagamentos, descrição da forma de reajuste e previsão de sua periodicidade, previsão de penalidades pelo descumprimento contratual, descrição dos procedimentos que necessitam de autorização administrativa por parte da operadora, dentre outros. Visando o estabelecimento de norma complementar sobre o tema com a participação e contribuição de representantes de entidades do setor, a ANS montou um "Grupo Técnico" cujos trabalhos estavam em andamento na ocasião do fechamento deste texto.

hospitais[82], e mediante a comunicação dos consumidores e da ANS com 30 dias de antecedência. No ano de 2015, esta regra será estendida também para os demais prestadores não hospitalares[83].

No redimensionamento da rede por redução, a operadora exclui um hospital da rede sem posterior reposição. Neste caso a operadora deverá solicitar autorização prévia expressa à ANS, comprovando que haverá a absorção operacional do hospital descredenciado pelo restante da rede, com a manutenção da qualidade de atendimento e sem ônus para os beneficiários.

Como as internações hospitalares apresentam participação relevante no montante das despesas assistenciais das operadoras, de cerca de 41% (Figura 10.6), os hospitais acabam tornando-se alvos prioritários das ações de controle e contenção dessas despesas[84]. Além disso, em 2011 o setor registrou uma taxa média de internação[85] de 13,9% dos beneficiários, com um gasto médio por internação de R$ 5.504,90.

Os Serviços Próprios: a Integração Vertical e a Integração Horizontal

O mercado da saúde suplementar presenciou nos últimos anos importantes operações de fusões e aquisições entre as empresas participantes: operadoras de planos de saúde que "compraram" outras operadoras concorrentes e operadoras que "compraram" hospitais, laboratórios e demais empresas de prestação de serviços em saúde. Do ponto de vista da cadeia produtiva envolvida, o primeiro movimento é conceituado como integração horizontal, e o segundo, integração vertical.

Na integração horizontal (associação de empresas que participam de uma mesma etapa da cadeia produtiva), a operadora que adquiriu a outra concorrente (recursos e beneficiários) promove o adensamento da cadeia produtiva, o que lhe permite economia de escala[86], aumento de seu poder de negociação e de sua capacidade de financiamento no mercado, diluição de riscos, diminuição dos custos administrativos e aumento de produtividade.

O conceito de integração vertical ou "verticalização" (associação de empresas pertencentes a etapas distintas da cadeia produtiva) remete à aquisição pela operadora de hospitais, laboratórios e/ou demais empresas prestadoras de serviços em saúde (ou vice-versa), o que

---

82. A ANS analisa e aprova ou não a equivalência entre os hospitais. Assim, para efeitos práticos, esse tipo de redimensionamento, de algum modo, também tem que ter a autorização da ANS para ser concretizado.

83. A Lei 13.003, de 24/06/2014, com vigência a partir do início de 2015, reformatou o caput do artigo 17 da Lei 9.656/98 e estendeu a obrigatoriedade das regras do redimensionamento da rede por substituição para qualquer prestador de serviços. Entretanto, o mesmo não ocorreu no tocante às regras do redimensionamento da rede por redução. Norma complementar sobre o tema ainda não tinha sido divulgada pela ANS até o fechamento deste texto, e não estavam claros maiores detalhes sobre o tema.

84. Segundo o Caderno de Informação da Saúde Suplementar (ANS; 03/2014), dos R$ 78,5 bilhões gastos pelas operadoras de assistência médica com despesas assistenciais médico-hospitalares no ano de 2012, R$ 32,1 bilhões relacionaram-se às internações hospitalares.

85. *Mede o número de internações por qualquer causa em relação ao total de beneficiários. Cálculo: (número de internações no ano/número médio de beneficiários de planos hospitalares no ano) x 100* (Caderno de Informação da Saúde Suplementar - 03/2014).

86. Segundo Mendes (2011), "*as economias de escala ocorrem quando os custos médios a longo prazo diminuem, à medida que aumenta o volume das atividades e os custos fixos se distribuem por um maior número dessas atividades, sendo o longo prazo um período de tempo suficiente para que todos os insumos sejam variáveis*".

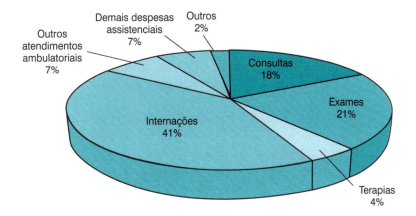

Figura 10.5 – *Distribuição percentual da despesa assistencial das operadoras médico-hospitalares, por itens de despesa médico-hospitalar (Brasil - 2012).*
Fonte: Caderno de Informação da Saúde Suplementar (ANS, 03,2013). Adaptado pelo autor.

propicia maior economia de escopo[87], além de maior agregação de valor, maior gerenciamento e redução dos custos, diminuição da dependência do mercado, aumento do poder de negociação, maior controle da incorporação de tecnologias, alinhamento de incentivos entre operadora e prestador de serviços, diminuição dos custos de transação[88] e aumento da produtividade.

Segundo resultado de estudo realizado com nove grandes medicinas de grupo atuantes na região metropolitana de São Paulo, Albuquerque e cols. (2011) concluíram que os maiores benefícios percebidos por essas operadoras nos seus processos de verticalização foram: aprimoramento no controle dos custos de produção; garantia ou melhoria da qualidade dos serviços prestados e incremento da economia de escala, especificamente nos processos de compra de materiais e medicamento.

Faz parte da estratégia de negócios de muitas operadoras, a opção pela "verticalização" de suas operações com investimentos em recursos próprios ("rede própria"), visando o aumento do seu poder de controle sobre a utilização do plano e sobre os custos envolvidos na assistência à saúde.

Considerando a modalidade da operadora, a integração vertical tornou-se uma das mais importantes formas de tentativa de controle das despesas assistenciais por parte das medici-

---

87. Segundo o Glossário disponibilizado na Internet pela Secretaria de Acompanhamento Econômico do Ministério da Fazenda (<http://www.seae.fazenda.gov.br/central_documentos/glossarios/E> Acesso em 02/07/2013.) definem-se **economias de escopo**: "*ocorrem quando o custo total de uma firma para produzir conjuntamente, pelo menos dois produtos/serviços, é menor do que o custo de duas ou mais firmas produzirem separadamente estes mesmos produtos/serviços, a preços dados de insumos. De forma similar às economias de escala, as economias de escopo podem também ser entendidas como reduções nos custos médios derivadas da produção conjunta de bens distintos, a preços dados de insumos*".
88. Segundo Wink, Sheng e Eid (2011, p.176), custos de transação podem ser classificados como: "*the cost of drawing up contracts, which is related to the cost of research and information; the cost of signing contracts, which is related to negotiation and decision-making costs; and the cost of monitoring and enforcing contracts*".

nas de grupo e cooperativas médicas. Ao contrário, as seguradoras especializadas não podem lançar mão desse recurso devido a proibição legal[89].

A "verticalização" demanda que a operadora tenha um tamanho expressivo da carteira de beneficiários, capacidade de investimento e de gestão. Ribeiro (2004) destaca a questão dos custos de transação como variável importante para a escolha entre verticalizar ou terceirizar.

Machado e Ragazzo (2011) ressaltam que a "verticalização" pode levar à alteração do ambiente de competição no mercado delimitado. O aumento do poder de mercado de uma empresa poderia incentivá-la ao boicote de contratações e/ou do fornecimento de insumos para outras empresas da cadeia. Como exemplo, em um pequeno município hipotético, caso uma operadora passe a controlar o único hospital local, em teoria, a operadora estaria promovendo o fechamento do mercado local para suas outras concorrentes, já que, sem escala, o pequeno município não comportaria outros prestadores de serviços.

Formas de Remuneração dos Prestadores de Serviços

Muitas são as formas possíveis de remuneração acordadas entre operadoras de planos de saúde e prestadores de serviços. No entanto, ainda é amplamente praticada no mercado da saúde suplementar a forma de pagamento denominada *fee-for-service* (Bessa, 2011; Takahashi, 2011). Conjuntamente, e em escala não desprezível, temos o pagamento por "pacotes". Em paralelo, ainda predominam no mercado negociações sobre formas de remuneração entre operadoras e prestadores de serviços, que se fundam majoritariamente nas questões referentes aos preços/custos, em prejuízo de uma discussão sobre a qualidade assistencial e agregação de valor ao paciente.

Fee-for-service *(pagamento por tarefa, por serviço prestado, por procedimento ou por unidade de serviço)*

Constitui-se em um sistema de pagamento retrospectivo ou de pós-pagamento. Dentro da óptica do *fee-for-service* são acordadas tabelas de remuneração entre operadoras e prestadores de serviços, visando os pagamentos "item a item". As tabelas discriminam os nomes dos serviços e seus respectivos preços e codificações. Há dois tipos básicos de tabelas, segundo a natureza dos itens agrupados: honorários (médicos e/ou odontológicos) e despesas (notadamente hospitalares).

Com a determinação da Troca de Informações na Saúde Suplementar (TISS) pela ANS, houve a imposição da padronização de todas as codificações e descrições de itens utilizados para pagamento no mercado, através da Terminologia Unificada da Saúde Suplementar - TUSS (Vide Padrão TISS).

Os honorários correspondem aos procedimentos ("serviços") realizados pelos profissionais da saúde. As tabelas publicadas pela Associação Médica Brasileira (AMB) sempre foram

---

89. Art. 73 c/c art. 133 do Decreto-Lei nº. 73, de 1966. Art. 73: "*As Sociedades Seguradoras não poderão explorar qualquer outro ramo de comércio ou indústria*"; Art. 133: "*É vedado às Sociedades Seguradoras acumular assistência financeira com assistência médico-hospitalar*".

utilizadas como base para pagamento dos honorários médicos na saúde suplementar. Antes da TUSS, o mercado utilizava Tabelas AMB de diferentes edições (1990, 1992, 1996, 1999), e cada ator do sistema adotava uma "tabela".

A mais recente Tabela AMB é a denominada Classificação Brasileira Hierarquizada de Procedimentos Médicos (CBHPM). Ela forneceu a base descritiva para composição do Rol de Procedimentos e, por conseguinte, este para a Tabela *procedimentos e eventos em saúde* da TUSS. Então, é importante frisar que a CBHPM é tabela criada originalmente pela AMB para ser base de pagamentos referentes aos honorários médicos, que o Rol de Procedimentos constitui-se em uma lista de coberturas mínimas obrigatórias para os planos de saúde, e que a tabela TUSS ("tabela de/para") contém os itens do Rol mais suas respectivas codificações padronizadas advindas da CBHPM.

As despesas hospitalares correspondem à precificação de todos os itens que compõem o suporte à assistência à saúde (excetuados os honorários). Há um padrão corrente no mercado com critérios de cobrança especificados, utilizado nas negociações entre operadoras e prestadores de serviços.

Como ocorreu com os honorários, a TUSS também apresenta a padronização da descrição e da codificação de cada item que compõe a tabela de despesas hospitalares. Mais recentemente, entidades do setor trabalharam para compor a chamada "conta aberta aprimorada"[90].

Temos os seguintes grupos de itens que compõem uma tabela de despesas hospitalares:

Diárias

Correspondem à permanência de um paciente por um período indivisível de até 24 horas em uma instituição hospitalar. A hora de início/término desse período é acordada entre contratante e contratada. São exemplos de tipos de diárias: enfermaria, quarto coletivo, quarto privativo, suíte, apartamento, berçário, berçário patológico, hospital-dia, UT semi--intensiva, UTI adulto, UTI infantil/pediátrica, UTI neonatal, isolamento.

Cada tipo de diária é precificada e pressupõe a cobertura para um grupo de determinados recursos e insumos específicos usados corriqueiramente na permanência do paciente naquele tipo de unidade hospitalar[91].

---

90. Em 11/2012, o grupo técnico formado por representantes de entidades participantes do setor (ABRAMGE, UNIDAS, FENASAÚDE, UNIMED, ANAHP, CMB, FBH, CNS e ANS) trabalhou para propor uma revisão e padronização dos itens utilizados em uma conta hospitalar no mercado da saúde suplementar, o que deu origem a chamada "conta aberta aprimorada - tabela compacta" (Sistemáticas de remuneração dos hospitais que atuam na saúde suplementar: conta aberta aprimorada / tabela compacta; Grupo de trabalho sobre remuneração dos hospitais, 2012). Entretanto, segundo o olhar deste autor, não se propôs alteração substancial no que já vinha sendo praticado no mercado há anos.

91. Segundo a "conta aberta aprimorada", a composição padrão de diárias de enfermaria ou apartamento engloba os seguintes itens: cama; roupa de cama e banho para o paciente; higienizações concorrente e terminal (incluindo materiais de uso na higiene e desinfecção do ambiente); dieta do paciente por via oral; cuidados de enfermagem; paramentação descartável ou não (gorro, máscara, avental, propé) dos profissionais de saúde e paciente; dosador para medicação via oral; copos descartáveis; bolinha de algodão para medicação parenteral e punções venosas; antisséptico (álcool 70%), hastes de algodão para a higiene ocular, de ouvido e nariz; avaliação nutricional da alimentação ao paciente, pela nutricionista; higiene pessoal do paciente (incluindo materiais como espátula, gaze, dentifrício, sabonete e higienizante bucal); serviços e taxas administrativas (registro do paciente, da internação, documentação do prontuário, troca de apartamento, transporte de equipamentos); cuidados pós morte; luvas de procedimentos e demais Equipamentos de Proteção Individual (EPI); atendimento médico por plantonista de intercorrências clínicas à beira do leito (primeiro atendimento).

Taxas

Existem três tipos de taxas utilizadas no mercado:

- **Taxa de sala**[92]: corresponde ao uso de um determinado espaço físico ("sala") incluídos os recursos (físicos e humanos) e insumos necessários à prestação da assistência específica naquele espaço[93]. Sua cobrança é determinada por duração do procedimento (em hora, dia), tempo médio do procedimento, porte cirúrgico do procedimento ou preço único por evento.
- **Taxa de uso de equipamentos**[94]: corresponde ao uso de determinado equipamento não incluso na diária, taxa de sala e demais itens. A cobrança é determinada por duração do procedimento (em hora, dia) ou preço único por evento.
- **Taxa de serviços**[95]: corresponde à realização de determinado "serviço específico" não incluso nos honorários, diárias, outras taxas ou SADT. Cobrança determinada por duração do procedimento (em hora, dia) ou preço único por evento.

Serviços de apoio ao diagnóstico e ao tratamento – SADT

Refere-se à precificação dos exames para diagnóstico (laboratoriais, de imagem etc.) e procedimentos terapêuticos tais como fisioterapia, radioterapia e quimioterapia. Apesar de os itens de apoio ao diagnóstico e ao tratamento estarem presentes na Tabela CBHPM e no Rol de Procedimentos, o mercado considera esses itens como "SADT", por conseguinte, na prática os trata como despesas, e não como honorários médicos.

---

92. São exemplos de tipos de taxas de sala: de centro cirúrgico e/ou obstétrico, de endoscopia, para sessão de quimioterapia ambulatorial, de procedimentos cirúrgicos/invasivos em ambulatório, de terapias e procedimentos clínicos em ambulatório, de imobilizações gessadas e não gessadas, para sessão de inalação, de hemodiálise para paciente crônico, de hemodinâmica, para atendimento em PS/PA, para atendimento de emergência em PS/PA, para medicamentos via IM ou IV em PS/PA, para repouso ou observação clínica em PS/PA.

93. Segundo a "conta aberta aprimorada", a composição padrão de uma taxa de sala de centro cirúrgico e/ou obstétrico engloba os seguintes itens: itens permanentes da sala cirúrgica (Estrutura Física) tais como filtro HEPA, fluxo laminar e focos de luz; instrumental cirúrgico básico esterilizado; equipamentos básicos (mesas, hamper, focos cirúrgicos, carrinho de anestesia); rouparia inerente ao centro cirúrgico/obstétrico descartável ou não (avental, máscara, gorro, propé, botas, escovas e campos cirúrgicos (exceto os campos cirúrgicos tipo Ioban, Stare Drape e Campo Adesivo); antissépticos para assepsia/antssepsia (equipe/paciente); limpeza e soluções para a desinfecção das salas de instrumentais; serviços de enfermagem; equipamentos (bisturi elétrico e bipolar; aspirador de parede; monitor cardíaco; monitor de PA não invasiva, oxímetro, capnógrafo; equipamento de anestesia, bomba de infusão, bomba de seringa, desfibrilador/cardioversor, respirador (aquele que faz parte do carrinho de anestesia), berço aquecido, sala de recuperação anestésica; sala de pré-parto; sala de reanimação de RN, todos os atendimentos inerentes ao primeiro atendimento ao RN.

94. São exemplos de tipos de taxas de uso de equipamentos: aspirador (fora da UTI e do Centro Cirúrgico), bomba circulação extracorpórea, broncoscópio, halo craniano, víideolaparoscópio cirúrgico, microscópio cirúrgico, trépano elétrico, etc.

95. São exemplos de tipos de taxas de serviços: aplicação de injeção, curativo, curativo para queimado, lavagem gástrica, remoções, sondagem vesical etc.

Gases medicinais

Estabelece a forma de remuneração para o uso de gases medicinais (ar comprimido, oxigênio, protóxido de hidrogênio, nitrogênio, óxido nitroso, óxido nítrico, vácuo). Cobrança determinada com base no casamento dos parâmetros volume e duração.

Materiais e medicamentos

A precificação de materiais e medicamentos envolve a adoção de tabelas de preços[96] correntes no mercado. Há uma Tabela TUSS que padroniza a lista de materiais e medicamentos.

O mercado tem como praxe a adoção da denominada "taxa de comercialização" pelos prestadores de serviços, que corresponde a um acréscimo percentual nos valores de mercado dos materiais e medicamentos negociados. Traduz uma forma de remuneração dos "custos de administração" que envolvem esses itens.

Materiais e medicamentos atualmente têm participação expressiva na composição de uma conta de internação hospitalar[97] e, por conseguinte, as operadoras despendem grandes esforços para majorar seu controle sobre eles.

Atribui-se ao *fee-for-service* uma influência negativa ao sistema, já que a remuneração recebida pelo prestador de serviços está diretamente vinculada à quantidade de tarefas/serviços/itens realizados. Nesse sentido, há incentivos para o aumento do volume de serviços, a indução da demanda, a utilização "excessiva" dos serviços, privilegiando a quantidade realizada em detrimento da qualidade e/ou efetividade da assistência à saúde. Ainda, por sua natureza, esse sistema de pós-pagamento promove barreira à inovação e está sujeito às fraudes, o que demanda das operadoras a organização de um grande aparato de controle na forma de "auditoria médica", o que, como visto anteriormente, aumenta seus custos de transação.

Para a operadora, a auditoria desempenha um papel fundamental no controle das atividades da sua rede de prestadores, ao aplicar revisão/supervisão das práticas médicas/odontológicas e controle de contas médico-hospitalares. As operadoras dividem-na em interna (atividades tais como análises e revisões de contas, autorização prévia, análises técnicas) ou externa (atividades *in loco* nos prestadores de serviços, especificamente nos hospitais visando o controle das internações).

Cabe à auditoria médica aplicar as denominadas glosas em contas apresentadas pelos prestadores. As glosas são itens da conta médico-hospitalar não reconhecidos como pertinentes de pagamento, com base nos mais diversos motivos. As glosas geram constantes negociações e atritos entre operadoras e prestadores.

---

96. Simpro, Brasíndice etc.
97. Segundo a Associação Nacional dos Hospitais Privados - ANAHP, em 2013 os insumos hospitalares corresponderam a 48,6% da receita do grupo de hospitais privados que ela representa, segundo a natureza da receita. Diárias e taxas tiveram participação de 18,8 % e SADT, 17,6% (Observatório ANAHP, Ed. n.6 - 2014).

Pagamento por "pacotes"

É um sistema de pagamento prospectivo ou de pré-pagamento, empregado comumente pelas operadoras, em grande parte para remuneração de procedimentos clínicos ou cirúrgicos realizados em regime de internação.

Com base em preços fixos, os "pacotes" contemplam todos os itens necessários ao custeio de determinados procedimentos eletivos de baixa variabilidade e alta previsibilidade. Estabelece-se o custo médio do procedimento escolhido e considera-se como inclusos nele todos os itens comumente utilizados (honorários, diárias, taxas, SADT, materiais, medicamentos e gases). O conhecimento sobre protocolos médicos e sobre custos hospitalares pode refinar sua composição e acrescentar a variável custo-efetividade na sua análise. Nessa linha, há uma proposição para o mercado do chamado "procedimento gerenciado"[98].

Os acordos de "pacotes" demandam previsão de flexibilidade, com a consideração de possíveis intercorrências na realização de um procedimento, já que aspectos tais como os relacionados à gravidade dos pacientes não costumam ser valorizados nos cálculos. Assim, considerando sua natureza de pré-pagamento, o "pacote" pode incentivar a seleção de risco (prestador evita casos mais graves que poderiam "extrapolar" o preço acordado) e/ou o subtratamento (p. ex., não uso de determinados insumos ou uso daqueles de "menor qualidade").

As vantagens para as operadoras de planos de saúde adotantes do pacote, se comparadas às da remuneração por unidades de serviços, seriam: simplificação da cobrança em conta com menor necessidade de auditoria, melhor controle dos custos e transferência parcial do risco para o prestador de serviços.

A atenuação dos riscos para o hospital passa pela formatação e negociação do pacote baseando-se no conhecimento da estrutura de seus custos, na aplicação de protocolos clínicos e na previsão de cobrança em "conta aberta" no caso de intercorrências. A adesão de seu corpo clínico também otimiza a aplicação do pacote.

Seguindo a mesma linha conceitual dos "pacotes", as "diárias globais" contemplam preço único para um conjunto de itens/serviços comuns a uma diária hospitalar de internação clínica. Entretanto, no geral, a sua formatação exclui materiais e medicamentos de alto custo. Sua adoção potencialmente pode incentivar uma maior permanência hospitalar e/ou eventual seleção de risco.

As operadoras procuram acordar pacotes com determinados prestadores que lhes ofereçam melhores preços. Em compensação, oferecem o direcionamento de seus beneficiários e, indiretamente, fornecem maior "escala" a esses prestadores preferenciais.

Por tudo isso, há muito se discute a adoção de outras formas de remuneração na saúde suplementar (Tabela 10.4), que possam incentivar mais a qualidade da atenção à saúde, o desempenho e o compartilhamento do risco. Algumas negociações entre operadoras e

---

98. Em 11/2012, o grupo de trabalho contando com representantes de entidades participantes do setor (ABRAMGE, UNIDAS, FENASAÚDE, UNIMED, ANAHP, CMB, FBH, CNS e ANS) propôs o chamado "procedimento gerenciado" que se diferencia do pacote porque *"o pacote considera a média dos preços praticados, independentemente da base técnica que fundamenta o procedimento, ao passo que o Procedimento Gerenciado considera primeiro a fundamentação técnica, apura os custos relacionados e calcula o preço"*. (Sistemáticas de remuneração dos hospitais que atuam na saúde suplementar: procedimentos gerenciados; Grupo de trabalho sobre remuneração dos hospitais, 2012).

prestadores têm caminhado nesse sentido, mas seu sucesso efetivo ainda tem sido incipiente e pontual[99].

Troca de Informações na Saúde Suplementar (TISS)

No mercado da saúde suplementar, até bem pouco tempo atrás, tanto operadoras de planos de saúde, quanto prestadores de serviços, utilizavam uma diversidade de tabelas de pagamento, codificações, formulários e sistemas de informação não padronizados, o que tornava os processos de comunicação entre eles muito burocráticos, incompatíveis, sem interoperabilidade e dispendiosos. Do lado do Estado, essa situação refletiu-se na carência de um sistema de informação unificado e ágil, que permitisse a obtenção de informações padronizadas para estudos epidemiológicos, avaliação da assistência à saúde e de seus resultados, comparações e análises sobre desempenho dos atores envolvidos e definição de políticas para a saúde suplementar.

Objetivando minorar os referidos problemas, a ANS instituiu o chamado Padrão TISS (Troca de Informação na Saúde Suplementar). Lançou norma que impõe a padronização obrigatória das trocas de dados e informações da atenção à saúde dos beneficiários (prioritariamente eletrônicas), entre operadoras de planos de saúde, prestadores de serviços, beneficiários e ANS.

O Padrão TISS na sua grande parte abrange as trocas de dados oriundos da atenção à saúde prestada aos beneficiários na rede prestadora de serviços de saúde da operadora. Assim, necessariamente leva à busca da padronização dos atos administrativos relacionados a solicitações de atendimentos em saúde, verificações de elegibilidade, autorizações, cobranças, pagamentos, glosas e seus recursos.

A ANS atribuiu cinco componentes para o Padrão TISS:

- **Organizacional:** apresenta o conjunto das regras operacionais do Padrão TISS e estabelece suas respectivas atualizações (versões).
- **Conteúdo e estrutura:** trata das regras sobre a arquitetura dos dados utilizados nas mensagens eletrônicas (lista de mensagens) e nos formulários (*layout* padrão e legendas). Cada um dos processos administrativos padronizados faz referência a um conjunto de mensagens padronizadas[100].
- **Representação de conceitos em saúde:** trata da padronização dos termos, códigos e descrições empregados para identificação dos procedimentos, eventos e demais itens assistenciais utilizados na saúde suplementar. A Terminologia Unificada da Saúde Suplementar (TUSS) representa o conjunto dessa padronização e apresenta

---

99. Com um olhar mais voltado aos sistemas de financiamento e à gestão hospitalar, Médici (2011) destaca que a implantação do sistema de pagamento envolve distintos graus de complexidade institucional (fatores internos de gestão) e de desenvolvimento dos mercados (fatores externos à gestão hospitalar). Cita fatores envolvidos tais como: habilidades gerenciais, contabilidade e sistemas de informação, competitividade no mercado hospitalar, transparência e informação aos usuários do sistema. (Médici AC. In: Gestão em Saúde, 2011. p. 69).
100. Como exemplo, temos no fluxo de dados entre operadoras e prestadores de serviços o processo padrão "autorização de procedimentos" com as seguintes mensagens padrão: "solicitação de autorização", "autorização de serviços", "solicitação de status de autorização", "lote de anexos", "situação de autorização", "recebimento anexos", "cancelamento de guia".

Tabela 10.4
Resumo sobre outras formas de pagamento

FORMA DE REMUNERAÇÃO	CONCEITO	ASPECTOS POSITIVOS E NEGATIVOS	OBSERVAÇÃO
Pagamento por diagnóstico	Envolve o pagamento de um valor único que cobre o tratamento de um diagnóstico básico contemplando o conjunto de todos os procedimentos necessários a esse fim	1. Escolha da melhor alternativa para tratar determinado "diagnóstico" através de protocolos baseados em evidências e com análises de custo-efetividade. 2. Médici (2011) aponta como vantagens desse sistema: aumento da qualidade da atenção ao paciente e uniformização do tratamento; economia de recursos dos pagadores; melhora a eficiência e estabelece mecanismos de contenção de custos dos hospitais. Como desvantagens: necessidade de sistemas de informação eficientes; exigência de sistemas eficientes de auditorias médicas; adequados incentivos aos prestadores; aplicação cara e complexa para pequenos hospitais. 3. Interessante incluir variáveis de ajuste como idade, sexo, complicações, comorbidades para evitar a rejeição dos casos mais graves. 4. Diferentes diagnósticos podem embutir diferentes taxas de lucros, o que pode ser percebido pelos prestadores de serviços como incentivo à seleção dos "diagnósticos mais rentáveis"	Os Grupos Relacionados de Diagnósticos (GRD) ou Diagnosis Related Groups (DRG) foram criados no EUA em 1976. Inicialmente utilizaram classes de diagnósticos do CID e foram adotados pelo Medicare e Medcaid
Pagamento por capitação	Valor de remuneração fixo per capita para assistência à saúde parcial ou integral de indivíduos de uma população fechada e determinada	1. Assunção de riscos por parte do prestador de serviços. 2. Maior previsibilidade de gastos por parte da operadora. 3. Para cálculo do valor é necessário o uso de indicadores da utilização dos serviços do prestador, perfil epidemiológico da população indicada, cálculo atuarial. 4. Teórico estímulo para baixar o risco de utilização dos serviços com medidas de prevenção e promoção da saúde. 5. Pode incentivar a seleção do risco e a "subprestação de serviços" (Médici, 2011)	Tipos praticados por hospitais: subcapitação, revertida, parcial, global (Médici, 2011)
Pagamento por desempenho (*performance*; P4P)	Busca o alinhamento de recompensas financeiras (incentivos) com o alcance de metas e a melhora de resultados acerca da qualidade da assistência à saúde (desempenho, performance)	1. Aumento da qualidade da assistência. 2. Controle de custos 3. Aplicação de protocolos baseados em Medicina Baseada em Evidências: redução de variações na prática clínica e de erros. 4. Se agregado ao sistema de pagamento vigente: estabilização ou reforço desse sistema. 5. Aumento da transparência sobre desempenho do prestador para variáveis preço e qualidade. 6. Melhoria do posicionamento competitivo e imagem no mercado dos participantes. 7. Simplicidade administrativa. 8. Foco no curto prazo para metas. 9. Perda de comprometimento. 10. Incentivos vistos como punições. 11. Amorim e Perillo (2011) citam os seguintes aspectos negativos: - Seleção adversa - incentivo para evitar pacientes mais graves, visando não comprometer metas. - Visão em túnel – foco somente nos aspectos mensurados. - Iniquidade – exclusão de grupos específicos de pacientes. - Superpagamento – pagamento também para profissionais que já alcançam ou superam o patamar desejado. - Erosão - diminuição potencial da motivação intrínseca dos profissionais. - Fraude 12. (Campbell et al., 2009)**: após 3-4 anos de programa, tendência à lentificação dos ganhos, estabilização ou queda do aumento da qualidade; queda de resultados para aspectos não vinculados aos incentivos	Dificuldades para determinar o que é, de fato, "qualidade", "bom desempenho"

** Baseado em levantamento dos resultados do tratamento de asma, diabetes e doença coronariana, após introdução em 2004, de sistema de pagamento por desempenho no sistema de atenção primária do Reino Unido.
Fonte: Elaborado pelo autor.

a unificação das diferentes tabelas[101] adotadas pelos participantes do sistema para o pagamento de serviços no mercado. Cada item das tabelas possui uma descrição e uma codificação específica.

- **Segurança e privacidade**: apresenta as regras sobre a manutenção da segurança, privacidade, confidencialidade e sigilo profissional das informações relacionadas ao estado de saúde dos beneficiários, conforme legislação vigente sobre o assunto. Obriga as operadoras a proteger as informações de saúde de seus beneficiários.
- **Comunicação**: Apresenta as regras que definem os meios e os métodos para se estabelecer a comunicação da arquitetura dos dados trocados nas mensagens eletrônicas entre os sistemas de informação das operadoras, prestadores e ANS. O padrão de linguagem adotado é o XML (*Extensible Mark-up Language*).

Os dados trocados entre operadoras e prestadores devem ser realizados via *web service* e portal na Internet. A operadora deverá manter um portal corporativo[102] na Internet contendo minimamente duas áreas distintas direcionadas para acesso: a) do público em geral, e de seus beneficiários em específico; b) de seus prestadores de serviços, denominada "portal TISS"[103].

---

101. São exemplos de tabelas: Diárias, taxas e gases medicinais; Materiais e Órteses, Próteses e Materiais Especiais (OPME); Procedimentos e eventos em saúde; medicamentos; Tipo de faturamento; Código da despesa; Diagnóstico por imagem; Forma de pagamento, Tabela Própria de Pacotes etc.

102. Essa área deverá elencar a lista de planos comercializados pela operadora com suas respectivas especificações (nome comercial do produto, abrangência geográfica, número de registro do produto, segmentação assistencial, rede credenciada) e permitir a visualização espacial da rede prestadora através de mapeamento* gráfico (*obrigatório para operadoras com mais de 20.000 beneficiários).

103. O portal TISS deverá permitir upload e download de arquivos, inclusive aqueles relacionados ao processo de cobrança de serviços de saúde.

Bibliografia Consultada

1. Albuquerque GM et al. Integração vertical nas operadoras de assistência médica privada: um estudo exploratório na região de São Paulo. Produção, jan./mar., 2011;21(1):39-52.
2. Andrade MV, Gama MM, Ruiz RM, Maia AC, Modenesi B, Tiburcio DM. Mercados e concentração no setor suplementar de planos e seguros de saúde no Brasil. Pesquisa e Planejamento Econômico, 2012 ;42(3):329-361.
3. Andréa JLB. Regulação e fiscalização da saúde suplementar. In: Ferraz MB, Zucchi P. (Org.). Guia de economia e gestão em saúde. 1ª ed. Barueri, SP: Manole; 2010.
4. Araújo DV. Custo e gerenciamento de doenças. In: Ferraz MB, Zucchi P. (Org.). Guia de economia e gestão em saúde. 1ª ed. Barueri, SP: Manole; 2010.
5. Associação Nacional dos Hospitais Privados - ANAHP. Observatório ANAHP. Edição n.6, 2014. Disponível na internet: <http://www.anahp.com.br>. Acesso em 01/07/2014.
6. Bahia L. Mudanças e padrões das relações público-privado: seguros e planos de saúde no Brasil. Tese de Doutorado. Rio de Janeiro: Fiocruz / ENSP; 1999.
7. Bahia L, Scheffer M. Planos e seguros de saúde: o que todos devem saber sobre a assistência médica suplementar no Brasil. São Paulo: Editora UNESP; 2010.
8. Bessa RO. Análise dos modelos de remuneração médica no setor de saúde suplementar brasileiro. Dissertação de Mestrado. São Paulo: Escola de Administração de Empresas de São Paulo / FGV; 2011.
9. Brasil. Conselho Nacional de Secretários de Saúde. Regulação em saúde. Brasília: CONASS, 2011. Disponível na internet: <http://www.conass.org.br/colecao2011/livro_10.pdf>. Acessado em: 06 mai. 2013.
10. _____. Conselho Nacional de Secretários de Saúde. Saúde suplementar. Brasília: CONASS, 2011. Disponível na internet: <http://www.conass.org.br/colecao2011/livro_12.pdf>. Acessado em: 06 mai. 2013.
11. _____. Lei n°.9.656, de 02/06/1998. Regulamenta a Saúde Suplementar no Brasil e dá outras providências. Diário Oficial da União. Brasília: 1998. Disponível na internet: <http://www.ans.gov.br/index.php/legislacao/busca-de-legislacao>. Acesso em: 01/07/2014.
12. _____. Lei n°.9.961, de 28/01/2000. Cria a Agência Nacional de Saúde Suplementar - ANS e dá outras providências. Diário Oficial da União. Brasília: 2000. Disponível na internet: <http://www.ans.gov.br/index.php/legislacao/busca-de-legislacao>. Acessado em: 21 nov. 2012.
13. _____. Ministério da Saúde. Agência Nacional de Saúde Suplementar. Caderno de Informação da Saúde Suplementar: Beneficiários, Operadoras e Planos. Rio de Janeiro: ANS, 2014. Disponível na internet: <http://www.ans.gov.br>. Acesso em 01/07/2014.
14. _____. Ministério da Saúde. Agência Nacional de Saúde Suplementar. Foco - Saúde Suplementar. Rio de Janeiro: ANS, 2014. Disponível na internet: <http://www.ans.gov.br>. Acesso em 01/07/2014.
15. _____. Ministério da Saúde. Agência Nacional de Saúde Suplementar. Glossário temático: saúde suplementar. Brasília: Ministério da Saúde, 2012. Disponível na internet:<http://www.ans.gov.br>. Acessado em: 20 dez. 2012.
16. Campbell S et al. Effect of pay for performance in quality of primary care in England. Boston, New England Journal of Medicine. Jul. 23, 2009;361(4):368-378.
17. Cechin J. A história e os desafios da saúde suplementar: 10 anos de regulação. São Paulo: Saraiva; Letras & Lucros; 2008.
18. Cecílio LCO, Aciole GG, Meneses CS, Iriart CB. A microrregulação praticada pelas operadoras investigadas. In: Brasil. Ministério da Saúde. Agência Nacional de Saúde Suplementar. Duas faces da mesma moeda: microrregulação e modelos assistenciais na saúde suplementar. Rio de Janeiro: Ministério da Saúde; 2005.
19. Figueiredo LF, Vecina Neto G. A estrutura dos serviços privados de saúde no Brasil. In: Vecina Neto G, Malik AM (Org.). Gestão em Saúde. Rio de Janeiro: Ed. Guanabara Koogan; 2011.

20. Machado KM, Ragazzo CEJ. Desafios da análise do CADE no setor de planos de saúde. In: Perillo EBF, Amorim MCS (Org.). Para Entender a Saúde no Brasil, 4. São Paulo: LCTE Editora; 2011.
21. Médici AC. Sistemas de financiamento e gestão hospitalar: uma aplicação ao caso brasileiro. In: Vecina Neto G, Malik AM (Org.). Gestão em Saúde. Rio de Janeiro: Ed. Guanabara Koogan; 2011.
22. Mendes EV. As redes de atenção à saúde: uma mudança na organização e na gestão dos sistemas de atenção à saúde. In: Vecina Neto G, Malik AM (Org.). Gestão em Saúde. Rio de Janeiro: Ed. Guanabara Koogan; 2011.
23. Montone J. Planos de saúde: passado e futuro. Rio de Janeiro: Medbook; 2009.
24. Perillo EBF, Amorim MCS. Pagamento por desempenho: experiências e reflexões. In: Perillo EBF, Amorim MCS (Org.). Para Entender a Saúde no Brasil, 4. São Paulo: LCTE Editora; 2011.
25. Ribeiro JM. Restrições de informações, custo de transação e ambiente regulatório em saúde suplementar. In: Montone J, Castro AJW (org.). Regulação e Saúde. Documentos técnicos de apoio ao fórum de saúde suplementar de 2003. Rio de Janeiro: ; 2004;3(tomo 1):147-178.
26. Santos FP, Merhy EE. A regulação pública da saúde no estado brasileiro: uma revisão. Interface Comunic, Saúde, Educ. jan.-jun./2006;10(19):25-41.
27. Souza ALF, Ribeiro TC et al. Dicionário de seguros: vocabulário conceituado de seguros. 2ª ed. Rio de Janeiro: FUNENSEG; 2000.
28. Takahashi ACD. Análise do modelo de remuneração hospitalar no mercado de saúde suplementar paulistano. Dissertação de mestrado. São Paulo: Escola de Administração de Empresas de São Paulo / FGV; 2011.
29. Wink Jr. MV, Sheng HH, Eid Jr.W. Transaction costs: an empirical analysis of their relationship with investment and foreign direct investment. RAE. São Paulo. mar./abr. 2011;51(2):175-187.

11 Gestão de Projetos em Saúde

Américo Rodotá
Francis P. Martins
Renata F. Vilenky.

INTRODUÇÃO

Em 1969, nos arredores da Filadélfia, Estados Unidos, um grupo de cinco voluntários fundou o *Project Management Institute* (PMI), que tinha como objetivo principal o desenvolvimento de boas práticas que norteassem a condução dos projetos. A história do Gerenciamento de Projetos no Brasil tem início nos anos 1960, com a construção maciça de hidroelétrticas para geração de energia do País. Estes projetos exigiam enormes esforços de planejamento e intensos processos de acompanhamento e controle de execução. Assim, neste momento várias metodologias como Gantt, PERT e CPM começaram a ser utilizadas e divulgadas.

No entanto, foi nos anos 1980, acompanhando o crescimento dos setor bancário e da indústria de *software*, somados ao estressante processo econômico de hiperinflação, que começou a ser adotada a metodologia do *Project Management Institute* (PMI), a qual possui um complexo arsenal de ferramentas que permite a gestão dos mais diversos tipos de projeto.

Na visão do PMI, as ferramentas e as técnicas da gerência de projeto não diferem, seja na indústria do *software*, bem como no outro extremo, que é a indústria de construção. Assim, em 1981, o PMI desenvolveu um guia de projetos, o *Project Management Body of Knowledge*, contendo os padrões e as linhas mestras das práticas que permitem a aplicação em diversos segmentos.

De modo geral, podemos dizer que o Gerenciamento de Projetos é a disciplina de planejamento, organização, execução e controle de recursos e atividades, visando a realização de objetivos estabelecidos.Mas para que esta disciplina possa ser aplicada, é necessário o domínio das dez áreas de conhecimento, descritas a seguir:

1. Gestão de Integração do Projeto, que visa contralar a execução os aspectos do Projeto;
2. Gestão do Escopo, que controla o Objeto Final de Produto a ser entregue, seja um produto ou serviço;

3. Gestão do Tempo, que é um dos principais recursos a ser controlado, pois Projetos visam atender necessidades que podem mudar ao longo do tempo;
4. Gestão dos Custos, a fim de que os objetivos físicos e financeiros sejam alcançados conforme planejado;
5. Gestão de Qualidade, a fim de que os entregáveis atendam às expectativas dos clientes;
6. Gestão de Recursos Humanos, pois a capacidade de execução dentro do tempo, custos e qualidade é diretamente dependente da disponibilidade e qualidade dos recursos humanos alocados;
7. Gestão das Comunicações, que visa alinhar o entendimento dos patrocinadores do Projeto, dos Clientes, dos Executores, Autoridades Governamentais, Comunidade e demais envolvidos;
8. Gestão de Riscos, que tem a função de controlar, contingenciar e mitigar os riscos de insucesso do Projeto;
9. Gestão de Aquisições, a fim de que os entregáveis atendam às expectativas dos clientes;
10. Gestão de Envolvidos, fator crítico de sucesso, que visa gerenciar os interesses dos patrocinadores do Projeto, dos Clientes, dos Executores, Autoridades Governamentais, Agências Reguladoras, Entidades não Governamentais e Comunidade e demais envolvidos, a fim de dar sustenção à execução do Projeto.

As exigências nos projetos só aumentaram ao longo dos anos, os orçamentos cada vez menores, o tempo de desenvolvimento também reduzido e a qualidade virando commodity fizeram com que a gestão eficiente e eficaz dos projetos fizesse a diferença entre o sucesso e o fracasso nas organizações. Dentro desse pressuposto, a perfeita condução destes, juntamente com as demais ferramentas de gestão, ajudarão as empresas a manterem a sua perpetuidade. Em um primeiro momento, as dez áreas de conhecimento apresentadas podem parecer muito complexas, mas com a aplicação diária das ferramentas nos familiarizamos com elas e as mesmas passam a ser de aplicação intuitiva.

A Gestão de Projetos no Hospital Fligetz

Contexto

Orientado pela incessante busca da excelência na assistência à saúde, o hospital Fligetz ocupa posição de vanguarda entre as instituições hospitalares da América Latina, sendo, três vezes consecutivas, certificado pela *Joint Commission International*. Além disso, o hospital Fligetz dispõe de certificações ISO em diversas áreas. Esse patamar de excelência é plenamente reconhecido por médicos e pacientes.

Pioneiro em alta tecnologia, o hospital Fligetz possuía, já na década de 1970, os dois primeiros equipamentos de ressonância nuclear magnética da América Latina, e continua na liderança, tendo incorporado, em julho de 2007, o *Da Vinci Surgical System*, que é um sistema que traduz, em tempo real, os movimentos das mãos de um cirurgião, em movimentos milimetricamente precisos. Combinando procedimentos de alta complexidade e atendimento multidisciplinar, focado no paciente, o hospital Fligetz oferece uma medicina sintonizada com a vanguarda científica e tecnológica internacional.

Histórico da empresa

Construído com recursos provenientes de doações e do trabalho de um grupo de pessoas dedicadas, o hospital Fligetz foi inaugurado em 1971. A partir de então se tornou referência em tratamentos com tecnologia de ponta e atendimento humanizado, e expandiu suas fronteiras com ações de responsabilidade social e atividades de ensino e pesquisa.

A atuação em responsabilidade social do hospital Fligetz começou na década de 1960, quando a Pediatria Assistencial atendia gratuitamente crianças da região do Capão Redondo. Em 1997, foi criado o Programa Fligetz na Comunidade de Paraisópolis para dar assistência a 10 mil crianças de uma das maiores comunidades carentes de São Paulo. Hoje, o hospital Fligetz atua em conjunto com os gestores públicos de saúde para ajudar a suprir suas necessidades assistenciais, tecnológicas ou de competências.

Atualmente o hospital Fligetz está diante de projetos importantes, que mostram como a parceria público-privada pode render frutos para a sociedade, inspirando outras instituições a engrossarem suas fileiras em prol da saúde no Brasil. As competências e os conhecimentos estão a serviço não só dos pacientes em suas unidades, mas também em mais de duas dezenas de locais na grande São Paulo, no Brasil e no mundo.

As atividades de educação e pesquisa são o motor da inovação, e não se restringem aos pacientes do hospital Fligetz, englobando cursos técnicos, de graduação e pós-graduação, treinamentos sofisticados e pesquisas clínicas e experimentais.

Em 2006, o hospital Fligetz iniciou um plano de expansão terminado em 2012. O projeto prevê dobrar o tamanho das instalações da Unidade do Capão Redondo. Essa iniciativa busca responder às crescentes taxas de ocupação, ao aumento do número de pacientes externos e adaptar a infraestrutura do Hospital às exigências das modernas tecnologias, à nova realidade da prática médica e aos mais rigorosos requisitos de qualidade no atendimento.

O hospital Fligetz tem como missão "Ser referência em pesquisa, geração e difusão de conhecimentos na área da saúde para benefício da sociedade". Atualmente, abriga um amplo setor de pesquisa, com unidades dedicadas à pesquisa experimental, clínica e pré-clínica e o Centro de Educação em Saúde José Fligetz (CESJF), que congrega as atividades de ensino, treinamento em saúde e difusão científica realizadas no âmbito do hospital. O hospital também possui duas importantes unidades de apoio aos pesquisadores e ao corpo clínico que são o Sistema Integrado de Bibliotecas e o Centro de Informação e Comunicação (telemedicina e núcleo internet).

Hoje, o hospital está numa posição de liderança no setor da saúde, atuando em parceria com importantes instituições de pesquisa científica no país e no exterior, agências nacionais e internacionais de fomento e órgãos governamentais. A organização e custos administrativos do hospital são:

- 5.600 funcionários;
- 447 enfermeiros;
- 1.185 profissionais de enfermagem;

- 450 médicos contratados;
- 6.000 médicos cadastrados;
- 67% feminino e 33% masculino;
- idade média: 34 anos;
- tempo médio na instituição: 5 anos;
- 500 leitos;
- 2,1 milhões de exames realizados nas unidades de medicina diagnóstica;
- 189 transplantes realizados, sendo 95% via SUS;
- mais de 1;400 transplantes de órgãos sólidos realizados pelo Sistema Único de Saúde desde 2002;
- faturamento anual de R$ 600 milhões;
- 6 unidades de atendimento Hospitalar;
- investimento em TI em torno de R$ 23 milhões ano. Os gastos em TI praticamente duplicaram de 2005 a 2009 e o detalhamento encontra-se na Tabela 11.1;
- a área de tecnologia conta com quase 100 profissionais CLT, todos analistas de sistemas e infraestrutura com curso superior, tempo de experiência médio em torno de 5 anos na área médico-hospitalar e 10 anos em TI com especializações dentro de duas áreas de atuação;
- gastos administrativos em torno de R$ 242 milhões.

Tabela 11.1
Gastos com TI do hospital Fligetz

DESCRIÇÃO	ANO				
Gastos com TI	2005	2006	2007	2008	2009
Equipamentos de informática	696.718	696.516	2.257.442	3.531.258	6.838.022
Software	864.782	538.730	1.737.534	1.966.652	2.849.736
Manutenção de Hardware e Software	239.582	288.140	1.354.772	2.108.598	1.950.594
Diretoria de TI	6.745.678	9.294.348	9.492.914	14.565.548	12.486.752
Equipamentos Médicos	3.871.830	956.670	903.830	1.179.988	1.329.446

Estrutura física (Tabela 11.2)

Tabela 11.2
Estrutura física do hospital Fligetz

DESCRIÇÃO	QUANTIDADE
Área	287.200 m
Leitos	486
Salas de cirurgia	28
Consultórios	100
Leitos de pronto-atendimento	10
Vagas no estacionamento	1.250
Assentos no auditório	200
Salas de aula	4

Missão, visão e valores

- **Missão** – oferecer excelência de qualidade no âmbito da saúde, da geração do conhecimento e da responsabilidade social, como forma de evidenciar a contribuição à sociedade brasileira.
- **Visão** – ser líder e inovadora na assistência médico-hospitalar, referência na gestão do conhecimento e reconhecida pelo comprometimento com a responsabilidade social.
- **Valores** – boas ações, saúde, educação e justiça social. Foram esses os preceitos que motivaram médicos a fundar o hospital Fligetz há mais de 50 anos. Somados aos valores organizacionais (honestidade, verdade, integridade, diligência, competência e justiça), eles norteiam as atividades e os colaboradores da instituição.

Transformações

O hospital vem passando, nos últimos 10 anos, por diversas transformações. Numa visão estratégica o hospital viveu três grandes momentos. O primeiro, em 2000, quando implantou um sistema de ERP focado no controle da gestão hospitalar, este sistema controlava desde o paciente na triagem até a sua liberação formal do hospital. O segundo grande momento foi em 2007, quando o hospital conseguiu identificar suas fontes de desperdício com o uso do sistema e seus problemas operacionais e para isso implantou a área de reengenharia de processos para redesenhar processos críticos com alto custo ou com baixo desempenho. O terceiro grande momento foi em 2009, com a implantação dos processos redesenhados e a nova versão do sistema para se adaptar ao modelo reestruturado da gestão do hospital.

Diretrizes estratégicas

- Foco no cliente, o cliente é um ser humano e não apenas uma fonte de receita.
- Envolver todos os funcionários na tomada de decisão da empresa.
- Profissionalizar os quadros administrativos.
- Reduzir custos eliminando desperdícios.
- Melhorar as habilidades no atendimento ao cliente.
- Desenvolver parcerias estratégicas buscando ampliar a área de atuação e o acesso aos pacientes.
- Aumentar o investimento em *marketing*.
- Investir na área de informática de forma a disponibilizar todos os resultados do serviço de saúde em diversos canais de acesso.

Gestão de tecnologia

- *Orientada a resultados e foco no negócio* – o departamento deve desenvolver e deter a tecnologia necessária para atender diagnósticos (serviços-fim da empresa) e otimizar através de soluções inteligentes as áreas de RH, *supply chain* e demais áreas onde seja possível ganhar eficiência e eficácia dentro dos padrões da empresa.

- *Tecnologia* – o desenvolvimento de sistemas que respeitam padrões internacionais de qualidade, tanto na escolha de pacotes prontos quanto na geração de códigos internos pela própria área de TI. A equipe deve acompanhar as tendências de mercado visando manter alto padrão de segurança, inovação e tecnologia dentro dos projetos da empresa.
- *Paper Less* – trabalhar a automatização dos processos da empresa para cada vez menos exigir a impressão de documentos nos departamentos, quer sejam papéis administrativos ou prontuários de pacientes.
- *PACS* – utilizar o *picture archive communiaction system* para armazenar e disponibilizar imagens de exames, possibilitando maior agilidade e precisão nas decisões médicas.
- Autonomia do usuário.
- Terceirização de mão de obra com empresas sólidas financeiramente.
- Utilização de sistemas especialistas.
- Controle eletrônico do prontuário do paciente.
- Integração das diversas áreas do hospital através de uma visão única e automatizada para acompanhamento de pacientes residentes e não residentes.
- Telerradiologia e telemedicina.
- *Call center* com atendimento 7 x 24 h.

Projeto de integração para controle de desperdícios

Em 2009, o hospital implantou o novo processo de dosagem única que visa à redução de desperdícios com remédios espalhados pelos corredores do hospital, microestoques de medicamentos nos andares, desvio de medicamentos, além de compras malfeitas em razão da falta de controle.

O controle dos medicamentos é consolidado em uma farmácia central para cada unidade do Hospital, e esta é responsável por distribuir os medicamentos conforme prescrição médica nas dosagens e nos horários solicitados pelos médicos.

Todo o processo é automatizado desde o prontuário do paciente até sua dieta, e seu histórico é 100% digitado em um único local que se transforma na base de conhecimento sobre o paciente, para que o mesmo possa ser acompanhado em qualquer unidade do hospital e, principalmente, para que qualquer setor que o atenda saiba quais são suas restrições, medicamentos, exames realizados e, sobretudo, qual o diagnóstico prescrito que o levou ao tratamento.

A partir desta base de conhecimento de pacientes é que a farmácia central monitora suas requisições de medicamentos diárias e envia para cada leito o remédio com a dose correta que o paciente precisa tomar no horário determinado.

Além disso, a farmácia controla o estoque mínimo de cada item e, conforme parâmetros específicos, aciona a área de compras para requisitar nova aquisição ou mesmo informa qualquer alteração no processo de compra do item, quer seja cancelamento, aumento de quantidade ou alteração de especificação técnica.

Esse projeto foi implantado ao longo de 6 meses e enfrentou barreiras por parte da equipe médica desde a necessidade da digitação dos prontuários, receitas e inclusão de exames. Também enfrentou desconfiança de alguns funcionários quanto à capacidade de gestão da farmácia central sobre os remédios e desconfiança da enfermagem quanto à disciplina de distribuição dos remédios.

O treinamento para os profissionais do hospital foi gerido e ministrado por uma equipe de gestão de mudança do próprio hospital formada por dois gestores de processos e 12 profissionais das diversas áreas do hospital (desde nutricionista, enfermeira, anestesista, radiologista, médico, até profissionais das áreas administrativas). Esse processo ocorreu durante 5 meses e acontecia em rodadas de 20 dias a cada final de ciclo de testes do *software* antes da entrada em produção.

O período de trabalho era de 12 horas por dia, inclusive finais de semana, a equipe técnica e a de profissionais do hospital responsáveis pela entrega do projeto ficaram isoladas em um único local físico para ganhar sinergia e garantir que o único foco de trabalho de todos fosse o cumprimento do projeto.

No geral, a gestão do projeto aplicada neste caso foi eficiente e eficaz, tendo como resultado a redução do desperdício em 45%, o que gerou uma economia de R$ 1,5 milhão de reais em 9 meses, tendo o projeto custado R$ 1,3 milhão.

A Estrutura e as Etapas da Implantação do Projeto

O desenvolvimento do projeto dosagem única no hospital Fligetz obteve sucesso por meio da utilização estruturada da gestão de projetos. Contudo, a gestão de projetos nada mais é do que a aplicação de técnicas, ferramentas e boas práticas, as quais viabilizarão o atendimento dos requisitos do produto ou serviço que será concebido. Sendo assim, a gestão de projetos basicamente se resume na aplicação e integração de processos de gestão que são:

- processos de iniciação;
- processos de planejamento;
- processos de execução;
- processos de monitoramento e controle;
- processos de encerramento.

Como anteriormente comentado, a gestão de projetos é norteada pelo PMI, o qual nos fornece um conjunto de boas práticas. Estas boas práticas são compiladas na forma de um guia, chamado de Guia do Conjunto de Conhecimentos em Gerenciamento de Projetos, ou mais conhecido como PMBOK (*Project Management Body of Knowledge*).

Agora, nada disso significa que a utilização das boas práticas é garantia de total sucesso, como também não significa que devemos aplicar todas as práticas uniformemente nos projetos sem nenhum critério, pois estes podem não ser apropriados.

Figura 11.1 – *Modelo geral da gestão de projetos.*

Grupos de Processos de Gestão e áreas de Conhecimento do Gerenciamento de Projetos

Os cinco processos de gestão (iniciação, planejamento, execução, monitoramento e controle e encerramento) são divididos pelo PMBOK em nove áreas de conhecimento, descritas a seguir.

Gerência de integração do projeto

A Gerência de Integração do Projeto inclui os processos requeridos para assegurar que os diversos elementos do projeto estão adequadamente coordenados. Ela envolve fazer compensações entre objetivos e alternativas eventualmente concorrentes, a fim de atingir ou superar as necessidades e expectativas. Os principais processos da Gerência de Integração são:
- *desenvolver o termo de abertura do projeto* – autorização formal do projeto;
- *desenvolver o plano de gerenciamento do projeto* – agregar os resultados dos outros processos de planejamento, construindo um documento coerente e consistente;
- *dirigir e gerenciar o projeto* – fazer o projeto acontecer através da realização das atividades nele incluídas;
- *monitorar e controlar o trabalho do projeto* – verificação do andamento, desempenho da execução do plano de gerenciamento do projeto;
- *controlar mudanças internas* – coordenar as mudanças durante todo o projeto;
- *finalizar o projeto* – envolve a aceitação, a qual verifica a conformidade com as especificações estabelecidas para o projeto; a aprovação, a qual atesta a conformidade do projeto e assume a responsabilidade; e também a entrega, que tem por objetivo formalizar o término da atuação da equipe do projeto.

Gerência do escopo do projeto

O Gerenciamento do Escopo do Projeto é composto dos processos para garantir que o projeto inclua todo o trabalho exigido, e somente o trabalho exigido, para completar o projeto com sucesso. O escopo é o "coração" do projeto. O escopo do projeto difere-se do escopo do produto na medida em que o escopo do projeto define o trabalho necessário para fazer o produto, e o escopo do produto define os recursos (atributos e comportamentos) do produto que está sendo criado. Os projetos não desviam frequentemente do foco de negócios da empresa, e geralmente estão relacionados à sua atividade fim.

A maioria dos projetos passa por um processo de determinação do seu custo e viabilidade, ou seja, se sou uma empresa que desenvolve os próprios projetos, utilizarei critérios para verificar quais geram maior lucratividade. Contudo, o projeto escolhido deve atender às necessidades, exigências do cliente, pois o escopo do projeto tem a finalidade de nortear o projeto.

Gerência do tempo do projeto

O objetivo da gerência do tempo do projeto é descrever as tarefas necessárias para o término do projeto, garantindo que o mesmo cumpra com os prazos definidos em um cronograma de atividades. Os principais processos desta gestão são: a definição das atividades, o sequenciamento das atividades, a estimativa de recursos, estimativa de duração das atividades e o desenvolvimento e controle do cronograma destas atividades.

- *Definições das atividades* – identificação das atividades específicas do cronograma que necessitam ser executadas para produzir os diversos tangíveis do projeto.
- *Sequenciar as atividades* – identificação e documentação das dependências entre as atividades do cronograma.
- *Estimar recursos das atividades* – estimativa do tipo e das quantidades dos recursos requeridos para executar cada atividade do cronograma.
- *Estimar duração das atividades* – estimativa do período que será necessário para conclusão individual de cada atividade do cronograma.
- *Desenvolver o cronograma* – análise das sequências das atividades, suas dependências, durações e recursos requeridos para criar o cronograma.
- *Controlar o cronograma* – controle das alterações efetuadas no cronograma.
- A gerência do tempo de projeto e a gerência do custo do projeto são as áreas de maior concentração dentro de um projeto, pois são as mais visíveis em sua gestão, posto que impactam diretamente na entrega e na rentabilidade do projeto.

Gerência de custo do projeto

A gerência de custo do projeto inclui os processos necessários para assegurar que o projeto será concluído dentro do orçamento previsto e aprovado, ou seja, dentro do *budget* provisionado. Os projetos envolvem montantes que vão de poucos até milhares de reais, e o gerente de projeto tem de acompanhar a evolução do projeto muito de perto, monitorando e confrontando o planejado *versus* o que já foi gasto, tendo como objetivo o cumprimento do *budget* inicialmente estipulado.

O gerenciamento de custos de projetos da área de saúde é ainda mais crítico, principalmente se for baseado em estimativas de custos em que os requisitos e o escopo ainda não estão totalmente claros. Se relembrarmos as considerações feitas no tópico sobre gerenciamento de escopo, poderemos concluir mais uma vez que custo e escopo estão fortemente relacionados, e dependem do entendimento claro dos requisitos do usuário para serem estimados com mais precisão. Escopos mal definidos pelo não entendimento dos requisitos do cliente também geram problemas de custos nas estimativas do custo do projeto, no planejamento, na execução e no controle, e consequentemente os custos no final do projeto tenderão a aumentar muito e extrapolar o orçamento previsto. O ideal é não fornecer nenhuma informação sobre o custo de projeto para o cliente sem antes validar por completo o entendimento dos requisitos.

Gerência de qualidade do projeto

O objetivo mais importante da gerência de qualidade de projetos é garantir que o projeto será concluído dentro da qualidade desejada, esperada e requerida pelo cliente, garantindo a satisfação das necessidades de todos os envolvidos. A qualidade envolve inúmeras dimensões que podem ser tanto tangíveis como intangíveis, ou seja, também devemos ser muito claros no escopo e descrever claramente o que é possível se atingir, e o que não é no que tange aos entregáveis do projeto.

Dentre estas dimensões, podemos caracterizar as seguintes:
- defeito zero, não existe tolerância para erros dentro do sistema;
- *o cliente é o próximo elemento no processo* – necessidade do desenvolvimento de um sistema que seja capaz de garantir que o produto seja transferido para o cliente de maneira correta.
- *faça correto da primeira vez* – defende a ideia de que o processo de correção é várias vezes mais caro que o processo de planejamento;
- *melhoria contínua* – reconhece que o mundo está em constante mudança e por isso é necessário que os mecanismos de controle de projeto sejam aprimorados constantemente para garantir a qualidade do produto ou serviço.

Gerência de recursos humanos do projeto

A Gerência de Recursos Humanos do projeto inclui os processos requeridos para possibilitar a busca, seleção, o enquadramento e a retenção do time de trabalho de uma forma mais efetiva no projeto.

Os principais processos da gestão de recursos humanos são:
- desenvolver e planejar os recursos humanos;
- selecionar a equipe de projeto;
- propiciar o desenvolvimento da equipe do projeto;
- gerenciar a equipe do projeto.

A gestão de recursos humanos também é responsável por mapear todos os funcionários, verificando suas potencialidades e necessidades de forma a agrupá-las em um documento único, denominado em projetos como quadro de polivalência. Esse documento é de vital importância para o gerente de projeto, pois através dele será possível saber exatamente as potencialidades e necessidades dos funcionários, tornando sua alocação no projeto muito mais rápida e efetiva.

Gerência de comunicação do projeto

A gerência de comunicação é a área do conhecimento que emprega os processos necessários para garantir geração, coleta, distribuição, armazenamento, recuperação e destinação final das informações sobre o projeto de forma oportuna e adequada. Os processos de gerenciamento das comunicações do projeto fornecem as ligações críticas entre os eventos do projeto, pessoas e informações que são necessárias para ser realizada uma comunicação bem-sucedida. O gerente de projeto deve desenvolver um plano de comunicação que envolva a equipe do projeto, partes interessadas, cliente e patrocinador. De forma geral, todos os envolvidos no projeto devem trabalhar e direcionar a informação dos acontecimentos com base neste plano.

A gerência de comunicação inclui os seguintes processos:

- *identificação dos interessados* – processo necessário para se identificar os *stakeholders (interessados pelo projeto)*, qual o nível de interesse e a influência no projeto e determinar as informações necessárias para satisfazer as necessidades de comunicações dos *stakeholders*;
- *planejamento da comunicação* – determinação das necessidades de informações e comunicações das partes interessadas no projeto;
- *distribuição das informações* – colocação das informações necessárias à disposição das partes interessadas no projeto no momento certo;
- *relatório de desempenho* – coleta e distribuição das informações sobre o desempenho do projeto. O que inclui o relatório de andamento, medição do progresso e previsão de finalização do projeto;
- *gerenciar os interessados* – gerenciamento da comunicação para atender e satisfazer os requisitos das partes interessadas no projeto, como também possíveis mudanças de escopo e resolver problemas decorrentes do andamento do projeto.

Gerência de risco do projeto

Todos os projetos estão sujeitos a riscos, oportunidades e incertezas que, caso venham a ocorrer, podem ajudar no caso de uma oportunidade, como também podem comprometer ou até impedir a realização do projeto. Os riscos e as oportunidades são passíveis de identificação, qualificação e quantificação e isso já deve ser feito quando estamos trabalhando no planejamento do projeto. Caso a gerência de riscos não tenha sido planejada, e os planos de prevenção e remediação não tenham sido elaborados, fatalmente os recursos alocados para o projeto não serão suficientes, o que poderá torná-lo economicamente inviável.

O acompanhamento dos riscos durante a execução do projeto é de vital importância e o gerente de projeto deverá estar atento controlando os recursos e tempo gastos, pois no caso de ocorrer alguma eventualidade não planejada deverão entrar em cena imediatamente os planos de resposta aos riscos, que têm por objetivo mitigar o impacto financeiro gerado por estes.

Gerência de aquisições do projeto

O gerenciamento de aquisições do projeto inclui os processos para comprar ou adquirir os produtos originados pelo projeto, serviços ou resultados necessários de fora da equipe do projeto para realizar o trabalho. Também inclui os processos de gerenciamento de contratos e de controle de mudanças necessários para administrar os contratos ou pedidos de compra emitidos por membros da equipe do projeto. O gerente de projeto normalmente não possui autoridade para firmar contratos em nome da empresa, e normalmente não é designado para administrar os contratos quando os mesmos são assinados.

Os processos da Gerência de aquisições do projeto incluem:

- *planejar compras e aquisições* – é determinar o que será comprado ou adquirido e quando e como realizar estas atividades.
- *conduzir aquisições* – é preparar e acompanhar todos os trâmites do processo de aquisições no que tange a preparar a documentação, como também identificar possíveis fornecedores;
- *administração de contratos* – engloba o gerenciamento dos contratos, no que tange à relação entre o cliente e fornecedor, seus direitos e responsabilidades. Envolve também a gestão de mudanças dos contratos estabelecendo critérios e ações necessárias, como também atua no gerenciamento de mudanças dos contratos estabelecendo ações corretivas necessárias para futuras relações;.
- *encerramento das aquisições* – significa encerrar o processo das aquisições do projeto, terminar e liquidar cada contrato firmado com os fornecedores.

Esses processos de gerenciamento interagem entre si, e também com os processos em outras áreas de conhecimento. Cada processo pode envolver o esforço de uma ou mais pessoas ou de grupos de pessoas, com base nas necessidades do projeto. Cada processo ocorre pelo menos uma vez em todos os projetos e também em uma ou mais fases do projeto, caso ele esteja dividido em fases.

Os processos de gerenciamento de aquisições do projeto envolvem contratos que são documentos legais entre um comprador e um fornecedor. Um contrato é um acordo que gera obrigações para as partes, ou seja, determina que o fornecedor deverá fornecer os produtos ou serviços para o cliente, como também determina que o comprador faça uma compensação financeira ao fornecedor. No geral, um contrato é uma relação legal sujeita à remediação nos tribunais. O fornecedor deve analisar minuciosamente os requisitos do cliente, a fim de gerar um acordo simples, evitando assim problemas futuros para ambas as partes.

Um contrato inclui termos e condições, e pode incluir outros itens como a proposta, especificações técnicas, de entrega, de desempenho, de durabilidade ou qualquer outra documentação em que o comprador esteja se baseando para estabelecer o que o fornecedor deve realizar ou fornecer. É responsabilidade da equipe de gerenciamento de projetos ajudar a adaptar o contrato às necessidades específicas do projeto. Dependendo da área de aplicação, os contratos também podem ser chamados de acordo, subcontrato ou pedido de compra. A maior parte das organizações possui políticas e procedimentos que definem especificamente quem pode assinar e administrar esses acordos em nome da organização.

O gerente de projetos precisa trabalhar junto com o time de aquisições, haja vista que uma má gestão de aquisições pode interferir em todas as fases do projeto, e como em muitos casos os fornecedores são externos, torna-se necessário uma avaliação eficaz dos mesmos, para não perder prazos contratuais, que muitas vezes podem resultar em multas e outras sansões comerciais.

Bibliografia Consultada

1. Avila AV. Curso de Gerenciamento de Projetos, Planejamento. Capítulo 6, p. 1-61.
2. Besanko D. A economia da estratégia. Rio Grande do Sul: Editora Bookman; 2005.Dinsmore PC. Como se tornar um profissional em gerenciamento de projetos: livro base de "Preparação para certificação PMP – Project Management Professional". Rio de Janeiro: Editora Qualitymark; 2003. Kerzner H. Gerência de Projetos – as melhores práticas. Rio Grande do Sul: Editora Bookman; 2005.
3. Project Management Institute (PMI). Um guia para o conjunto de conhecimentos em gerenciamento de projetos – PMBOK®. 4ª ed. Newtown Square: PMI; 2008.
4. Rabechini Jr R, Carvalho MM. Perfil das competências em equipes de projetos. RAE-eletrônica – Revista de Administração de Empresas, São Paulo. vol. 2, n. 1, jan-jun/2003.
5. Rabechini Jr R, Pessoa MSP. Um modelo estruturado de competências e maturidade em gerenciamento de projetos. Prod. [online]. 2005; vol. 15, n. 1, pp. 34-43.
6. Silva Xavier CM, Weikersheimer D. Gerenciamento de Aquisições em Projeto. Rio de Janeiro: Editora FGV ; 2007.

12 Auditoria em Saúde

Antonio Shenjiro Kinukawa
Cristina L. M. Marques
Goldete Priszkulnik
Mario César Bittencourt Madureira
Nelson Kazunobu Horigoshi

Introdução

A Auditoria, como metodologia definida de controle e contabilidade, é desenvolvida a partir da Revolução Industrial, na Inglaterra, em meados do século XVIII. O surgimento de empresas com intenso processo produtivo tornou necessário o desenvolvimento de técnicas de controle e verificações, aperfeiçoando as práticas contábeis até então praticadas. Data do final do século XIX a criação das primeiras associações de contadores na Inglaterra e nos EUA. No Brasil, o Instituto Brasileiro de Contadores é criado somente em 1971.

Das finalidades iniciais que eram o controle, a demonstração contábil, a investigação de erros e fraudes, a Auditoria evoluiu para uma metodologia de análise, de verificação de eficiência, de qualidade e gestão.

Conceito e Histórico

O termo Auditoria tem origem do inglês *audit*, que significa revisar, examinar, periciar. Por sua vez, deriva de *audire*, que, em latim, significa ouvir. Auditoria também quer dizer controle, fiscalização, verificação, confrontação entre critério e condição.

A Auditoria é um processo de coleta de dados, sistemático, seguido de análise e conclusões que permitem conferir a conformidade de uma determinada situação comparada com parâmetros previamente estabelecidos.

A Auditoria em saúde é tema de estudos e referências no exterior desde meados do século XX. Em nosso meio, foi criada pela necessidade de controlar o sistema estatal de Saúde, repleto de fraudes e ineficiências.

No Brasil, existem evidências de utilização de auditorias em saúde pelo extinto Instituto Nacional de Assistência da Previdência Social (INAMPS).

A Lei nº 8.689 de 27/07/1993, ao estabelecer o Sistema Nacional de Auditoria (SNA) como um mecanismo de "avaliação técnico-científica, contábil, financeira e patrimonial do SUS", regula as ações e os serviços de saúde em todo o território nacional. Define auditoria em saúde como "análise prévia, concomitante ou subsequente da legalidade dos atos da administração orçamentária, financeira e patrimonial, bem como a regularidade dos atos técnico-profissionais praticados por pessoas físicas e jurídicas".

A Agência Nacional de Saúde Suplementar (ANS) foi criada pela Lei nº 9.961/2000, com a função de controlar as ações e os serviços das operadoras de saúde, manter a qualidade da assistência e garantir a proteção aos cidadãos usuários deste sistema. É o órgão estatal regulador do sistema suplementar, privado, de saúde e sua missão é promover a defesa do interesse público na assistência suplementar à saúde, regular as operadoras setoriais, inclusive quanto às suas relações com prestadores e consumidores, e contribuir para o desenvolvimento das ações de saúde no País.

A aplicação destes conceitos na saúde privada foi inicialmente introduzida com o intuito de encontrar erros e fraudes, voltada para o controle dos gastos, focada nos aspectos financeiros dos serviços de saúde e numa atitude de punição. Koyama (2006) identifica a "missão da empresa", as motivações mercadológicas e as reduções de custos assistenciais como as motivações mais importantes relatadas pelos gestores entrevistados, para a prática da gestão estratégica das empresas de saúde. Verifica também que "a Auditoria Médica e a rede credenciada de serviços não estão plenamente preparadas para um enfoque de prestação de serviços aos beneficiários, voltado à qualidade assistencial".

De um modo geral, as atividades da auditoria em saúde deveriam avaliar a prestação de serviços, seus processos e resultados, aferir a manutenção de padrões pré-estabelecidos, levantar dados sobre qualidade, custos, desvios, comparando-os a modelos consagrados e cientificamente comprovados. Segundo Álvaro Escrivão Jr, são três as avaliações necessárias nas auditorias em saúde: avaliação tecnológica, avaliação econômica e avaliação da qualidade. Realizar a auditoria da gestão, dos processos, atividades, funções em busca de oportunidades significa tentar encontrar soluções que sejam permeadas por conceitos como:

eficiência – fazer mais e melhor com menos recursos. É fazer bem. Uma relação entre resultados alcançados e recursos consumidos;

eficácia – atingir metas previamente definidas. É fazer certo. Uma relação entre resultados alcançados e resultados pretendidos;

efetividade – é fazer o que tem que ser feito. Conceito mais amplo, imaterial, que busca avaliar os resultados das ações implantadas, verificando os reais benefícios que as ações trarão. Verifica o impacto das ações;

economicidade – é fazer pelo menor custo, gastando menos.

Classificação

A utilização de classificações tem cunho muitas vezes didático e o intuito de definir e dar características ao processo de auditagem. No entanto, não há uma classificação de aceitação unânime e os autores utilizam diversos critérios de classificação. Neste capítulo serão descritos e definidos vários tipos de auditoria. Como exemplos de classificação, podemos citar:

quanto ao campo de classificação:

- auditoria governamental;
- auditoria privada;

quanto à forma de realização:
- auditoria interna;
- auditoria externa;

quanto aos objetivos dos trabalhos:
- auditoria contábil ou financeira;
- auditoria operacional;
- auditoria integrada;

quanto ao caráter de rotina:
- regular, programada ou ordinária;
- especial ou extraordinária;

quanto à execução:
- auditoria analítica;
- auditoria operativa ou operacional;

quanto à consequência da ação:
- preventiva ou pedagógica;
- repressiva.

Auditoria Contábil e Financeira

A complexidade das atividades de clínicas e hospitais requer atenção redobrada nas suas operações. As organizações utilizam uma diversidade de recursos para prestar serviços de excelência e serem remuneradas adequadamente, e consequentemente garantirem a sua perenidade.

No processo de atendimento ao cliente, conhecido como produção, ocorre o consumo de recursos sob a rubrica de remuneração aos colaboradores, materiais e medicamentos, utilidades como água, energia elétrica, telefone, materiais de escritório, etc. A gestão desses recursos desde a compra ou contratação até a efetiva utilização ou consumo pode significar *superavit* ou *deficit* nos resultados.

Com base na produção é realizado o faturamento da conta. Todos os consumos precisam ser valorizados corretamente e lançados na conta. A conta pode ser recebida à vista ou, mais frequentemente, a prazo. É preciso assegurar que esses valores são carreados para o caixa. O cheque pode não ser compensado, os convênios podem glosar e pagar parcialmente.

O tempo é outro fator de destaque. Quanto menor a duração desse ciclo, maior a eficácia da gestão. Pela exposição, verifica-se que os processos administrativos e financeiros são complementares.

A auditoria é uma ferramenta que auxilia a gestão. Segundo Crepaldi, "pode-se definir auditoria como o levantamento, estudo e avaliação sistemática de transações, procedimentos, operações, rotinas e das demonstrações financeiras de uma entidade".

A auditoria contábil é composta pela auditoria externa e auditoria interna. A auditoria interna tem a função de identificar as oportunidades e risco do negócio. A contabilidade e o controle interno são fontes para os trabalhos das auditorias. A título de exemplo, a segregação de funções preconizada no controle interno é fundamental porque possibilita o controle 360° nos processos. A automação dos processos tende a dificultar essa distinção. Os trabalhos requerem objetividade, precisão e minúcia sem comprometer o custo.

Controle Interno é, segundo a definição contábil clássica do Comitê de Procedimentos e Auditoria do Instituto Americano de Contadores Públicos Certificados, "um plano de organização e um conjunto coordenado de métodos e medidas, adotados pela empresa, para proteger seu patrimônio, verificar a exatidão e a fidedignidade de seus dados contábeis, promover a eficiência operacional e encorajar a adesão à política traçada pela administração". Percebe-se facilmente a possibilidade de aplicar estes conceitos à área da Saúde. Como alguns exemplos, podemos dizer que proteger o patrimônio significa defender os bens e direitos da empresa, através da aplicação de boas práticas de gestão hospitalar. Exatidão e fidedignidade dos dados significa encontrar, nos documentos internos da empresa, anotações precisas, com estruturação formal, de modo a facilitar a verificação destes mesmos dados (p. ex.: um prontuário médico bem documentado, prescrições bem elaboradas e adequadamente legíveis etc.). Eficiência operacional significa existência de protocolos e diretrizes com altos índices de adesão, pessoal qualificado e treinado no desenvolvimento de suas atividades.

Ao trabalho de organizar, revisar e apreciar os controles internos denomina-se Auditoria Interna. Em geral, existe, dentro das organizações de Saúde, um departamento específico para estas funções, que tem como premissas básicas: (a) a avaliação do nível de segurança, da adequação e aplicação dos controles internos; (b) a assessoria aos gestores fornecendo informações confiáveis sobre a adesão da empresa às políticas implementadas; (c) a avaliação da qualidade e (d) elaborar seu trabalho com independência e isenção.

A seguir, são destacadas as principais áreas que merecem atenção da administração, numa auditoria interna:

Caixa e bancos

Esse item é considerado de alto risco porque representa efetivamente a entrada ou a saída de recursos monetários. A elevada liquidez aumenta a dificuldade nos controles.

É recomendável realizar contagens rotineiras nos caixas físicos (encaixe) e conferir com a posição financeira e contábil. Cuidado nas movimentações entre caixas, que podem acobertar a deficiência em um deles durante a contagem. Assegurar que os registros são realizados no devido tempo. Os valores registrados no financeiro e na contabilidade precisam igualar com os extratos bancários das contas correntes.

Na gestão do caixa, verificar se não há recursos em conta corrente e concomitante pagamento de juros.

O risco que a organização vai assumir (relação risco & retorno) nas aplicações financeiras precisa ser definido em normas. Da mesma forma, os poderes e alçadas para movimentações.

Comercial

Os contratos de prestação de serviços, sejam para clientes particulares ou operadoras, são fundamentais para as prestadoras de serviços de saúde. Além de possíveis, eles precisam considerar a operação e os objetivos da organização. Requerem atualizações periódicas em face das constantes e importantes mudanças.

Faturamento

O faturamento deve seguir fielmente as condições negociadas pela área comercial e os consumos no atendimento (produção). A integração entre as duas áreas é vital. Os atrasos nos faturamentos das contas prejudicam o fluxo de caixa, podendo trazer perdas e custos financeiros.

Clientes

Sendo um item intangível, o "contas a receber" de clientes requer atenção especial.

O valor a receber deve estar em consonância com o faturamento. É preciso checar a veracidade dos títulos, o *aging* (tempo do título na carteira) que determina o quanto de provisões necessárias e o montante das glosas das operadoras. A aceitação das glosas requer a aprovação técnica e financeira conforme as alçadas.

As prorrogações dos vencimentos precisam ser controladas com rigor. As baixas dos títulos requerem coincidências com as entradas no caixa.

Estoques

O estoque é um dos principais itens do ativo dos hospitais em termos de montante investido e giro.

A atenção começa com uma política de compras eficaz que considera a qualidade dos produtos, as alternativas de fornecedores, o prazo de entrega e os custos do produto e de aquisição.

Assegurar que todos os produtos recebidos possuem correspondências nos pedidos de compras aprovados conforme a política da empresa. Os cadastros equivocados de produtos no sistema afetam a operação e os resultados.

Conferir ao menos uma vez no ano os saldos físicos com o registrado no sistema de estoque e na contabilidade. No inventário, cuidado com as transferências entre os estoques.

Os produtos da curva A requerem checagem diária com o saldo do sistema.

Atenções especiais com os medicamentos vencidos, os controlados e os empréstimos a outras organizações. Registrar no estoque as devoluções das áreas assistenciais. Verificar se o custo unitário está calculado corretamente.

Os materiais consignados necessitam ter política específica de negociação, registro no sistema, guarda, devolução ao fornecedor e pagamento.

Ativo fixo

As clínicas e os hospitais realizam investimentos fenomenais em ativos fixos. Partindo do planejamento, passando pela aquisição e chegando à manutenção, esse item é muito importante também pelo seu tempo de disponibilidade. Um equipamento parado é perda.

O elevado volume de bens exige controle rigoroso nas identificações, movimentações e localizações, com confrontação do físico e os registrados no sistema de imobilizado e na contabilidade. Dependendo desse controle, o inventário pode ser realizado com periodicidades maiores. Os bens de terceiros requerem controles específicos.

Atenção para os cálculos das depreciações e amortizações, porque produzem impacto nos resultados operacionais.

Fornecedores e contas a pagar

A verificação da veracidade dos títulos, da existência de títulos vencidos, de notas fiscais não protocoladas, de pagamento de multas e juros por atraso, de pagamento a prazo com juros maiores que a taxa de atratividade merecem atenção do gestor.

Conciliar rotineiramente os valores em aberto com a posição da contabilidade.

Impostos e contribuições a recolher

Assegurar que as apurações estão corretas e os recolhimentos sejam realizados tempestivamente.

Empréstimos e financiamentos

Confirmar se estão registrados adequadamente e as provisões e amortizações feitas corretamente.

Contratos

Os contratos de longa duração como os de prazo indeterminado correm o risco de serem esquecidos e andarem "inercialmente", trazendo prejuízo para a organização.

Contratos de locação de equipamentos com elevada taxa de obsolescência requerem revisões periódicas para alteração das condições comerciais ou troca de equipamentos. Os índices de reajuste podem trazer desequilíbrios contratuais ao longo do tempo.

Recursos humanos

O custo mais importante para as clínicas e os hospitais é o de recursos humanos. Além da elevada quantidade, o montante despendido é alto devido à qualificação das pessoas.

Verificar se as políticas de contratação, promoção e aumentos salariais estão sendo seguidas rigorosamente. Verificar se as verbas trabalhistas estão sendo calculadas, contabilizadas e pagas corretamente.

Prevenir contra as eventuais ações trabalhistas, minimizando os riscos e checando o cumprimento das cláusulas legais.

A instituição precisa constituir provisões em montantes suficientes e conforme a legislação para as contingências trabalhistas.

Documentação legal

Muitas vezes, envolvidos na árdua rotina, o acompanhamento da documentação legal da organização é realizado de forma ineficaz, incutindo riscos até de interdição da instituição.

A documentação, principalmente as renovações, requerem organização e acompanhamento permanente.

Auditoria dos Sistemas de Informação

Sabemos que atualmente a dependência dos negócios nos sistemas de informação é elevada e, em alguns casos, 100% dependente. Com esta dependência é imperativo que as empresas se assegurem que seus dados e suas informações sejam controlados de maneira eficiente. Como a administração da empresa realiza esta tarefa? A empresa deve realizar auditorias abrangentes e sistemáticas.

A área de tecnologia da informação é responsável pelo armazenamento, continuidade, disponibilidade, integridade dos dados e informação, como são manuseados e entregues ao negócio em forma de serviços. Desta forma, uma auditoria de sistemas identifica todos os controles que governam sistemas individuais de informação e avalia sua efetividade.

O trabalho de auditoria é realizado por auditor, geralmente de empresa externa; grandes empresas possuem áreas de auditorias internas para assegurar a conformidade às normas utilizadas. Em muitos casos as mais auditadas são: governança corporativa da própria empresa, ISO/IEC 27799, e específica para área de saúde 27.002, com o propósito de proteger informações pessoais de saúde, Sarbanes-Oxley, e as de questões de acreditações como ONA e *Joint Comission*.

Para cumprir com o objetivo de auditar, o auditor precisa compreender em toda a amplitude as operações, infraestrutura, telecomunicações, sistemas de controle, metodologias, política de segurança de dados, estrutura organizacional, papéis e responsabilidade dentro da área de TI, plano de recuperação pós-incidentes, gestão dos requisitos de mudança, e gestão do ambiente, procedimentos manuais e aplicações individuais da organização.

Os auditores se utilizam de metodologias, planilhas, formulários para capturar toda a informação necessária, através de entrevistas aos colaboradores da área de TI, as pessoas-chave, que usam e operam um sistema de informação específico relativo às suas atividades e procedimentos. De posse das informações de base, o auditor segue para o exame dos controles de aplicação, dos controles gerais de integridade e as disciplinas de controle (periodicidade).

Geralmente, o auditor deve monitorar o fluxo de uma amostra de transações através do próprio sistema, e se for necessário, deverá realizar testes utilizando-se de *software* auditor

Tabela 12.1 Exposição a Riscos em Três Áreas Selecionadas			
EXPOSIÇÃO	PROBABILIDADE DE OCORRÊNCIA (%/ANO)	FAIXA DE PREJUÍZO/ MÉDIA ($)	PREJUÍZO ANUAL ESPERADO ($)
Falta de energia elétrica	30	5.000-200.000 (102.500)	30.750
Apropriação indébita	5	1.000-50.000 (25.500)	1.275
Erro de usuário	98	200-40.000 (20.100)	19.698

(automatizado).

Um dos entregáveis da auditoria é uma lista classificada de todos os pontos fracos do controle com a possibilidade de estimar a probabilidade de que ocorram erros nestes pontos.

Tabela 12.2 Recomendações Destinadas ao Aprimoramento do Ambiente de Processo Eletrônico de Dados		
ASPECTOS OBSERVADOS	RECOMENDAÇÕES	AÇÕES DA ORGANIZAÇÃO
1 **Ausência da segregação de função no ambiente de desenvolvimento e manutenção de sistemas.** Existem profissionais responsáveis pela manutenção dos sistemas que também podem efetuar a transferência de sistemas para o ambiente de produção. Adicionalmente, tais profissionais possuem acesso direto ao banco de dados.	**Reestruturar as equipes de desenvolvimento e manutenção, segregando as funções de manutenção do processo de desenvolvimento, bem como restringindo o acesso ao Banco de Dados**	
2 **Ausência formal e de um controle específico de aprovações no ciclo de manutenção de sistemas.** Verificamos a ausência da formalização da metodologia e seus procedimentos utilizados para os processos de manutenção e desenvolvimento de sistemas aplicativos utilizados pela organização	Desenvolver uma política e controles sobre as mudanças efetuadas nos sistemas da Organização	
3 Não são definidos ou estabelecidos procedimentos e controles para suportar as atividades de manutenção de sistemas em caráter de emergência	Desenvolver tal procedimento	
4 **Ausência de controle de concessão, alteração e remoção de acessos dos usuários nos sistemas da Empresa.** Verificamos que o controle para concessão/alteração/ remoção de acessos dos usuários é feito apenas por troca de *e-mails* com a área solicitante, os quais não são guardados como documentação. Adicionalmente, não há política formalmente definida de perfil de acesso padrão a ser estabelecido para cada cargo/função exercido nas empresas	Recomendamos que seja estabelecida uma política formal quanto aos procedimentos de concessão e retirada de acesso aos sistemas dos profissionais da Empresa	

Com esta informação, criam-se condições de avaliar o impacto financeiro e organizacional de cada ameaça. Veja na Tabela 12.1 um exemplo, que mostra a exposição a riscos que uma determinada empresa corre em três áreas selecionadas, dentro de um sistema de processamento de pedidos *on-line*:

O principal resultado da auditoria é o relatório de não conformidades que lista todos os pontos não conformes às metodologias e prática; veja na Tabela 12.2, uma amostra de relatório de não conformidades de auditoria.

Auditoria de Qualidade dos Serviços de Saúde

A avaliação em saúde tem como objetivo a verificação da eficiência, eficácia e efetividade de estruturas, processos e resultados relacionados à prestação do serviço de saúde e também ao risco, ao acesso e à satisfação dos cidadãos frente a estes serviços.

O conceito de Qualidade Assistencial é pouco objetivo, de métrica difícil e para avaliá-la torna-se necessário um conjunto de instrumentos capazes de identificar tanto aspectos relacionados àqueles três elementos básicos do sistema – estrutura, processo e resultado – quanto àqueles relativos à percepção das pessoas que utilizam estes serviços. Seja qual for o instrumento que se utilizará para avaliar aqueles três elementos básicos, a aplicação de tal instrumento será materializada através de alguma forma de auditoria, entendida aqui como algum processo de exame e validação de um sistema, de uma atividade ou informação.

As auditorias podem ser classificadas conforme a abordagem daqueles três elementos do sistema, porém, no caso das auditorias de qualidade, a avaliação dos três elementos normalmente é realizada de forma simultânea. Outra classificação, esta mais pertinente aos processos de avaliação de qualidade, é com relação à forma de intervenção, que pode ser interna ou externa.

A auditoria interna, realizada por membros da própria organização, deve ser realizada por pessoa ou equipe não envolvida diretamente nas atividades avaliadas. Este tipo de auditoria pode parecer, devido a sua característica "doméstica", de menor importância na avaliação de atividades e processos. Ocorre justamente o oposto! A prática habitual e rotineira de auditorias internas é, se não a maior, uma das mais importantes ferramentas de diagnóstico, implantação, disseminação e manutenção de processos de melhoria da qualidade. É ferramenta imprescindível para possibilitar a detecção de falhas, de preocupações, de não conformidades, que propiciam a análise crítica e consequentemente ações preventivas, corretivas, oportunidades de melhorias e a tão esperada melhoria contínua.

A auditoria externa, como o nome sugere, é realizada por equipe de alguma entidade, separada e distinta da organização de saúde, normalmente convidada por esta para aplicar alguma ferramenta de avaliação com vistas a um processo de certificação, acreditação ou simplesmente para submeter-se a um diagnóstico organizacional voluntário ou relacionado a algum programa específico.

As auditorias externas podem ser realizadas diretamente pelas entidades criadoras ou mantenedoras da ferramenta de avaliação, como por exemplo, no caso da *Joint Commission International* – JCI, do Programa de Certificação da Qualidade Hospitalar – CQH, do Prêmio Nacional de Gestão em Saúde – PNGS, do Prêmio Nacional da Qualidade – PNQ, e de diversas ferramentas mais específicas, ligadas a sociedades de especialidades (p. ex., Colégio

Brasileiro de Radiologia e Diagnóstico por Imagem – CBR, Sociedade Brasileira de Análises Clínicas – SBAC/DICQ).

Outra forma clássica de avaliação externa é o chamado sistema de certificação de terceira parte, ou seja, a utilização de instituições acreditadoras para a realização da auditoria. Como exemplo deste sistema temos as auditorias ISO (ISO 9001:2008) e a Organização Nacional de Acreditação – ONA. Tais organizações, portanto, não realizam a auditoria relacionada às suas ferramentas de gestão da qualidade, sendo necessária a contratação de alguma instituição acreditadora autorizada a aplicar o método.

Embora existam inúmeras diferenças nas várias ferramentas de avaliação citadas, o processo de exame e validação de todas elas caracteriza-se muito mais pelas semelhanças existentes do que pelas diferenças. Tais semelhanças são caracterizadas pela necessidade, durante o processo de avaliação ou auditoria, da busca por dados que caracterizam a organização de saúde, por evidências objetivas, sejam documentais, observacionais ou resultantes de entrevistas, que demonstrem o cumprimento de requisitos, alinhamento com fundamentos e cumprimento de padrões, todos eles definidos pela ferramenta em uso.

Na maioria das vezes, tais requisitos, fundamentos ou padrões permeiam a organização de forma transversal, sendo necessária a avaliação e entrevista de todos os setores com o envolvimento de grande parte do corpo profissional durante o processo de auditoria.

Auditoria Operacional dos Processos de Saúde

Auditoria operacional no sistema público

Consiste na realização de atividades voltadas para controle das ações desenvolvidas pela rede de serviços do Sistema Único de Saúde (SUS). Concentra-se na avaliação das condições da rede física, nos mecanismos de regulação e no desenvolvimento das ações de saúde. O sistema de auditoria opera de maneira descentralizada, nas três esferas de governo. Ao nível federal, executam-se ações e serviços de abrangência nacional, com análise das aplicações dos recursos transferidos aos estados e municípios. Na esfera estadual, avaliam-se os serviços de saúde sob sua gestão, além de avaliar os serviços municipais. No plano municipal avaliam-se as ações e os serviços desenvolvidos pelos consórcios intermunicipais e os serviços públicos e privados sob sua gestão.

No setor público, existe também um controle externo, que tem sido exercido pelos Tribunais de Contas, através de Auditorias Operacionais que revelaram "potencialidades avaliativas, educativo-construtivas, prescritas de boas práticas e sancionadoras de irregularidades". Nessas avaliações, é verificado o valor das ações, sua qualidade, bem como as omissões da ação estatal em áreas de sua competência exclusiva, especialmente naquelas de maior impacto nos níveis de vida social. Nas auditorias operacionais, procura-se identificar erros e acertos da ação governamental e as suas respectivas causas e efeitos, para subsidiar recomendações que possam ser implementadas, tempestivamente, na correção das distorções e na manutenção e ampliação dos acertos. Predominam as indicações de medidas para a correção de rumo.

Figura 12.1 – *Estrutura do controle público sobre o SUS (Nóbrega, 2008).*

Auditoria operacional no sistema privado – auditoria em saúde suplementar

Quando falamos de auditoria no sistema supletivo e o papel do auditor em saúde, quer seja ele médico ou enfermeiro, a primeira coisa que pensamos da maioria dos prestadores e tomadores de serviços de saúde é que o auditor é o profissional que veio para "glosar" a conta, impugnar os pagamentos e apontar os erros.

Será que a auditoria em saúde é tão pequena assim? Será que os auditores em saúde têm somente essa visão contábil da assistência à saúde?

Essa visão, infelizmente, ainda permanece em muitos locais, tanto em prestadores como em tomadores de serviços de saúde, mas aos poucos a auditoria em saúde se impõe enquanto especialidade médica e de enfermagem com a profissionalização dos seus atores e com a assimilação dos conceitos de farmacoeconomia, da economia da saúde e da prática baseada em evidências nas decisões em auditoria.

O foco da prestação de serviços é o paciente e o que é melhor para o melhor desfecho na prestação do serviço em saúde. A ideia de que o menor custo sempre é o melhor está sendo paulatinamente abandonada pelo conceito de "melhor desfecho ao melhor custo".

Começamos, atualmente, também a nos preocupar com as chamadas "curvas de aprendizado em novas tecnologias, principalmente de dispositivos médicos" e como isso deve ser encarado tanto pelos prestadores como pelos tomadores de serviço. A prática e o treino levam ao melhor desempenho. Esses conceitos começam a ser levados em consideração no momento da formulação das redes assistenciais e do credenciamento e referenciamento dos prestadores e é um dos inúmeros papéis a serem desempenhados pela auditoria.

Com certeza, a auditoria em saúde, por sua forma dinâmica de ser, proporciona-nos a possibilidade de percorrermos vários assuntos relacionados a assistência, economia e gestão em saúde. É uma especialidade que nos faz pensar no coletivo e não somente no individual.

A auditoria está amadurecendo o suficiente para tomar decisões baseadas em evidências científicas, com foco em qualidade e não só em preço.

Aliás, esse é sempre o nosso grande desafio. O custo da assistência. Com o envelhecimento da população e maior prevalência das doenças crônicas, a tendência de aumento nos custos assistenciais é premente. Como lidaremos com tudo isso?

Cada vez mais a auditoria em saúde está pautada numa atuação profissional e ética, fundamentada em saberes acadêmicos e científicos, baseados nas evidências clínicas que corroboram o ato de auditar, sem achismos ou oportunismos.

Essa postura profissional do auditor em saúde precisa ser fortalecida e incentivada, sempre.

Segundo Malik (2009) a auditoria em saúde pressupõe desde ética até evidências de toda ordem, assistencial e de gestão, passando por viabilidade financeira e condições de funcionamento. Um único técnico não é capaz de cuidar de todos esses aspectos, caso estejamos falando em real profissionalização do setor.

Concluindo, não podemos jamais esquecer que a assistência tem como objetivo o paciente e tudo o que fizermos e decidirmos deve ter como foco o paciente. Afinal, ele é a razão da nossa existência enquanto médicos, enfermeiros e demais atores da área da saúde.

A Auditoria é uma ferramenta de gestão para diagnóstico de situações dentro do sistema de saúde, com vistas ao seu aperfeiçoamento.

- Regulação da assistência à saúde.
- Apuração da qualidade dos serviços/aspectos estruturais das diversas instituições de saúde contratadas.
- Produção de conhecimentos para planejamento de novas ações.
- Otimização dos recursos em saúde.

Conceitos de auditoria em saúde suplementar

- Liberação.
- Autorizações de tratamento.
- Perícias.
- Concorrente.
- Visitas hospitalares.
- Contas médicas.
- Auditoria de contas.
- Recursos de glosas.

Modalidades de auditoria

- Pré-auditoria ou auditoria prospectiva:
  - ✓ avaliação dos procedimentos antes da realização e relacionada com a admissão do paciente.
  - ✓ Principais objetivos:

- ✓ autorização prévia de internações e demais procedimentos que necessitem de senhas (guias);
- ✓ direcionamento ético do paciente para realização do procedimento na rede credenciada;
- ✓ compatibilização da autorização com os direitos do paciente.
- Auditoria concorrente ou proativa ou supervisão:
  - ✓ acompanhar o processo de atendimento ainda com o paciente internado (auditoria externa), relaciona-se com o período de permanência no hospital, visando a avaliação da qualidade da assistência prestada e a racionalização dos custos.
- Auditoria de contas hospitalares ou retrospectiva ou revisão de contas:
  - ✓ análise de contas após fechamento devido à alta hospitalar, alta administrativa ou óbito. Baseia-se na análise de documentos e relatórios encaminhados quando feita internamente pela empresa contratante ou pela avaliação *in loco* dos prontuários clínicos e contábeis.

Autorizações de tratamento

Constituem o processo segundo o qual é recebida uma solicitação de tratamento clínico ou cirúrgico, com ou sem autorização de materiais especiais (OPME) ou de SADT (Serviço Auxiliar de Diagnóstico e Tratamento), sendo ao final autorizados ou não os serviços solicitados.

São analisados:
- ✓ carências, coberturas e exclusões;
- ✓ Rol de Procedimentos e Eventos em Saúde da ANS e suas diretrizes de utilização (DUTs);
- ✓ pertinência do procedimento através da análise de relatórios médicos e resultados de exames complementares, inclusive de imagem

Perícias

Processos de verificação da veracidade dos fatos ou da pertinência de uma solicitação ou cobrança, sendo geralmente associados ao exame físico do periciado.

As perícias podem ser:
- ✓ prévias: quando realizadas antes do procedimento, e neste caso geralmente é feita com a finalidade de constatar a pertinência e adequação do procedimento solicitado para aquele usuário específico pela própria operadora de saúde. Temos também a segunda opinião médica, que poderá ser solicitada pela operadora de saúde para corroborar ou não a solicitação de determinado procedimento cirúrgico. Muito utilizada quando envolve a autorização de materiais especiais (OPME);
- ✓ posteriores: quando tem por objetivo a constatação da efetiva realização de um procedimento que foi cobrado e também para verificação da utilização de OPMEs cobradas em contas hospitalares.

Visitas hospitalares

O auditor da operadora dirige-se ao hospital para avaliar as condições de um usuário internado. A solicitação de visita hospitalar pode ocorrer como rotina (sempre que ocorre uma internação) ou apenas para casos considerados fora dos padrões usuais.

No local, procede a:

✓ verificação de dados do prontuário clínico do paciente com análise das evoluções médicas, de enfermagem e da equipe multiprofissional, bem como da prescrição médica e de enfermagem e o plano de cuidados (SAE);

✓ compatibilidade entre o procedimento liberado e o realizado;

✓ emissão de autorizações ou prorrogações para continuidade de tratamento no nível hospitalar (autorizações *in loco*);

✓ possibilidade de continuidade de tratamento em domicílio.

Nas visitas, o auditor deverá ater-se ao prontuário e exames complementares. Havendo divergências de opinião a respeito de algum procedimento ou da permanência hospitalar, o auditor deverá solicitar relatório pormenorizado ao médico assistente ou dirigir-se ao auditor médico, e na falta deste, ao diretor técnico da instituição hospitalar para possíveis esclarecimentos e também para elucidar dúvidas.

Ao auditor médico é facultado o exame clínico do paciente. O auditor deverá ater-se ao exame e não emitir de forma alguma opinião sobre os achados clínicos ou sobre a conduta clínica adotada com o paciente em questão, sob a pena de infringência ao código de ética médica. É necessária a anuência explícita do paciente para a realização do exame clínico.

Considera-se uma boa prática comunicar o médico assistente e/ou a direção técnica da instituição antes da realização do exame clínico.

Auditoria de contas

É o processo de análise das contas médicas hospitalares frente aos prontuários clínicos com a finalidade de verificar a adequação entre os itens e valores cobrados com os contratados e os efetivamente realizados.

Verifica também a adequação do tratamento instituído para aquele caso, confrontando a história clínica com a evolução médica e a prescrição, os exames complementares laboratoriais e de imagem, bem como o histórico de enfermagem, a evolução e a sistematização da assistência da enfermagem (SAE), e também as evoluções clínicas da equipe multiprofissional.

Recurso de glosas

Processo segundo o qual o auditor, diante de uma glosa recebida (impugnação do pagamento), analisa e avalia a necessidade ou oportunidade de elaboração de argumentação médica, de enfermagem ou administrativa com a finalidade de anular ou suspender os efeitos da referida glosa.

Por outro lado, constitui-se também no recebimento dessa argumentação por parte de um credenciado analisando a pertinência da argumentação, mantendo ou desconsiderando a glosa, ao final do processo.

Muitas vezes os auditores das empresas (prestadora de um lado e operadora do outro) podem se reunir com o objetivo de esclarecer dúvidas e/ou negociar essa glosa chegando, ao final, a um acordo (negociação de glosa).

Controles de qualidade

Processo pelo qual o auditor avalia a qualidade do atendimento prestado aos seus beneficiários.

Pode incluir:
- ✓ visitas aos prestadores (credenciamento inicial ou visitas periódicas);
- ✓ entrevistas com beneficiários;
- ✓ pesquisas através de questionários de avaliação do atendimento, expectativas e visão dos usuários.

Avaliação dos gastos e custos assistenciais

Processo pelo qual o auditor avalia os custos e gastos do plano de saúde de uma forma sistemática, com o intuito de elaborar indicadores de gestão e de desempenho.
- ✓ A avaliação pode ser feita objetivando o todo ou segmentada de acordo com o interesse do momento.
- ✓ Pode ser feita por tipo de contrato, por procedimento ou ainda focalizando determinado prestador de serviços.
- ✓ Esta segmentação é útil, permitindo comparar os resultados com outros planos, ou com outros prestadores de serviços, a fim de estabelecer ou detectar desvios no padrão de conduta.
- ✓ As avaliações podem ser feitas com o intuito de fornecer subsídio para a formação e o credenciamento de rede assistencial.

Estabelecimento de regras e protocolos internos

Processo pelo qual a empresa prestadora ou tomadora de serviços estabelece as regras de:
- ✓ utilização;
- ✓ carências;
- ✓ credenciamento ou descredenciamento;
- ✓ protocolos internos para autorizações;
- ✓ inclusão de novos procedimentos;
- ✓ modificação de tabelas de procedimentos;

✓ negociação de pacotes ou procedimentos gerenciados para determinados eventos em saúde;

✓ alterações contratuais;

✓ padronização de liberações para internações clínicas e/ou cirúrgicas.

Para que o trabalho da auditoria tenha uma sequência, independentemente de qual auditor esteja fazendo o seu trabalho e em qualquer tipo de auditoria, qualquer que seja a formação técnica do auditor, é de fundamental importância a padronização de normas e rotinas a serem observadas por toda a equipe. Com isso, evitam-se divergências de conduta. O uso de manuais, normas internas, diretrizes, protocolos, fluxogramas, dentre outros, facilita a uniformização e a conduta.

Avaliação dos aspectos éticos e legais

Constitui o processo segundo o qual a auditoria levanta suspeita ou detecta procedimentos que estão sendo solicitados ou realizados e que possam estar infringindo aspectos éticos ou legais, reduzindo o contencioso jurídico da organização.

O auditor deverá ficar atento às normas e resoluções da ANS, da ANVISA, do CFM, do COFEN e do Rol de Procedimentos e Eventos em Saúde para o fiel cumprimento das obrigações da operadora e do prestador de serviço, no que tange ao cumprimento das obrigações legais de cobertura contratual e da vigilância sanitária.

Deverá também estar atento ao mau uso do plano de saúde tanto pelos beneficiários como pelos credenciados, observando as não conformidades, no intuito de evitar fraudes e gastos desnecessários e por vezes exorbitantes.

Ética e legislação em auditoria

O médico e o enfermeiro, investidos da posição de auditores, não deixam de ser profissionais, estão sob a égide de seus respectivos códigos de deontologia e devem seguir todos os ditames éticos inseridos nos seus respectivos códigos.

É importante saber que a função de auditoria não pode se confundir com atividade policialesca. O auditor não é juiz e muito menos "dono de todas as verdades", porém é condição imprescindível o conhecimento técnico para o adequado exercício da função. A arrogância e prepotência são as marcas do auditor incompetente e inseguro.

A. Auditoria de enfermagem

Fundamentação legal:

RESOLUÇÃO COFEN Nº 266/2001 - Aprova atividades de Enfermeiro Auditor.

Principais tópicos:

I- É da competência privativa do Enfermeiro Auditor no Exercício de suas atividades:

Organizar, dirigir, planejar, coordenar e avaliar, prestar consultoria, auditoria e emissão de parecer sobre os serviços de Auditoria de Enfermagem.

II- Quanto integrante de equipe de Auditoria em Saúde:

c) Atuar na elaboração de medidas de prevenção e controle sistemático de danos que possam ser causados aos pacientes durante a assistência de enfermagem;

i) O Enfermeiro Auditor deverá estar regularmente inscrito no COREN da jurisdição onde presta serviço, bem como ter seu título registrado, conforme dispõe a Resolução COFEN Nº 261/2001;

m) O Enfermeiro Auditor tem autonomia em exercer suas atividades sem depender de prévia autorização por parte de outro membro auditor, Enfermeiro, ou multiprofissional;

n) O Enfermeiro Auditor para desempenhar corretamente seu papel, tem o direito de acessar os contratos e adendos pertinentes à Instituição a ser auditada;

o) O Enfermeiro Auditor, para executar suas funções de Auditoria, tem o direito de acesso ao prontuário do paciente e toda documentação que se fizer necessária;

p) O Enfermeiro Auditor, no cumprimento de sua função, tem o direito de visitar/entrevistar o paciente, com o objetivo de constatar a satisfação do mesmo com o serviço de Enfermagem prestado, bem como a qualidade. Se necessário acompanhar os procedimentos prestados no sentido de dirimir quaisquer dúvidas que possam interferir no seu relatório.

III- Considerando a interface do serviço de Enfermagem com os diversos serviços, fica livre a conferência da qualidade dos mesmos no sentido de coibir o prejuízo relativo à assistência de Enfermagem, devendo o Enfermeiro auditor registrar em relatório tal fato e sinalizar aos seus pares auditores, pertinentes à área específica, descaracterizando sua omissão.

IV- O Enfermeiro Auditor, no exercício de sua função, tem o direito de solicitar esclarecimento sobre fato que interfira na clareza e objetividade dos registros, com fim de se coibir interpretação equivocada que possa gerar glosas/desconformidades, infundadas.

V- O Enfermeiro, na função de auditor, tem o direito de acessar, *in loco*, toda a documentação necessária, sendo-lhe vedada a retirada dos prontuários ou cópias da instituição, podendo, se necessário, examinar o paciente, desde que devidamente autorizado pelo mesmo, quando possível, ou por seu representante legal.

B. Auditoria médica

Fundamentação legal

RESOLUÇÃO CFM Nº 1.614/2001 - Disciplina a fiscalização praticada nos atos médicos pelos serviços contratantes de saúde.

Principais tópicos:

- CONSIDERANDO a necessidade de disciplinar a fiscalização praticada nos atos médicos pelos serviços contratantes de saúde;

- CONSIDERANDO que a auditoria do ato médico constitui-se em importante mecanismo de controle e avaliação dos recursos e procedimentos adotados, visando sua resolubilidade e melhoria na qualidade da prestação dos serviços;
- CONSIDERANDO que a auditoria médica caracteriza-se como ato médico, por exigir conhecimento técnico, pleno e integrado da profissão;
- CONSIDERANDO que o médico investido da função de auditor encontra-se sob a égide do preceituado no Código de Ética Médica, em especial o constante nos artigos 8º (liberdade profissional), 16º (livre arbítrio), 19º (isenção e respeito), 81º (veda modificações de conduta), 108º (sigilo direito e indireto), 118º (extrapolar atribuições) e 121º (veda intervenções desrespeitosas) (Código de Ética Médica de 1988 - RESOLUÇÃO CFM nº 1.246/88).

RESOLVE:

- Art. 1º – O médico, no exercício de auditoria, deverá estar regularizado no Conselho Regional de Medicina da jurisdição onde ocorreu a prestação de serviço auditado.
- Art. 2º – As empresas de auditoria médica e os seus responsáveis técnicos deverão estar devidamente registrados nos Conselhos Regionais de Medicina das jurisdições onde seus contratantes estiverem atuando.
- Art. 3º – Na função de auditor, o médico deverá identificar-se de forma clara, em todos os seus atos, fazendo constar, sempre, o número de seu registro no Conselho Regional de Medicina.
- Art. 4º – O médico, na função de auditor, deverá apresentar-se ao diretor técnico ou substituto da unidade, antes de iniciar suas atividades.
- Art. 6º – O médico, na função de auditor, se obriga a manter o sigilo profissional, devendo, sempre que necessário, comunicar a quem de direito e por escrito suas observações, conclusões e recomendações, sendo-lhe vedado realizar anotações no prontuário do paciente.
  - § 1º – é vedado ao médico, na função de auditor, divulgar suas observações, conclusões ou recomendações, exceto por justa causa ou dever legal.
  - § 2º – o médico, na função de auditor, não pode, em seu relatório, exagerar ou omitir fatos decorrentes do exercício de suas funções.
  - § 3º – poderá o médico na função de auditor solicitar por escrito, ao médico assistente, os esclarecimentos necessários ao exercício de suas atividades.
  - § 4º – concluindo haver indícios de ilícito ético, o médico, na função de auditor, obriga-se a comunicá-los ao Conselho Regional de Medicina.
- Art. 7º – O médico, na função de auditor, tem o direito de acessar, *in loco*, toda a documentação necessária, sendo-lhe vedada a retirada dos prontuários ou cópias da instituição, podendo, se necessário, examinar o paciente, desde que devidamente autorizado pelo mesmo, quando possível, ou por seu representante legal.
  - § 1º – havendo identificação de indícios de irregularidades no atendimento do paciente, cuja comprovação necessite de análise do prontuário médico, é permitida a retirada de cópias exclusivamente para fins de instrução de auditoria (AUDITORIA SUS).

- §2º – o médico assistente deve ser antecipadamente cientificado quando da necessidade do exame do paciente, sendo-lhe facultado estar presente durante o exame.
- § 3º – o médico, na função de auditor, só poderá acompanhar procedimentos no paciente com autorização do mesmo ou representante legal e/ou do seu médico assistente.
- Art. 8º – É vedado ao médico, na função de auditor, autorizar, vetar, bem como modificar procedimentos propedêuticos e/ou terapêuticos solicitados, salvo em situação de indiscutível conveniência para o paciente, devendo, nesse caso, fundamentar e comunicar por escrito o fato ao médico assistente.
- Art. 9º – O médico, na função de auditor, encontrando impropriedades ou irregularidades na prestação do serviço ao paciente, deve comunicar o fato por escrito ao médico assistente, solicitando os esclarecimentos necessários para fundamentar suas recomendações.
- Art. 10º – O médico, na função de auditor, quando integrante de equipe multidisciplinar de auditoria, deve respeitar a liberdade e independência dos outros profissionais sem, todavia, permitir a quebra do sigilo médico.
  - Parágrafo único: é vedado ao médico, na função de auditor, transferir sua competência a outros profissionais, mesmo quando integrantes de sua equipe.
- Art. 11º - Não compete ao médico, na função de auditor, a aplicação de quaisquer medidas punitivas ao médico assistente ou à instituição de saúde, cabendo-lhe somente recomendar as medidas corretivas em seu relatório, para o fiel cumprimento da prestação da assistência médica.
- Art. 12º – É vedado ao médico, na função de auditor, propor ou intermediar acordos entre a parte contratante e a prestadora, que visem restrições ou limitações ao exercício da Medicina, bem como aspectos pecuniários.
- Art. 13º – O médico, na função de auditor, não pode ser remunerado ou gratificado por valores vinculados à glosa.
- Art. 14º – Esta resolução aplica-se a todas as auditorias assistenciais e não apenas àquelas no âmbito do SUS.

Aspectos técnicos em auditoria médica e de enfermagem

Os padrões e limites de atuação estão atrelados à própria especificidade da atividade profissional.

Há itens controversos que suscitam dúvidas e glosas. A indicação de utilização de bomba de infusão é um dos exemplos. Algumas operadoras de saúde e suas respectivas auditorias só remuneram essa taxa se houver a prescrição médica para a utilização da bomba, no entanto a indicação de bomba é atributo dos enfermeiros. Outro exemplo é a conferência dos exames pertinentes à hemoterapia. Por tratar-se de exames legislados através da ANVISA, eles mantêm um padrão de cobrança de acordo com as normas publicadas pela agência reguladora e podem ser vistos pela enfermagem, porém algumas operadoras e suas auditorias discordam dessa visão e exigem que esse item seja verificado pela área médica.

Itens privativos:

- Auditoria privativa da enfermagem:
  - ✓ materiais de consumo;
  - ✓ medicamentos (quantitativa);
  - ✓ procedimentos de enfermagem (taxas de aplicação, indicação de bombas de infusão, diluição de medicamentos, formas de administração, curativos especiais, cuidados do paciente etc.);
- auditoria privativa da área médica;
  - ✓ análise qualitativa e quantitativa;
  - ✓ diárias;
  - ✓ SADT;
  - ✓ honorários médicos;
  - ✓ indicação de medicamentos e materiais de alto custo.

Itens não privativos

- ✓ Gasoterapia (a indicação é de caráter médico, porém a quantificação é da enfermagem).
- ✓ Taxas de utilização de equipamentos.
- ✓ Hemoterapia (a indicação é de caráter médico, porém a quantificação é da enfermagem. O SADT obrigatório em hemoterapia possui legislação própria devidamente aprovada pela ANVISA).
- ✓ Diárias (análise quantitativa em procedimentos previamente autorizados).
- ✓ Cirurgias eletivas e procedimentos previamente acordados poderão ser auditados de acordo com liberação prévia.

Relatórios de auditoria de contas médicas-hospitalares

A gestão efetiva de uma operadora de planos de saúde ou de um prestador de serviços de saúde depende fundamentalmente das informações gerenciais obtidas e dos seus indicadores de desempenho.

Para um plano de saúde é importante ter informação a respeito da utilização do plano para que possa compará-la com dados de mercado.

Para uma instituição prestadora de serviços assistenciais os dados a respeito de utilização por operadora e suas respectivas remunerações fornecem informações essenciais à gestão do próprio negócio.

Os relatórios gerenciais permitem que os dirigentes das instituições adotem medidas preventivas e/ou corretivas, no âmbito do beneficiário, do credenciado e/ou da própria equipe de funcionários, objetivando traçar o perfil de cada um.

Os relatórios de auditoria são uma ferramenta de gestão e podem fornecer informações em curto, médio e longo prazos.

Objetivos imediatos:

- documentar o acompanhamento dos casos;
- auxiliar no fechamento das contas;

- descrever o desempenho do prestador;
- identificar beneficiários de alto risco e alta utilização:
  - ✓ há necessidade de tratamentos complementares em nível ambulatorial?
  - ✓ é possível evitar que ocorram novos eventos?
- medir o prazo de resolutividade dos casos;
- fornecer informações para as próximas auditorias;
- fornecer informações a respeito da vantagem ou não de pagamento por pacotes e / ou procedimentos gerenciados;
- manutenção ou não das relações comerciais.

Contas hospitalares

- Composição:
  - ✓ diárias;
  - ✓ taxas de utilização de equipamentos;
  - ✓ taxas de serviços;
  - ✓ materiais médicos e materiais descartáveis (insumos);
  - ✓ medicamentos;
  - ✓ honorários médicos;
  - ✓ SADT;
  - ✓ hemoterapia;
  - ✓ gasoterapia.
- Formas de apresentação de contas médicas:
  - o Contas abertas:
    - ✓ forma de apresentação mais comum do mercado;
    - ✓ adequadas para procedimentos simples;
    - ✓ avaliação complexa (padrão de lançamentos contábeis);
    - ✓ exigem muitos controles bilateralmente;
    - ✓ dificultam a projeção do efeito financeiro nas negociações ou reajustes dos itens.
  - o Pacotes (contas fechadas):
    - ✓ negociação prévia e muito bem feita;
    - ✓ padronização clara acerca dos itens incluídos e excluídos;
    - ✓ controle de intercorrências;
    - ✓ determinam preço mínimo do atendimento;
    - ✓ estabelecimentos de regras claras para migração para tabela aberta;
    - ✓ cuidados para que o "pacote" não se torne um "embrulho";
    - ✓ não há compartilhamento de riscos.

O conhecimento da composição das contas hospitalares traz para o auditor uma capacidade de análise sobre diversos ângulos. A estratificação da conta hospitalar em itens específicos de cobrança propicia uma análise específica dos itens que mais impactam a cobrança.

Qual a importância de se conhecer a composição das contas?
- Objetividade na análise.
- Facilidade de identificação de ofensores.
- Facilidade na negociação dos itens específicos e impactantes.

- Efetividade no subsídio ao credenciamento na orientação de negociações de tabelas, contratos e anexos.
- Possibilidade de negociações de aumentos não lineares nas tabelas hospitalares.

Qual a importância de se conhecer os ofensores?

- Inicialmente para a definição dos ofensores há a necessidade de estabelecer critérios prévios de análise. Via de regra, o conceito mais utilizado é o de participação percentual do item na conta, numa análise histórica.

A análise dos faturamentos hospitalares estratificados abaixo demonstra como os itens de cobrança impactam de uma forma diferente nos diversos serviços operados pelo hospital.

O conhecimento desse impacto e sua compreensão nos dão subsídios necessários para boas negociações de tabelas hospitalares e insumos.

Exemplo: Hospital geral de médio porte com maternidade de baixo risco em cidade com aproximadamente 100 mil habitantes

Análise de faturamento:

1. Os itens que mais impactam o faturamento são materiais e medicamentos, representando no global quase 50% do valor total da conta (Tabela 12.3).
2. Na média, as diárias representam 15 % do valor total (Tabela 12.3).

Tabela 12.3 — Exemplo de Faturamento de Um Hospital. Itens mais Importantes de Uma Conta Hospitalar		
ITEM	VALOR	SINIST
Consulta	27.432,00	7,98%
H.Médicos	25.030,17	7,29%
SADT	30.622.83	8,91%
Diárias	50.220,00	14,62%
Taxas	32.573,55	9,48%
Gasoterapia	27.601,20	8,03%
Material	58.179,71	16,96%
Medicamentos	91.909,03	26,75%
Total Geral	**343.568,49**	

3. No pronto-socorro o que mais impacta são os exames complementares, medicamentos e as consultas, que foram separados dos honorários médicos para fins de melhor análise (Tabela 12.4).

Tabela 12.4
Exemplo de faturamento de Pronto-socorro

ITEM	PRONTO-SOCORRO		
	QTD	VALOR	SINIS
Consulta	329	8.988,30	10,54%
H. Médico	94	2.636,44	3,09%
SADT	757	17.946,94	21,05%
Diária			0,00%
Taxa	103	5.554,04	6,51%
Gasoterapia	8	100,80	0,12%
Material		1.135,55	1,33%
Medicamento		48.901,74	57,35%
Total	**1.291**	**85.263,81**	
Média por unidade de custo		**24,82%**	

4. No ambulatório, o que mais impacta são as consultas e os SADTs (Tabela 12.5).

Tabela 12.5
Exemplo de Faturamento de Ambulatório

ITEM	ATENDIMENTO AMBULATORIAL		
	QTD	VALOR	SINIS
Consulta	632	18.443,70	58,40%
H. Médico	35	720,70	2,28%
SADT	243	4.327,27	13,70%
Diária			0,00%
Taxa	298	4.845,55	15,33%
Gasoterapia	46	525,60	1,66%
Material	-	1.662,27	5,26%
Medicamento	-	1.061,15	3,36%
Total	**1.254**	**31.583,24**	
Média por unidade de custo		**9,19%**	

5. Nas internações cirúrgicas o item mais relevante é o de materiais. A diária representa só 15% do valor total (Tabela 12.6).

6. Nas internações cirúrgicas os honorários médicos representam aproximadamente 11% do valor total da conta (Tabela 12.6).

Tabela 12.6
Exemplo de Faturamento de Internação Cirúrgica

ITEM	INTERNAÇÃO CIRÚRGICA		
	QTD	VALOR	SINIS
Consulta			0,00%
H. Médico	53	10.843,86	10,79%
SADT	92	2.393,56	2,38%
Diária	44	15.642,00	15,56%
Taxa	44	13.704,00	13,63%
Gasoterapia	127	1.981,20	1,97%
Material	-	48.743,17	48,49%
Medicamento	-	7.209,06	7,17%
Total	360	100.516,85	
Média por unidade de custo		29,26%	

7. Nas internações clínicas os itens mais relevantes são diárias, medicamentos e gasoterapia. A diária representa 27% do valor total (Tabela 12.7).
8. Nas internações clínicas os honorários médicos representam aproximadamente 8,6% do valor global (Tabela 12.7).

Tabela 12.7
Exemplo de Faturamento de Internação Clínica

ITEM	INTERNAÇÃO CLÍNICA		
	QTD	VALOR	SINIS
Consulta			0,00%
H. Médico	255	10.136,94	8,61%
SADT	199	4.631,12	3,93%
Diária	94	31.662,00	26,88%
Taxa	1.034	7.502,40	6,37%
Gasoterapia	1.625	24.338,40	20,66%
Material	-	5.669,39	4,81%
Medicamento	-	33.862,46	28,75%
Total	3.207	117.802,71	
Média por unidade de custo		34,29%	

9. Na internação obstétrica o item mais relevante é a diária, porque inclui a permanência da mãe e do bebê (Tabela 12.8).

Tabela 12.8
Exemplo de Faturamento de Internação Obstétrica

ITEM	INTERNAÇÃO OBSTÉTRICA		
	QTD	VALOR	SINIS
Consulta			0,00%
H. Médico	11	1.182,52	14,09%
SADT	71	832,65	9,91%
Diária	8	2.916,00	34,71%
Taxa	10	970,56	11,55%
Gasoterapia	42	655,20	7,80%
Material	-	969,33	11%
Medicamento	-	874,62	10,41%
Total	**142**	**8.401,88**	
Média por unidade de custo		**2,45%**	

Outras análises podem ser feitas se desdobrarmos os itens em subitens e daí em diante.

A especificidade da análise e os itens a serem observados deverão ser compatibilizados com a necessidade da instituição para a análise dos dados relevantes à sua gestão.

Glosa na saúde suplementar

Cancelamento ou recusa, total ou parcial, por parte das operadoras, de uma conta apresentada por um prestador de serviços com solicitação de explicação complementar referente a um serviço ou procedimento realizado ou insumo utilizado.

É uma contestação e, portanto, gera conflitos.

Definições de glosa

- ✓ Michaelis –Supressão total ou parcial de uma quantia averbada num escrito ou numa conta (direito).
- ✓ Aurélio - Cancelamento ou recusa, parcial ou total, de um orçamento, conta, verba, por ilegais ou indevidos.
- ✓ Novo Dicionário Jurídico Brasileiro, de José Náufel - Rejeição, total ou parcial, com o consequente cancelamento, de verbas ou parcelas de uma conta ou orçamento.
- ✓ Mini Houaiss – Parecer negativo; crítica.

Classificação das glosas

- ✓ Sistema.
- ✓ Administrativas.
- ✓ Técnicas:
  - área da enfermagem;
  - área médica.

Fatores determinantes na geração das glosas

✓ Sistema:
- divergências de cadastro na operadora;
- inadimplência do beneficiário;
- uso incorreto pelo beneficiário;
- fraude na utilização;
- preenchimento incorreto de guias;
- preenchimento incompleto da TISS;
- ausência de senhas e/ou autorizações;
- perda de prazo para apresentação das contas;
- informações desatualizadas em sistema.

✓ Administrativas:
- falhas operacionais no momento da cobrança;
- falta de interação entre o plano de saúde e o prestador;
- falha no momento da análise da conta do prestador;
- inconsistência de dados;
- taxas de comercialização incompatíveis;
- contratos e anexos desatualizados.

✓ Técnicas:

situações rotineiras geradoras de conflitos:
- procedimentos novos e/ou muito complexos e especializados, tanto médicos como de enfermagem;
- medicamentos novos e ainda não homologados pela ANVISA;
- protocolos clínicos e/ou de assistências sem evidências científicas;
- pagamentos de diárias após o meio-dia;
- alta tardia sem comprovação clínica da necessidade;
- tempo excessivo para expedição de senhas de liberações e de autorizações de materiais e/ou medicamentos;
- tempo de internação excessivo;
- procedimentos realizados sem autorização;
- materiais especiais utilizados sem autorização e sem evidências médicas que corroboram a utilização;
- etc.

Para fins de reflexão, podemos citar exemplos que podem ser observados em análise de contas e cobranças, que geram desconforto nos auditores em saúde e que por vezes constituem infringências éticas.
- Urgenciamento de casos eletivos para garantir cobertura assistencial e ocultar a prévia existência da patologia.
- Mudança de diagnósticos para mascarar prévia existência.
- Mudança no tempo de existência da doença.
- Ter credenciamento com a operadora como pessoa jurídica (PJ) e solicitar honorários como pessoa física (PF) ou vice-versa, através de reembolso.
- Desdobramento de recibos de honorários de consultas para fins de reembolso.
- Autogeração de exames desnecessários.

- Solicitação de exames visando lucro financeiro.
- Auferir lucro financeiro na indicação de próteses e órteses.
- Auferir lucro financeiro na indicação de medicamentos de alto custo.

Essas situações não são incomuns no sistema suplementar de saúde. A auditoria tem um papel fundamental na detecção de situações que podem ser classificadas como de não conformidade.

A glosa como ferramenta de gestão

A glosa pode ser encarada como uma ferramenta de gestão se aproveitarmos o momento da análise e da negociação para resolução dos conflitos para aperfeiçoarmos nossos processos internos de análise, cobrança e conferência, bem como dos fluxos operacionais.

O setor de credenciamento da instituição hospitalar e da operadora de planos de saúde tem um papel fundamental na inserção dos dados dos novos credenciamentos, na manutenção dos antigos, na atualização das novas negociações e no cadastramento dos prestadores dos serviços de saúde, colaborando para diminuir a porcentagem de glosas e divergências.

Possibilidades

- ✓ identificação, quantificação e qualificação das deficiências técnicas e administrativas (elaboração de indicadores);
- ✓ avaliação do padrão de qualidade assistencial do prestador (protocolos, CCIH atuante, comissão de nutrição etc.);
- ✓ avaliação do desempenho da operadora nos aspectos referentes a credenciamento e regulação (liberações);
- ✓ avaliação da coerência entre prontuários clínico e contábil;
- ✓ avaliação do padrão técnico e ético das auditorias médica e de enfermagem;
- ✓ implementação de medidas saneadoras técnicas e administrativas;
- ✓ instrumentalização para correção e atualização de contratos, dos anexos e efetivação dos "acordos não homologados" (interface com o credenciamento).

Operadoras e prestadores: adversários ou parceiros?

Adversários:
- ✓ glosa linear e sem critério;
- ✓ carta padrão de glosa;
- ✓ glosas repetidas;
- ✓ resposta padronizada;
- ✓ grande volume de divergências;
- ✓ procrastinação na análise;
- ✓ ineficácia e ineficiência.

Parceiros:
- ✓ glosa fundamentada;
- ✓ especificidade da carta de glosa;
- ✓ resposta objetiva;
- ✓ resolução dos conflitos;

- ✓ uso racional das divergências;
- ✓ resolutividade de aplicação e análise;
- ✓ respeito ao prazo contratual;
- ✓ eficácia e eficiência.

Negociação de glosas: facilitadores

- ✓ Regras definidas e claras.
- ✓ Tabela de conceitos de diárias e taxas.
- ✓ Pacotes bem formulados com especificação dos itens incluídos e excluídos.
- ✓ Documentação atualizada.
- ✓ Aspectos éticos de conduta observados.

Nas negociações de glosas a atuação no "varejo" ou caso a caso gera conflitos e desgastes, por vezes desnecessários, mas quando temos uma atuação nos processos e fluxos operacionais, buscando a solução desses conflitos estamos atuando no "atacado" com negociação e gestão.

Expectativas da atuação do auditor

- ✓ Não gerar conflitos inúteis e desnecessários.
- ✓ Não atuar como juiz, ou como policial e não se considerar "dono de todas as verdades".
- ✓ Não comprometer a relação comercial entre as instituições auditadas.
- ✓ Não "aditar contratos" verbalmente.
- ✓ Ao final, fazer a consolidação entre os apontamentos e a efetivação financeira da análise (capiante ou relatório de glosa).
- ✓ Eventuais pendências inegociáveis *in loco* entre as áreas técnicas devem ser repassadas para uma instância superior, são as chamadas divergências, para evitarmos "estoque de glosas".
- ✓ Evitar o acúmulo de divergências nas negociações de glosas, mantendo uma postura proativa e de resolutividade.

Como "expurgar" a glosa

- ✓ Encarar a glosa como uma "anomalia" do processo de faturamento e análise de conta que precisa ser debelada.
- ✓ Buscar conhecimento específico para evitá-la.
- ✓ Enfrentamento direto do problema tendo como objetivo a glosa zero.

Sabemos que glosa zero é praticamente impossível se considerarmos a cobrança através de contas abertas. Contas abertas envolvem um processo operacional complexo com fluxos internos que podem levar a erros de cobrança e faturamentos equivocados.

Para uma melhor percepção do que é glosa e do que é erro, devemos separar esses itens para fins de análise.

Podemos considerar que cobranças indevidas, cobranças de procedimentos não realizados, cobranças de preços extorsivos e erros de digitação e consequentemente de faturamento não podem ser considerados como glosa, mas sim como erro puro e simples, ou se preferirmos como falhas no processo operacional.

Impacto negativo no trabalho das instituições hospitalares/clínicas e operadoras de planos de saúde

✓ As glosas são responsáveis por um trabalho dobrado, em virtude de ser necessário avaliar um mesmo processo duas ou mais vezes (glosa, recurso de glosa, réplica, tréplica etc.).

✓ Geração de custos e despesas desnecessárias.

✓ Estruturas internas montadas especialmente para análise dos recursos de glosa.

✓ Percepção de falhas nos fluxos operacionais que podem gerar impacto negativo na imagem das instituições (valor intangível).

A capacitação e profissionalização do auditor em saúde

A capacitação de profissionais para exercerem a auditoria em saúde constituiu-se hoje num desafio importante tanto para operadoras de planos de saúde quanto para instituições hospitalares.

A atuação do profissional de Auditoria em Saúde evoluiu nos últimos anos, não sendo mais meramente operacional contador de itens de contas médicas e hospitalares, mas sim, cada vez mais estratégica e desafiadora e ligada diretamente à gestão.

Quais serão os atributos e as habilidades necessários para um auditor?

Habilidades esperadas no auditor

✓ postura positiva, cordial e proativa;

✓ ética e sigilo;

✓ capacidade de negociação;

✓ conhecimento técnico atualizado;

✓ experiência assistencial prévia.

Atributos esperados no auditor

✓ por atributos podemos considerar o decálogo ético do médico perito, adaptado para a auditoria em saúde:evitar conclusões intuitivas e precipitadas;

✓ falar pouco e em tom sério;

✓ agir com modéstia e sem vaidade;

✓ manter o sigilo exigido;

✓ ter autoridade para ser acreditado;

✓ ser livre para agir com isenção;

✓ não aceitar a intromissão de ninguém;

✓ ser honesto e ter vida pessoal correta;

✓ ter coragem para decidir;

✓ ser competente para ser respeitado.

Áreas de atuação para auditores técnicos

- *Hospitais e clínicas:*
  - ✓ educação continuada e treinamento das equipes;
  - ✓ faturamento;
  - ✓ área de negócios e comercial;
  - ✓ autorizações e liberações (verificação e análise da compatibilidade dos procedimentos solicitados com a realidade contratual);
  - ✓ contas médicas e hospitalares;
  - ✓ recurso de glosas;
  - ✓ auditoria de qualidade;
  - ✓ gerenciamento e monitoração de casos crônicos;
  - ✓ ouvidoria.
- *Operadoras de planos de saúde:*
  - ✓ credenciamento (vistoria técnica e negociação);
  - ✓ área de negócios e comercial;
  - ✓ liberação de procedimentos;
  - ✓ liberação de materiais especiais;
  - ✓ contas médicas e hospitalares;
  - ✓ recurso de glosa;
  - ✓ auditoria de qualidade;
  - ✓ educação continuada e treinamento das equipes;
  - ✓ gerenciamento e monitoração de casos crônicos;
  - ✓ ouvidoria.
- *Outras oportunidades:*
  - ✓ custos (atuando em conjunto com a área atuarial);
  - ✓ gestão da carteira em operadoras de saúde através da epidemiologia gerencial;
  - ✓ internação domiciliar.
- *Formação continuada e treinamento.*

Como devem atuar nossos gestores para fazerem dos nossos profissionais bons auditores? Basta só o conhecimento assistencial prévio? Como compatibilizar formação continuada e treinamento?

É na formação continuada que a identidade dos nossos auditores se consolida, uma vez que ela pode ser desenvolvida no próprio ambiente de trabalho. Formação continuada é uma forma de ver a capacitação profissional.

Com a evolução tecnológica e a incorporação de novas terapêuticas e medicamentos, o papel do auditor em saúde distingue-se dos demais atores dos sistemas de saúde como aquele que necessita de atualização constante e discernimento técnico para alcançar seus objetivos e os da empresa que ele representa.

Como se manter informado nesse nosso mundo da saúde?

São várias as formas de atualização:

- ✓ congressos, seminários e simpósios;
- ✓ cursos de educação continuada;
- ✓ medicina baseada em evidências e enfermagem baseada em evidências;
- ✓ projeto diretrizes da Associação Médica Brasileira;

✓ pareceres das entidades médicas;
✓ monografias fornecidas pela indústria farmacêutica;
✓ *folders* e prospectos fornecidos pela indústria de insumos médico-hospitalares;
✓ personal NetWork;
✓ *benchmarking*.

A despeito de todos os itens acima e os saberes médicos e científicos atualizados e competentes, a interpretação de toda a informação em saúde precisa passar sempre por um filtro e por uma crítica. Estudos científicos devem ser avaliados e materiais encaminhados pela indústria de equipamentos (*medical devices*) e pela indústria farmacêutica devem ser criteriosamente examinados e estudados.

Considerações finais

A auditoria na saúde suplementar caracteriza-se hoje como uma especialidade imprescindível para o bom funcionamento do sistema de saúde suplementar.

Hodiernamente, para o enfrentamento de todas as dificuldades na prestação dos serviços de saúde, é importante encararmos os desafios que se apresentam sem oportunismos ou achismos.

Os desafios da sustentabilidade do sistema suplementar de saúde são:

- envelhecimento e longevidade da população;
- incorporação tecnológica;
- modelo de pagamento a prestadores que privilegia consumo e utilização de materiais;
- cultura de tratamento de doenças x promoção da saúde e prevenção de doenças;
- judicialização crescente;
- procura indiscriminada e sem a crítica necessária de "conhecimentos" através de recursos informatizados (google, por exemplo);
- novas doenças;
- novos medicamentos;
- novos equipamentos;
- novos materiais.

Para um melhor entendimento, é importante conhecermos também a dinâmica de mercado vigente atualmente. O médico deixou de ser, antes de tudo, um "praticante individual". Com isso, há uma mudança significativa na relação médico-paciente. A fonte pagadora primordial são as operadoras de planos de saúde. Mesmo quando o paciente procura um "médico particular", mas solicita o reembolso das suas despesas, há a necessidade de todo um documental específico e claro para que o paciente tenha essa despesa ressarcida.

Essa tríade médico-paciente-fonte pagadora é amplamente anacrônica. O médico assistente não reconhece a operadora como fonte pagadora e não se dispõe a fazer os relatórios necessários ao ressarcimento. O paciente, não conseguindo seus reembolsos, culpa sempre a fonte pagadora, gerando desconfianças e dilemas que poderiam ser resolvidos com o envio da documentação comprovatória do serviço assistencial prestado e os recibos dos pagamentos efetivados.

Ao auditor cabe também uma postura mais compreensiva e empática com o médico assistente. Médicos são questionados 24 horas do dia. As famílias os questionam, o *staff* os questiona, os colegas os questionam, a justiça os questiona, a patologia os questiona, o convênio os questiona e por fim, o próprio médico se questiona a todo instante.

Os auditores também são questionados e cobrados. Quem os questiona?

O médico auditor sofre pressões diárias advindas da mais diferentes formas e lugares. Do médico assistente, da família dos pacientes, das chefias médicas e das não médicas, da própria instituição onde exerce a auditoria e das instituições auditadas, da justiça, da ANS, além da própria patologia apresentada pelo beneficiário, que exige de todos os atores conhecimentos adequados para proporcionarmos a melhor assistência possível.

A manutenção da melhor assistência com o gasto correto é um dos objetivos maiores que perseguimos e que temos que alcançar para garantir a viabilidade financeira dos serviços e dos sistemas de saúde.

O desgaste nessa relação é quase que natural. Existe a autoproteção do médico ao ser auditado, como também o risco que o cargo de auditor pode oferecer criando vaidades, falta de ética e a não observância dos protocolos, evidências e das regras da ANS.

Qual o maior problema encontrado em todas as esferas? Pouca ou quase nula compreensão do médico assistente sobre o serviço do auditor. O auditor em qualquer área de atuação dificilmente terá um tapete vermelho lhe esperando. O auditor não deve esperar um efusivo "seja bem-vindo", nem um "venha sempre".

A maioria dos problemas entre auditor e auditado, está no dissentimento que todos nós médicos e simples mortais apresentamos ao sermos questionados. A título de exemplo, alguém gosta de "cair na malha fina" da Receita Federal? Enfrentar a auditoria nem sempre é fácil, principalmente se não tivermos todos os documentos comprobatórios.

O auditor precisa ser isento para avaliar e liberar os procedimentos e pagamentos sem cair em armadilhas e dilemas. É importante ter em mente a relação custo/efetividade, a segurança para o paciente, não se submeter à pressão do gestor, do consumidor, da indústria, da mídia e também à pressão da estrutura hospitalar.

Conforme Malik (2009), "Quem tem medo da auditoria não sabe para o que ela serve, sabe pouco sobre como fazê-la, tem pouco interesse em qualidade".

Tenho convicção de que a auditoria em saúde atualmente tem condição de se impor enquanto especialidade técnica e administrativa, ligada à gestão dos planos de saúde e dos prestadores de serviços, aproximando os atores do sistema de saúde de uma forma ética e competente.

O caminho para a consolidação de uma auditoria profissional, capacitada e independente é árduo, porém não menos instigante ou gratificante.

Auditoria Assistencial ou Auditoria Clínica

A auditoria clínica é um processo de análise focado nos pacientes e nos resultados clínicos obtidos pelo prestador de serviços de saúde. É um fenômeno de introdução recente na área da auditoria médica e visa aperfeiçoar os resultados para os usuários do sistema.

É um processo imprescindível ao que denominamos governança clínica, isto é, a condução dos processos clínicos dentro dos preceitos da qualidade e do respeito ao usuário. Tem como objetivo melhorar os resultados através de uma revisão sistemática dos cuidados e, diferentemente das metanálises, objetiva análises específicas para cada serviço e pode indicar alterações a serem implementadas em todos os níveis (individual, equipes ou mesmo todo o serviço). Pode ser realizada de diversas maneiras: (a) auditorias baseadas em protocolos e diretrizes; (b) baseadas na procura de ocorrências adversas ou incidentes críticos ou (c) auditorias de assuntos específicos.

Relatórios de Auditoria em Saúde

O auditor e sua equipe devem ter competência técnica e profissional, agir com zelo e responsabilidade, trabalhar com independência e comportar-se com ética, guardar sigilo durante a execução e divulgação dos trabalhos realizados.

A auditoria deve começar com um adequado período de planejamento quando objetivos, metas, conceitos, critérios, fontes de informação e metodologia são definidos. Estabelecem-se, portanto, as diretrizes, estratégias e políticas do trabalho.

A condução do trabalho deve estar adequadamente estabelecida, de modo que todos tenham a devida noção de suas funções e obrigações.

A coleta dos dados tem o objetivo de obter evidências. Normalmente, nesta fase, utilizam-se planilhas previamente planejadas. Esta documentação é completada e devidamente arquivada, de maneira segura e responsável, para que a análise e avaliação dos dados possibilitem a criação do Relatório de Auditoria em Saúde.

O Relatório é o documento final e principal da auditoria. É a maneira de comunicar à Administração os resultados, o produto do trabalho executado. Deve ser cuidadosamente escrito e de maneira absolutamente técnica, objetiva, concisa e clara. Deve conter fatos relevantes e reais; apontar forças e fraquezas; identificar as oportunidades e ameaças, finalizando com sugestões e recomendações para ações de melhorias a serem implementadas. Cabe, em algumas ocasiões, prever uma reauditoria para verificação dos itens implementados.

Cabe à equipe de auditoria a decisão da emissão de relatórios parciais, verbais, sintéticos ou analíticos. Eventualmente, pode ser necessário algum tipo de relatório especial, sobretudo quando assuntos confidenciais são abordados.

Bibliografia Consultada

1. Araújo IPS. Introdução à auditoria operacional. 4ª ed. Rio de Janeiro: Editora FGV; 2008.
2. Attie W. Auditoria interna. 2ª ed. São Paulo: Editora Atlas; 2009.
3. Brasil. Agência Nacional de Saúde Suplementar. ANS. Rol de procedimentos e eventos em Saúde 2012. Disponível em: http://bvsms.saude.gov.br/bvs/publicacoes/rol_procedimentos_eventos_saude_2012.pdf.
4. Brasil. Conselho Federal de Enfermagem. Rio de Janeiro. Resolução COFEN Nº 266/2001. Aprova as atividades de Enfermeiro Auditor. Disponível em: http://novo.portalcofen.gov.br.
5. Brasil. Conselho Federal de Enfermagem. Rio de Janeiro. Resolução COFEN 2007. Código de Ética dos Profissionais de Enfermagem. Disponível em: http://www.portalcofen.gov.br/sitenovo/node/4158.
6. Brasil. Conselho Federal de Medicina. Brasília. Resolução CFM Nº 1.614/2001. Disciplina a fiscalização praticada nos atos médicos pelos serviços contratantes de saúde. Disponível em: http://www.portalmedico.org.br/resolucoes/CFM/2001/1614_2001.htm.
7. Brasil. Conselho Federal de Medicina. Brasília. Resolução CFM nº 1.246/88. O Código de Ética Médica. Disponível em http://www.portalmedico.org.br/resolucoes/cfm/1988/1246_1988.htm.

8. Brasil. Conselho Federal de Medicina. Brasília. Resolução CFM Nº 1.931/2009. O Código de Ética Médica. Disponível em http://www.portalmedico.org.br/novocodigo/integra.asp.
9. Caleman G, Moreira ML, Sanchez MC. Auditoria, controle e programação de serviços de saúde. São Paulo: Instituto para o Desenvolvimento da Saúde - Núcleo de Assistência Médico-Hospitalar USP - Banco Itaú; 1998.
10. Crepaldi SA. Auditoria contábil: teoria e prática. 5ª ed. São Paulo: Editora Atlas; 2009.
11. Dicionário ABRAMGE de Saúde Suplementar. Disponível em http://www.abramge.com.br/imagens/banco/file/Revista/dicionario.pdf.
12. D'Innocenzo M. Indicadores, auditorias, certificações: ferramentas de qualidade para gestão em saúde. São Paulo: Editora Martinari; 2006.
13. Escrivão Junior A. Uso de indicadores de saúde na gestão de hospitais públicos da região metropolitana de São Paulo. FGV-EAESP; 2004.
14. Gonçalves VF (org.) Fronteiras da Auditoria em Saúde. vol 1. São Paulo: RTM, 2008.
15. Gonçalves VF (org.) Fronteiras da Auditoria em Saúde. 2 ed. São Paulo: RTM, 2009.
16. Hart AR. Principles for Best Practice in Clinical Audit. Postgrad Med J 2002:78-508.
17. ISO 27799 - Information security management in health using ISO/IEC 27002. International Organization for Standardization - Health Informatics; 2008.
18. Joint Commission - our history.: The Joint Commission; [updated 10/03/2010]. Disponível em: http://www.jointcommission.org.
19. Koyama MF. Auditoria e qualidade dos planos de saúde: percepções de gestores de operadoras da cidade de São Paulo a respeito do programa de qualificação da saúde suplementar da ANS. São Paulo: Escola de Administração de Empresas de São Paulo; 2006.
20. Laudon KC, Laudon JP. Sistemas de informações gerenciais: Pearson Prentice Hall; 2006.
21. Lokuarachchi SK. Clinical Audit - What is it and how to do it?. Galle Medical Journal. 2006;11(1):41.
22. Malik AM. Prefácio. In: Fronteiras da Auditoria em Saúde. 2 ed. Organizadora Viviane Fialho Gonçalves. São Paulo: RTM; 2009, p. 7-9.
23. Manual das organizações prestadoras de serviços de saúde. Brasília: Organização Nacional de Acreditação; 2006.
24. Melo MB, Vaitsman J. Auditoria e avaliação no Sistema Único de Saúde. São Paulo em perspectiva. 2008;22(1):152-64.
25. Motta ALC. Auditoria de enfermagem nos hospitais e operadoras de planos de saúde. São Paulo: Iátria; 2003.
26. Motta ALC, Leão E, Zagatto JR. Auditoria Médica no Sistema Privado: uma abordagem prática para organizações de saúde. 1ª edição. São Paulo: Iátria; 2005.
27. Nobrega SWS. Auditoria operacional aplicada a sistemas municipais de saúde: Um estudo a partir da experiência do Tribunal de Contas do Estado do Rio de Janeiro [Mestrado em Administração Pública]. Rio de Janeiro: Fundação Getúlio Vargas; 2008.
28. Pinheiro PP. Direito digital. 3ª ed. São Paulo: Saraiva; 2009.
29. Prêmio Nacional de Gestão em Saúde - PNGS; [10//03/2010]; Disponível em: http://www.apm.org.br/pngs/.
30. Priszkulnik G. Auditoria no Sistema Público de Saúde no Brasil. In: Fronteiras da Auditoria em Saúde vol 1. Organizadora Viviane Fialho Gonçalves. São Paulo: RTM, 2008, p. 125-132.
31. Priszkulnik G. A Capacitação do Auditor em Saúde: desafios e oportunidades. In: Fronteiras da Auditoria em Saúde. 2ª ed. Organizadora Viviane Fialho Gonçalves. São Paulo: RTM, 2009, p. 25-36.
32. Programa de Controle de Qualidade do Atendimento Médico-Hospitalar - CQH. São Paulo: Associação Paulista de Medicina; [10/03/2010]; Disponível em: http://www.apm.org.br/cqh/.
33. Resolução nº 1.931 - Código de Ética Médica. Conselho Federal de Medicina; 2009.
34. Vecina Neto G, Malik AM. Tendências na assistência hospitalar. Ciênc. saúde coletiva. Rio de Janeiro. agosto 2007;12(4) Disponível em: <http://www.scielo.br/scielo.php?script=sci_arttext&pid=S1413.

13 Controladoria em Clínicas e Hospitais

Antonio Shenjiro Kinukawa
Carlos Alberto dos Santos Silva

Introdução

A Contabilidade tradicional, como ciência, tem uma base conceitual da qual devemos nos valer e interagir de forma multidisciplinar com os demais ramos do conhecimento, porém essa base conceitual ficou inadequada para modelar as informações destinadas ao uso dos gestores. Com a evolução natural dessa Contabilidade praticada, identificamos a Controladoria, cujo campo de atuação abrange as organizações econômicas, caracterizadas como sistemas abertos inseridos e interagindo com outros num dado ambiente. *"Os atuais sistemas contábeis para a administração são inadequados para o meio ambiente"* (Johnson & Kaplan, 1987:24).

A Controladoria não pode ser vista como um método, voltado ao como fazer. Devemos cindi-la em dois vértices: o ramo do conhecimento responsável pelo estabelecimento de toda base conceitual e o órgão administrativo que responde pela disseminação de conhecimento, modelagem e implantação de sistemas de informações.

A Controladoria, como ramo do conhecimento, apoia-se na Teoria da Contabilidade, em que devemos entender os Princípios, Convenções, Postulados e Pronunciamentos de Contabilidade publicados pelo Conselho Federal de Contabilidade em concordância com a CVM (Comissão de Valores Mobiliários), a SUSEPE (Superintendência dos Seguros Privados) e o BACEN (Banco Central do Brasil), numa visão multidisciplinar, que é responsável pelo estabelecimento das bases teóricas e conceituais necessárias para a modelagem, construção e manutenção de Sistemas de Informações e Modelo de Gestão Econômica que supram adequadamente as necessidades informativas dos Gestores e os induzam durante o processo de gestão, quando requerido, a tomarem decisões ótimas. A Controladoria está voltada para modelar a correta mensuração da riqueza (patrimônio dos agentes econômicos), a estruturação do modelo de gestão – notadamente os relacionados com os aspectos econômicos da entidade, incluindo os modelos de decisão e informação e do sistema de informações num contexto de Tecnologia de Gestão.

Quanto ao conhecimento, a Controladoria tem um vasto campo de estudos, como segue: modelo de gestão, processo de gestão, modelo organizacional, modelo de decisão, modelo de mensuração, modelo de identificação e acumulação e modelo de informação. O ramo de conhecimento está baseado nos conceitos e na metodologia de operacionalização, tendo em vista os propósitos enumerados como seguem:

- a empresa é constituída sobre o pressuposto da continuidade;
- a empresa é um sistema em constante interação com seu ambiente;
- o resultado econômico é o melhor indicador da eficácia da empresa;
- o resultado econômico é a base para a tomada de decisões;
- o modelo de gestão derivado das crenças e valores será a carta magna que corresponde a um conjunto de definições relativas ao processo de gestão empresarial;
- as atividades empresariais são conduzidas, de forma estruturada, por um processo de gestão que analiticamente corresponde a planejamento, execução e controle;
- as informações requeridas pelos gestores são devidamente suportadas por sistemas de informação.

A Controladoria, como Unidade Administrativa, é responsável pela coordenação e disseminação desta Tecnologia de Gestão. Tornou-se uma das ferramentas mais úteis aos Gestores no processo de tomada de decisão. Como um sistema de decisão, possibilita que, partindo do conhecimento de fatos passados, procedimentos futuros sejam delineados de forma que esta otimização, senão alcançada totalmente, seja buscada com maior segurança. Tem o objetivo de direcionar os esforços dos gestores que conduzam o aperfeiçoamento do resultado global da organização. É de responsabilidade da Controladoria executar as atividades a seguir:

- desenvolvimento de condições para a realização da gestão econômica;
- subsídio ao processo de gestão com informações em todas as fases;
- gestão dos sistemas de informações econômicas de apoio às decisões;
- apoio à consolidação, avaliação e harmonização dos planos das áreas.

A Controladoria é por excelência uma área coordenadora das informações sobre gestão econômica; no entanto não substitui a responsabilidade dos gestores por resultados obtidos, mas busca induzi-los a aperfeiçoar o resultado econômico. Os gestores devem ter conhecimento adequado sobre gestão econômica, tornando-se gestores de negócio, cuja responsabilidade envolve as gestões operacional, financeira, econômica e patrimonial de suas respectivas áreas.

A Controladoria tem a missão de viabilizar a aplicação dos conceitos de gestão econômica dentro da empresa e aperfeiçoar os resultados. A diferença entre o resultado que a empresa teria sem uma Controladoria estruturada para atender aos preceitos de gestão econômica e o resultado que a empresa teria com uma Controladoria estruturada nos moldes da gestão econômica corresponde ao valor agregado por ela. Durante o processo de planejamento, ela tem um papel primordial na otimização dos resultados da empresa. Tem a função de fornecer as informações econômicas do ponto de vista interno da empresa e disponibilizar sistemas para simulações, conceituando o modelo de decisão adequado e simulando resultados de alternativas diversas.

258

Modelos de Sistema de Gestão

A Controladoria está profundamente envolvida na busca da eficácia da organização; para alcançá-las é necessário estar em harmonia com o cumprimento da missão da empresa.

Um modelo de gestão poderia ser definido como um conjunto de princípios e definições que decorrem de crenças e valores dos principais executivos, impactando nos demais subsistemas da organização. É um modelo de controle, pois nele são definidas as diretrizes de como os gestores vão ser avaliados, e os princípios de como a empresa vai ser administrada.

O estilo de gestão é que vai determinar o modo como a autoridade será distribuída e como será exercido o controle, considerando que a responsabilidade está em conjunto ao poder assumido. A gestão pode ser participativa, centralizada, estatizada, sendo que é um desses modelos que vai determinar a natureza da estrutura da organização.

Com o aumento da quantidade e complexidade das operações, quando uma atividade atinge certos níveis faz com que a delegação deixe de ser uma opção para se tornar uma necessidade, sendo impossível que poucas pessoas possam decidir em vários níveis. De acordo com o grau de independência e da controladoria dado ao gestor em suas decisões, os centros de responsabilidade podem ser classificados como: centro de custo, centro de lucro ou centro de investimento. O processo de gestão serve de suporte para as tomadas de decisão e realiza-se pelos elementos descritos a seguir.

Planejamento estratégico

É a determinação dos objetivos e metas da entidade para o futuro, utilizando estrategicamente seus recursos com o desenvolvimento de padrões e políticas de estratégia para alcançar seus objetivos, fundamentando-se em informações a respeito do meio ambiente.

Para a elaboração de um plano estratégico há necessidade de projeção de cenário básico para o mercado fornecedor e consumidor; identificar as oportunidades e ameaças e suas causas; identificação dos pontos fortes e fracos; evitar ameaças e criar oportunidades; estabelecer as políticas, estratégias e objetivos decorrentes da alavancagem dos pontos fortes e da limitação dos pontos fracos.

Planejamento operacional

Parte das diretrizes estratégicas definidas no planejamento estratégico juntamente com a missão da empresa, dos valores e crenças dos acionistas, com o modelo de gestão e as restrições existentes.

No planejamento de cada área serão definidos os recursos necessários, os volumes produzidos, os investimentos previstos em tecnologia, recursos humanos e ativos fixos. A abrangência do plano aprovado deve limitar-se, no máximo, de acordo com o planejamento estratégico e no mínimo pelo ciclo operacional da empresa.

Programação

É a distribuição de uma sequência de atividades em um determinado período de tempo e o ajuste do plano operacional acordado, em razão do conhecimento de informações mais precisas sobre os eventos que ocorreram no curto prazo.

Execução

A execução das atividades planejadas se reveste de grande importância, pois é pelas decisões sobre os eventos, nesta fase, que o resultado econômico está sendo gerado: é aí que os recursos são consumidos e os produtos gerados. Mesmo que haja um planejamento anterior, o momento da execução das atividades físico-operacionais pode exigir novas decisões, e estas são as responsáveis pelas variações patrimoniais.

Controle

O controle vem como complemento do planejamento, pois de nada adiantaria um bom planejamento sem um efetivo controle. O controle pode ser concomitante à realização das atividades ao final de cada etapa e após a conclusão do processo. É a verificação dos objetivos, planos e padrões, se esses estão sendo atendidos. Analisa a causa das variações; simula soluções; revisão.

Modelos de Decisão

Para que o objetivo da empresa seja alcançado, é necessário uniformizar o modelo de decisão a ser tomada.

O modelo de decisão a ser tomado deverá produzir o melhor resultado. O alicerce do modelo de decisão é a busca da eficácia e tem como objetivo aperfeiçoar a decisão. A eficácia organizacional pode ser definida como o grau atingido pela empresa no cumprimento a sua missão e seus objetivos.

Existem três categorias de tomadas de decisão: as estratégicas, operacionais e administrativas, sendo que para cada uma tem um modelo de planejamento, execução e controle, pois são tomadas decisões em todas as fases do processo de gestão.

Processos de tomada de decisão

O processo de tomada de decisão expressa à racionalidade com a qual os gestores buscam soluções ótimas para os problemas da empresa. O processo de tomada de decisão percorre as fases como segue: definição do problema; obtenção dos fatos; formulação de alternativas; ponderação e decisão. O processo de tomada de decisão termina com a escolha da ação a ser implementada.

Modelos de informação

O modelo de informação tem como objetivo principal a adequação do sistema de informação ao processo decisório, fornecendo informações que as tendências sejam as de levar a decisões ótimas com relação ao resultado econômico, dando aos gestores várias alternativas, em que possam selecionar aquelas que tornem mais eficiente o resultado: reduzindo custos, aumentando receitas, aumentando o lucro, a eficiência e a eficácia.

A eficácia desse modelo de informação será medida pela forma com que as necessidades dos gestores sejam atendidas; deve dar condições para que sejam avaliados a eficiência no uso dos recursos disponíveis e o grau de eficácia gerencial, fornecendo informações orçadas e reais, para que sejam apuradas variações com a finalidade de avaliação de resultado e de desempenho das áreas.

A interligação dos subsistemas de orçamento, custos e contabilidade, por meio de uma base padrão dará possibilidade de apuração da margem de contribuição de cada área para o resultado geral da empresa.

Modelos de mensuração

A mensuração é a atribuição de números aos objetos e eventos em conformidade com alguma regra; a relevância e significância da mensuração dependem da perfeita correspondência e significância entre sistemas relacionais[1]. O objeto a ser mensurado depende do modelo de decisão. Existem muitas variáveis a serem analisadas na determinação dos modelos de mensuração que podem ser feitas em termos presentes, passados e futuros. As decisões que contemplam eventos econômicos operacionais caracterizam o modelo de mensuração e as decisões estratégicas são de caráter quantitativo.

O padrão de mensuração contábil é a unidade monetária, sendo considerados dois aspectos que afetam essa variável: tempo e valor. O mecanismo da correção monetária integral é um forte aliado para o aperfeiçoamento das mensurações requeridas pelo sistema de informação contábil. O conceito de valor influencia fortemente a caracterização do modelo.

A mensuração contábil caracteriza-se como uma mensuração de desempenho econômico expressa em termos financeiros. Recentes pesquisas têm sido desenvolvidas para se mensurar o desempenho da empresa em relação a suas metas sociais, recursos humanos, preservação do meio ambiente, dentre outras, não podendo esquecer a importância dos padrões físicos nas mensurações contábeis.

A mensuração do lucro destaca-se como uma das saídas mais importantes de um sistema de mensuração econômico-financeira. Assim, a Controladoria é sempre considerada como sendo a Central de Informações para as organizações, pois tem condições de preparar todas as bases para o processo decisório diário.

Veremos a seguir um caso prático de informações geradas pela Controladoria de uma entidade hospitalar, que exemplifica as informações mencionadas anteriormente.

Caso prático

Trata-se de modelo de implantação de serviço próprio de tomografia computadorizada por um Hospital.

---

1. Nakagawa M. Notas de aula da disciplina de tópicos avançados de contabilidade no curso Especialização em Contabilidade e Controle, Universidade de Fortaleza, 2008.

As clínicas e hospitais são organizações complexas que oferecem diversos serviços interligados e interdependentes com uma especificidade: cuidar da saúde das pessoas. Com o acirramento da competição, as organizações modernizam os atuais e incorporam novos produtos e serviços. Essa realidade exige da gestão informações abrangentes, integrais, úteis e precisas para as tomadas de decisões.

Diante dessa realidade, o *controller* é peça fundamental. Nakagawa (2010) definiu *o controller* como

> *"o responsável pelo projeto, implementação e manutenção de um sistema integrado de informações, que operacionaliza o conceito de que a contabilidade, como principal instrumento para demonstrar a quitação de responsabilidade que decorre da accountability da empresa e seus gestores, é suportada pelas teorias da decisão, mensuração e informação. A experiência tem mostrado que este sistema capacita os gestores de uma empresa a planejarem, executarem e controlarem adequadamente as atividades da empresa, sejam elas de suporte ou operacionais, utilizando com eficiência e eficácia os recursos que lhes são colocados a sua disposição. O controller é o gestor desse sistema, na qualidade de principal executivo de informações de uma empresa".*

Para desempenhar suas funções com competência, o *controller* precisa contar com o envolvimento de toda organização. A atividade de *controller* pode ser realizada por profissionais com outras funções, desde que tenham conhecimentos da área.

É nesse contexto que sobressai a Controladoria com a principal função de ajudar as pessoas a tomarem as melhores decisões. Segundo Ribeiro Filho, *"Provavelmente, a principal vocação da Unidade de Controladoria seja uma atuação voltada para o assessoramento, não apenas ao executivo-chefe, mas para todos os gestores e equipes das unidades funcionais do hospital".*

Geralmente a Controladoria é formada pelas áreas de planejamento e orçamento, custos, contabilidade e análise de investimentos. Alguns contemplam a área financeira.

O objetivo deste caso prático é demonstrar a importância da Controladoria para as organizações e que as suas funções independem do porte da organização. As instituições duradouras possuem essa função mesmo que não caracterizadas como uma área específica. O modelo elaborado é integrado e contempla o planejamento, a análise de investimentos e os orçamentos, operacional e de capital. É racional com o propósito de facilitar a compreensão e a conferência das informações geradas sem a pretensão de esgotar o assunto nas próximas páginas. Os valores, praticamente iguais para os períodos, podem ser alterados a qualquer momento pela modificação nas premissas. O modelo contempla as principais contas envolvidas na atividade de prestação de serviços de tomografia computadorizada. Por ser um estudo de longo prazo, a periodicidade é anual. Os números do modelo não correspondem à realidade.

Planejamento estratégico do Hospital

O planejamento estratégico do Hospital preconiza a verticalização das suas operações com o intuito de melhorar a qualidade dos serviços oferecidos aos seus clientes e concomitantemente reduzir os custos. Ao analisar os indicadores a seguir, a direção do Hospital decidiu iniciar estudo para a instalação de serviço próprio de tomografia computadorizada.

Mercado

- Cidade de 400 mil habitantes, pólo da região com cerca de 600 mil habitantes.
- População-alvo: 160 mil usuários de operadoras de planos de saúde privados.
- Demanda de exames: 800 exames por mês (cinco exames/mês por 1.000 usuários). Há perspectivas de aumento da renda *per capita* e da base de usuários das operadoras nos próximos anos.

Concorrência

- Uma clínica.
- Um equipamento antigo e defasado.
- Localização: longe dos principais consultórios e clínicas e do Hospital.

Hospital

- Único hospital da cidade.
- Corpo clínico especializado.
- Colaboradores preparados.
- Localizado em bairro onde é o centro das atenções de saúde. Possui em seu entorno vários consultórios, clínicas de serviços auxiliares de diagnóstico e terapia (SADT) e comércio ligado à saúde.
- Fácil acesso, inclusive para a população das cidades vizinhas.
- 150 leitos.
- Ocupação de 86,67% dos leitos.
- O serviço de imagem possibilita sinergias administrativas e operacionais.

Estudo de viabilidade – serviço próprio de tomografia computadorizada

O estudo viabilidade econômica realizado pela Controladoria considerou o novo serviço como uma unidade de negócios autônoma, porém ligada ao Hospital. A administração do serviço terá sob sua gestão todos os componentes das receitas e gastos até o resultado direto, isto é, apenas o custo indireto recebido não estará sob sua gestão, mas pode ser gerenciado pela comparação com os serviços oferecidos no mercado.

O custo médio por exame pago pelo Hospital é de R$ 417,84. Para fins de comparação com esse valor, o custo unitário do serviço próprio foi calculado pelo método de custeio por absorção.

O prédio, contíguo ao hospital, será locado pelo prazo de 10 anos. O prazo para iniciar as operações é de 120 dias da data da aprovação do projeto.

A modelagem financeira foi feita com base nas informações amealhadas incluindo as premissas econômicas e a produção esperada. O hospital não é tributável.

As projeções foram realizadas por meio dos valores atuais e considerando as variáveis econômicas, de produção e de mercado (inadimplência etc.).

Produção

O horário de funcionamento previsto é de segunda à sexta-feira, das 7 às 19 h. Aos sábados funcionará das 7 às 13 h. Os exames que requerem fármacos especiais serão feitos às quintas-feiras.

Tabela 13.1
Previsão da Capacidade Instalada e da Utilizada

| | SEG | TER | QUA | QUI (1) | SEX | SÁB | DOM/ FER. | TOTAL EXAMES | |
								SEMANA	MÊS (2)
Turno diurno									
Horário inicial	7	7	7	7	7	7	0		
Horário final	19	19	19	19	19	13	0		
Capacidade (min)	720	720	720	720	720	360	0	3-960	
Tempo médio unitário (min)	20	20	20	40	20	20	30		32
Capacidade plena (exames)	36	36	36	18	36	18	0	180	720
Ajuste capacidade	1	1	1	1	1	1	0		
Capacidade ajustada (exames)	36	36	36	18	36	18	0	180	720
Exames previstos	25	25	25	13	25	13	0	125	500
Total médio mensal									
Capacidade instalada								180	720
Total exames previstos								125	500
Ocupação capacidade									69%
Exames previstos por dia									25

(1) Exames contrastados.
(2) 4 semanas.

Os exames de urgência e emergência do hospital (noturno, domingos e feriados) serão realizados em regime de plantão, remunerando os agentes por valor mensal fixo determinado pelo volume médio.

A demanda mensal de pacientes internados é de 300 exames. É esperado realizar outros 200 exames em pacientes externos, totalizando 500 unidades/mês ou 6.000 ao ano.

A ocupação da capacidade instalada ficaria em 69%. O hospital busca participar com 62,5% do mercado porque vai operar com equipamentos de última geração, instalações modernas e confortáveis, equipe técnica reconhecida e localização privilegiada. O equipamento de tomografia computadorizada previsto permitirá a realização de exames de complexidade, que não são feitos na cidade atualmente.

Premissas econômicas

Os principais indicadores econômicos em termos anuais são inflação de 4,5%, reajuste da tabela do serviço de 3,0%, taxa básica de juros de 7,0%, custo de oportunidade de 10,0% e reajuste salarial de 4,5%.

Tabela 13.2
Premissas Econômicas (% aa)

ANOS	1	2	3	4	5	6	7	8	9	10
Inflação	4,5%	4,5%	4,5%	4,5%	4,5%	4,5%	4,5%	4,5%	4,5%	4,5%
Reajuste tabela serviço	3,0%	3,0%	3,0%	3,0%	3,0%	3,0%	3,0%	3,0%	3,0%	3,0%
Taxa de juros aplicação	7,0%	7,0%	7,0%	7,0%	7,0%	7,0%	7,0%	7,0%	7,0%	7,0%
Custo de oportunidade	10,0%	10,0%	10,0%	10,0%	10,0%	10,0%	10,0%	10,0%	10,0%	10,0%
Reajuste salarial	4,5%	4,5%	4,5%	4,5%	4,5%	4,5%	4,5%	4,5%	4,5%	4,5%

Investimentos (capital)

Os investimentos até o início das operações serão na ordem de R$ 1,3 milhão. O financiamento será feito com recursos próprios do hospital.

Tabela 13.3
Investimentos Iniciais (R$ por mil)

INVESTIMENTOS			VALORES
Equipamentos			
Aparelho TC			800
De apoio (transformador etc.)			100
Complementares (monitor etc.)			30
Subtotal			930
Logística			
Frete internacional	1,5%	sobre FOB	14
Seguro	1,0%	sobre C+F	9
Armazenagem	2,2%	sobre C.I.F.	21
Despachante aduaneiro	0,3%		3
Frete local	0,7%		7
Outras despesas logísticas	0,1%		1
Subtotal	5,9%		55
Infraestrutura e instalação			
Projeto			6
Execução			74
Subtotal			80
Investimentos adicionais			
Publicidade			35
Subtotal			35
Total Equipamentos			**1.100**
Outros Investimentos			**200**
Total dos Investimentos Iniciais			**1.300**

Nos próximos 10 anos, prazo do projeto, o Hospital estima investir mais R$ 300 mil por meio da geração de caixa operacional.

Tabela 13.4
Orçamento de Capital (R$ por mil)

ÁREAS	ANO 0	ANO 1	ANO 2	ANO 3	ANO 4	ANO 5	ANO 6	ANO 7	ANO 8	ANO 9	ANO 10
Gerência geral	1.100	20	20	20	20	20	20	20	20	20	20
Coordenação técnica		10	10	10	10	10	10	10	10	10	10
TOTAL	1.100	30	30	30	30	30	30	30	30	30	30

Receitas operacionais

A receita média por exame é de R$ 339,00. A estrutura de atendimento prevista possibilitará ao Hospital realizar praticamente todas as modalidades de exames de tomografia computadorizada. Há espaço para a elevação das receitas pelo crescimento do mercado e maior agressividade em *marketing*.

DESCRIÇÃO	BASE	ANO 1	ANO 2	ANO 3	ANO 4	ANO 5	ANO 6	ANO 7	ANO B	ANO 9	ANO 10
Quantidade média exames	500	6.000	6.000	6.000	6.000	6.000	6.000	6.000	6.000	6.000	6.000
Receita Operacional Bruta	12	2.097	2.097	2.097	2.097	2.097	2.097	2.097	2.097	2.097	2.097
Receita com Serviços		1.493	1.493	1.493	1.493	1.493	1.493	1.493	1.493	1.493	1.493
Quantidade média de CHs		755	755	755	755	755	755	755	755	755	755
Valor CH - coeficiente honorários		0,32	0,32	0,32	0,32	0,32	0,32	0,32	0,32	0,32	0,32
Índice reajuste		1,030	1,030	1,030	1,030	1,030	1,030	1,030	1,030	1,030	1,030
Receita de materiais e medicamentos		604	604	604	604	604	604	604	604	604	604
Medicamentos		285	285	285	285	285	285	285	285	285	285
Margem comercialização		0	0	0	0	0	0	0	0	0	0
Materiais médicos		201	201	201	201	201	201	201	201	201	201
Margem comercialização		60,0%	60,0%	60,0%	60,0%	60,0%	60,0%	60,0%	60,0%	60,0%	60,0%
Filmes		118	118	118	118	118	118	118	118	118	118
M2 consumido		1,045	1,045	1,045	1,045	1,045	1,045	1,045	1,045	1,045	1,045
Valor M2		18,21	18,21	18,21	18,21	18,21	18,21	18,21	18,21	18,21	18,21
Índice reajuste		1,030	1,030	1,030	1,030	1,030	1,030	1,030	1,030	1,030	1,030
Deduções (-)											
Devoluções e abatimentos	3,0%	63	63	63	63	63	63	63	63	63	63
Receita Operacional Liquida		2.034	2.034	2.034	2.034	2.034	2.034	2.034	2.034	2.034	2.034

Tabela 13.5 — Receitas (R$ por mil)

Gastos

O custo total médio dos exames de R$ 334,27 é 20% menor que o valor médio atualmente despendido pelo hospital, de R$ 417,84.

O serviço de tomografia computadorizada recebe parte dos custos indiretos do Hospital no valor de R$ 1,73 por exame, representando 7% da receita bruta.

O custo pode ser reduzido, dentre outros, com ganhos de produtividade pela redução nos tempos de atendimento e extensão do horário de atendimento e revisão dos gastos.

Para apresentar a projeção de cada um dos gastos, os custos e despesas foram apartados em dois quadros.

Custos dos serviços prestados

DESCRIÇÃO	BASE	ANO 1	ANO 2	ANO 3	ANO 4	ANO 5	ANO 6	ANO 7	ANO 8	ANO 9	ANO 10
Tabela 13.6											
Custos dos Serviços Prestados (R$ por mil)											
Custo do Serviço Prestado	12,0	993	993	993	993	993	993	993	993	993	993
Pessoal		75	75	75	75	75	75	75	75	75	75
Salários											
Técnicos enfermagem		38	38	38	38	38	38	38	38	38	38
Quantidade		2	2	2	2	2	2	2	2	2	2
Salário	1,5	18	18	18	18	18	18	18	18	18	18
Índice de reajuste		1,045	1,045	1,045	1,045	1,045	1,045	1,045	1,045	1,045	1,045
Encargos											
Técnicos de enfermagem	1,0	38	38	38	38	38	38	38	38	38	38
Serviços profissionais		166	166	166	166	166	166	166	166	166	166
Médico responsável		113	113	113	113	113	113	113	113	113	113
Valor do contrato	9,0	108	108	108	108	108	108	108	108	108	108
Índice de reajuste		1,045	1,045	1,045	1,045	1,045	1,045	1,045	1,045	1,045	1,045
Operadores de equipamentos		53	53	53	53	53	53	53	53	53	53
Quantidade		3	3	3	3	3	3	3	3	3	3
Valor unitário	1,4	17	17	17	17	17	17	17	17	17	17
Índice de reajuste		1,045	1,045	1,045	1,045	1,045	1,045	1,045	1,045	1,045	1,045
Utilidades		53	53	53	53	53	53	53	53	53	53
Energia elétrica		53	53	53	53	53	53	53	53	53	53
Custo KWh		0,40	0,40	0,40	0,40	0,40	0,40	0,40	0,40	0,40	0,40
Consumo KWh		40	40	40	40	40	40	40	40	40	40
Horas de funcionamento	264,0	3.168	3.168	3.168	3.168	3.168	3.168	3.168	3.168	3.168	3.168
Índice de reajuste		1,045	1,045	1,045	1,045	1,045	1,045	1,045	1,045	1,045	1,045
Locação do imóvel		100	100	100	100	100	100	100	100	100	100
Valor anual	8,0	96	96	96	96	96	96	96	96	96	96
Índice de reajuste		1,045	1,045	1,045	1,045	1,045	1,045	1,045	1,045	1,045	1,045
Manutenção		224	224	224	224	224	224	224	224	224	224
Peças e acessórios (anodo e detectores)	13,0%	126	126	126	126	126	126	126	126	126	126
Valor do anodo e dos detectores		121	121	121	121	121	121	121	121	121	121
Índice de reajuste		1,045	1,045	1,045	1,045	1,045	1,045	1,045	1,045	1,045	1,045
Contrato de manutenção		97	97	97	97	97	97	97	97	97	97
Valor anual	10,0%	93	93	93	93	93	93	93	93	93	93
Índice de reajuste		1,045	1,045	1,045	1,045	1,045	1,045	1,045	1,045	1,045	1,045
Materiais e medicamentos		375	375	375	375	375	375	375	375	375	375
Papel de impressão filme		30	30	30	30	30	30	30	30	30	30
Custo unitário		1,20	1,20	1,20	1,20	1,20	1,20	1,20	1,20	1,20	1,20
Consumo por exame		4	4	4	4	4	4	4	4	4	4
Índice de reajuste		1,045	1,045	1,045	1,045	1,045	1,045	1,045	1,045	1,045	1,045
Medicamentos		219	219	219	219	219	219	219	219	219	219
Custo unitário	350,0	35	35	35	35	35	35	35	35	35	35
Consumo médio por exame		0,10	0,10	0,10	0,10	0,10	0,10	0,10	0,10	0,10	0,10
Índice de reajuste		1,045	1,045	1,045	1,045	1,045	1,045	1,045	1,045	1,045	1,045
Materiais médicos		125	125	125	125	125	125	125	125	125	125
Custo unitário	200,0	20	20	20	20	20	20	20	20	20	20
Consumo médio por exame		0,10	0,10	0,10	0,10	0,10	0,10	0,10	0,10	0,10	0,10
Índice de reajuste		1,045	1,045	1,045	1,045	1,045	1,045	1,045	1,045	1,045	1,045

Despesas (receitas) operacionais

DESCRIÇÃO	BASE	ANO 1	ANO 2	ANO 3	ANO 4	ANO 5	ANO 6	ANO 7	ANO 8	ANO 9	ANO 10
Tabela 13.7											
Despesas (Receitas) Operacionais (R$ por mil)											
Despesas (Receitas) Operacionais		868	874	880	886	892	852	852	852	852	852
Pessoal administrativo		607	607	607	607	607	607	607	607	607	607
Salários		303	303	303	303	303	303	303	303	303	303
Gerência geral		176	176	176	176	176	176	176	176	176	176
Quantidade		1	1	1	1	1	1	1	1	1	1
Salário	14,0	168	168	168	168	168	168	168	168	168	168
Índice de reajuste		1,045	1,045	1,045	1,045	1,045	1,045	1,045	1,045	1,045	1,045
Coordenação técnica		75	75	75	75	75	75	75	75	75	75
Quantidade		1	1	1	1	1	1	1	1	1	1
Salário	6,0	72	72	72	72	72	72	72	72	72	72
Índice de reajuste		1,045	1,045	1,045	1,045	1,045	1,045	1,045	1,045	1,045	1,045
Escriturários		30	30	30	30	30	30	30	30	30	30
Quantidade		2	2	2	2	2	2	2	2	2	2
Salário	1,2	14	14	14	14	14	14	14	14	14	14
Índice de reajuste		1,045	1,045	1,045	1,045	1,045	1,045	1,045	1,045	1,045	1,045
Recepção		23	23	23	23	23	23	23	23	23	23
Quantidade		2	2	2	2	2	2	2	2	2	2
Salário	0,9	11	11	11	11	11	11	11	11	11	11
Índice de reajuste		1,045	1,045	1,045	1,045	1,045	1,045	1,045	1,045	1,045	1,045
Encargos		303	303	303	303	303	303	303	303	303	303
Totais	100,0%	303	303	303	303	303	303	303	303	303	303
Serviços de terceiros		34	34	34	34	34	34	34	34	34	34
Limpeza		15	15	15	15	15	15	15	15	15	15
Quantidade		1	1	1	1	1	1	1	1	1	1
Valor anual	1,2	14	14	14	14	14	14	14	14	14	14
Índice de reajuste		1,045	1,045	1,045	1,045	1,045	1,045	1,045	1,045	1,045	1,045
Segurança		19	19	19	19	19	19	19	19	19	19
Quantidade		1	1	1	1	1	1	1	1	1	1
Valor anual	1,5	18	18	18	18	18	18	18	18	18	18
Índice de reajuste		1,045	1,045	1,045	1,045	1,045	1,045	1,045	1,045	1,045	1,045
Utilidades		50	50	50	50	50	50	50	50	50	50
Água		13	13	13	13	13	13	13	13	13	13
Valor do consumo	1,0	12	12	12	12	12	12	12	12	12	12
Índice de reajuste		1,045	1,045	1,045	1,045	1,045	1,045	1,045	1,045	1,045	1,045
Telefone		38	38	38	38	38	38	38	38	38	38
Valor do consumo	3,0	36	36	36	36	36	36	36	36	36	36
Índice de reajuste		1,045	1,045	1,045	1,045	1,045	1,045	1,045	1,045	1,045	1,045
Depreciação		156	162	168	174	180	140	140	140	140	140
Provisão para Perdas	1,5%	21	21	21	21	21	21	21	21	21	21
Contas a receber (% vendas)	70,0%	1.424	1.424	1.424	1.424	1.424	1.424	1.424	1.424	1.424	1.424
Total dos Custos e Despesas Diretas		**1.861**	**1.867**	**1.873**	**1.879**	**1.885**	**1.845**	**1.845**	**1.845**	**1.845**	**1.845**
Transferência Custos Indiretos	7,0%	147	147	147	147	147	147	147	147	147	147
Valor anual		147	147	147	147	147	147	147	147	147	147
Índice de reajuste		1,000	1,000	1,000	1,000	1,000	1,000	1,000	1,000	1,000	1,000
Total dos Custos e Despesas Diretas		**2.008**	**2.014**	**2.020**	**2.026**	**2.032**	**1.992**	**1.992**	**1.992**	**1.992**	**1.992**
Resultado Financeiro		17	31	47	63	81	100	121	143	167	192
Receitas financeiras		17	31	47	63	81	100	121	143	167	192
Valor aplicado		240	445	665	901	1.156	1.429	1.724	2.040	2.380	2.745
Taxa de juros (aa)		7,0%	7,0%	7,0%	7,0%	7,0%	7,0%	7,0%	7,0%	7,0%	7,0%
Despesas financeiras		0	0	0	0	0	0	0	0	0	0

Demonstração dos resultados

Os resultados foram apurados considerando a óptica da margem de contribuição (conceito de custeio direto) e do resultado operacional (custeio por absorção). Na média do horizonte de 10 anos do projeto, os indicadores em relação à receita bruta são:
- a margem de contribuição representou 49,7%;
- o EBITDA (resultado antes dos juros, tributos, depreciação e amortização) é de 15,7%;
- o lucro operacional é de 12,9%.

Os resultados financeiros previstos do projeto são favoráveis comparativamente ao mercado.

Tabela 13.8
Demonstração do Resultado do Exercício (R$ por mil)

| DESCRIÇÃO | PAYBACK DESCONTADO (10% AA) 7,8 ANOS TIR (AA) 18,0% CONCEITO CUSTEIO DIRETO | | | | | | | | | |
	ANO 1	ANO 2	ANO 3	ANO 4	ANO 5	ANO 6	ANO 7	ANO 8	ANO 9	ANO 10
Volume Anual de Exames	6.000	6.000	6.000	6.000	6.000	6.000	6.000	6.000	6.000	6.000
Receita Operacional Bruta	2.097	2.097	2.097	2.097	2.097	2.097	2.097	2.097	2.097	2.097
(-)Deduções	63	63	63	63	63	63	63	63	63	63
Receita Operacional Líquida	2.034	2.034	2.034	2.034	2.034	2.034	2.034	2.034	2.034	2.034
(-) Custo Variável	993	993	993	993	993	993	993	993	993	993
Margem de Contribuição	1.041	1.041	1.041	1.041	1.041	1.041	1.041	1.041	1.041	1.041
Part. sobre Receita Oper. Bruta	49,7%	49,7%	49,7%	49,7%	49,7%	49,7%	49,7%	49,7%	49,7%	49,7%
(-) Custos (Desp) Fixas s/Depreciação	712	712	712	712	712	712	712	712	712	712
Resultado EBITDA	329	329	329	329	329	329	329	329	329	329
Part. sobre Receita Oper. Bruta	15,7%	15,7%	15,7%	15,7%	15,7%	15,7%	15,7%	15,7%	15,7%	15,7%
(+) Resultado Financeiro	17	31	47	63	81	100	121	143	167	192
(-) Depreciação	156	162	168	174	180	140	140	140	140	140
Lucro Operacional	190	198	207	218	230	289	310	332	355	381
s/Receita Bruta - Faturada	9,0%	9,4%	9,9%	10,4%	11,0%	13,8%	14,8%	15,8%	17,0%	18,2%

Balanço patrimonial

A situação patrimonial parte do investimento inicial de R$ 1,3 milhão atingindo, ao final de 10 anos de operação, R$ 2,6 milhões.

Tabela 13.9
Balanço Patrimonial (R$ por mil)

DESCRIÇÃO	ANO 0	ANO 1	ANO 2	ANO 3	ANO 4	ANO 5	ANO 6	ANO 7	ANO 8	ANO 9	ANO 10
Caixa	50	240	445	665	901	1.156	1.429	1.724	2.040	2.380	2.745
Circulante	0	-21	-43	-64	-85	-107	-128	-149	-171	-192	-214
Provisão para perdas de clientes	0	-21	-43	-64	-85	-107	-128	-149	-171	-192	-214
Imobilizado	1.300	1.174	1.042	904	760	610	500	390	280	170	60
Imobilizado	1.300	1.330	1.360	1.390	1.420	1.450	1.250	1.250	1.250	1.250	1.250
(-) Depreciação	0	-156	-318	-486	-660	-840	-750	-860	-970	-1.080	-1.190
Ativo	1.350	1.393	1.444	1.505	1.576	1.659	1.801	1.964	2.149	2.358	2.592
Patrimônio líquido	1.350	1.393	1.444	1.505	1-576	1.659	1.801	1.964	2.149	2.358	2.592
Capital social	1.350	1.350	1.350	1.350	1.350	1.350	1.350	1.350	1.350	1.350	1.350
Lucro acumulado		43	94	155	226	309	451	614	799	1.008	1.242
Passivo e patrimônio líquido	1.350	1.393	1.444	1.505	1.576	1.659	1.801	1.964	2.149	2.358	2.592

Fluxo de caixa

O fluxo de caixa é um indicador importante na tomada de decisão. O hospital precisa gerar caixa suficiente para a sua operação, a reposição dos ativos fixos e realizar novos investimentos. Para a apuração dos saldos foi utilizada a metodologia do fluxo de caixa direto.

A geração de caixa da unidade de R$ 2,7 milhões no período é compatível com os objetivos do hospital.

Tabela 13.10
Demonstração do Fluxo de Caixa (R$ por mil)

DESCRIÇÃO	ANO 0	ANO 1	ANO 2	ANO 3	ANO 4	ANO 5	ANO 6	ANO 7	ANO 8	ANO 9	ANO 10
Lucro líquido		43	51	61	71	83	142	163	185	209	234
Entradas		177	183	189	195	201	161	161	161	161	161
Depreciação		156	162	168	174	180	140	140	140	140	140
Provisão perdas		21	21	21	21	21	21	21	21	21	21
Saídas		30	30	30	30	30	30	30	30	30	30
Aquisição de ativos		30	30	30	30	30	30	30	30	30	30
Saldo de caixa	50	240	445	665	901	1.156	1.429	1.724	2.040	2.380	2.745

Análise de viabilidade financeira

A análise financeira foi feita utilizando as principais metodologias do mercado. Pelos indicadores, a implantação do serviço próprio é viável.

- VPL de R$ 465 mil.
- TIR de 18,0% a.a.
- *Payback* descontado de 8 anos.

Tabela 13.11
Análise de Viabilidade Financeira

DESCRIÇÃO	ANO 0	ANO 1	ANO 2	ANO 3	ANO 4	ANO 5	ANO 6	ANO 7	ANO 8	ANO 9	ANO 10
Caixa líquido	-1.100	190	205	220	237	254	274	294	316	340	366
Caixa líquido descontado (aa)	0	173	169	165	162	158	154	151	148	144	141
VPL – Valor presente líquido	465										
TIR – Taxa interna de retorno (aa)	18,0%										
Payback descontado (anos)	7,8										
Saldo acumulado	-1.100	-927	-758	-593	-431	-273	-119	32	180	324	465

Processo de decisão

A decisão de implantar o serviço próprio de tomografia computadorizada no hospital atende às diretrizes do planejamento estratégico de verticalizar os serviços para melhorar a qualidade e reduzir os custos. As estimativas dos resultados e dos indicadores mostram-se favoráveis à implantação do projeto.

Execução

Aprovado o projeto, o hospital realiza a execução do planejamento operacional e da programação. Devido ao horizonte de 10 anos do projeto, o planejamento operacional, feito com base nas demonstrações financeiras, contemplou a periodicidade anual. A redução na periodicidade aumenta a especificidade das informações. O orçamento anual, com periodicidade mensal, é elaborado a partir do modelo apresentado.

Controle

O modelo facilita o acompanhamento e o controle ao utilizar os mesmos quadros da projeção com a adição das colunas de realizados e de desvios para cada período do orçamento. A implantação de metas complementares por exames que redundam na produção orçada é recomendável. Uma das ferramentas utilizadas para as metas é o BSC – *Balanced Scorecard* (Kaplan & Norton, The Balanced Scorecard: measuring that Drive Performance, Harvard Business Review, January – February, 1992). Ele organiza as metas nas perspectivas financeiras, de aprendizado e crescimento,em processos internos e mercados e clientes.

No entanto, o acompanhamento pode ser feito por modelos simples feitos em planilhas eletrônicas. A ênfase está no que se quer medir, na organização das informações mensuráveis e na cultura de acompanhar e revisar da instituição. As informações devem ser oportunas e tempestivas e customizadas para cada um dos usuários no plano operacional, tático e estratégico. As metas de produção deverão ser acompanhadas diariamente, a exemplo dos agendamentos, exames realizados, exames cancelados, faltas dos clientes, *overbooking*, para que haja tempo para reverter eventuais resultados insatisfatórios.

Os atuais sistemas de informações possibilitam o registro diário das transações de forma que, no final do mês, as demonstrações financeiras estão praticamente finalizadas. As informações contábeis do serviço serão identificadas dentro das demonstrações financeiras do hospital pelo seu centro de custo (unidade mínima de acumulação de custos).

Os desvios em relação ao orçado serão objeto de análise e providências, se for o caso, nas devidas instâncias. Não é raro as atividades que destroem valor não constarem dos planos operacionais.

Geralmente estão relacionados aos processos administrativos e operacionais. A área de custos pode liderar a revisão contínua dos processos de negócios para a eliminação das atividades desnecessárias que consomem recursos.

Bibliografia Consultada

1. Catelli A (coord.). Controladoria - uma abordagem da gestão econômica. São Paulo, Editora Atlas; 2006.
2. Gomes JS, Amat Salas JM. Controle de gestão. São Paulo: Editora Atlas; 2006.
3. Kaplan RS & Norton DP. The balanced scorecard: measuring that drive performance. Harvard Business Review, Jan/Feb, 1992.
4. Kaplan RS, Norton DP. Organização orientada para a estratégia. São Paulo: Editora Campus; 2009.
5. Kaplan RS, Norton DP. A estratégia em ação. São Paulo: Editora Campus; 2006.

6. Nakagawa M. Introdução à controladoria: conceitos, sistemas, implementação. São Paulo: Atlas; 2010.
7. Perez Junior JH. Controladoria de gestão. São Paulo: Editora Atlas; 2007.
8. Perez Junior JH. Controladoria estratégica. São Paulo: Editora Atlas; 2009.
9. Schmidt P (org.). Controladoria. Agregando valor para a empresa. São Paulo: Editora Bookmann; 2008.

14 Administração de Conflitos, Gestão de Mudanças e Negociação

Geraldo Luiz de Almeida Pinto

Introdução

> *"O mundo em que estamos vivendo começou a gerar problemas que não podem ser resolvidos com o tipo e a qualidade de pensamento que este mesmo mundo vinha empregando e transmitindo até agora".* Albert Einstein

A época das imposiçoes, de qualquer natureza, torna-se cada vez mais afastada da realidade de nosso dia a dia. Os paradigmas estão mudando e, em todos os segmentos de nossa vida, seja pessoal, seja profissional, todos querem participar de decisões.

Negociar soluções, portanto, é uma atividade fundamental para a resolução dos conflitos, decorrentes das percepções diferenciadas por cada parte em cada situação, e exige um grau de preparação que permita atingirmos nossos objetivos com o mínimo de concessões.

Vivemos ainda um grande aprendizado em relação ao processo de negociação, e não são poucas as vezes que fechamos acordos que não abrangeram todas as oportunidades disponíveis, ou que cedemos desnecessariamente em alguns aspectos.

Devemos estar preparados para, na mesa de negociação, buscar toda a possibilidade de ganhos, não nos limitando ao que Tom Peters classificou como "sucessos medíocres", que, em sua opinião, merecem mais punição que reconhecimento.

Nos itens seguintes, abordamos alguns aspectos que podem contribuir para melhorar nosso desempenho.

Conceitos Básicos

Conceito de negociação

Negociação é a *técnica* de *modificar situações* e *aproveitar oportunidades* através de acordos mutuamente satisfatórios. Cabe dissecar o conceito:

- *técnica*, em contraposição ao conceito de arte, por disponibilizar ferramentas e conceitos que podem ser desenvolvidos através do aprendizado e da prática;
- *modificar situações*, implica considerar a possibilidade de, pelo diálogo e entendimento da argumentação de cada parte, alterarmos proposições inicialmente colocadas;
- *aproveitar oportunidades*, no sentido de buscarmos explorar todas as possibilidadesde acordo, valorizando o interesse comum, às vezes esquecido pelo impasse em algum ponto menos crucial;
- *acordos mutuamente satisfatórios*, em que a gama de áreas de interesse é extensa, pois nunca sabemos com precisão qual a questão vital para cada parte. Podemos não entender, por exemplo, por que um lado cedeu tantos descontos, mas talvez o real interesse fosse cumprir uma meta de vendas e não obter margem.

Ciclo da negociação

Consideramos, de modo geral, que negociar é sentar à mesa com a outra parte, fecharmos um acordo e darmos por encerrado o processo. Não é apenas isso: o ciclo de negociação envolve três etapas igualmente relevantes, descritas a seguir.

A *etapa de preparar*, ou o planejamento da negociação, desde o momento que nos conscientizamos de que há um impasse a ser resolvido, até pelo menos a abertura do processo de entendimento com a outra parte. Mesmo durante a execução da negociação, muitas vezes as condições do processo nos indicam a necessidade de processarmos novamente aspectos do planejamento. Sem dúvida, podemos afirmar que o sucesso consciente nas negociações se deve, em grande parte, ao seu planejamento.

A *etapa de negociar*, ou a execução da negociação, que são as ações desenvolvidas na mesa de negociação, até o fechamento do acordo ou abandono do processo. O sucesso está relacionado ao planejamento adequado, à utilização das estratégias e a táticas consistentes com os objetivos traçados, bem como à habilidade e credibilidade do negociador.

A *etapa de aprender*, ou avaliação da negociação, corresponde ao importante aprendizado que obtemos pela análise dos erros e acertos cometidos, a qualidade do planejamento feito, a avaliação do estilo dos negociadores, as concessões não previstas, de um lado e do outro.

Sempre cometeremos novos erros, porém podemos e devemos evitar a repetição dos antigos.

Podemos afirmar, portanto, que se queremos negociar bem, devemos estar atentos às três fases do processo – Planejamento, Realização e Avaliação, que exploraremos em itens específicos.

Tipos de Abordagens em Negociação

Em termos práticos, podemos identificar dois tipos de abordagem nas negociações, que vão determinar a orientação da estruturação de todo o processo de uma negociação:

A abordagem *distributiva*, negociações orientadas à reivindicação de valor, em que não há relacionamentos a serem preservados, portanto de caráter pontual, em que as partes dissimulam suas preferências e pressupostos, blefam quando conveniente, e têm como meta obter o máximo de ganhos, sem qualquer preocupação com os resultados da outra parte. É a chamada relação ganha-perde. É comum, na abordagem distributiva, as partes negociarem em uma única dimensão, focando, por exemplo, apenas o preço.

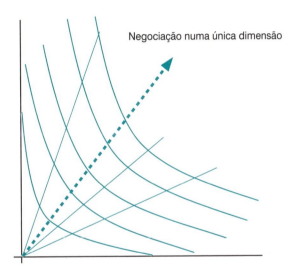

Figura 14.1.

A abordagem *integrativa* visa criar valor, e o foco, além do objeto em si da negociação, está na criação ou preservação de relacionamento entre as partes, orientando as ações para um maior compartilhamento de informações, uma abertura mais franca em relação aos interesses e necessidades e a busca de ganhos mútuos. A meta, evidentemente, é atingir os próprios objetivos, mas, ao contrário da abordagem distributiva, com a proposta de causar o menor prejuízo à outra parte. É a relação dita ganha-ganha.

Na abordagem *integrativa*, exploram-se todas das dimensões que possam se traduzir em ganhos para as partes, como, além do preço, prazos de entrega, condições de pagamento, serviços associados, duração de contratos, compartilhamento de informações, garantias etc. Não raro, as partes tentam identificar novas variáveis que possibilitem a troca de concessões vantajosas.

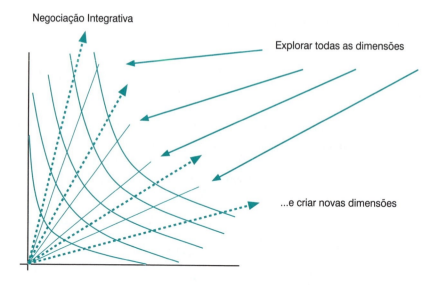

Figura 14.2.

Variáveis Fundamentais na Negociação – Poder, Tempo e Informação

Em qualquer negociação, independentemente de sua natureza e de sua importância, três variáveis fundamentais condicionam este processo: poder, tempo e informação. Avaliar e identificar a presença das variáveis e a possível interligação entre elas é crítico para a efetividade do planejamento e a obtenção de resultados.

Poder

Segundo Pinto, "o poder social é uma relação entre agentes na qual uma das partes, em função dos recursos de que dispõe ou do uso que deles faz, induz, em sentido de seu interesse, o comportamento da outra parte, diretamente ou por meio de uma estrutura que as vincula".

O autor afirma ainda que se pode sustentar que os modos de exercício (ou tentativa de exercício) do poder dizem respeito ao tipo de impacto que, mediante o emprego de recursos, ou a ameaça e a promessa de seu emprego, o agente A produz, ou busca produzir, sobre a vontade do agente B, com o objetivo de induzi-lo a determinado comportamento. Como tipos ideais, que como tais não excluem a combinação em formas intermediárias na realidade social, sobressaem três modos de exercício: (1) a coação ou coerção, voltada à submissão da vontade de B; (2) a persuasão, voltada à anuência da vontade de B; e (3) a cooptação, voltada à estruturação da vontade de B, de maneira coincidente com a de A ("levar outros a quererem o que se quer"). A persuasão e a cooptação seriam modos "não coercitivos" de exercício do poder.

Martinelli distingue dois tipos de poderes: os pessoais e os circunstanciais. Os poderes pessoais são natos, presentes em qualquer situação, independentemente do papel desempenhado, dos conhecimentos e das habilidades para lidar com pessoas. Pode-se citar, entre outros, neste conjunto:

- o poder da moralidade, a percepção da solidez dos princípios éticos do agente;
- o poder da persistência, da perseverança na busca de resultados;
- o poder da capacidade persuasiva, a clareza e consistência da argumentação, ajustadas à compreensão dos paradigmas da outra parte.

Os poderes circunstanciais abrangidos nesta classificação enfocam as circunstâncias e o tipo de cada negociação, analisando-se cada fato de maneira diferenciada, agindo o ambiente como influenciador da negociação. Entre outros, podemos citar:

- o poder da especialização, decorrente da experiência e do conhecimento profundo de todas as variáveis relacionadas ao objeto da negociação;
- o poder da legitimidade e do cargo formal, que não pode ser negado pela outra parte;
- o poder dos riscos, a capacidade de medir as alternativas e correr riscos com inteligência na busca de um acordo melhor.

Tempo

A questão do tempo está associada aos limites de prazo de cada parte na negociação. De modo geral, as concessões mais importantes acontecem sempre próximas ao prazo final do processo. É fácil perceber que, se pudermos estimar corretamente qual o limite de tempo da outra parte, podemos conduzir a negociação de forma a prolongá-la até próximo do limite, exercendo pressão e obrigando a concessões para fechar o acordo.

Jamais devemos, é claro, dar indicações à outra parte dos nossos limites. Muitas vezes são apresentados limites de tempo pela outra parte, e sempre devemos nos perguntar se fosse outro o prazo, o que mudaria nas nossas ações. A ideia é não aceitar, em princípio, qualquer limite como fato consumado. Devemos, como fazem as crianças, testar os limites apresentados, e vamos descobrir que, muitas vezes, não são reais e são apenas parte da tática para nos levar a concessões.

Informação

A palavra "informação" sempre foi ambígua e liberalmente empregada para definir diversos conceitos.

Segundo a Wikipedia, "informação é o resultado do processamento, da manipulação e organização de dados de tal forma que represente uma modificação (quantitativa ou qualitativa) no conhecimento do sistema (pessoa, animal ou máquina) que a recebe". Podemos dizer que é um conjunto de dados com um significado, ou seja, informação é tudo que reduz a incerteza a respeito de algo ou que aumenta o conhecimento a respeito de algo.

Pela definição, vemos que a informação é uma questão central no planejamento das negociações. É o ingrediente básico do qual dependem os processos de decisão. Quanto mais informação dispomos sobre o objeto da negociação, sobre o ambiente, sobre o mercado, os concorrentes, os preços, os envolvidos, mais preparados estaremos para defendermos nossos interesses.

A informação, bem como o conhecimento dela decorrente, é que permitirá estabelecermos nossas linhas de argumentação, questionar as colocações da outra parte e responder as objeções que surgirem.

A informação, sem qualquer exagero, é um fator determinante no sucesso da negociação e a grande chave para uma vantagem competitiva.

Etapa de Planejamento da Negociação

O planejamento de uma negociação pode ser dividido nas seguintes fases:
- avaliação da negociação;
- análise dos interesses e necessidades das partes;
- avaliação, seleção e priorização de objetivos;
- identificação do ponto-limite da negociação;
- listagem das concessões e opções possíveis;
- determinação da estratégia;
- seleção das táticas;
- simulação da negociação.

Recomendação importante é o uso da planilha de planejamento de negociação, na qual se registram todas as informações e decisões adotadas, facilitando a equalização das percepções dos membros da equipe sobre os temas, simplificando o treinamento e permitindo que o negociador, na fase de execução, não esqueça qualquer aspecto analisado (veja exemplo de planilha na Figura 14.3).

Avaliação da negociação

A etapa inicia-se com a proposta de uma negociação, pelo nosso lado ou pelo outro, e a tomada de consciência de que há um conflito a ser resolvido, ao mesmo tempo em que identificamos a existência de um interesse comum, motivador da proposta. Não devemos esquecer que, quando convidamos ou somos convidados para uma negociação, estamos atribuindo poder ao outro lado.

A questão fundamental, neste primeiro momento, é a identificação da estrutura da negociação, buscando entender qual o escopo, as partes envolvidas (inclusive *stakeholders*), o que queremos obter e o que entendemos que o outro lado vai perseguir. A avaliação do relacionamento existente ou desejado com a outra parte é também fundamental.

Deve-se avaliar ainda o entorno da negociação, o impacto da negociação em relação, por exemplo, ao mercado, a outros parceiros, clientes e concorrentes.

A avaliação determina nosso interesse em aceitar ou recusar a negociação, e já delineia, em caso positivo, se nossa abordagem será distributiva ou integrativa.

As características da negociação em análise indicam, caso decidamos prosseguir, o perfil mais adequado dos nossos negociadores. É o momento de montar a equipe de negociação, a qual deverá participar da preparação e execução de todo o processo.

Planilha de Planejamento de Negociação	
Interesses	
Nossos	Outra parte
Plano B	
Nosso	Outra parte
Objetivos	
Nossos	Outra parte
Ponto Limite	
Nosso	Outra parte
Opções/Concessões	
Nossas	Outra parte
Estratégia inicial	
Táticas	

Figura 14.3 – *Planilha de planejamento de negociação.*

Análise de interesses das partes envolvidas

É a etapa mais negligenciada no Planejamento da Negociação, exatamente a que vai influenciar fortemente todo o restante do processo.

É fundamental distinguir dois termos: Posição e Interesses.

A Posição é a exigência ou postura concreta apresentada por cada parte, na proposição de uma negociação, e nem sempre representa o que realmente deseja obter. Pode ser apenas uma "cortina de fumaça" ocultando a meta real. Por exemplo, ao apresentar as reivindicações de uma categoria em uma negociação salarial, o sindicato apresenta uma pauta com posições irreais, às vezes absurdas, a qual evidentemente não reflete a real expectativa de ganho.

Negociar tendo como base as informações das posições não é produtivo. Cabe, quando muito, em negociações pontuais distributivas, quando, por exemplo, em uma loja o vendedor apresenta o preço de um produto (posição) e barganhamos um desconto (nossa posição), e o processo se desenvolve nesta única variável – preço, com os lados apenas alterando posições.

Devemos "esquecer" a posição apresentada, portanto, e dedicarmos nossos esforços para identificar os reais interesses envolvidos.

Os Interesses são as motivações subjacentes, como necessidades, desejos, temores, preocupações legítimas de cada parte. Os interesses são os fatores que realmente nos levam a buscar uma negociação. A posição é apenas a forma inicial de apresentá-los, muitas vezes de forma infeliz.

Nesta etapa, devemos elaborar (através de *brainstorm*, por exemplo) a lista mais exaustiva possível dos nossos interesses na negociação. Muitas vezes, podemos estar listando interesses que conflitam entre si, inclusive. Por exemplo, ao buscarmos um novo fornecedor, podemos listar como interesses:

- aumentar nossa base de fornecedores;
- conseguir ganhos de preço;
- melhorar a qualidade dos produtos comprados;
- estimular a concorrência;
- garantir prazos de entrega.

A seguir, devemos priorizá-los, a fim de focarmos o que realmente vamos traçar como objetivo nesta negociação específica. Talvez, se priorizarmos os interesses de qualidade e prazos de entrega, tenhamos objetivos diferentes de quando focarmos o preço como interesse essencial. Os interesses selecionados são a base para compormos os nossos objetivos na fase seguinte. O mesmo processo deve ser realizado em relação aos interesses da outra parte.

Evidentemente, caberá uma dose de especulação alta, mas a geração de uma lista de interesses prováveis e sua priorização nos auxiliará a tentar pontuar os objetivos da outra parte. Mais que isso, a própria lista gerada representa a base para perguntas que nos auxiliarão a validar nossas suposições.

Importante termos em mente que os interesses, tanto de um lado como de outro, são legítimos, isto é, representam as percepções de necessidades reais de cada parte. Jamais podemos partir do princípio que nossos interesses são os "certos" e os da outra parte, os "errados".

O objetivo de uma negociação é a conciliação de interesses, e não posições – os interesses definem o problema, o conflito verdadeiro entre as partes, e o sucesso do processo é descobrir como atendê-los.

Avaliação, seleção e priorização de objetivos

A partir dos interesses priorizados, devemos confrontá-los com o escopo proposto e iniciar a avaliação dos objetivos a serem alcançados nesta negociação específica.

Cabe, evidentemente, desde ajustes no escopo da negociação, como a revisão dos próprios interesses inicialmente priorizados.

Embora pareça óbvio, muitas vezes se comete o erro de focar em objetivos não essenciais, pela influência da forma como as informações são apresentadas, ou pela sua disponibilidade mais imediata, sem buscarmos o que realmente é o ponto focal, nem sempre aparente.

É fundamental considerarmos quais as verdadeiras questões da negociação, a importância de cada uma, inclusive para a outra parte, as barganhas possíveis, as possibilidades de trocas, a viabilidade de cada alternativa gerada.

Os objetivos traçados devem explicitar claramente o objeto e escopo previsto, e todas as variáveis mensuráveis (como, por exemplo, prazos, preços, condições de pagamento, garantias etc.) que permitam, sem sombra de dúvida, a elaboração e o acompanhamento de contratos futuros. Em negociações internas, estes fatores devem possibilitar a assinatura de acordos de nível de serviço também mensuráveis.

Após traçados, os objetivos devem ser selecionados, priorizados, e analisados em relação à abertura para possíveis concessões.

O sucesso da negociação, e muitas vezes, o empenho do negociador decorre da força do objetivo traçado.

Também, nesta etapa, vamos analisar os interesses que vislumbramos para a outra parte e tentar estimar os objetivos que acreditamos que vão perseguir.

Identificação do ponto-limite da negociação

Sabemos que nem sempre, ou dificilmente, atingiremos todos os nossos objetivos na forma idealmente proposta. Em alguns, identificamos a possibilidade de concessões, e o problema é determinarmos o limite de concessões, o ponto em que, ultrapassado, a negociação deixa de ser interessante para nós.

Em resumo, o campo de concessões estende-se do objetivo traçado ao ponto-limite estabelecido. Vale ressaltar que entrar em uma negociação sem este ponto-limite estabelecido é meio caminho andado para resultados desagradáveis, permitindo os dissabores de verificarmos depois, que ultrapassamos valores, para mais ou para menos, que racionalmente não faríamos.

O estabelecimento do ponto-limite está relacionado ao que poderíamos chamar de Plano B (também conhecido como MAANA – Melhor Alternativa À Negociação de um Acordo). A ideia é, no momento que nos dispomos a entrar em uma negociação, refletirmos e analisarmos sobre o que aconteceria se não conseguíssemos fechar o acordo, selecionando a melhor hipótese.

O ponto-limite de uma negociação é exatamente qualquer situação melhor que o que dispomos no Plano B.

Imaginemos uma situação:

Sua empresa é convidada a negociar a prestação de um serviço, para o qual você tem um preço padrão, aceito pelo mercado, que embute uma margem de lucro de 60%. Você sabe, conhecendo a outra parte, que haverá uma forte pressão por descontos, e o cliente é bom e seria interessante um acordo. O problema, portanto, é saber qual o ponto-limite de descontos aceitável.

Vamos avaliar dois cenários:

1. Sua empresa está com ocupação quase plena dos técnicos, com bons projetos em andamento, e três contratos em processo de negociação com chances de fechar com descontos máximos de 8% sobre o preço padrão.
2. Sua empresa está num período difícil, apenas empatando os custos, com riscos de acabar perdendo técnicos, e com apenas um contrato em negociação, pouco representativo.

O Plano B, na primeira hipótese, é tranquilo: permanecer nos projetos atuais e fechar um dos novos contratos, mesmo que tivesse que chegar a descontos da ordem de 10%. Neste caso, poderia entrar na negociação proposta com um ponto-limite de 10% de desconto, e abandonar o processo se mais fosse exigido.

Na segunda hipótese, o Plano B é péssimo: tentar ficar com os custos no "azul" e redobrar esforços para buscar novos contratos. Nesta situação, a negociação proposta é uma ponte de salvação, e o ponto-limite obrigatoriamente terá de ser bem mais flexível, aceitando descontos bem mais elevados do que o normal.

Não podemos esquecer-nos de replicar o mesmo raciocínio para tentar estimar qual o Plano B da outra parte, o que determinará nosso poder de pressão na negociação.

Listagem das concessões e opções possíveis

Estabelecidos os objetivos e o ponto-limite da negociação, devem ser analisadas todas as possibilidades de concessões, selecionando-se aquelas que prejudiquem ao mínimo a obtenção de resultados.

Como nas outras etapas, devemos listar também as concessões que imaginamos que a outra parte possa oferecer. Quando imaginamos concessões, não podemos nos ater apenas a valores monetários, mas principalmente descobrir formas de substituir estes valores por outras variáveis que acrescentem valor. Em negociações comerciais, por exemplo, podemos considerar prazos de pagamento, extensão do contrato, garantias adicionais, inclusão de novos itens ou serviços, contratos de manutenção, cartas de referência e outras variáveis que possam interessar a outra parte.

Determinação das estratégias – variáveis de decisão

As etapas anteriores construíram o que se pretende obter na negociação.

A preparação, agora, é como vamos agir para atingir os resultados, ou seja, qual a estratégia que vamos adotar durante a execução da negociação.

A estratégia é a diretriz geral, que indica o caminho que precisamos percorrer de nossos desejos e necessidades até nossos objetivos, e define o modelo de Negociação.

A escolha da estratégia é condicionada pela análise da importância do relacionamento com a outra parte e importância da obtenção dos resultados. Nesta análise, além de todas as informações recolhidas na fase de planejamento, são relevantes as variáveis de tempo, poder e informação.

Podemos listar cinco estratégias básicas, na Figura 14.4, a seguir:

Figura 14.4.

a) *Competitiva* – Ganhar a qualquer custo, sem qualquer preocupação com a outra parte, e é adequada quando o relacionamento não tem relevância e o resultado é importante.
b) *Colaborativa* – Busca de soluções que atendam aos interesses de ambas as partes, encaminhando a negociação para o ganha-ganha, dada a relevância tanto do resultado como do relacionamento.
c) *Compromisso* – Situação intermediária, em que o grau de relacionamento sugere colaboração e os resultados também têm relativa importância, e o objetivo é fechar acordo, preservando o relacionamento e obtendo alguns resultados. É também chamada de *"a arte do possível"* e é talvez para onde se encaminhe boa parte das negociações integrativas.
d) *Evitação* – Ocorre quando nem relacionamento nem resultados são importantes, e o negociador retira-se da negociação ou simplesmente declina da negociação. É uma estratégia também utilizada quando, por alguma razão, verifica-se que o momento não é propício ou o poder da outra parte é desproporcional, justificando adiar o processo.
e) *Acomodação* – Utilizada quando o relacionamento é forte, e os resultados não têm maior importância, abrindo-se mão destes para preservar o relacionamento. Pode ocorrer também por força do poder da outra parte ou até por desprendimento e generosidade do negociador.

Seleção das táticas para negociações competitivas e colaborativas

As táticas são os meios para perseguirmos a estratégia escolhida, dando-lhe substância na forma de uma linha de ação concreta. As táticas, portanto, nunca devem ser orientadas para os objetivos, e sim para a estratégia.

Podemos considerar as táticas como as armas da negociação, e devemos dominar tantas quanto possível, usá-las com eficiência e saber variar. Não há espaço para preferências pessoais ou vaidades do negociador.

Quando o negociador adota uma única tática, esta é rapidamente mapeada pela outra parte e seus efeitos são reduzidos ou anulados. Nesta linha de raciocínio, devemos estar atentos quando negociamos repetidas vezes com as mesmas empresas, pois é comum, seja pelos treinamentos ou pela cultura empresarial, que os negociadores tenham uma postura semelhante de ação, o que pode facilitar nosso entendimento sobre sua forma de agir.

Simulação da negociação

Nas negociações mais complexas é recomendável realizarmos uma simulação da negociação, com outra equipe da empresa atuando como a outra parte. É a oportunidade de identificarmos eventuais falhas, adequação das táticas e pronta resposta para as argumentações e objeções colocadas.

Etapa de Execução da Negociação

A etapa de execução apresenta quatro fases naturais:
- abertura;
- apresentação das posições;
- argumentação;
- acordo ou abandono.

Abertura

É a fase de aquecimento, tempo que os negociadores precisam para conhecer e familiarizar-se com o local e a situação. Procura-se, neste momento, a criação de um clima amigável, a busca do *rapport*. Muitas vezes, é o início do relacionamento de partes que não se conheciam, e a busca de um clima de confiança é fundamental.

Na abertura, tem-se uma primeira visão geral das questões, e é importante tentarmos identificar qual a autoridade do negociador da outra parte e sua autonomia para assinar acordos.

O tempo dispendido nesta fase é decorrente do objeto da negociação, de sua complexidade e, muitas vezes, do contexto cultural, seja da empresa ou do país onde ela ocorre.

Apresentação de posições

É o início da fase mais técnica da negociação, com a apresentação das propostas iniciais de cada parte, a troca de argumentos em apoio às posições apresentadas, e a busca de informações que permitam visualizar os aspectos realmente essenciais para a outra parte e a possibilidade de concessões.

O intercâmbio de informações, nesta fase, deve ser feito com o cuidado de não gerar, desde já, qualquer tipo de compromisso.

Argumentação

A fase de argumentação é distinta em razão da abordagem das negociações, se distributivas ou integrativas.

Lewicki, Saunders e Minton propõem as ações para cada abordagem.

Nas negociações *distributivas*, a argumentação (na verdade barganha) das partes se dará em função de três pontos:

- o ponto-alvo, o ponto no qual um negociador gostaria de concluir as negociações – sua meta otimista;
- o ponto de resistência, o ponto-limite do negociador, o valor além do qual ele não continuará a negociação;
- o preço pedido, o preço inicial estabelecido pelo vendedor.

O espaço entre os pontos de resistência das duas partes determina a zona de acordo potencial, e é nessa área que a barganha em si acontece, já que qualquer coisa fora destes pontos será sumariamente rejeitada por um dos dois negociadores.

O processo de argumentação gira em torno da possibilidade de descobrirmos o ponto de resistência da outra parte, limite onde o resultado nos favorece.

Um fator adicional pode interferir neste tipo de negociação, que é a proposição de um resultado alternativo. É o caso, por exemplo, de, na negociação de compra de uma geladeira, ser oferecido como brinde outro objeto, que possa atrair a outra parte ao fechamento do acordo.

Nas negociações *integrativas*, a argumentação segue outra dinâmica.

Criação de um fluxo livre de informações

Os negociadores devem estar dispostos a revelar seus verdadeiros objetivos (no *timing* correto, é claro) e escutar um ao outro cuidadosamente. Ou seja, os negociadores têm que criar as condições para uma discussão livre e aberta de todos os assuntos e preocupações relacionadas. Quando isso não ocorre, as negociações acabam não atingindo as vantagens da estratégia colaborativa, e caminham para a estratégia de compromisso.

Entendimento dos verdadeiros interesses e objetivos do outro negociador

Na fase de planejamento, especulamos sobre os interesses e objetivos da outra parte, e, neste ponto, vamos validar ou não nosso entendimento. Se queremos efetivamente satisfazer as necessidades do outro, temos de estimular o compartilhamento de informações sobre preferências e prioridades, e fazer um verdadeiro esforço para entender o que o outro lado realmente quer alcançar.

Ênfase nos pontos em comum entre as partes e minimização das diferenças

Um dos aspectos mais representativos para viabilizar uma negociação é a existência de interesses comuns, que poderíamos definir como meta coletiva. O esforço, neste momento, é valorizar a meta coletiva, ajustando as perspectivas individuais à relevância correta, ou seja, subordinando a busca de resultados à obtenção dos fatores realmente essenciais.

Busca de soluções que venham ao encontro dos objetivos de ambos os lados

A qualidade do resultado de uma negociação integrativa deve ser medida pela verificação do nível de atendimento dos objetivos de ambas as partes, cujo grau determinará a manutenção do relacionamento em bases sólidas. Negociações deste tipo exigem que o negociador entenda que o problema do outro é parte do seu problema, e colocar-se na perspectiva do outro é uma exigência básica.

Fisher, Ury e Patton indicam, na negociação baseada em princípios, o item Opções – Crie uma variedade de possibilidades antes de decidir o que fazer. A pressão de uma mesa de negociação muitas vezes nubla a visão para conceber soluções ótimas. A proposta é separar dois momentos: a invenção de opções de benefícios mútuos e a decisão a ser tomada. É o momento da criatividade na negociação, reservando-se um tempo para pensar numa vasta gama de soluções possíveis que promovam os interesses comuns e conciliem criativamente os interesses divergentes. A precipitação na hora de decidir pode impedir que aproveitemos oportunidades que um *brainstorm,* a partir dos interesses confirmados na fase de argumentação, poderia facilmente identificar e gerar novas alternativas de solução para os pontos conflitantes, alavancando os resultados.

Um aspecto importante a ser considerado nesta etapa é a flexibilidade dos negociadores. Entende-se como flexibilidade a maior ou menor capacidade do negociador em considerar as contribuições, ideias, necessidades do seu interlocutor, assim como a maior ou menor capacidade do negociador de ver a mudança ou mesmo uma nova ideia como uma ótima oportunidade, e não uma ameaça.

Acordo ou abandono

Saner afirma que "se tudo correu bem, ao final da terceira fase, uma ou mais soluções satisfatórias estarão sobre a mesa – ou, ao contrário, não se criou um ambiente de cooperação e não foi possível superar as divergências". Em ambos os casos, o objetivo desta fase é levar a negociação a uma conclusão.

O fator determinante da busca do acordo ou o abandono da negociação é a comparação das propostas de solução com o Plano B de cada parte.

Fisher, Ury e Patton reforçam a necessidade de se buscar a adoção de soluções que representem um padrão justo, um critério objetivo, independente da vontade pura e simples de qualquer das partes. Critérios como valor de mercado, opinião especializada ou indicadores específicos encaminham uma solução justa que induz à aceitação de acordos sem o sentimento de estar sendo lesado, prejuízo certo para relacionamentos.

Lewicki, Saunders e Minton sugerem que devemos manter as decisões experimentais e condicionais até que todos os aspectos da proposta final estejam completos – um pacote prévio, ou seja, nada deve ser considerado como finalizado até que tudo esteja concluído.

Este pacote prévio deve então ser analisado, revisto e acordado entre as partes, gerando um "texto único" a ser passado, sempre que necessário, de uma parte para a outra, até que todos os lados aceitem plenamente as colocações do acordo, base para o contrato a ser elaborado, quando for o caso.

Mesmo em negociações de menor monta, em que não caiba a celebração de acordos formais, é recomendável que as proposições discutidas e aceitas sejam registradas de alguma forma, como uma ata, impedindo que problemas de comunicação ou percepção das partes, tão comuns, acabem prejudicando a implementação dos pontos acordados.

Etapa de Avaliação da Negociação

Toda negociação é um grande aprendizado.

A etapa de avaliação da negociação, extremamente crítica, consiste na verificação do que saiu certo ou errado durante o processo, promovendo o aprendizado a partir da experiência vivida, evitando a repetição de erros em novas negociações e registrando aspectos relativos à forma de negociar da outra parte, informações que podem ser importantes em ocasiões futuras com os mesmos interlocutores.

Na avaliação, devemos considerar:

- se conseguimos identificar corretamente os interesses e objetivos da outra parte;
- o acerto da estratégia e das táticas escolhidas e utilizadas;
- o uso correto e momento adequado para as concessões;
- a comparação entre os resultados esperados e os obtidos;
- a análise crítica dos erros e acertos durante o processo de negociação;
- os pontos positivos e negativos mais relevantes;
- o comportamento do negociador e sua equipe;
- o registro das ações principais da outra parte, como forma de fazer concessões, linguagem corporal, o estilo dos negociadores;
- o registro de todas as informações, para treinamento e uso futuro em novas negociações.

Aspectos Comportamentais na Negociação

Percepção

A percepção é o modo como o indivíduo organiza e interpreta a informação que vem através dos sentidos, através dos quais o ser humano toma conhecimento do mundo exterior: a visão, a audição, o olfato, o tato e a gustação.

287

A percepção ocorre numa sequência complexa de acontecimentos, quando um estímulo incide num receptor (os olhos, os ouvidos, o nariz etc.)

O receptor inicia um impulso nervoso que vai aos nervos sensoriais e o impulso passa através dos nervos para o cérebro, formando um processo altamente dinâmico.

As informações, geradas através da percepção, são criadas em nossos pensamentos e com isso nos comunicamos conosco, o que significa ampliarmos a percepção de nossas imagens através de sensações internas. Nesse momento entram em funcionamento as práticas da inteligência emocional. Podemos citar, entre estas práticas:

- inteligência intrapessoal: autoconsciência e autocontrole;
- inteligência interpessoal: a empatia, a arte de escutar, resolução de conflitos, cooperação.

Howard Gardner trata das inteligências múltiplas: lógica, verbal, musical, espacial, sinestésica e inclui a intrapessoal e interpessoal.

Daniel Goleman cita a inteligência emocional – emoções básicas, como amor, medo, tristeza, raiva e alegria.

É fundamental estarmos atentos aos problemas de percepção, pois nosso entendimento, condicionado pelos filtros pelos quais passamos as informações que recebemos, pode ser bem diferente da percepção de outro negociador, cujos filtros são diferentes dos nossos. Por isso, é importante que, durante um processo de debate, tenhamos a capacidade de "passar para o outro lado", ou seja, não considerarmos nossa percepção como verdade absoluta e tentarmos compreender a lógica de raciocínio da outra parte.

Comunicação

Comunicação é uma palavra multifacetada, que abrange praticamente qualquer interação com outras pessoas: conversa normal, persuasão, ensino e negociação.

A palavra comunicação é um substantivo estático, é um ciclo ou um laço que engloba pelo menos duas pessoas. Ninguém pode se comunicar com um boneco de cera, pois não existe nenhuma reação. Quando nos comunicamos com outra pessoa, percebemos sua reação e reagimos de acordo com nossos sentimentos e pensamentos. Nosso comportamento é gerado pelas reações internas àquilo que vemos e escutamos. Só prestando atenção ao outro teremos uma ideia do que dizer ou fazer em seguida. E o outro reage ao nosso comportamento da mesma forma.

Nós nos comunicamos por meio das palavras, do tom de nossa voz e do nosso corpo: postura, gesto e expressões. É impossível não se comunicar. Alguma mensagem é sempre transmitida, mesmo quando não dizemos nada e ficamos parados. Portanto, comunicação envolve uma mensagem que passa de uma pessoa para outra. Como saber que a mensagem que você está passando é a mensagem que o outro está recebendo? Talvez você já tenha ficado surpreso com o significado que alguém deu a um comentário que para você era neutro. Como ter certeza de que o significado que o outro percebe é o mesmo que queremos passar?

A comunicação envolve muito mais do que apenas palavras. As palavras são apenas uma pequena parte da nossa capacidade de expressão como seres humanos. Estudos demonstraram que numa apresentação diante de um grupo de pessoas, 55% do impacto são determinados pela linguagem corporal – postura, gestos e contato visual –, 38% pelo tom de voz e apenas 7% pelo conteúdo da apresentação.

As porcentagens podem variar dependendo da situação, mas sem dúvida alguma a linguagem corporal e o tom de voz fazem uma imensa diferença no impacto e no significado do que dizemos. Não é o que dizemos que faz a diferença.

O tom de voz e a linguagem corporal determinam se a palavra "olá" é um cumprimento, uma ameaça, um sinal de descanso ou um agradável reconhecimento do outro. Os atores não trabalham apenas com as palavras; treinam o tom de voz e a linguagem corporal. Um ator precisa ser capaz de transmitir pelo menos uma dezena de significados diferentes com a simples palavra "não". Todos nós expressamos muitos significados na conversação do dia a dia, e provavelmente temos dezenas de maneiras diferentes de dizer "não". Entretanto, não pensamos conscientemente sobre isso.

As palavras são o conteúdo da mensagem, e a postura, os gestos, a expressão e o tom de voz são o contexto no qual a mensagem está embutida. Juntos, eles formam o significado da comunicação.

Portanto, não há garantia de que a outra pessoa compreende o significado daquilo que estamos tentando comunicar. A solução está no objetivo final, na acuidade e na flexibilidade.

Primeiro, temos um objetivo para a comunicação. Depois, observamos as reações que estamos obtendo e modificamos o que estamos fazendo ou dizendo até obtermos a reação desejada.

Para conseguir uma comunicação eficiente, parta do princípio de que o significado da comunicação é a reação obtida, e portanto temos que ter a constante preocupação de validar com a outra parte o entendimento do que estamos tentando transmitir.

Algumas barreiras que interferem no processo de comunicação:

- externas, como ruído, calor/frio, desconforto físico, má acústica, estrutura rígida da empresa (impede contatos diretos/informais);
- internas, como deficiência física (audição, visão etc.), preconceito, percepção rígida, inflexibilidade, falta de conhecimento sobre o assunto, falta de interesse no assunto, não saber escutar, interpretação destorcida da mensagem, entre outras.

Considerações Finais

Não é de hoje que o mercado tem uma percepção clara da necessidade de uma profunda reforma no sistema hospitalar brasileiro. Assistimos os constantes conflitos entre clínicas e hospitais e operadores de planos de saúde, em relação aos preços praticados. O mesmo ocorre nas compras de medicamentos, em que a desproporção de poder é evidente e beneficia, de modo geral, os fabricantes. São frequentes as negociações das instituições médicas com a esfera pública, com órgãos reguladores (ANVISA, ANS), Secretarias Municipais e Estaduais de Saúde. Dificilmente vemos sucesso nas tentativas de hospitais se associarem para a resolução de problemas comuns.

É um cenário que indica a fundamental necessidade dos gestores de clínicas e hospitais estarem instrumentalizados e capacitados para gerir as mudanças que fatalmente virão, administrar conflitos e conseguir, nas mesas de negociação, resultados que atendam aos seus legítimos interesses e objetivos.

Os temas abordados neste capítulo evidentemente não esgotam o assunto e, pelo contrário, apenas indicam a necessidade de aprofundamento do estudo das técnicas de negociação como a forma possível de obtenção de melhores resultados na solução das nossas demandas.

Bibliografia Consultada

1. Bazerman MH, Neale MA. Negociando racionalmente. 2. ed. São Paulo: Atlas; 1998.
2. Cohen H. Você pode negociar qualquer coisa. 15. ed. Rio de Janeiro: Record; 2002.
3. Fisher R, Ury W, Patton B. Como chegar ao sim: a negociação de acordos sem concessões. 2. ed. Rio de Janeiro: Imago; 1994.
4. Júlio CA. A magia dos grandes negociadores: como vender produtos, serviços, ideias e você mesmo com muita eficácia. 2. ed. Rio de Janeiro: Campus; 2003.
5. Lewicki RL, Saunders DM, Minton JW. Fundamentos da negociação. 2. ed. Porto Alegre: Bookman; 2002.
6. Martinelli DP, Almeida AP de. Negociação: como transformar conflito em cooperação. São Paulo: Atlas; 1997.
7. McCormack MH. A arte de negociar. 2. ed. São Paulo: Editora Best Seller; 2002.
8. Pinto JR de A. O conceito de poder. Rio de Janeiro: Livraria Francisco Alves Editora Ltda; 2008.
9. Saner R. O negociador experiente: estratégias, táticas, motivação, comportamento, liderança. São Paulo: Editora Senac São Paulo; 2002.
10. Shell GR. Negociar é preciso: estratégias de negociação para pessoas de bom senso. 5. ed. São Paulo: Negócio Editora; 2001.
11. Ury WL. Supere o não: negociando com pessoas difíceis. São Paulo: Editora Best Seller; 2003.

15 Liderança e Gestão de Talentos

Adriana Maria André

Introdução

Um importante paradigma a ser quebrado, nesse capítulo, refere-se à compreensão de que a liderança é uma competência, e como tal se realiza na prática, que ela é percebida e que gerir pessoas hoje é entendido como uma responsabilidade do gestor, e ter a competência da liderança para isso é muito importante.

Esse capítulo, portanto, não se direciona ao gestor da área de RH das Organizações, e sim a você, gestor das diferentes áreas e equipes de hospitais, seguradoras, laboratórios, clínicas e empresas de produção no segmento de saúde.

No capítulo de Planejamento e Estratégia foram dadas as definições de missão, visão, valores, competências e um exemplo prático de um modelo de gestão e das competências organizacionais, no capítulo de gestão de serviços, foram discutidos os pilares que norteiam um modelo que busca a excelência de seus serviços que são: I – Liderança; II – Estratégias e Planos; III – Clientes; IV – Sociedade; V – Informações e Conhecimento; VI – Pessoas; VII – Processos; VIII – Resultados.

Ao resgatar o descrito na introdução deste livro e o já discutido nos capítulos anteriores, é importante lembrar que o estilo de liderança deve estar alinhado ao "DNA" da Organização, a sua missão, visão, valores, competências organizacionais, à cultura e ao modelo de gestão.

Dessa forma, a discussão deste capítulo estará focada em retratar como os modelos gestão e a liderança se alinham a esses contextos.

Breve Histórico

Segundo Quinn e cols. (2003), os modelos de gestão foram se adequando às novas demandas advindas de um mercado mais competitivo, em constante mudança. Os modelos primeiramente eram mais voltados para o controle e se preocupavam mais com o intramuros.

O papel esperado do gestor era de uma direção clara e objetiva, com foco na produtividade e na manutenção da estabilidade.

Os modelos mais flexíveis consideram a organização como um todo e as suas inter--relações com os macro e microcenários. O esperado do gestor nestes modelos de gestão é o compromisso moral, a participação, a abertura, a inovação, a adaptação, a busca do crescimento sustentado e as novas aquisições.

São vários os modelos de gestão que convivem hoje em dia nas Organizações. Na área de saúde, em particular, o modelo mais comum continua sendo o de metas racionais, com uma estrutura centralizada, hierarquizada, *top down*, onde o dono ou os sócios, geralmente médicos especialistas sem formação em gestão, tomam as decisões baseadas no *feeling* e em sua visão própria do negócio.

Como vimos nos capítulos anteriores: Gestão do Espaço Físico, Saúde Suplementar e Acreditação, as estatísticas demonstram que o percentual de hospitais que utilizam das melhores práticas e com uma gestão profissionalizada ainda é muito pequeno no Brasil. Isso se reproduz no que tange às clínicas e boa parte dos convênios e planos de saúde e na maioria dos laboratórios.

Esse cenário muda quando falamos da indústria farmacêutica ou de equipamentos médico-hospitalares, pois possuem no seu histórico o efeito das "fusões e aquisições" e da competição acirrada, reflexo da globalização e necessidade de buscar mais flexibilidade e diminuição do tempo de resposta às demandas do mercado.

Já vimos como o espaço físico e a tecnologia de ponta impactam na competitividade. O mais importante recurso, no entanto, é o "homem" por trás disso tudo. Sem pessoas com o perfil e o preparo adequado, o insucesso será um fato certo,apesar do investimento realizado em outras áreas.

Como a maioria dos hospitais e clínicas do Brasil buscam e trabalham hoje com os seus colaboradores? (chamaremos aqui, de colaborador, tanto o servidor público como o empregado contratado via CLT e os terceiros). No que tange a buscar pessoas, o processo de recrutamento e seleção ocorre baseado em prova escrita ou concurso, que avalia o conhecimento formal específico na área, aliado a uma avaliação curricular ou de títulos e, em alguns lugares, uma entrevista com dinâmica de grupo.

A remuneração, em geral, está atrelada a um plano de cargos e salários e ao tempo no cargo ou função, os vínculos empregatícios podem ser formais, baseados em concurso público ou contratação pela CLT ou por meio de contratos com empresas terceirizadas ou cooperativas de serviços.

As avaliações de desempenho, quando existem, são realizadas unicamente pelo gestor (chamaremos de gestor, todo colaborador que possua uma Equipe), e na maioria de ordem qualitativa. Os treinamentos são pontuais, baseados na necessidade de treinar ou retreinar pessoas com baixo desempenho ou introduzir novos procedimentos, protocolos etc. A ascensão na carreira, na maioria das vezes, ocorre por tempo de serviço e pontuação por número de cursos realizados com suas respectivas cargas horárias ou por teste formal de aptidão técnica para determinada área, quando surge uma vaga.

Outra prática observada é a de cortar custos, promovendo a demissão das pessoas mais experientes, que possuem salários mais elevados, contratando-se recém-formados para tais vagas com salários menores, ou buscando cooperados, de maneira a economizar com os encargos trabalhistas.

Quando falamos de serviços, cujo *core business* é a assistência à saúde, essa ação pode gerar no médio e longo prazos uma queda na qualidade com consequente aumento dos erros, retrabalho, queixas e insatisfação da clientela.

Gestão por Competências

Por que gestão por competências? Como isso impacta nas Organizações de uma maneira geral e nas Organizações de Saúde em particular? Observa-se, na prática, que nem sempre um colaborador que possui um excelente currículo desempenha o esperado ou supera as expectativas; essa constatação mostra que nem sempre o conhecimento adquirido se reflete na *performance* desejada.

A competência significa que, ao receber informações e refletir sobre elas, essas são transformadas em conhecimentos, tais conhecimentos serão permeados por novas habilidades e mudanças de atitude que na prática levarão a uma "entrega" mais eficiente e eficaz. Isso implica que os colaboradores não mais são buscados somente pelos seus conhecimentos formais em determinada área, mas também pela competência que podem desenvolver na prática, podendo ser aproveitados em diferentes posições ou projetos dependendo, das demandadas em determinada ocasião.

Quanto ao conceito de competência, é interessante frisar que esse tema vem sendo estudado há muitos anos, pelos mais diversos autores. Utilizaremos aqui o conceito de um deles, mas isso não significa que exista o melhor ou o pior conceito, o certo ou o errado, simplesmente dentre os vários, esse foi o da nossa escolha. Segundo Zarifian (2001 e 2003), a tomada de iniciativa, o ato de mobilizar redes de atores em torno das mesmas situações, a corresponsabilidade, a partilha do que está em jogo em cada situação da prática é que demonstra ou não o exercício da competência.

Recrutamento, Seleção, Desenvolvimento e Remuneração

O que acontece nas Organizações Modernas? Com base no diferencial competitivo (competências organizacionais) que a Organização promete "entregar" para seu público--alvo, determinam-se quais competências individuais ou básicas são necessárias às pessoas dessa empresa para que ela entregue o prometido. As competências específicas do cargo ou função serão somadas às competências individuais. O recrutamento pode ser realizado por uma empresa terceira contratada ou pela área de Recursos Humanos local. A seleção será baseada na compreensão de qual candidato melhor se adequa ao perfil desejado.

Vários testes e ferramentas podem ser utilizados para a busca desses candidatos, no processo de seleção. Esses se baseiam em entender os indivíduos de maneira integral, ou seja, ele como resultado da sua herança genética, sua educação, seus exemplos na família, na escola, a formação dos vínculos, seus relacionamentos, enfim, a sua história de vida e suas experiências profissionais anteriores e os seus traços de personalidade. Gordon Allport defendia que os traços de personalidade guiam o comportamento das pessoas e, associados aos hábitos e à história de vida (o desenvolvimento) de cada ser humano, fazem dele um ser único e, como tal, ele deve ser analisado (Barkhuus & Csank, 1999). Pode-se citar, entre outros, o "Instrumento de Valores Pessoais" desenvolvido por Schwartz e validado no Brasil, por Pasquali & Alves (2004), como uma ferramenta que ajuda nessa compreensão. Tal teste busca esclarecer entendimentos sobre atitudes e comportamentos das pessoas e o funcionamento das organizações, instituições e sociedades.

Outro instrumento interessante que pode ser utilizado em conjunto ao de Valores Pessoais é a Âncora de Carreiras de Edgar Schein, que busca levar o profissional a refletir sobre suas áreas de competência, seus motivos e também seus valores. Quantas vezes nos deparamos com profissionais que decidiram pela carreira por influência da família (muito comum na área da saúde), mas que na verdade se tivessem tomado essa decisão em um momento de maior maturidade, tal escolha poderia ter sido outra. Esse teste ajuda a mostrar, quando feito de maneira transparente, se um profissional, por exemplo, se adequa mais a uma área técnica funcional ou de gestão.

O desenvolvimento desse colaborador será realizado baseado na sua avaliação de desempenho, em que tais competências serão aferidas por meio de um sistema que seja claro e proporcione o entendimento de todos os envolvidos do processo, do esperado e da "entrega" realizada.

Essa avaliação deve conter indicadores quantitativos e qualitativos de desempenho; uma ferramenta de gestão já mencionada é o *Balanced Score Card*, onde as metas individuais são desdobradas a partir do plano de ação da área, para atingir as metas estratégicas da Empresa. Esses indicadores, que são coletados e analisados mensalmente pelos gestores e seus colaboradores, mostrarão se cada um individualmente e cada área estão ou não atingindo as metas. As análises mensais e o acompanhamento diário do colaborador, serão de responsabilidade do seu gestor direto, que norteará com reforços positivos a sua boa *performance* ou orientará, na necessidade de melhorias. Chamamos essa prática de *follow up*.

No processo de avaliação formal de desempenho, que em algumas empresas ocorre semestralmente e em outras, anualmente, surgirá o plano de desenvolvimento de competências, onde gestor e colaborador irão pactuar: o que fazer?, como fazer?, quando fazer? e quanto custará? Uma nova avaliação deve ser marcada com intervalo de tempo que permita verificar se o acordado está sendo obtido. Exemplo: o colaborador que não atendeu a meta na avaliação – marcar nova reunião em 3 meses.

A Remuneração será baseada nos resultados trazidos à Organização pelo colaborador, ou seja, além do seu salário fixo ele pode receber um variável pela *performance* (bônus, 14º salário etc.).

Esse *portfolio* de *performance* baseado em competências, pode ficar disponível na intranet, sem a identificação nominal do colaborador e quando houver surgimento de novos postos de trabalho, os responsáveis pelos diferentes setores ou departamentos podem buscar novos talentos para suas áreas, por meio das competências requeridas e a pontuação mínima desejada para as referidas vagas.

No capítulo de planejamento estratégico, fica bem claro como as competências são desenhadas, dentro desse escopo maior, pensando a organização de maneira sistêmica.

Liderança

Conforme mencionado anteriormente, a liderança é uma competência. Nem todo gestor é um líder e nem todo líder possui uma posição formal no organograma da organização.

Segundo Edgard Schein (2009), o líder cria e muda culturas, ao passo que o gestor ou o administrador age na cultura, dessa forma as duas figuras são importantes. Sem dúvida, o ideal é buscar para as posições de gestão, pessoas com o perfil adequado para a liderança. Na prática, é comum convidar os melhores técnicos para os postos de gestão. Tal fato pode levar à perda de um excelente técnico e ao aparecimento de um gestor medíocre.

Ainda, segundo Schein, o líder do futuro deve ter habilidades de envolver as outras pessoas, força emocional, *insights* de si mesmo e do mundo, ser um aprendiz e altamente motivado para trabalhar com sua equipe. O líder precisa compreender a Cultura da Organização onde se insere, isso significa compreender os valores, os rituais e os comportamentos esperados das pessoas nas Organizações.

Ao falar em mudança de cultura, se faz necessário lembrar que a área de saúde está arraigada a algumas características que também incluem a análise das categorias profissionais que nela atuam. O corporativismo é bastante grande, e a discussão sobre até onde vão os limites de cada área de atuação dos profissionais que compõem a Equipe de Saúde continuam até hoje. Sem entrar no mérito da questão, esse cenário traz para o líder a tarefa de ser um bom gestor de mudanças e conflitos.

Vale a pena citarmos que o volume de ansiedade gerado por todo o processo de mudança nessa área é agravado pelo próprio ambiente, por lidar com a "vida humana", e pelos diferentes agentes desse processo já estarem, muitas vezes, no limite de suas energias e com um alto índice de *estresse* (leia-se aqui pacientes/usuários/clientes, familiares, equipe multiprofissional de saúde, gestores).

O Líder, portanto, passa cada vez mais a trazer, para si, a preocupação de buscar o colaborador com as competências adequadas para determinada tarefa ou posição; ele assume também a responsabilidade de melhor compreender sua forma de agir e pensar estando ao seu lado, apoiando, ensinando e estimulando, por meio de propostas que se adequem ao seu perfil, sua âncora de carreira e suas expectativas.

As ferramentas mencionadas anteriormente (Instrumentos de Valores e Âncoras de Carreira) são importantes, ao possibilitarem ao líder a melhor compreensão dos seus colaboradores. Isso permitirá a ele delegar e buscar complementariedade entre os membros da Equipe. A sugestão é que se realce o quanto o autoconhecimento ajudará o próprio colaborador a buscar as melhores oportunidades de desenvolvimento da sua carreira, e a estar mais satisfeito em realizar as atividades ou funções para as quais realmente tem mais aptidões.

Quando o profissional reflete sobre si mesmo e passa a se conhecer melhor, fica mais fácil tentar compreender "o outro" e como melhor se comunicar com ele. Da mesma forma, leva à compreensão de como manter a motivação e o envolvimento desse colaborador. Propicia também a análise do perfil na hora da escolha do profissional mais adequado para realizar, por exemplo, a abertura de uma nova área (uma nova ala ou um novo serviço do hospital) ou para desenvolver atividades mais técnicas, como protocolos ou descrever procedimentos.

No que tange ao trabalho em Equipe, esse conhecimento é fundamental, visto que cada pessoa é única e responde de maneira diferente aos mesmos estímulos. Ele é o exemplo, mas nem por isso deixa de ser "humano", com as suas necessidades, angústias e ansiedades. As pessoas o seguem por acreditarem no que ele propõe. Sua forma de comunicação é clara, transmite confiança, aglutina a equipe, envolve-os e norteia para o mesmo rumo, ele ouve, elogia, reconhece, compõe e chama à responsabilidade. Ele propõe melhorias, reavalia e discute, mas também decide por desligar um colaborador, quando necessário. Ele faz *follow ups* constantes e não aguarda o dia do *feedback* (retorno, retroalimentação) da avaliação de desempenho anual para dizer que o colaborador não atendeu às expectativas.

O Quadro 15.1 mostra o resultado de uma pesquisa sobre os traços de personalidade de um líder eficaz:

Quadro 15.1
Traços de personalidade de um líder eficaz
• Energéticos e entusiasmados
• Pragmáticos
• Maduros
• Assertivos
• Intuitivos
• Estabilidade emocional
• Envolventes
• Compromisso social
• Carismáticos
• Consciência
• Autoconfiantes e resilientes
• Bons em lidar com equipes

Fonte: Daniel Golemann – Harvard Business School.

A Gestão do Conhecimento

Outro fator importante diz respeito a manter vivos, nas organizações, os conhecimentos trazidos nas vivências de cada novo colaborador; segundo Nonaka (2000), é a sinergia desses saberes que alavanca a empresa. O estímulo à criação do conhecimento, sua manutenção e disseminação, permitem também o processo de inovação nas Organizações.

A gestão do conhecimento compreende, portanto, propiciar a todos o acesso a esses saberes, a disponibilização disto pode ocorrer via intranet, banco de pesquisa, replicação via multiplicadores, discussão de casos à beira do leito, desenvolvimento e registro de protocolos, trilhas críticas, reuniões de grupo por centro de interesse, tutoria etc.

O líder conduz esse processo, estimula seus colaboradores a disponibilizar informações, age como facilitador do aprendizado grupal, incentiva a criatividade, negocia com as equipes e também educa.

A Educação Continuada, que é tema muito em voga hoje nas organizações produtivas e prestadoras de serviço, já é utilizada na área de saúde há muitas décadas, devido à rapidez com que as novas descobertas científicas levam à obsolescência do conhecimento. As antigas áreas ou departamentos de educação continuada ou de treinamento e desenvolvimento dos hospitais estão adquirindo um novo formato com o advento das Universidades Corporativas. Estas agregam ao contexto anterior uma visão mais abrangente, que considera a missão, a visão, os valores da organização, suas competências essenciais, as competências humanas básicas e as competências requeridas pelo cargo ou função.

Meister (1999), uma das grandes estudiosas da área, relata que as forças que sustentaram o aparecimento das Universidades Corporativas foram: a emergência da organização mais enxuta e flexível, o conhecimento como base para a formação da riqueza de indivíduos, empresas e países, a redução do prazo de validade do conhecimento, o fato de o emprego não mais ter a conotação de ser o único de toda a carreira, e a necessidade de formar pessoas com uma visão mais abrangente de mundo.

Como se aplicam tais conceitos na prática? O líder direto, ao fazer a avaliação de desempenho do seu colaborador, seja por meio do modelo de avaliação 360 graus ou qualquer outro modelo, discute as necessidades de melhoria e desenvolve um plano conjunto para atingir tais metas, aciona a Universidade Corporativa e possibilita, se for o caso, que alguns cursos sejam disponibilizados para esse intento. A Universidade Corporativa, juntamente com a Cúpula e as lideranças, desenvolve os cursos para cada área, sempre alinhando esses à cultura empresarial e às necessidades estratégicas da Organização.

De acordo ainda com Meister (1999), os projetos de implementação das Universidades Corporativas devem estar desenhados de forma a possibilitarem a aprendizagem em qualquer lugar, não só necessariamente dentro da sala de aula, e devem pressupor um sistema eficaz de avaliação dos investimentos e resultados obtidos. Esse modelo também oportuniza aos gestores atuarem como professores e tutores, estimulando-os e envolvendo-os nos processos educacionais da Organização. Antes de tudo, a alta administração deve estar comprometida com o projeto e deve participar do delineamento das competências críticas para o sucesso da Organização.

Outro modelo também utilizado pelas organizações são as parcerias com as Universidades e Instituições de ensino existentes, que desenvolvem sob medida cursos de curta, média e longa duração para cada necessidade específica, com base nos conteúdos necessários para as competências requeridas, para determinado cargo ou função, serem atingidas na prática.

Observa-se o movimento de alguns hospitais em querer montar a sua Universidade Corporativa, porém unicamente mudando o nome do Departamento de Educação Continuada, sem a compreensão necessária do objetivo maior da mudança de paradigma trazido por ela. Antes de pensar na Universidade Corporativa, deve-se profissionalizar a gestão, repensar a Organização de forma sistêmica e alinhar tudo isso ao DNA e às metas estratégicas da Empresa.

A Carreira

Michel Arthur, estudioso do tema, defende o quanto hoje as pessoas são responsáveis pela sua própria carreira. As fronteiras anteriormente impostas já não mais existem. Trabalhamos com pessoas em diferentes países, com diferentes culturas e com diferentes vínculos. Somos responsáveis pela nossa vida. As pessoas hoje podem rejeitar oportunidades de carreira nas organizações por razões pessoais, preferindo uma carreira como empreendedor, consultor etc.

Hall fala sobre a carreira proteana (*Proteus* na mitologia grega, tinha a capacidade de mudar a sua forma), a pessoa adequando-se a sua carreira, segundo as suas motivações, você se reinventando, autodirecionando seu intento, mudando conforme a sua necessidade, buscando um propósito no seu trabalho.

Sullivan e Maniero descrevem o Modelo de Carreiras Caleidoscópicas, a associação à figura do caleidoscópio deriva do fato de os diferentes fragmentos, quando mobilizados, formarem novos padrões, a carreira mais dinâmica e em constante movimento na busca do equilíbrio entre as suas várias carreiras – a de profissional, pai, mãe, filho(a), esposo(a).

O que mudou? O trabalho, que não precisa ser realizado pessoalmente no local, pode ser realizado em casa, via internet; as metas podem ser ajustadas com as organizações. Dessa maneira, as jornadas são feitas pelo próprio colaborador e ele se responsabiliza pela sua "entrega", não há necessidade de supervisão direta.

Na área da Saúde, tal proposta se aplica às atividades que não necessitem manter o contato pessoal com o cliente/paciente/usuário, exemplo: pessoal da área de desenvolvimento em TI, analistas de dados estatísticos etc.

Os líderes possuem equipes formadas por pessoas de diferentes países, culturas, línguas e momentos na carreira. Existe uma demanda por profissionais com passagens por várias organizações, pois esses trazem toda uma gama de "saberes", que "oxigenam" aqueles que se mantêm arraigados a velhos padrões já em desuso no mercado; esses também são mais resilientes, enfrentam as mudanças, os conflitos e desafios com mais tranquilidade.

As organizações e as pessoas buscam sinergia entre as necessidades e expectativas mútuas, e se essas não forem satisfeitas, cada uma delas buscará novas perspectivas, que podem estar em outra organização do mesmo ou de outro segmento. Dessa forma, as organizações não mais se responsabilizam pela carreira do colaborador, cada um é responsável pela própria carreira – como parte integral da sua vida – e as organizações possuem um papel de dar suporte ao desenvolvimento da carreira escolhida. Reter esses talentos é o grande desafio.

Caso Hospital Valor da Saúde

O caso abaixo é de um Hospital considerado de excelência, com um importante selo de acreditação, essa Organização passa por uma série de mudanças com o objetivo de profissionalizar a gestão, e com tal intento buscou no mercado uma nova gestora da área de recursos humanos (os dados aqui descritos são fictícios).

Cristina Soares é uma experiente gestora de recursos humanos que recentemente foi contratada pelo Hospital Valor da Saúde para dirigir o departamento de recursos humanos da organização.

Outras organizações da área, reconhecidas pela assistência prestada e pelo modelo de gestão adotado, recomendavam-na por sua experiência pregressa.

Em sua entrevista inicial com o CEO da instituição, ela foi orientada para o desenvolvimento de uma política de recursos humanos totalmente alinhada com o planejamento estratégico do hospital e que apoiasse a moderna gestão de serviços em implantação.

Assim sendo, a sua estratégia deveria ser focada nas ações voltadas à preparação de líderes e no desenvolvimento de talentos observando a missão, a visão e os valores do hospital, seu modelo de gestão e competências organizacionais, bem como aos elementos básicos de um modelo de excelência dos seus serviços.

Com base em um diagnóstico da situação, Cristina Soares analisou e priorizou os aspectos que apresentamos a seguir com as respectivas propostas para reflexão e estudo.

Histórico da instituição

A história do Hospital Valor da Saúde começou a ser construída nos anos 1950 e, desde o seu início, vem sendo desenvolvida por ações voltadas a uma atuação assistencial e do corpo clínico diferenciada e de alta qualidade. Ética, comprometimento, desenvolvimento técnico-científico, valorização do colaborador e responsabilidade socioambiental são valores vivenciados em um ambiente de camaradagem e respeito ao próximo, que caracterizam a sua marca e inspiram os seus 1.200 colaboradores diretos e terceirizados e cerca de 2.000 médicos cadastrados em seu corpo clínico.

O seu modelo de gestão inicialmente mais voltado ao controle vem se modernizando, pensando na organização como um todo e privilegiando as inter-relações com os micro e macrocenários. Atualmente, a entidade está em processo de expansão, devendo aumentar a sua capacidade instalada em cerca de 30%, buscando, com isso, adequar-se a novas tendências do setor da saúde, conforme estudos do seu planejamento estratégico.

O grande desafio da gestora de RH é preparar a organização para este novo momento, desenvolvendo os talentos e lideranças necessárias e, ao mesmo tempo, preservando os valores que vêm contribuindo para o seu sucesso.

Diagnóstico

O diagnóstico realizado pela gestora identificou que:
1. a política salarial praticada pelo hospital, em termos de valores, é competitiva em relação ao mercado, conforme as pesquisas recentemente realizadas;
2. o ambiente social no trabalho, apesar de bom, não refletia observações reveladas em entrevistas de desligamento e que, portanto, precisava ser melhorado;
3. a política de carreira não contemplava toda a força de trabalho e era voltada apenas a categorias específicas;
4. os líderes, de forma geral, atuavam na sua área de negócio sem uma visão maior da organização como um todo;
5. a educação/treinamento era em quase sua totalidade técnica e deixava de privilegiar o desenvolvimento dos colaboradores de uma forma mais ampla;
6. a expansão do hospital trará uma maior necessidade de capacitação e desenvolvimento dos colaboradores, além da necessidade de recrutamento de novos talentos, que deverão estar alinhados com os valores da instituição.

Uma proposta de política de recursos humanos

Baseada nos recursos disponíveis, a política de recursos humanos proposta pela gestora contempla:

1) **Política salarial**
   Manter a atual política salarial em termos de valores, mas continuar seu monitoramento, participando das pesquisas salariais do mercado. A questão de incentivos (bônus e participação em resultados) deverá ser vinculada ao programa de avaliação de competências e às metas determinadas pela organização. As questões de direito do trabalhador são reforçadas pela adesão às certificações nacionais e internacionais de qualidade e segurança.

2) **Ambiente social no trabalho**

Estabelecer um programa de qualidade de vida no trabalho, que contemple ações objetivando melhorias em relação às questões identificadas nas entrevistas de desligamento, associada à pesquisa de "clima" anual. Conhecer melhor as lideranças locais e sugerir cursos na área.

3) **Política de carreira**

Estabelecimento de sistema de gerenciamento de carreira para toda a força de trabalho baseado em mérito e tendo por alicerce a avaliação por competências,e contemplando o crescimento horizontal (no próprio cargo) e vertical e instituindo a possibilidade de crescimento na carreira para quem não deseja ascender a uma posição de gestão (carreira em Y).

4) **Capacitação/Desenvolvimento/Liderança**

Desenvolvimento de programas de capacitação e desenvolvimento de talentos para todas as áreas e plantar a semente de uma Universidade Corporativa.

Na questão liderança, os programas deverão envolver módulos de gestão, relações humanas no trabalho além de uma política de assessoria, *coaching* individual e de *assessment*. Propor uma busca contínua por colaboradores com perfil de liderança e trabalhar com os gestores o desenvolvimento de um programa para preparo de sucessores. Evoluir da educação continuada para a educação corporativa. Desenvolver um programa de gestão de valor de forma a perpetuar os valores da organização.

5) **Recrutamento e seleção**

Estabelecimento de processo de recrutamento e seleção baseado em competências, além de um programa de acompanhamento do tipo esperado *versus* entrega.

6) Trabalhar juntamente com a Cúpula um plano de ação a ser implementado no curto, médio e longo prazo que possibilite adesão e envolvimento dos atuais líderes ao projeto.

7) Promover reuniões regulares com a Equipe gestora para compreender quais outras necessidades podem ser atendidas e para dar suporte ao plano de desenvolvimento dos colaboradores, a ser implementado pelas lideranças locais.

Com essa proposta, a gestora busca desenvolver talentos e lideranças, alinhados ao desenvolvimento estratégico da Instituição.

Conforme verificado no caso anterior, analisar o contexto é parte fundamental do diagnóstico e do planejamento das mudanças a serem implementadas, dentro de cada caso em particular. Observamos um cenário conhecido, pois a maioria das Clínicas, Hospitais, Laboratórios e demais Serviços de Saúde têm como preocupação básica a área técnica, deixando muitas vezes as demais áreas de lado.

Não obstante o fato de ser um hospital acreditado e conhecido pela excelência técnica do serviço prestado, ainda está pautado em uma visão fragmentada, em que cada gestor se limita à compreensão da sua área; no entanto a cúpula busca mudança. As entrevistas de desligamento mostram uma realidade diferente da sensação de "bem-estar geral", o que pode denotar falta de liberdade para os colaboradores expressarem livremente suas opiniões, característica das estruturas hierarquizadas e centralizadoras. Será que essa gestora teria sucesso se tentasse de imediato implantar mudanças estruturais de maior monta?

A Organização, ou seja, as pessoas, os grupos, os atores sociais que fazem parte desse processo estão maduros para compreender essa necessidade e serem agentes de mudança?

A gestão de Talentos hoje cabe à área de recursos humanos, ou são as lideranças que devem assumir esse pressuposto com o suporte da área de recursos humanos ou desenvolvimento?

Essas áreas (departamento pessoal e área de recursos humanos no que tange ao recrutamento, à seleção e ao treinamento) deixarão de existir nas Organizações e serão substituídas por consultorias externas e pelas Universidades Corporativas, norteadas pelas necessidades colocadas pela Cúpula, pelos gerentes médios e gerentes locais?

Essas reflexões são importantes, as Organizações de outros segmentos já estão terceirizando as atividades realizadas por essas áreas e começam a trabalhar as Lideranças e a Gestão de Talentos mais focados no alinhamento com a Estratégia. Da mesma forma que as ferramentas e os instrumentos precisam ser desenvolvidos de acordo com todas as nuances já enumeradas, é preciso ter clareza de que nem sempre o serviço estará no momento adequado para a inovação.

Trabalhar em um local que impõe novos desafios é estimulante, porém muitas vezes o trabalho proposto está ainda em um estágio inicial, em que existe tudo por fazer, e muitas vezes a sensação é de que estamos desaprendendo. Existem barreiras de ordem política, as pessoas não estão abertas, a lentidão na tomada de decisão aflige e os emperros de ordem burocrática são intermináveis.

As pesquisas demonstram que as competências exigidas para enfrentar tais desafios são: visão sistêmica, comunicação eficaz, saber trabalhar com planos, ações e resultados, saber aglutinar pessoas e desenvolver equipes, ser um bom negociador, ter responsabilidade ética e social e ser político (compreendido aqui como saber o que dizer, como dizer, quando dizer e a quem dizer).

Por meio dessas premissas, é comum as pessoas perguntarem, mas quem é esse super--homem ou essa supermulher, que deve desenvolver todas essas competências e ser resiliente, que trabalha 14 horas por dia e ainda é demandado(a) em casa, pela família, por amigos, e possui necessidades básicas a serem atendidas?

Falamos muito em "qualidade de vida", porém o que observamos é que na "vida real", as pessoas estão continuamente sendo pressionadas a terem um alto desempenho, serem ágeis nas respostas, inovadoras e bem relacionadas. Como lidar com isso?

A temperança advém da vivência e da maturidade, o aprendizado deve ser considerado como um processo de uma vida toda. Priorizar, por meio de um planejamento das metas diárias, o preparo para reuniões com dados objetivos e séries históricas, ouvir seus colaboradores e suas bases, estar aberto às novas ideias e refletir antes de emitir uma opinião pode ajudar. Eleger um mentor, alguém a quem se admire pela trajetória profissional e de vida, que não esteja diretamente ligado hierarquicamente ao gestor e, portanto, possa livremente aconselhar sem nenhum viés, tem sido uma prática interessante.

Pense sobre tudo isso

A seguir, sugerimos uma forma de aplicar na prática todos esses conceitos e sugestões.

Considerações Finais

Sistematizando, poderíamos sugerir:
1) Conheça a nova Organização.
2) Converse com as pessoas dos mais diferentes níveis, compreenda o que as move.
3) Entenda a Cultura e a distribuição do poder.
4) Leia o "entorno", avalie o que está nas "entrelinhas".
5) Já existe a descrição das competências organizacionais?
6) As competências humanas básicas e do cargo ou da função foram delineadas?
7) Como é feito o Recrutamento, a Seleção e o Desenvolvimento?
8) Quem faz? O serviço é local ou terceirizado?
9) Como e por quem o novo colaborador é recepcionado na Organização?
10) Como é feito e quem cuida do seu treinamento e acompanhamento durante o período de experiência?
11) Existe um momento de Integração para que ele conheça as diversas áreas da Organização e entenda "quem somos", "para onde vamos" e "o que é esperado de cada um"?
12) O gestor tem participação direta na supervisão e no desenvolvimento do novo colaborador?
13) Existe avaliação de desempenho?
14) Como é? Quem participa?
15) A remuneração é fixa? Existe salário variável? Atrelado a que?
16) A remuneração está aquém, de acordo, ou além da aplicada pelo mercado de concorrentes diretos?
17) Existe algum diferencial que possibilite reter esses talentos? O quê? De que forma isso ocorre?
18) O *turnover* é alto? Onde? Por quê?
19) Quais indicadores de desempenho existem? Eles são confiáveis?
20) De que forma se mantém um prontuário de cada colaborador? Ele é útil?
21) Os planos de desenvolvimento, provenientes das avaliações de desempenho, são mantidos atualizados e servem para acompanhar a carreira do colaborador?
22) Existe pesquisa de "Clima Organizacional"?
23) Os colaboradores recebem *"follow ups"* dos seus gestores sobre os pontos a melhorar?
24) Como são as lideranças? Os gestores locais são líderes?
25) Existe algum instrumento, ferramenta ou projeto para descobrir talentos internos com perfil de Liderança?
26) Existe um projeto para trabalhar a sucessão?
27) A Organização tem planos ou possui uma Universidade Corporativa?

Está atrelada a quem? À Cúpula? Ao RH? É independente?

28) Qual é o seu Orçamento?

29) A Organização trabalha com o conceito de Unidades de Negócio?

30) Qual o prazo que lhe foi solicitado para obter os resultados propostos?

31) Como é a sua Equipe?

32) Você pode contratar novos colaboradores se precisar? Você pode demitir?

33) Qual é o seu grau de autonomia?

34) Qual é a abertura e a receptividade do seu líder e da Cúpula Executiva?

35) Conheça e converse com cada colaborador, solicite aos seus liderados diretos (se você for líder de líderes) um relatório sobre a área, pontos positivos e pontos a melhorar e *performance* geral da Equipe;

36) Ande pela Empresa, observe os fluxos, os "funis", o atendimento como um todo, converse com os pacientes, clientes e usuários, ouça o que eles têm a dizer.

De posse de todas essas informações, comece a escrever o seu projeto. Não se esqueça, caso seja aprovado, de revisá-lo e mudar de rota toda vez que se fizer necessário.

Utilize as técnicas do Capítulo de Negociação quando apresentar o seu projeto, lembre--se que ele deve estar alinhado a algo maior, a Estratégia, busque criar parcerias e ganhar adeptos, exerça a sua competência política.

Bibliografia Consultada

1. Arthur MB, Rousseau DM. The boundaryless career: a new principle for a new organizational Era. Oxford: University Press; 1996.

2. Barkhuus L, Csank P. Allport's theory of traits – a critical review of the theory and two studies. Concordia University; 1999. Disponível em: http://www.itu.dk/~barkhuus/allport.pdf [Acessado em 27 abr. 2010].

3. Hall DT. Carees in and out of organizations. London: Sage Publications Inc; 2003.

4. Hall HH. Organizações: estruturas, processos e resultados. 8th ed. São Paulo: Pearson Practice Hall; 2006.

5. Maniero LA, Sullivan SE. The opt-out revolt: why people are leaving companies to create kaleidoscope careers. Editora Natl Book Network; 2006.

6. Meister JC. Educação corporativa: a gestão do capital intelectual através das universidades corporativas. São Paulo: Makron Books; 1999.

7. Nonaka I, Argyris C. "Gestão do conhecimento". Havard Business Review. Rio de Janeiro: Campus; 2000.

8. Pasquali L, Alves AR. Validação do Portraits Questionnaire - PQ de Schwartz para o Brasil. UFRGS. Avaliação Psicológica, nov. 2004;3(2):73-82.

9. Quinn RE, Thompson MP, Faerman SR, Macgrath M. Competências gerenciais: princípios e aplicações. Rio de Janeiro: Elsevier; 2003.

10. Schein EH. Cultura organizacional e liderança. São Paulo: Atlas; 2009.

11. Schwartz SH et al. Extending the cross-cultural validity of the theory of basic human values. Journal of Cross-Cultural Psychology 2001;32:519-542.

12. Zarifian P. Objetivo competência: por uma nova lógica. São Paulo: Atlas; 2001.

13. Zarifian P. O modelo de competência: trajetória histórica, desafios atuais e propostas. São Paulo: Editora Senac São Paulo; 2003.

16 Ética e Responsabilidade Social na Saúde

Eduardo Rosa Pedreira

> *"Não estamos a discutir um tema sem importância, mas sim como devemos viver"*
> SÓCRATES, A República de Platão (390 a.C.)

Elie Wiesel, aclamado escritor judeu e ganhador do prêmio Nobel da Paz em 1987, fez uma afirmação digna de ser conservada em nossa memória: *"Não há suficientes respostas literárias, psicológicas ou históricas para a tragédia humana, há apenas respostas morais"*[1]. Egresso de Auschwitz, onde encontrou o mal numa de suas mais puras traduções, não satisfeito com as razões meramente psicológicas, sociais e econômicas oferecidas por pensadores como Freud, Rousseau e Marx para as desgraças que causamos, acrescenta a essas explicações uma que lhes é anterior. Na visão deste sobrevivente do terror nazista, esse e outros períodos sombrios da nossa história são desdobramentos da ausência de uma consciência mínima de moralidade e de valores éticos. Ao apontar a ausência de ética como a causa dos nossos males mais profundos, Wiesel coloca-a no centro do debate, contrariando assim o senso comum que tende a considerá-la como um aspecto menor. Elevada a este patamar de importância, deve ela permear todas as dimensões da nossa existência, ficando dentro de sua esfera tudo aquilo que interessa a vida humana.

A prevalecer esta lógica, como falar de saúde no Brasil sem refletir também e principalmente sobre ética? Como pensar sobre gestão de instituições de saúde, sem incluir a ética como uma das suas mais importantes dimensões? Aqui reside a razão de ser deste capítulo: evidenciar as indissolúveis ligações, as mútuas interpelações e implicações existentes entre estas que são duas das mais fundamentais áreas da nossa vida. Para tanto, inicialmente definiremos o que é ética, depois mostraremos que a ética na saúde é um resultado da saúde ética de profissionais, instituições e negócios feitos neste contexto, e finalmente mostraremos como a ética e a responsabilidade social são diferenciais estratégicos na gestão de clínicas e hospitais.

Ética: Uma Possível Conceituação

A ética nasceu com base na filosofia grega, no momento em que seus mais célebres pensadores empreenderam uma jornada racional em busca de resposta para uma questão central: *como devemos nós viver?*[2] A reflexão filosófica decorrente deste questionamento gerou uma "ciência" do viver, uma instrução tutelada pela razão sobre como devemos agir para se alcançar uma vida boa, bela e justa. Definiu-se um conjunto de valores, parâmetros e comportamentos através dos quais o bom, o belo e justo seriam atingidos como estilo de vida. Ética é este conjunto de valores através dos quais o comportamento, os parâmetros pessoais e sociais devem acontecer. Em linguagem mais coloquial, trata-se de um banco de dados composto por valores bons e justos, aos quais toda a existência humana e as sociedades deveriam submeter-se a fim de viverem bem.

Embora etimologicamente os termos ética (do grego *ethos*, costumes) e moral (do latim *mores*, hábitos) tenham significados quase sinônimos[3], há diferenças sutis nem sempre percebidas. Como muito bem ponderou Cortina, *"Ética e moral distinguem-se simplesmente no sentido de que, enquanto a moral faz parte da vida cotidiana das sociedades e dos indivíduos, e não foi inventada pelos filósofos, a ética é um saber filosófico."*[4] Em busca de maior clareza, podemos ainda dizer que a moral refere-se a normas de condutas vigentes geradas por uma sociedade, ao passo que a ética resulta do exercício da razão crítica. A regra moral vem de fora do indivíduo, herdada intuitivamente de uma determinada cultura, com forte tonalidade emocional, de aplicação mais local e temporal; o valor ético nasce de uma reflexão interior, racional, mais aplicável universalmente, pois se trata de uma *"metamoral, uma doutrina que se situa além da moral, uma teoria raciocinada sobre o bem e o mal, os valores e juízos..."*[5].

A ética tem como preocupação central discernir o certo e o errado, o bem e o mal, o justo e o injusto. Esta, como se supõe, não é uma tarefa simples. Discernir eticamente uma determinada situação envolve um alto grau de dificuldade. Não é sem razão que surgiram ao longo da história diferentes teorias e modelos éticos conflitantes[6]. Este grau de dificuldade aumenta ainda mais dentro de alguns setores específicos da nossa sociedade. Nesses, encontram-se alojadas questões de especial complexidade, pois a dimensão ética se choca com aspectos legais, sociais, pessoais etc. A saúde, seja pública ou privada, é, sem dúvida, um desses setores nos quais, por assim dizer, exige-se um corte cirúrgico de altíssima precisão ética a fim de que se discirna o certo do errado.

Tome-se a exemplo o caso da anencefalia, uma malformação incompatível com a vida, em que o feto não tem cérebro, ou em linguagem mais técnica, uma ausência total ou parcial do encéfalo e da calota craniana[7]. Curiosamente, o Brasil é o quarto país do mundo em prevalência de anencefalia, segundo dados divulgados pela Organização Mundial de Saúde

---

1. Marchionni A. Ética a arte do bem. 1a ed. Petrópolis: Vozes; 2008. p. 17.
2. Aristotéles. Ética a Nicômaco. São Paulo: Martins Claret; 2005.
3. Russ J. Pensamento ético contemporâneo. 3a ed. São Paulo: Paulinas; 1999. p. 7-8.
4. Cortina A. O fazer ético: guia para a educação moral. 1a ed. São Paulo: Moderna; 2003. p. 14.
5. Russ J. Pensamento ético contemporâneo. 3a ed. São Paulo: Paulinas; 1999. p. 8.
6. Quanto a isso ver especialmente, Rachel J. Elementos de filosofia moral. 1a ed. Lisboa: Gradiva; 2003.
7. Smith DW. Recognizable patterns of human malformation saunders. 3a ed.; 1982.

em 2003. Em cada dez mil gestações no país, cerca de nove são de fetos anencéfalos, *"uma taxa mais de 50 vezes maior que a observada em países como a França, Bélgica ou Áustria"*.[8] Atualmente, com o avanço da tecnologia, a maior parte dos casos de anencefalia é detectada durante a gravidez, é precisamente *"esta possibilidade de diagnosticar a presença de doenças incuráveis (...) num feto que coloca casais e os profissionais da saúde diante do dilema de manter ou de interromper uma gravidez"*.[9]

Dois casos são paradigmáticos quanto a nos revelar a complexidade do discernimento ético nesta questão:

a) Em Novembro de 2003, uma ecografia atestou que o feto de Gabriela Cordeiro era anencefálico. Por viver no Brasil, um dos poucos países do mundo no qual a legislação ainda proíbe a interrupção da gravidez em casos dessa natureza, Gabriela, durante 4 meses, lutou na justiça pelo direito de antecipar o parto e assim interromper a gravidez. A justiça oscilava entre a negação e autorização. Quando seu pleito chegou ao Supremo Tribunal Federal e os ministros se preparavam para julgá-lo, Maria Vida, seu bebê que resistiu apenas 7 minutos depois do parto, já havia morrido. Tanto Gabriela como Maria Vida trouxeram à tona, com sua história, o fato de que desde 1999 mais de 3.000 mulheres já tinham conseguido autorização judicial para a interrupção da gestação depois de comprovado o diagnóstico de doença incompatível com a vida nos seus fetos[10]. Não sabemos quantos pedidos foram negados.

b) Theresa Ann Camp Pearson, conhecida publicamente como Bebê Teresa, foi uma criança com anencefálica nascida na Flórida em 1992[11]. Os bebês anencefálicos são comumente chamados de bebês sem cérebro, o que nos dá apenas uma ideia parcial do problema. Partes importantes do encéfalo – cérebro e cerebelo – estão ausentes, bem como o topo do crânio. Entretanto, esses bebês têm o tronco cerebral e por isso as funções autônomas de respiração e batimentos cardíacos são possíveis. Esse caso teria passado despercebido, não fosse o pedido pouco comum feito pelos pais à corte daquele estado americano. Diante da curta perspectiva de existência de Theresa, que mesmo se sobrevivesse nunca teria uma vida consciente, eles pediram permissão legal para oferecer os órgãos do seu bebê para transplante. Refletiram que ao doar seus rins, fígado, coração, pulmões e olhos estariam ajudando outras crianças. Os médicos que convivem com a fatalidade de verem nascer a cada ano uma quantidade significativa de crianças sofrendo por não terem órgãos disponíveis para transplante, acharam uma boa ideia. A boa intenção dos pais esbarrou na questão legal. Os órgãos não puderam ser retirados, pois a legislação daquele estado apenas permite

---

8. Medeiros M. Anencefalia no Brasil: o que os dados mundiais revelam? In: Anencefalia, o pensamento brasileiro em sua pluralidade. 1a ed. Brasília: Anis; 2004. p. 15.
9. Brandt RA. Ética médica no novo milênio. Einstein: Educ Contin Saúde 2007, 5(3 Pt 2): 91-92.
10. Diniz D. Anencefalia, op. cit: 11-19, 2004.
11. New York Times. Legal definition of death is questioned in Florida infant case, 1999. Disponível em: http:// www.nytimes.com/1992/03/29/us/legal-definition-of-death-is-questioned-in-florida-infant-case. html?pagewanted=1 [Acessado em 03 fev. 2010].

a remoção dos mesmos quando o doador for declarado oficialmente morto[12]. Nove dias depois a bebê morreu! Já era tarde para as outras crianças, os órgãos estavam em estado de excessiva deterioração.

Todas as partes envolvidas em experiências desta natureza buscam decidir pelo que é mais correto eticamente. A dificuldade de julgar acontece pela variedade de ângulos pelos quais se possam analisar questões como essas, e uma vez que se muda a vista de um ponto, necessariamente se muda também o ponto de vista. Estão implicados o direito das mães, o bem-estar do feto, o dever dos médicos, o papel do estado. Ao tentar buscar qual é a melhor decisão ética, defrontamo-nos com um feixe de perguntas reveladoras da complexidade deste cenário: não tem o casal, e mais especificamente a mulher, o direito de interromper, sem a necessidade da intervenção estatal, a gravidez neste tipo de situação? Tem o estado o direito de interferir na vida de um indivíduo, cerceando-lhe a prerrogativa de escolher? Se um feto for, ainda que com uma doença incompatível com a vida, considerado um ser humano vivo, a interrupção desta gestação não se constituiria em uma transgressão digna do arbítrio dos poderes constituídos?

O médico que, segundo os códigos mais antigos reguladores de sua profissão, tem como o primeiro dever a beneficência, e no que respeita o tratamento das doenças, deve sempre prevalecer o princípio hipocrático de "ajudar ou, ao menos, não causar dano", ao defender a interrupção da gestação nesses casos, estaria cumprindo sua obrigação? A doação de órgãos de bebês anencefálicos não estaria ajudando tantas outras crianças? O que vale mais: um bebê condenado a um curto viver e mesmo assim totalmente incompatível com a realidade extrauterina, ou a salvação de crianças que poderiam ter asseguradas a longevidade e a qualidade de sua existência se recebessem um transplante de órgãos? A vida possui em si um valor intrínseco que qualquer interrupção dela, ainda que por motivos nobres e consequências boas, seria uma violação à qual nenhum ser humano tem direito?

Este conjunto de interrogações e pontos de vista evidencia com máxima clareza a difícil relação entre ética e saúde. A dificuldade do discernimento e do comportamento ético é, em si mesma, um convite a colocar este tema como um dos mais importantes na formação e atuação de todos os atores que labutam no âmbito da saúde pública e privada no Brasil.

Ética na Saúde depende da Saúde Ética

As palavras saúde e ética, se usadas teoricamente, podem apenas representar termos vazios inseridos dentro de discursos puramente etéreos. Quando nós as pensamos praticamente e as colocamos dentro da realidade brasileira, o termo saúde assume o rosto concreto de um número de pacientes desrespeitados em seu inalienável direito de receber ajuda para minorar seus males, mas se veem vítimas de uma equação social que os deixa dependentes de

---

12. No Brasil, "a resolução do Conselho Federal de Medicina que normatizou o uso dos órgãos dos anencéfalos para transplante considerou o anencéfalo um natimorto cerebral por não possuir os hemisférios cerebrais, o córtex cerebral, mas somente o tronco. Na lei dos transplantes, para uma pessoa com a estrutura cerebral completa, espera-se a morte do tronco para se ter a certeza que todo o encéfalo morreu, pois, ao não ter mais nenhuma perspectiva de vida, esse ponto é convencionado como morte." cf. Becker M. Anencéfalo: um natimorto cerebral. In: Anencefalia, o pensamento brasileiro em sua pluralidade. 1a ed. Brasília: Anis; 2004. p. 15.

um sistema público comprovadamente pouco confiável; sim, a palavra saúde tem o matiz da nem sempre harmônica (porque não dizer muito conflituosa) relação entre os profissionais de saúde e seus empregadores, sejam eles públicos ou privados, submetidos a uma carga de trabalho muitas vezes ultrajante, comprometedora até da qualidade do serviço prestado e consequentemente da condição de fazer as melhores escolhas; por outro lado, gestores tendo de lidar com profissionais incapazes de lembrar a importância do seu trabalho, assumindo uma postura relapsa, e em alguns casos, flagrantemente antiética. Por sua vez, a palavra ética quando deixa de ser uma peça de retórica, na prática cotidiana da saúde, materializa-se no desafio dos gestores entre prestar o melhor, o mais digno serviço aos pacientes e por questões de lucratividade, fazer as mais variadas manobras para fechar as contas; ética traduz-se, a depender de onde se exerce a prestação de serviço, por se decidir quem vai viver e ter de lidar com as razões e os corolários dessa escolha.

Tendo por base este cotidiano prático no qual as palavras ganham real concretude, afirmamos somente ser possível ter ética na saúde como consequência direta da saúde ética de todos os envolvidos neste setor, seja público ou privado. Incrementar a saúde ética é, pois, o caminho mais seguro para se ter ainda mais a tão desejada ética na saúde. Apresentar propostas detalhadas neste sentido vai muito além do espaço e do escopo deste capítulo. Entretanto, ainda que brevemente, sugerimos como rota de ação a pedagogia dos círculos concêntricos. A sábia natureza nos revela como um lago é afetado a partir de uma pequena pedra causadora de um círculo que se amplia em outros maiores até remexer toda a extensão de suas águas. Nesta pedagogia, começa-se a partir de um núcleo estratégico que naturalmente irá afetar o todo. O núcleo estratégico da saúde para o qual devemos sempre buscar a excelência da decisão ética está composto hoje no Brasil de dois principiais atores: os médicos e os gestores. Ambos têm em comum o fato de terem poder, ainda que em níveis diferentes, para tomar decisões capazes de afetar por extensão um número significativo de pessoas. Em certo sentido, são os principais responsáveis pela formação da cultura nos ambientes nos quais atuam. Não somente, mas principalmente, eles são, para retornar à metáfora anterior, a pedra jogada no lago capaz de remexer qualitativamente suas águas.

Quanto ao médico, uma das propostas mais óbvias e necessárias vai de encontro a que se corrija urgentemente uma lacuna na sua formação. Em excelente livro, o Dr. Sérgio Rego, da Fiocruz, volta os olhos para esta questão[13]. Após pesquisar diversas faculdades de Medicina, conclui que as instituições não dedicam o devido tempo de formação ética aos alunos, justamente porque, em geral, o departamento de ética não é muito atuante como os outros departamentos com mais recursos, inclusive financeiros, se comparados, por exemplo, com as cadeiras de especialização[14]. Consequentemente, numa fase estratégica da formação desse profissional, uma vertente das mais importantes no exercício de sua profissão tem reduzida importância. Fruto dessa lacuna, os profissionais desenvolvem uma frágil "consciência ética" que muitas vezes significa apenas ter bom senso nas tomadas de decisões, quando deveriam estar mais bem preparados para fazerem juízos mais críticos capazes de dar qualidade à escolha; outros acham, refletindo uma lógica já superada, que quanto melhor tecnicamente exercem suas intervenções, tanto mais éticos serão. Sem dúvida, conhecimento, perícia e

---

13. Rego S. A formação ética dos médicos – saindo da adolescência com a vida (dos outros) nas mãos. Rio de Janeiro: Editora Fiocruz; 2005.
14. Idem.

habilidade técnica são elementos essenciais para se adquirir níveis de excelência e, quando Atingidos, fazem o médico cumprir em parte o seu dever ético. Todavia, suas ações não se reduzem somente à técnica, estão contidas nelas outras dimensões[15].

Talvez uma das razões a explicar o lugar de coadjuvante menor que a ética tem na formação dos profissionais de saúde, é equivocadamente transformá-la em uma questão de foro íntimo, deixando ao indivíduo o poder da decisão. Fazer isso é esquecer que ela, como já apontado neste capítulo, nasce da mais rigorosa reflexão e do estudo filosófico, podendo ser, em certo sentido, considerada uma "ciência" que exige no seu ensino e aprendizagem forte preparo intelectual. É isso que nos diz Ronald Carson, comentando artigo de Paul Ramsey: *"Há 30 anos, Paul Ramsey registrou algumas ideias provocadoras a propósito das ciências humanas no currículo médico. 'A menos que tornemos a educação médica mais literária, a ética não encontrará lugar adequado na mesma. A ética é uma pesquisa intelectual, portanto, sua educação na medicina deve ser primordialmente letrada', disse Ramsey. Ser literato significa ter habilidades para comunicar-se numa determinada linguagem – neste caso, a da moralidade. Tal capacidade de aprendizado, conforme Ramsey, é requisito mínimo da educação médica. E ele vai adiante: 'mais literária' refere-se a algo além, implicando ser versado em ampla escala de experiência moral."*[16]

Em que pesem as excelentes reflexões e propostas que existem com relação ao ensino da ética para os profissionais de saúde[17], obviamente a formação de uma consciência e comportamento ético do médico não dependem apenas de seu processo de educação formal. Há que se ter uma inteligência e uma dignidade que o próprio exercício de uma profissão de propósitos tão humanitários naturalmente oferece àqueles cujo senso de vocação os torna sensíveis ao seu papel na vida das pessoas. Aqui reside um ponto de especial atenção. Quem é o profissional de saúde? Que privilégios sua formação lhe dá que implica fortes responsabilidades com os seus pacientes? O que fazer para lidar com o natural deslumbramento advindo do poder de ter conhecimentos tão importantes para a preservação de uma vida? Uma resposta significativa a esta perguntas nos é dada por Maria Tereza Morano: *"é sempre importante mencionar que os profissionais de saúde utilizam um conjunto de conhecimentos que constitui patrimônio cultural da humanidade, não pertence a eles como agentes do saber acumulado, a eles pertence a perícia, a maior ou menor habilidade (arte) na execução das técnicas e conhecimentos adquiridos. Esse conjunto decorre, como é direito supor, do saber acumulado pela observação no próprio homem, transmitido pelas escolas públicas em grande maioria (mas não apenas por elas) ou sob treinamento em hospitais públicos ou instituições pelo poder público, portanto sob custódia social. Daí se entende que a atenção à saúde voltada para a sociedade, em geral, constitui procedimento de alto propósito humanitário e deve ser vista como um ato de respeito à coisa pública e uma forma de devolver à sociedade aquilo que lhe pertence por origem*

---

15. Rego S. A formação ética dos médicos – saindo da adolescência com a vida (dos outros) nas mãos. Rio de Janeiro: Editora Fiocruz; 2005. p. 103.
16. Extraído de Arruda Lo Re B. Aspectos emocionais da relação auditor-auditado. Dissertação de Mestrado. Rio de Janeiro: Fundação Unimed e Universidade Gama Filho; 2006. p. 2.
17. Cf. por exemplo, Morano MTAP. Ensino da ética para os profissionais de saúde e efeitos sociais. In: Fortaleza: Rev. Humanidades. jan./jun 2003;18(1):28-32.
18. Ibid., p. 29.

e vocação histórica. Assim, contradiz-se a raivosa arrogância dos profissionais de saúde como proprietários dos saber e detentores absolutos do conhecimento sobre a vida e a morte"[18].

Como notado anteriormente, não só o médico é um ator ético de vital importância no cenário discutido até aqui, mas também os gestores. Estes são responsáveis quase diretos pela cultura organizacional dos estabelecimentos de saúde sobre os quais exercem sua liderança. Por suas mãos passam decisões que demandam posicionamentos éticos fundamentais. Não somente do médico se deve exigir sólida formação e comportamento ético, mas também e principalmente dos gestores. São estes que garantirão um ambiente organizacional seguro para que aqueles exerçam sua profissão dentro de uma cultura organizacional na qual a ética é valorizada.

Não importa a natureza de um negócio, um gestor está posto na posição de liderança para cumprir a primordial tarefa de gerar lucro. Uma clínica, hospital, laboratório de análises clínicas, uma seguradora e operadora de saúde etc., são empresas que não podem se furtar à lógica do mercado e do capital na qual estão inseridas. Neste caso, é evidente a mudança de paradigma quando um estabelecimento de saúde deixa de ser um bem de serviço prestado pelo estado em retorno aos impostos pagos pela população e um negócio que tem como um dos seus principais interesses, senão o principal, o de gerar lucro para seus acionistas e proprietários. A lucratividade como consequência da boa gestão e prestação de serviço é uma legítima recompensa de um negócio de saúde do setor privado. O lucro é o bônus, o ônus está em que tais estabelecimentos estão sujeitos aos mesmíssimos desafios de mercado que qualquer outra empresa. Ter de lidar com uma acirrada concorrência é um bom exemplo desta realidade. Já é lugar comum em nosso saber, que nossa saúde ética fica debilitada quando se trata de agir corretamente com a concorrência. Muitas vezes, sob a pressão tão comum das "leis" mercadológicas, gestores da área de saúde adotam métodos e soluções questionáveis do ponto de vista ético. Mas afinal, pensam e justificam: isto é um negócio e temos que fazê-lo lucrativo!

A fragilidade do sistema de saúde pública brasileiro tem aberto cada vez mais espaço para o florescimento de negócios privados nesta area, consequentemente o número de gestores lidando com este tipo de prestação de serviço aumenta na mesma proporção. Caso ilustrativo são os planos de saúde complementar ou privados adotados por maioria absoluta da faixa populacional financeiramente capaz de arcar com seus custos. Já na década de 1980, havia cerca de 15 milhões de segurados de planos de saúde particulares, registrados pela Associação Brasileira de Medicina de Grupo (ABRAMGE), bem como pela Federação das Cooperativas Médicas (UNIMED). As grandes seguradoras e operadoras assumiram com voracidade este mercado, o que deu a elas uma situação de hegemonia nos muitos fluxos de negócios existentes dentro dele. Tanto os médicos que já *"no início da década de 1990 (...) registravam uma enorme dependência das operadoras de planos de saúde, dados esses compilados pela Escola Nacional de Saúde Pública, apontando que 75% a 90% (...) [deles] declaravam depender diretamente dos convênios para manter suas atividades em consultório"*[19], como outras empresas prestadoras de serviço de saúde, os laboratórios de análise clínica, por exemplo, vendo escassear os seus clientes particulares e, juntamente com o desgaste de relacionamen-

---

19. Cf. por exemplo, Morano MTAP. Ensino da ética para os profissionais de saúde e efeitos sociais. In: Fortaleza: Rev Humanidades. jan./jun 2003;18(1):29.

to comercial com a esfera pública, não tiveram dúvida em se associar às seguradoras e às operadoras, criando uma rede poderosa.

Um interessante caso de estudo desta questão nos é relatado na revista Ciência & Saúde Coletiva da Associação Brasileira de Pós-Graduação em Saúde Coletiva[20]. Resguardando nomes e identidades, as autoras do artigo assim descrevem a situação:

"Em uma determinada cidade do Brasil ocorreu uma disputa de mercado muito acirrada no âmbito das análises clínicas. Um determinado laboratório "A" (LAB-A), detentor de aproximadamente 70% do mercado na região, adotou uma postura bastante aguerrida na disputa mercadológica, propondo ao maior plano de saúde daquela área uma parceria. Nesse acordo bilateral, o LAB-A passaria uma parcela de suas ações ao plano, tornando-se então um prestador de serviço próprio dele, o que os isentaria de uma possível caracterização de monopólio perante a lei. O resultado do acordo entre as empresas foi firmado com a criação de uma terceira empresa, na qual os sócios participariam com ações iguais. A partir de então, o LAB-A/plano tornou-se o único prestador de serviços no âmbito de análises clínicas para o citado plano, que por sua vez receberia grandes descontos nos preços dos exames solicitados. Concretizada essa parceria, todos os outros laboratórios de análises clínicas foram descredenciados a atender os usuários do plano. Um segundo laboratório, LAB-B, concorrente mais próximo do LAB-A, responsável por aproximadamente 20% dos atendimentos do referido plano de saúde, com o estabelecimento dessa parceria sofreu grande impacto, perdendo nesse momento 50% da sua demanda e 40% do seu faturamento.

Diante desse quadro, o gestor do LAB-B convocou uma reunião com os gestores de outros laboratórios também prejudicados por essa medida, a fim de discutirem possíveis alternativas. Houve a reunião, mas não chegaram a um denominador comum, nem tampouco ficou estabelecida comissão para representá-los frente à possível reunião com o gestor do plano. Diante do impasse, o gestor do LAB-B reuniu-se com o diretor do plano, a fim de expor as suas dificuldades, inclusive por recentemente ter investido na certificação do seu laboratório por um órgão internacional e estar precisando de um tempo para restabelecer seu equilíbrio financeiro, bem como os problemas sociais em relação aos seus funcionários e, também, a necessidade de prestar serviço à comunidade na qual faz parte. Diante do exposto, o plano de saúde concedeu mais 3 meses de atendimento a todos os laboratórios descredenciados. Temendo represálias dos seus usuários, pela falta de opções de escolha, o plano permitiu que alguns laboratórios de pequeno porte atendessem, todavia excluiu os laboratórios mais estruturados, inclusive o LAB-B. Em meio aos acontecimentos o diretor do LAB-B viu-se em sérias dificuldades, devido à subutilização dos seus serviços pela perda do referido plano. Esse laboratório, caracterizado como de médio porte na cidade, com 15 anos de funcionamenTo, possuía 22 funcionários.

Nesse momento, entra em questão a responsabilidade social da empresa e o dilema de comose manter no mercado de forma viável, sem demitir colaboradores e diminuir seu compromisso com a qualidade dos serviços prestados. Após refletir, o gestor do LAB-B não enxergou no

---

20. Pinheiro MS, Brito AG, Sierpe VLG. Aspectos éticos em uma disputa de mercado entre laboratórios clínicos e um plano de saúde – relato de caso. In: Revista Ciência & Saúde Coletiva da Associação Brasileira de Pós-Graduação em Saúde Coletiva. Disponível em: http://www.abrasco.org.br/cienciaesaudecoletiva/artigos/artigo_int. php?id_artigo=1832 [Acessado em 03 fev. 2010].

momento outra alternativa, senão cortar custos, e começou a demitir funcionários. Durante certo tempo esse laboratório sofreu grave crise com problemas de ordem financeira, decorrentes da associação do seu concorrente com sua maior fonte de renda. Para não sucumbir de vez, o gestor do LAB-B resolveu propor sociedade a um grande grupo médico da cidade, onde nesse acordo venderia parte de suas ações a ele e, a partir de então, ganharia o direito de atender os usuários do plano acima citado, já que o gestor do grupo médico era um dos conselheiros do plano, que no seu estatuto interno impedia o descredenciamento de conselheiros. Com essa sociedade, o LAB-B passa então a atender os usuários do plano, encontrando assim uma alternativa viável de sobrevivência diante de um cenário adverso."

Existem algumas maneiras de olharmos este relato. Uma delas é do ponto de vista da gestão puramente focada no lucro. Por essa via, quem sabe alguns até admirariam a inventividade de um grupo de gestores para conseguir criar e manter um monopólio sob uma fachada legal, cujo domínio de mercado aniquilaria qualquer chance de concorrência. Todavia, se enxergarmos por outro ângulo, buscando julgar a integridade ética da ação dos gestores, a sua atitude depredatória de um setor, tornando-se únicos beneficiários daquele quinhão mercadológico, mas conspirando contra a sustentabilidade de outros *stakeholders* através de uma manobra jurídica capaz de conferir legitimidade, porém incapaz de limpar a mancha de uma ação contrária à ética; se lançarmos este olhar, seriam tais gestores dignos da nossa admiração? Se tais atitudes terminam por ser bem recompensadas e até mesmo enaltecidas como paradigma a ser seguido, o que acontecerá com este setor? Analisado apenas o aspecto da lucratividade, não estaríamos diante de uma cena de sucesso na qual a inteligência gerencial deu provas de sua enorme competência? Entretanto, se julgado o mesmo caso em busca do bom e do justo, não estaríamos diante de um fracasso cujos imprevisíveis desdobramentos poderiam ameaçar inclusive a própria sustentabilidade do negócio a médio e longo prazos?

Todas essas perguntas citadas anteriormente, quando tomadas realmente a sério nos introduzirão a um passo adiante na reflexão proposta até aqui: levando em consideração que diferentemente de outros setores, os usuários do serviço de saúde quando vitimados por uma gestão não ética sofrem o dano na própria "carne", que um paciente insatisfeito neste caso é mais do que um "cliente" infeliz, mas uma pessoa lesada em seu direito fundamental, não seria a ética e consequentemente a responsabilidade social um enorme diferencial na gestão de instituições de saúde em geral e em particular de clínicas e hospitais?

A Ética e Responsabilidade Social como Diferenciais Estratégicos na Gestão de Clínicas e Hospitais

Dizer que ética e responsabilidade social podem se tornar aspectos estratégicos na gestão de clínicas e hospitais pode parecer, à primeira vista, uma afirmação puramente ingênua e carente de fundamentação. Afinal, a parcela da população brasileira capaz de arcar com os custos da saúde privada, quando se vê na condição de paciente, decide primariamente a partir de um critério técnico-econômico. Técnico, por que tudo quanto um paciente deseja é ter a segurança de estar sendo cuidado pelos mais bem preparados profissionais em termos de conhecimento e atualização, bem como em instituições que ostentam equipamentos de última geração com garantida e adequada manutenção, qualidade da hotelaria etc. Econômico, por que são exatamente determinadas categorias de planos de saúde, ou larga renda pessoal, que garantem acesso aos melhores tecnicamente. Eu mesmo me vi diantedeste critério, quando aos 36 anos de idade fui vítima de um enfarto do miocárdio, e prestes a sofrer uma cirurgia de resvascularização, minha família optou por conhecida equipe médica, cuja competência a colocava no *ranking* das melhores. Operou-se ali o mais elementar raciocínio: na iminência de uma enfermidade deve-se buscar os melhores médicos juntamente com as melhores clínicas e hospitais.

Diante deste arrazoado, não seria óbvio concluir que pacientes não contabilizam a ética e responsabilidade social como sendo um fator de decisão? Como então, neste contexto, podemos considerar estes dois aspectos como estratégicos para a gestão de uma clínica ou hospital? Ou por palavras mais cruas: se ética e responsabilidade social não são necessariamente variáveis importantes na equação do lucro, como considerá-las importantes na gestão?

Quando examinamos três casos de hospitais no Brasil, fica evidente que seus gestores se fizeram as perguntas acima e concluíram, contrariando uma certa expectativa, que estes são sim aspectos imprescindíveis de sua gestão. Todos primaram por estampar nos seus *websites* que, como se sabe hoje, tornou-se o cartão de vista por excelência de uma instituição, aquilo que realizam no campo da ética e responsabilidade social.

Estas três instituições em questão foram certificadas pela *Joint Commission International Accreditation* (JCI). Sendo uma divisão internacional da *Joint Commission Resources*, a JCI trabalha com instituições de saúde, ministérios da saúde e organizações globais em mais de 80 países desde 1994[21]. Desenvolveu esta certificação visando à melhoria da segurança do cuidado ao paciente, através do fornecimento de serviços fruto de soluções práticas e sustentáveis.

O Hospital Copa D'Or, no Rio de Janeiro, pertencente ao grupo Lab's D'Or, faz uma interessante relação entre ética e responsabilidade social, vendo esta como uma natural resultante daquela[22]. Nota-se, pelo menos no âmbito do planejamento, a preocupação de fazer da ética um elemento essencial da gestão, pois *"o código de ética representa o interesse e a responsabilidade em promover valores considerados essenciais. Ele é um instrumento de reafirmação das intenções e base das práticas institucionais, onde a relação com o cliente interno e externo é a principal fonte de motivação"*[23]. Seis valores fundamentais orientam o trabalho de todos, a fim de atingir a missão da instituição: humanização, credibilidade, respeito, desenvolvimento, competência e integridade. Neste espírito, afirma que *"como resultado da evolução e do amadurecimento da prática do Código de Ética do Hospital Copa D'Or, as ações de Responsabilidade Social passaram a fazer parte do cotidiano de quem atua na instituição"*[24].

Outro exemplo interessante vem do hospital Albert Einstein, em São Paulo. O tópico da responsabilidade social aparece no mesmo naipe que outros importantes aspectos da instituição. São descritas algumas ações nesta área, das quais citamos três: o Albert Einsten assumiu a gestão do Hospital Municipal Dr. Moysés Deutsch, inaugurado em 2008 e localizado no Jardim Ângela, zona sul da cidade de São Paulo, sendo o único hospital num raio de 7 km,

---

21. Joint Commission International, standards for hospitals. 2a ed. Oakbrook Terrace, JCI; 2003. p. 1.
22. Disponível em: http://www.redelabsdor.com.br/copador [Acessado em 25 fev. 2010].
23. Ibid.
24. Ibid.

atendendo uma população aproximada de 600.000 habitantes; o programa de transplante feito em parceria com o SUS, resultando em 230 destes procedimentos somente no ano de 2009 e, ainda, o programa de prevenção em saúde feito na comunidade de Paraisópolis via um ambulatório e um centro de promoção e atenção à saúde[25].

Um terceiro caso ainda mais notável é do Hospital Moinhos de Vento, em Porto Alegre[26], que colocou em seu portfólio virtual a questão da responsabilidade social como um dos destaques da gestão. Indo além dos outros, o hospital porto-alegrense não apenas descreve suas ações nesta área, mas disponibiliza seu balanço social[27], incluindo ainda os projetos ambientais sob o "guarda-chuva" da responsabilidade social, revelando assim estar afinando com o estágio mais avançado deste conceito[28].

Sabemos que a responsabilidade social é um termo muito ambíguo e tem recebido várias definições[29]. Mas à luz dos casos aqui citados, sugerimos entender este conceito, no contexto específico tratado neste texto, como sendo uma postura assumida por uma clínica ou um hospital de integrar em sua gestão ações capazes de beneficiar outros públicos além dos seus pacientes e colaboradores. É uma extensão de suas atividades visando intervir socialmente na vida e realidade de pessoas que, por suas posses naturais, não teriam acesso a elas. Ao fazerem isso, os gestores justamente ganham benefícios indiretos, mas nos revelam como este aspecto não pode ser mais desprezado por este tipo de organização no Brasil.

Buscando ir ainda além do que nos revelam os exemplos citados sobre quão estratégica é a ética na gestão, devemos ainda lembrar que esta dimensão da relação paciente–médico–clínica ou hospital não é consciente ou fácil de se explicitar. Raramente na condição de paciente se faz uma pergunta do tipo: *vocês aqui são realmente éticos?* Entretanto, a conduta ética é uma premissa implícita nesta relação, posto que não se espera desses profissionais e estabelecimentos, por exemplo, que submetam pacientes a exames desnecessários ou que os retenham em unidades de terapia intensiva somente para ganhar um pouco mais de dinheiro do plano responsável pela cobertura dos procedimentos. Quando se vive a desconfortante experiência de uma ressonância magnética, espera-se implicitamente que o aparelho de diagnóstico esteja com sua manutenção absolutamente em dia, pois caso contrário o resultado do exame estaria drasticamente comprometido, acarretando imprevisíveis consequências posteriores.

Mas, se por um momento imaginarmos que venha a conhecimento público uma conduta não ética de uma determinada clínica ou hospital, não é difícil supor como isso causaria um impacto negativo na receita, afinal quem de posse de tal informação confiaria a si mesmo ou seus queridos aos cuidados de tal estabelecimento? O raciocínio é elementar demais, não carecendo de maior aprofundamento: é óbvia a constatação de que embora o critério ético não

---

25. Disponível em: http://www.einstein.br/responsabilidade-social/Paginas/Responsabilidade-social.aspx [Acessado em 25 fev. 2010].

26. Disponível em: http://www.hospitalmoinhos.org.br/content/responsabilidade_social/apresentacao.aspx [Acessado em 26 fev. 2010].

27. Para uma visão mais aprofundada sobre a importância do balanço social, cf Silva ATI, Freire FS. Balanço Social: Teoria e Prática. São Paulo: Editora Atlas; 2001.

28. Cf. O conceito de responsabilidade social 2.0. Laville E. A Empresa Verde. São Paulo: Ôte; 2009. p. 141-145.

29. Ashley A (coord.). Ética e responsabilidade social nos negócios. São Paulo: Saraiva; 2002.

seja a variável explícita, uma gestão ética na saúde é uma exigência implícita, uma imposição, não só da consciência pessoal de médicos e gestores, como também de mercado. Se uma transgressão ética, quando descoberta, é capaz de abalar profundamente a confiança dos pacientes-clientes, podendo causar prejuízos financeiros até mesmo irreversíveis, como não considerar a ética um aspecto estratégico na gestão de instituições prestadoras de serviço em saúde, que têm no lucro um dos seus objetivos? Frédéric Bastiat, economista liberal francês do século XIV, fazendo uma diferenciação entre um bom e um mau economista, diz que "*na esfera econômica, um ato, um hábito, uma instituição, uma lei não geram somente um efeito, mas uma série de efeitos. Entre esses, só o primeiro é imediato. Manifesta-se simultaneamente com sua causa. É visível. Os outros só aparecem depois e não são visíveis. Podemos nos dar por felizes se conseguirmos prevê-los (...) Entre um bom e um mau economista existe uma diferença: o último se detém no efeito que se vê; o primeiro leva em conta tanto o efeito que se vê quanto aqueles que se devem prever*". Parafraseando o brilhante Bastiat, pode-se dizer que a diferença entre a boa e a má gestão na área da saúde é aquela capaz de se deter nos efeitos visíveis de suas ações e posturas, bem como nos invisíveis, aqueles implícitos, como a ética, mas com enorme poder de repercussão em todos aqueles que direta ou indiretamente são afetados por eles.

Conclusão

Como numa tela de tapeçaria na qual o desenho somente se faz perceber pelas linhas mestras que costuram sua forma, este texto tem igualmente algumas ideias-chave costuradas umas nas outras para oferecer a você, leitor, uma imagem conceitual e prática do conteúdo exposto. Vale a pena, à guisa de conclusão, retomar estas linhas. São elas:

a) A ética nasceu como resultado de mentes inquietas em busca de uma reposta racional para uma das mais célebres questões da nossa existência. O milenar conhecimento advindo desta jornada intelectual constitui-se numa profunda sabedoria capaz de trazer para nosso viver o bom, o justo e o belo. Portanto, nada mais impreciso com a história deste esforço mental para produzir valores éticos, do que achar que ética é uma questão pessoal e que cada indivíduo ou sociedade deve ter a sua.

b) Ética e saúde são duas das mais importantes dimensões do nosso existir. Há uma profunda ligação subjetiva e objetiva entre elas. Uma saúde integral e sólida nos faz viver biopsicossocialmente melhor. A ética é o alicerce invisível desta construção!

c) No campo da saúde existem muitas encruzilhadas, questões de profunda complexidade para se discernir eticamente. Entrelaçam-se muitas vezes as dimensões legais, pessoais, sociais, familiares, estatais com a dimensão ética, o que dificulta nossa capacidade de encontrar neste emaranhado o mais certo e justo a fazer.

d) Enquanto não investirmos intensamente na saúde ética dos profissionais estratégicos que atuam na saúde, não teremos ética na saúde. Médicos e gestores são, por assim dizer, *major players* neste cenário. Ambos são intrinsecamente responsáveis pela qualidade ética das organizações prestadoras de saúde.

e) A gestão de uma clínica ou hospital é de particular dificuldade. Não se podem tratar estas instituições apenas como negócios, esquecendo que passam em seus leitos e corredores pessoas vivendo em profunda vulnerabilidade, carentes de uma segurança que sua enfermidade lhes rouba. Portanto, como ser gestor nesta área sem entender esta dimensão humanitária de tal instituição? Por outro lado, estamos falando sim de um negócio, legítimo em sua busca de lucro e digno de receber as melhores técnicas de gestão, a fim de que eficácia e eficiência gerem a melhor lucratividade possível aos seus acionistas. Alcançar este delicado equilíbrio é uma tarefa para um novo tipo de gestor, alguém capaz de pensar mais integralmente o negócio como sendo uma plataforma de geração de lucro e também de sustentabilidade para todos que estão expostos à sua influência.

f) A ética e a responsabilidade social são os elementos capazes de atingir este equilíbrio. Isso ocorre porque é a consciência ética que pode ajudar a dizer não à tentação de mergulhar com voracidade no lucro, esquecendo o certo e o errado. É pela via da responsabilidade social que essas instituições podem transferir conhecimento, abrigar pessoas e ser um ponto de encontro de um exército de voluntários a favor da vida humana. Por isso e muito mais, que aqui se afirma que estes são aspectos absolutamente estratégicos na gestão de uma clínica ou hospital.

Obviamente que tudo mencionado neste capítulo não tem a pretensão de ser aceito com unanimidade. As discordâncias aprimoram o pensamento! Quando, porém, conversamos sobre ética na saúde, não importa nossa posição, teremos todos de concordar que o velho sábio Sócrates tinha razão: *Não estamos a discutir um tema sem importância, mas sim como devemos viver!*

Bibliografia Consultada

1. Kipper JD (org.). Ética, teoria e prática; uma visão multidisciplinar. 1. ed. Rio Grande do Sul: EDIPUCRS; 2006.
2. Marchionni A. Ética a arte do bem. 1. ed. Petrópolis: Vozes; 2008. p. 17.
3. Rego S. A formação ética dos médicos – saindo da adolescência com a vida (dos outros) nas mãos. Rio de Janeiro: Editora Fiocruz; 2005.
4. Vilar JM. Governança corporativa em saúde: receitas de qualidade para empresas do setor. 1. ed. Rio de Janeiro: Mauad; 2007.
5. Zoboli ELCP. Ética e administração hospitalar. 1. ed. São Paulo: Loyola; 2002.

17 Qualidade e Acreditação em Saúde

Mario Cesar Madureira
Stela Cals de Oliveira

Histórico da Acreditação em Nível Mundial

A preocupação com a qualidade dos serviços de saúde teve seu início na Europa, a partir do século XVIII, em razão da percepção da inadequação da arquitetura dos hospitais daquela época. A necessidade de reconstruir o *Hôtel Dieu,* o mais antigo hospital parisiense, destruído por um incêndio em 1772, fez com que a Academia de Ciências de Paris fosse convocada a opinar sobre os projetos de reconstrução. Após um exaustivo estudo, o relator deste trabalho, Jacques René Tenon, apresentou um relatório no qual delineava os princípios que, ao longo do século XIX e ao menos até a década de 1920, direcionaram a arquitetura hospitalar: a estrutura pavilhonar, segundo diversos sistemas de simetria, onde longos pavilhões eram construídos de forma paralela e de maneira regular (Benchimol, 1990).

A partir do início do século XX, dois eventos independentes podem ser considerados como os precursores dos movimentos de avaliação da qualidade dos serviços de saúde: em 1906, o *Council on Medical Education da American Medical Association* decidiu visitar um total de 163 escolas médicas, usando critérios definidos para categorizá-las utilizando indicadores concretos para mensuração sobre estrutura e processo, resultando no Relatório Flexner, o qual recomenda o fechamento de 124 escolas médicas em razão do estado deplorável da qualidade das instalações hospitalares e da falta de critérios de exigências na admissão dos alunos, estabelecendo-se, nesta oportunidade, padrões mínimos para o ensino médico.

Outro evento que contribuiu para a avaliação da qualidade dos serviços de saúde está vinculado ao cirurgião americano Ernst Amory Codman, do *Massachussetts General Hospital.* Codman formulou uma proposta de padronização para avaliação dos resultados (*The End Result System Standardization*), a primeira iniciativa substancial para um sistema de gerenciamento de resultados, pelo qual o hospital deveria acompanhar cada paciente o tempo suficiente para determinar se o tratamento alcançara seus objetivos. Em casos contrários, o hospital deveria tentar determinar por que isso acontecera, buscando corrigir as falhas para ter sucesso no futuro. Alguns anos após a sua criação, em 1913, o Colégio Americano de

Cirurgiões desenvolveu uma padronização mínima para hospitais (*Minimum Standard for Hospitals*), com requisitos básicos, na época apresentados em uma única página: organização do corpo clínico nos hospitais; graduação em medicina e licenciatura legal dos membros do corpo clínico; adoção, pelo corpo clínico e com aprovação do conselho diretor do hospital, de regras, regulamentos e políticas que governem o trabalho profissional do hospital; organização e guarda de prontuários, precisos e corretos, para todos os pacientes atendidos no hospital, com ênfase na padronização do conteúdo, incluindo "os de identificação; história da doença atual; o exame físico; os exames especiais, como consultas, laboratório clínico, raios X e outros exames; tratamento médico ou cirúrgico; achados patológicos macro ou microscópicos, anotações da evolução e, em caso de morte, os achados da necropsia"; disponibilidade de equipamentos para diagnóstico e terapêutica, incluindo, pelo menos, laboratório de patologia clínica e serviço de radiologia. Em 1918, o Colégio Americano de Cirurgiões iniciou as inspeções e apenas 89 dos 692 hospitais preencheram os requisitos do *Minimum Standard*.

Em 1951, o *American College of Surgeons* associou-se ao *American College of Physicians*, a *American Medical Association*, a *American Hospital Association* e a *Canadian Medical Association*, criando a organização *Joint Commission on Accreditation of Hospital* que, a partir de janeiro de 1953 passa a oferecer acreditação para hospitais. Em 1987, o seu nome foi modificado para *Joint Commission on Accreditation of Health Care Organizatons – JCAHCO* em razão da ampliação do seu escopo de avaliação, e recentemente passou a se chamar simplesmente *The Joint Commission*.

Em 1988, o corpo diretivo da Organização Pan-Americana de Saúde – OPAS definiu a meta de saúde para todos, no ano 2000". Neste contexto, a Organização Pan-Americana de Saúde, e a Federação Latino-Americana de Hospitais realizaram levantamentos regionais com a colaboração das associações de hospitais da América Latina e do Caribe, e publicam em 1990 o primeiro Manual para Acreditação de Hospitais para América Latina e o Caribe.

Nesta época a *Joint Commission on Accreditation of Health Care Organizations* – JCAHO criou a *Joint Commission International – JCI* – Comissão Mista Internacional, braço operacional de acreditação atuando atualmente em 40 países.

Histórico da Acreditação no Brasil

O processo histórico brasileiro sobre avaliação da qualidade dos serviços de saúde no Brasil é estigmatizado por crises endêmicas e epidêmicas, cuja falta de soluções foi imputada à organização administrativa das instituições e, à semelhança do que ocorreu na Europa, foi nomeada uma comissão, em 1828, para realizar o primeiro inquérito sobre hospitais da cidade do Rio de Janeiro que, baseado nos preceitos de Tenon, concluiu como insatisfatório o resultado dos indicadores pesquisados no velho hospital da Santa Casa Misericórdia, fundado em 1582, pelos jesuítas no sopé do Morro do Castelo (Benchimol, 1990, p. 200).

A elaboração da primeira constituição republicana, promulgada em 1891, atribui à União a responsabilidade dos Serviços de Higiene, relativos ao estudo das doenças, as medidas profiláticas, a defesa da disseminação das doenças, à estatística demógrafo-sanitária, àfiscalização do exercício da medicina e farmácia, à análise das substâncias importadas e ao Serviço Marítimo dos Portos.

As ações governamentais tornaram-se mais contundentes nas questões vinculadas à Vigilância Sanitária com o controle do saneamento urbano e rural, dos serviços de higiene infantil, da higiene industrial e profissional, na supervisão dos hospitais públicos federais e na fiscalização dos demais, além do combate às endemias e epidemias rurais.

A partir de 1930, a conjuntura do sistema de saúde é caracterizada pela concepção desenvolvimentista. A saúde da população pode ser considerada como um fator de produtividade e os recursos de saúde podem ser tratados do ponto de vista dos modelos de custo *versus* benefício (Uribe, 1992).

Tradicionalmente, a discussão sobre qualidade na área da saúde tendeu para o debate voltado ao controle da qualidade dos produtos, realizados e alcançados por meio dos ensaios laboratoriais. A questão da qualidade da prestação dos serviços de saúde não foi objeto explicitado durante muitos anos pelos gestores governamentais do sistema de saúde.

No âmbito do Ministério da Saúde, o Programa Brasileiro de Qualidade e Produtividade, criado em 1990, definiu dois projetos: *Projeto Qualidade,* da Secretaria Nacional de Vigilância Sanitária, com a finalidade de elaborar normas e regulamentos técnicos para o funcionamento de empresas; construção, instalação e funcionamento de serviços de saúde e de outros relacionados à saúde; Além deste, o *Projeto de Equipamentos odonto-médico-hospitalares Proequipo*, no âmbito da Secretaria Nacional de Assistência à Saúde, foi criado para que o Sistema de Saúde dispusesse de normas e regulamentos técnicos de equipamentos odonto--médico-hospitalares.

O Ministério da Saúde elaborou, em 1992, o projeto *Garantia da qualidade em saúde* junto com o Banco Mundial. Sua estrutura compreendeu quatro componentes básicos: rede de informações, desenvolvimento gerencial, regulação e controle da utilização de tecnologias em saúde e controle social, informados por sistemas específicos ligados à vigilância epidemiológica, vigilância sanitária e serviços de saúde, e teve como objetivo principal a definição de competências e instrumentos de ação para o Sistema Único de Saúde, nos três níveis de governo.

Em 1994, o Seminário sobre Acreditação de Hospitais e melhoria da qualidade em saúde, ocorrido na Academia Nacional de Medicina, definiu três linhas básicas de ação: desenvolver esforços para a criação de uma organização não governamental de certificação da qualidade em serviços de saúde; elaborar um instrumento de certificação de hospitais, adaptado à realidade brasileira; e estabelecer um programa de disseminação dos conceitos de gestão da qualidade em assistência à saúde.

Para atender essas diretrizes foi criado o PACQS – Programa de Avaliação e Certificação da Qualidade em Serviços de Saúde no Brasil, cujo objetivo era implantar uma política de avaliação e certificação da qualidade em estabelecimentos de saúde.

Em 1995, a OPAS realizou o Seminário Sub-Regional sobre Acreditação de Hospitais na Academia Nacional de Medicina, que contou com representantes da Argentina, Brasil, Chile, Paraguai e Uruguai, e neste mesmo ano o tema acreditação começou a ser discutido com maior intensidade no âmbito do Ministério da Saúde, com a criação do Programa de Garantia e Aprimoramento da Qualidade em Saúde (PGAQS), que envolveu a formação da Comissão Nacional de Qualidade e Produtividade, da qual faziam parte, além do grupo técnicodo Programa, representantes de provedores de serviço, da classe médica, órgãos técnicos relacionados ao controle da qualidade e representantes dos usuários dos serviços de saúde, que concluíram pela necessidade de criação de uma ferramenta que avaliasse a melhoria da qualidade do serviço prestado. Sendo assim, foram estudados pelo grupo técnico Manuais de Acreditação utilizados no exterior – Estados Unidos, Canadá, Catalunha/Espanha, Inglaterra e outros, além dos manuais que começavam a ser utilizados no Brasil (Rio de Janeiro, São Paulo, Rio Grande do Sul e Paraná). Estimulado pela criação do PBQP – Programa Brasileiro da Qualidade e Produtividade, os técnicos do Programa decidiram encaminhar um projeto que definia metas para implantação de um processo de certificação de hospitais identificado como Acreditação Hospitalar.

O Ministério da Saúde definiu a necessidade da criação de uma ferramenta nacional para a Avaliação e Certificação de Serviços de Saúde e iniciou-se um projeto chamado "Acreditação Hospitalar", utilizando como referência o Manual de Acreditação da OPAS e os demais manuais construídos em por experiências de grupos estaduais que se interessaram pelo tema, e surgiu a primeira versão o "Manual Brasileiro de Acreditação Hospitalar", em 1998.

Dada a necessidade da existência de um conjunto de regras, normas e procedimentos relacionados com um sistema de avaliação para a certificação dos serviços de saúde, foi constituída, em 1999, a Organização Nacional de Acreditação (ONA), iniciando-se a partir daí a implantação das normas técnicas, o credenciamento de instituições de avaliação da conformidade acreditadoras, código de ética e qualificação e capacitação de avaliadores.

Em dezembro de 1997, o Colégio Brasileiro de Cirurgiões, as instituições organizadoras do PACQS, e a Fundação Cesgranrio, que expandiu sua atuação em avaliação de sistemas sociais, incluindo os sistemas de saúde, promoveram a oficina de trabalho "A Acreditação Hospitalar no Contexto da Qualidade em Saúde", convidando representantes da Espanha, Polônia e Argentina e da JCAHO. A partir deste evento O PACQS iniciou formalmente uma cooperação com a *Joint Commission International* – JCI e, em 1998, passou a chamar-se Consórcio Brasileiro de Acreditação – CBA. No Brasil, o CBA teve exclusividade na implementação da metodologia de acreditação através de um acordo firmado com a JCI, em setembro de 2000, em que ficou estabelecido que o processo seria desenvolvido de forma conjunta.

Ferramentas para Avaliação da Qualidade em Saúde

Estabelecer ferramentas para a avaliação da qualidade tem sido um grande desafio, tendo em vista a característica subjetiva da qualidade. Como consequência, não existe uma forma única ou certa que vá ao encontro desse objetivo. De modo geral, vamos encontrar modelos genéricos ou modelos que, dentro da ferramenta, têm uma segmentação para a área de saúde, e finalmente ferramentas específicas para a avaliação de serviços de saúde. As tendências de gestão da qualidade, desde os anos 1980, caminharam em direção ao asseguramento da qualidade baseadas, principalmente, nas normas ISO, na gestão da qualidade total, tendo como base os modelos Malcom Baldrige americano e o Modelo Europeu de Excelência Empresarial e a consolidação dos processos de acreditação, esta última a partir do final da década de 1990 em nosso meio.

ISO – *International Organization for Standardization*

A ISO é uma organização não governamental que foi criada em 1946, em Londres, e tem sua sede em Genebra, na Suíça. Coordena um sistema que é uma rede de organizações de padronização e normalização constituída por 164 países e tem descritas e padronizadas mais de 19 mil normas, sendo as mais conhecidas justamente as relacionadas ao sistema de gestão da qualidade, como a ISO 9001, que é a maior referência mundial em sistemas de gestão da qualidade, pois suas padronizações são úteis para a indústria, negócios de todos os tipos, instituições governamentais e regulatórias, para o comércio entre países, para avaliação de conformidade profissional, fornecedores e clientes de produtos e serviços em ambos os setores, público e privado, e para as pessoas em geral em seus papéis de consumidores e usuários finais. Ao final de 2012, após uma queda no número de certificados emitidos no ano anterior, haviam sido emitidos mais de um milhão (1.101.272) de certificados ISO 9001 em sua versão 2008, distribuídos por 184 países. O Brasil está entre os 10 principais países em número de certificados, com 25.791 certificados emitidos até dezembro de 2012.

Desde 2013 vem sendo cumprido um cronograma para a edição, prevista para setembro de 2015, da versão ISO 9001:2015, a qual promete impactantes mudanças tais como a inclusão dos termos Bens e serviços" ao invés de "produto", a Determinação e Controle de Riscos, sendo necessária a determinação e tratativa para o controle de riscos sob uma visão macro, não mais apenas dos processos. Vale salientar que poderá ser adotado como referência para determinação e controle de riscos as diretrizes da ISO 31000. A Análise de Risco poderá servir também como base para realizar a homologação e o controle dos fornecedores.

Outra mudança significativa na nova ISO 9001:2015 consiste na revisão dos atuais 8 princípios da qualidade, resultando em 7 princípios (os novos princípios propostos no *draft* em estudo estão entre parênteses):

A norma (versão 9001:2008) preservou o conjunto de oito princípios de gestão da qualidade, desenvolvidos pela ISO, que atuam como uma base de sustentação comum para normas relacionadas à gestão da qualidade:

1. **Foco no cliente (foco no cliente):** uma organização depende de seus clientes e deve, por essa razão, conhecer e compreender as necessidades atuais e futuras dos seus clientes, atender às suas exigências e tentar ao máximo superar suas expectativas.
2. **Liderança (liderança):** os líderes estabelecem uma unidade de propósitos e dão direcionamento a uma organização. Devem criar e manter um ambiente interno no qual as pessoas se tornam inteiramente empenhadas em alcançar os objetivos da organização em questão.
3. **Envolvimento das pessoas (competência e comprometimento das pessoas):** as pessoas são, em qualquer nível, a essência de uma organização e seu envolvimento total permite que suas habilidades sejam usadas em benefício da organização.
4. **Abordagem por processo (abordagem de processo):** um resultado desejado é atingido com maior eficiência quando os recursos e as atividades a ele associados são geridos como um processo.
5. **Abordagem por sistema de gestão ou abordagem sistêmica (excluído, passará a estar contido dentro do atual princípio Abordagem de processo):** identificar, entender e gerir processos inter-relacionados, que, como um sistema, contribuem para que a organização atinja seus objetivos de maneira eficaz e eficiente.

6. **Melhoria contínua (melhoria):** a melhoria contínua do desempenho global de uma organização deve ser um objetivo permanente para a própria organização.
7. **Abordagem factual para a tomada de decisão (decisão baseada em informações):** decisões eficazes são baseadas em análises de dados e informações.
8. **Relações de parceria com fornecedores (gestão de relacionamento):** uma organização e seus fornecedores são interdependentes, e uma relação mutuamente benéfica reforça a habilidade de ambos criarem valor.

A Figura 17.1 ilustra o ciclo de melhoria contínua do sistema de gestão da qualidade em que os requisitos dos clientes definem sua satisfação por meio da medição e da análise dessa satisfação, lastreada pela responsabilidade e pelo comprometimento da direção, pela ade quada disponibilização de recursos, resultando na realização de um produto ou serviço, conforme o requerido pelo cliente, fechando, assim, um ciclo de melhoria.

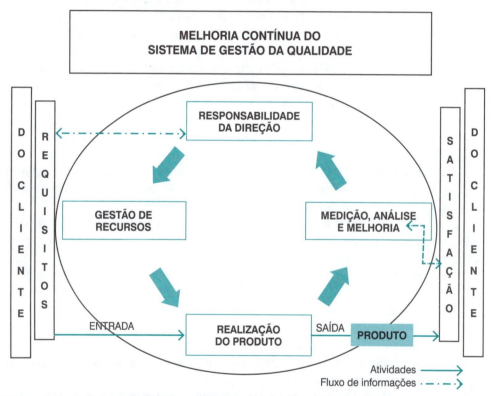

Figura 17.1 – *Modelo de um sistema de gestão da qualidade baseado em processo.*
Fonte: Modificado de Norma brasileira - ABNT NBR ISO 9001 - Sistema de gestão da qualidade - Requisitos, 2. ed., 28/11/2008.

Prêmio Nacional da Qualidade – PNQ, Programa de Certificação da Qualidade Hospitalar – CQH e Prêmio Nacional de Gestão em Saúde – PNGS

A Fundação Nacional da Qualidade – FNQ é uma entidade privada e sem fins lucrativos criada em 1991 para administrar o Prêmio Nacional da Qualidade (PNQ) e as atividades decorrentes do processo de premiação no Brasil, o qual foi inspirado principalmente no prêmio Malcolm Baldrige (EUA). Após alguns anos de sua criação, ampliou seu foco para além do prêmio, passando a difundir amplamente os fundamentos da excelência em gestão para o aumento de competitividade das organizações e do Brasil. A experiência e maturidade destes anos resultou na criação do Modelo de Excelência da Gestão® (MEG) concebido sobre 13 fundamentos da excelência, que servem como base para o modelo, e oito critérios de excelência, os quais, juntamente com diversos requisitos, possibilitam o entendimento e a colocação na prática daqueles fundamentos.

Fundamentos da excelência – Modelo de Excelência da Gestão® (MEG)

1. Pensamento sistêmico: compreensão e tratamento das relações de interdependência e seus efeitos entre os diversos componentes que formam a organização, bem como entre eles e o ambiente com o qual interagem.
2. Atuação em rede: desenvolvimento de relações e atividades em cooperação entre organizações ou indivíduos com interesses comuns e competências complementares.
3. Aprendizado organizacional: busca de maior eficácia e eficiência dos processos da organização e alcance de um novo patamar de competência, por meio da percepção, reflexão, avaliação e do compartilhamento de conhecimento e experiências.
4. Inovação: promoção de um ambiente favorável à criatividade, experimentação e implementação de novas ideias capazes de gerar ganhos de competitividade com desenvolvimento sustentável.
5. Agilidade: flexibilidade e rapidez de adaptação a novas demandas das partes interessadas e mudanças do ambiente, considerando a velocidade de assimilação e o tempo de ciclo dos processos.
6. Liderança transformadora: atuação dos líderes de forma inspiradora, exemplar, realizadora e com constância de propósito, estimulando as pessoas em torno de valores, princípios e objetivos da organização, explorando as potencialidades das culturas presentes, preparando líderes e interagindo com as partes interessadas.
7. Olhar para o futuro: projeção e compreensão de cenários e tendências prováveis do ambiente e dos possíveis efeitos sobre a organização, no curto e longo prazos, avaliando alternativas e adotando estratégias mais apropriadas.
8. Conhecimento sobre clientes e mercados: interação com clientes e mercados e entendimento de suas necessidades, expectativas e comportamentos, explícitos e potenciais, criando valor de forma sustentável.
9. Responsabilidade social: dever da organização de responder pelos impactos de suas decisões e atividades, na sociedade e no meio ambiente, e de contribuir para a melhoria das condições de vida, por meio de um comportamento ético e transparente, visando ao desenvolvimento sustentável.
10. Valorização das pessoas e da cultura: criação de condições favoráveis e seguras para as pessoas se desenvolverem integralmente, com ênfase na maximização do desempenho, na diversidade e no fortalecimento de crenças, costumes e comportamentos favoráveis à excelência.
11. Decisões fundamentadas: deliberações sobre direções a seguir e ações a executar, utilizando o conhecimento gerado a partir do tratamento de informações obtidas

em medições, avaliações e análises de desempenho, de riscos, retroalimentações e experiências.

12. Orientação por processos: busca de eficiência e eficácia nos conjuntos de atividades que formam a cadeia de agregação de valor para os clientes e demais partes interessadas.

13. Geração de valor: alcance de resultados econômicos, sociais e ambientais, bem como de resultados dos processos que os potencializam, em níveis de excelência e que atendam às necessidades das partes interessadas.

Critérios de excelência – Modelo de Excelência da Gestão® (MEG)

Liderança; estratégias e planos; clientes; sociedade; informações e conhecimento; pessoas; processos e resultados.

O Programa de Certificação da Qualidade Hospitalar – CQH e o Prêmio Nacional de Gestão em Saúde são iniciativas da Associação Paulista de Medicina – APM e do Conselho Regional de Medicina do Estado de São Paulo – Cremesp, e são considerados hoje eventos setoriais da FNQ.

CQH

Criado em 1991, o CQH hoje é mantido pela APM e pelo Cremesp e apoiado pela associação entre a Fundação Getúlio Vargas e o Hospital das Clínicas da Universidade de São Paulo (PROAHSA) e, como já mencionado, pela FNQ. Sua criação resultou das discussões entre aquelas entidades ligadas ao atendimento médico e hospitalar no estado de São Paulo (APM e Cremesp), catalisadas pelo Serviço de Vigilância Epidemiológica da Secretaria de Estado da Saúde, e inspirou-se na *Joint Commission on Accreditation of Health Care Organizations –* JCAHO.

O número de hospitais participantes variou desde a sua criação e hoje está em torno de 150 hospitais, inclusive sendo alguns de fora do estado de São Paulo.

O CQH é um programa de adesão voluntária, que visa contribuir para a melhoria contínua da qualidade hospitalar. O hospital participante do CQH compartilha um modelo de gestão para a qualidade que, nos últimos anos, vem sendo aprimorado com o objetivo de alinhá-lo com o Modelo de Excelência de Gestão da FNQ e do PNQ. Sendo assim, o CQH pode ser considerado uma "porta de entrada" para um sistema de gestão da qualidade que, através de um *continuum*, ruma para a excelência através do PNGS e atinge um padrão de classe mundial com o PNQ.

Os hospitais participantes têm a oportunidade, entre outras coisas, de realizar um *benchmarking* com pelo menos 80 hospitais através da análise e comparação de planilhas de indicadores que são disponibilizadas trimestralmente a todos os participantes que cumprem alguns requisitos no envio de informações para a coordenação do programa. Como opção, o programa oferece também a possibilidade de visitas periódicas de avaliação por equipe técnica, que poderá resultar no reconhecimento através da concessão de selo de conformidade. Dentre os hospitais participantes, atualmente 7 deles são "selados".

PNGS

Diferentemente do CQH que é restrito à participação de hospitais, o PNGS – Prêmio Nacional de Gestão em Saúde, é aberto a hospitais, clínicas, laboratórios de análises clínicas e serviços de atendimento domiciliar. Como já mencionado, o CQH e o PNGS servem como porta de entrada para o PNQ, pois os critérios de avaliação estão alinhados aos critérios de excelência do Prêmio Nacional da Qualidade:

1. **Liderança**

Examina o Sistema de liderança da organização e o comprometimento pessoal dos membros da alta direção no estabelecimento, na disseminação e atualização de valores e diretrizes organizacionais que promovam a cultura da excelência, considerando as necessidades de todas as partes interessadas. Também examina como a alta direção analisa criticamente o desempenho global da organização.

2. **Estratégias e planos**

Examina o processo de formulação das estratégias de forma a determinar o posicionamento da organização no mercado, direcionar suas ações e maximizar seu desempenho, incluindo como as estratégias, os planos de ação e as metas são estabelecidos e desdobrados por toda a organização e comunicados interna e externamente. Também examina como a organização define seu sistema de medição do desempenho.

3. **Clientes**

Examina como a organização identifica, analisa, compreende e se antecipa às necessidades dos clientes e dos mercados, divulga seus produtos, marcas e ações de melhoria, e estreita seu relacionamento com os clientes. Também examina como a organização mede e intensifica a satisfação e a fidelidade dos clientes em relação a seus produtos e marcas.

4. **Sociedade**

Examina como a organização contribui para o desenvolvimento econômico, social e ambiental de forma sustentável, por meio da minimização dos impactos negativos potenciais de seus produtos e operações na sociedade, e como a organização interage com a sociedade de forma ética e transparente.

5. **Informações e conhecimento**

Examina a gestão e a utilização das informações da organização e informações comparativas pertinentes, bem como a gestão do capital intelectual da organização.

6. **Pessoas**

Examina como são proporcionadas condições para o desenvolvimento e a utilização plena do potencial das pessoas que compõem a força de trabalho, em consonância com as estratégias organizacionais. Também examina os esforços para criar e manter um ambiente de trabalho e um clima organizacional que conduzam a excelência do desempenho à plena participação e ao crescimento pessoal e da organização.

7. **Processos**

Examina os principais aspectos da gestão dos processos da organização, incluindo o projeto do produto com foco no cliente, a execução e entrega do produto ou serviços, os processos de apoio e aqueles relacionados aos fornecedores, em todos os setores e unidades.

Também examina como a organização administra seus recursos financeiros, de maneira a suportar sua estratégia, seus planos de ação e a operação eficaz de seus processos.

8. Resultados

Examina a evolução do desempenho da organização em relação a clientes e mercados, situação financeira, pessoas, fornecedores, processos relativos ao produto ou serviço, sociedade, processos de apoio e processos organizacionais. Examina também os níveis de desempenho em relação às informações comparativas pertinentes.

Estes critérios de excelência podem ser usados para efetuar uma autoavaliação da organização e também para elaboração do relatório de gestão que, se for do interesse da organização, será utilizado para efetivar a candidatura ao prêmio.

Conceitos de Acreditação

A avaliação da qualidade na atenção e na assistência em saúde possui instrumentos reguladores:

- *Habilitação*: realizada principalmente pela autoridade sanitária e é um pré-requisito para o funcionamento do serviço.
- *Categorização* da organização prestadora de serviços de saúde por meio da classificação; divisão de especialidades e complexidade.
- *Acreditação*, que é um processo, geralmente voluntário, no qual uma entidade, separada e distinta da organização de saúde e normalmente não governamental, avalia a organização de saúde para determinar se a ela apresenta uma série de exigências projetadas para melhorar a qualidade da assistência.

Como visto anteriormente, a acreditação está relacionada aos primórdios da avaliação dos hospitais e à criação da primeira instituição acreditadora, a *The Joint Commission*, nos EUA e pode ser entendida também como a ação ou resultado de acreditar, de atestar oficialmente a boa qualidade de algo, a competência técnica, a conformidade com um conjunto de requisitos previamente estabelecidos.

A The Joint Commission

A *The Joint Commission* avaliou e acreditou mais de 17 mil serviços de saúde no território americano, sendo a mais antiga e a maior organização com este fim em todo o mundo. Através de seu braço internacional – *Joint Commission International* – JCI, atua fora dos EUA. A acreditação da JCI corresponde a uma variedade de iniciativas criadas em resposta a uma demanda crescente no mundo inteiro por uma avaliação dos cuidados à saúde, com base em padrões. A intenção é, portanto, oferecer à comunidade internacional processos objetivos, baseados em padrões, para a avaliação de instituições de saúde. O objetivo do programa é estimular a demonstração de uma melhoria contínua e sustentada nas instituições de saúde, através do emprego de padrões de consenso internacional, de Metas Internacionais de Segurança do Paciente, e de assistência ao monitoramento com indicadores.

No Brasil, a JCI está representada pelo CBA, que detém o direito sobre a utilização da metodologia JCI. A JCI tem dois parceiros no mundo todo autorizados a disseminar, avaliar e oferecer acreditação em seu nome, que são justamente o CBA e a Fundação para a Acreditação e o Desenvolvimento Assistencial – FADA, instituição ligada à Fundação Avedis Donabedian, na Espanha.

O CBA é uma agência acreditadora brasileira, constituída pela Academia Nacional de Medicina, pelo Colégio Brasileiro de Cirurgiões, pela Universidade do Estado do Rio de Janeiro e pela Fundação Cesgranrio.

Manual Internacional de Padrões de Acreditação Hospitalar

Este Manual, o qual está está em sua quinta edição (2014), contém os padrões, propósitos e elementos de mensuração da *Joint Commission International* para hospitais, os requisitos para participação no programam de acreditação, os requisitos centrados no paciente e na instituição e uma nova seção com Padrões para Hospitais de Ensino.

- Seção I: Requisitos para Participação na Acreditação (APR).
- Seção II: Padrões Centrados no Paciente:
  - Metas Internacionais de Segurança do Paciente (IPSG);
  - Acesso ao Cuidado e Continuidade do Cuidado (ACC);
  - Direitos do Paciente e Familiares (PFR);
  - Avaliação do Paciente (AOP);
  - Cuidado ao Paciente (COP);
  - Anestésicos e cirurgia (ASC);
  - Gerenciamento e uso de medicamentos (MMU);
  - Educação dos Pacientes e Familiares (PFE).
- Seção III: Padrões de Gestão da Organização de Saúde:
  - Melhoria da Qualidade e Segurança do Paciente (QPS);
  - Prevenção e Controle de Infecções (PCI);
  - Governo, Liderança e Direção (GLD);
  - Gerenciamento e Segurança das Instalações (FMS);
  - Educação e Qualificação de Profissionais (SQE);
  - Gerenciamento da Informação(MOI).
- Seção IV: Padrões para Hospitais de Ensino:
  - Educação Médica (MPE);
  - Programas de Pesquisa em Seres Humanos (HRP).

Os diversos padrões existentes em cada um destes capítulos serão avaliados através de requisitos ou elementos de mensuração (EM) que serão pontuados durante o processo de avaliação da organização. Estes elementos de mensuração especificam o que é necessário para estar em conformidade com o padrão.

Até o final do primeiro trimestre de 2013, a JCI havia concedido 534 certificados de acreditação para os diferentes programas previstos (hospitais, laboratórios, ambulatórios, cuidados contínuos, cuidados domiciliares, transporte, entre outros) distribuídos pelo mundo todo, conforme mostra a Figura 17.2.

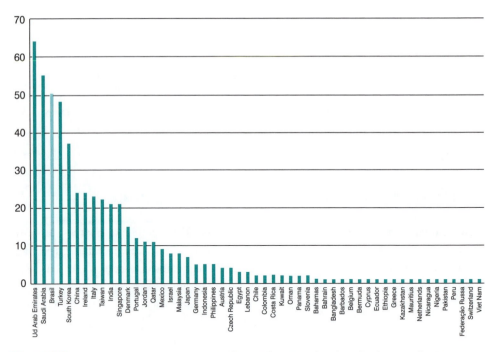

Figura 17.2 – *Joint Commission International (JCI) 534 Organizações Acreditadas – mar/2013.*

O Sistema Brasileiro de Acreditação – SBA e a Organização Nacional de Acreditação – ONA

A ONA é, desde 1999, um órgão voltado para o desenvolvimento e a aplicação de um sistema nacional de acreditação. O Sistema Brasileiro de Acreditação – SBA está fundamentado no sistema de certificação de terceira parte, ou seja, utiliza instituições acreditadoras para a realização de todo o processo de acreditação, à semelhança das normas ISO. Está fundamentada também nos critérios da Fundação Nacional da Qualidade, nas sete dimensões ou pilares da qualidade descritos por Donabedian, no manual publicado pela OPAS, no sistema de acreditação americano da *The Joint Commission* e em outros sistemas de avaliação específicos de países como Canadá, Austrália, Nova Zelândia, França e Argentina.

O método prevê a verificação integral da conformidade de todos os serviços do estabelecimento de saúde, baseada em um sistema de padrões e requisitos, configurando uma lógica sistêmica ao método. A orientação para o processo de acreditação está voltada para os três elementos básicos do sistema – estrutura, processo e resultado –, e estes elementos estratificam o processo e orientam o resultado da acreditação em seus níveis, como veremos mais adiante.

Como se preparar para a acreditação nos diversos níveis organizacionais

Um projeto de Acreditação só pode ser iniciado se a alta administração a entender como necessária para a sobrevivência do seu serviço no mercado. Ela precisa contar com a participação da equipe, sejam administradores, técnicos, enfermeiros, médicos, ultrapassando todas as barreiras hierárquicas visando estabelecer metas de melhoria dos processos de trabalho que devem ser entendidos do ponto de vista da segurança sistêmica. Os profissionais devem ser sensibilizados, treinados e habilitados para agirem de forma preventiva. O processo de preparação para a acreditação ajuda seus líderes a estudar, entender, implantar e implementar estratégias para obter maior eficiência e efetividade do atendimento, o que acaba por determinar até um limite a racionalização e a utilização de recursos humanos, financeiros e tecnológicos.

Como objetivos gerais, o processo de acreditação deve: avaliar e estimular a melhoria da estrutura organizacional e os processos, através do uso de padrões; fornecer avaliação independente e objetiva do processo; representar consenso entre usuários e patrocinadores; estimular melhorias de serviços de saúde e a confiança de usuários; revisar e analisar sistemática e retrospectivamente cuidados fornecidos ao paciente e seus resultados; focar estrutura, processo e resultado.

Com relação aos objetivos específicos, deve: melhorar a administração dos sistemas de informação; modernizar abordagens e sistemas administrativos; desenvolver diretrizes e normas clínicas; capacitar médicos e administradores para liderança; implementar mecanismos voltados para a melhoria do desempenho e qualidade.

Como é o processo de acreditação

O processo de preparação para Acreditação de um Serviço de Saúde deve ser pautado na apresentação dos princípios; no levantamento de avaliação das necessidades institucionais; planejamento da implementação; educação do *staff*; treinamento; levantamento situacional da instituição por consultores; e no acompanhamento de planos e políticas institucionais.

A organização que deseja obter a acreditação tem uma etapa de capacitação que possui uma metodologia via Internet, dentro do *site* institucional da ONA – www.ona.org.br.

Outra possibilidade é contratar instituições de avaliação da conformidade que hoje estão capacitando multiplicadores e pessoas para implementar essa metodologia nas organizações. Superada a etapa da capacitação e do treinamento, estabelece-se uma fase de diagnóstico e avaliação, que pode ser realizada pelas próprias instituições utilizando o manual de acreditação, disponível na Internet, a fim de verificar sua conformidade em relação aos requisitos de certificação.

Numa segunda fase, podem contratar consultores externos, habilitados, que verifiquem o grau de conformidade da organização em relação aos requisitos preestabelecidos.

O processo de acreditação é bastante semelhante aos processos da ISO 9001/2008. Possui uma etapa de educação, capacitação, avaliação e análise para se chegar à etapa final de certificação. Tomando-se como referência o manual da ONA, existem três tipos de certificados que podem ser obtidos, quando um serviço de saúde é acreditado. A acreditação, a acreditação plena ou a acreditação com excelência.

Detalhamento sobre os níveis de acreditação

As ferramentas de acreditação estão estruturadas de modo a oferecer à sociedade e a todos os interessados no tema um conjunto de informações que permita o conhecimento sobre o Processo de Acreditação. As Normas Técnicas destinam-se à apresentação do Processo de Acreditação em seu arcabouço normativo e detalhamento operacional. Existem normas orientadoras e Normas para o Processo de Avaliação.

As ferramentas dedicam-se aos instrumentos específicos de avaliação, dos diversos tipos de organizações do setor saúde. Possui uma linguagem objetiva, normas são identificadas por siglas (de acordo com a seção ou subseção). Os Manuais das Organizações Prestadoras de Serviços de Saúde se dividem em seções e subseções.

Seções: Estão agrupados os serviços, setores, unidades ou funções com características e fundamentos semelhantes que possuem afinidades entre si. Os Manuais são compostos por seções que variam conforme seu objetivo.

Subseções: As subseções tratam do escopo específico de cada serviço, setor, unidade ou função. A lógica das subseções é que todas possuem o mesmo grau de importância dentro do processo de avaliação.

São estruturados por níveis, padrões e requisitos.

Níveis: A lógica orientadora para a definição dos níveis tem uma coerência global e longitudinal, seguindo três princípios orientadores básicos: segurança (Nível 1), gestão integrada (Nível 2) e excelência em gestão (Nível 3). A ideia fundamental é que os níveis possuem uma concepção sequencial, ou seja, um processo de incorporação dos requisitos dos níveis anteriores. As subseções são avaliadas considerando dois níveis, sendo o nível três, destinado à avaliação da seção.

No nível 1, da acreditação, o que será avaliado é a segurança dos processos assistenciais para o paciente, para os profissionais que trabalham nas organizações e para as demais partes envolvidas. A palavra-chave é segurança. A organização mostra que ela realiza todos os seus processos com o rigor e a segurança necessários exigidos pelas normas sanitárias e técnicas, e pelas boas práticas assistenciais. A base para o cumprimento do padrão do nível 1 corresponde ao atendimento aos requisitos formais, técnicos e de estrutura; execução das atividades proporcionando a segurança do cliente/paciente, conforme o perfil e porte da organização.

No nível 2, da acreditação plena, a organização cumpre os requisitos do nível 1, documenta, padroniza e gerencia os processos assistenciais, administrativos e gerenciais e evidencia a melhoria destes processos e o impacto desta melhoria através da análise crítica e da utilização de indicadores. A base para o cumprimento do padrão do nível 2 corresponde ao gerenciamento das interações entre os fornecedores e clientes; o estabelecimento de sistemática de medição do processo com avaliação de sua efetividade; promoção de ações de melhoria e aprendizado.

A organização de nível 3, acreditada com excelência, além de ser segura, com processos padronizados e gerenciados, apresenta também ciclos de melhoria sistêmicos correlacionados com as estratégias da organização. Sua gestão busca superar-se sempre, na busca da excelência. Utiliza estratégias tais como *benchmarking*, comparando-se através de indicadores de desempenho e apresentando resultados favoráveis para estes indicadores.

Para alcançar o nível 3, é preciso cumprir todos os requisitos dos níveis anteriores. O nível de exigência e de complexidade aumenta. A base para o cumprimento do padrão do nível 3 corresponde à evidência de desempenho dos processos alinhados e correlacionados às estratégias da organização; aos resultados apresentarem evolução de desempenho e tendência favorável; a evidências de melhorias e inovações, decorrentes do processo de análise crítica, assegurando o comprometimento com a excelência.

O prazo de validade dos certificados de níveis 1 e 2 são de 2 anos. Já o do nível 3 é de 3 anos. Durante esse prazo, a instituição acreditadora credenciada que realizou a avaliação e recomendou a certificação tem que acompanhar e verificar se o sistema é mantido no nívelcertificado. Findo o prazo, a organização decide se vai continuar ou não no processo. Ela não precisa esperar expirar a validade de sua certificação para prosseguir melhorando, com vistas a antecipar sua melhoria para um próximo nível.

Quando a Organização Prestadora de Serviços de Saúde cumprir integralmente todos os requisitos em todos os setores do nível 1, recebe a certificação de Acreditada. Quando cumprir integralmente todos os requisitos em todos os setores dos níveis 1 e 2, é certificada como Acreditada Plena. Quando cumprir integralmente os níveis 1, 2 e 3, ela será distinguida com a condição de Acreditada com Excelência.

Padrões: Os padrões são elaborados com base na existência dos três níveis, do mais simples ao mais complexo, tendo presente o princípio do "tudo ou nada", ou seja, o padrão deve ser integralmente cumprido (ausência de não conformidade maior).

Os padrões procuram avaliar estrutura, processo e resultado dentro de um único serviço, setor, unidade ou função. Cada padrão apresenta uma definição e uma lista de requisitos que permitem auxiliar na identificação do que se busca avaliar e na preparação das Organizações Prestadoras de Serviços de Saúde para o Processo de Acreditação.

Requisitos: Os **requisitos** apontam as fontes em que os avaliadores devem procurar as evidências ou o que a organização de saúde pode apresentar para indicar como cumpre determinado padrão. Os **requisitos**, além de servirem de guia para os avaliadores, também são elaborados de tal forma que auxiliem a Organização Prestadora de Serviços de Saúde em seu processo de preparação para a Acreditação.

O Manual Brasileiro de Acreditação é único, porém é publicado também em diversas versões específicas para os diferentes tipos de organizações. São eles os das: Organizações Prestadoras de Serviços de Saúde; Organizações Prestadoras de Serviços Hospitalares; Organizações Prestadoras de Serviços de Hemoterapia; Organizações Prestadoras de Serviços de Laboratórios Clínicos; Organizações Prestadoras de Radiologia, Diagnóstico por Imagem, Radioterapia e Medicina Nuclear; Organizações Prestadoras de Nefrologia e Terapia Renal Substitutiva; Organizações Prestadoras de Serviços Ambulatoriais, Terapêuticos e /ou Pronto-Atendimento, Organizações Prestadoras de Serviços de Atenção Domiciliar e Organizações Prestadoras de Serviços Odontológicos.

Principais barreiras ao processo de acreditação

Donabedian explicita que os Serviços de Saúde são parte de um sistema para onde confluem o individual, o coletivo, o biológico, o social, o quantitativo, o qualitativo. Se imaginarmos que em um hospital de alta complexidade podem trabalhar simultaneamente 429 perfis profissiográficos, 24 horas por dia, 365 dias por ano, há que se imaginar que fatores como esta diversidade de profissionais assim como a cultura decorrente do histórico da formação das instituições de saúde, nascidas baseadas na religiosidade, na filantropia, na beneficência e no militarismo, e que tornou as decisões tipicamente empresariais uma dificuldade por vezes intransponível, aumentam o risco de se implementar um programa de gestão da qualidade que não encontre respaldo na cultura organizacional. Neste caso, o programa não tem sustentação e leva os clientes internos e externos a não perceberem os benefícios do mesmo e, consequentemente, cai no vazio em curto espaço de tempo. Questões relacionadas aos aspectos demográficos, geográficos, educacionais, psicossociais, culturais, legais, políticos, econômicos, tecnológicos, podem se constituir em barreiras para o processo de acreditação.

Outros aspectos que podemos elencar: o profissional médico, que não tenha vínculo integral com a instituição, tende a considerar "qualidade" como modismo, não merecendo sua atenção. A vida de plantões, o trabalho em dois ou mais empregos são fatores que dificultam a construção de uma identidade com a organização e da cultura para a qualidade. Turnos, plantões e cargas horárias distribuídas pelas diferentes categorias profissionais dificultam a integração, a fluidez dos processos e o entendimento do doente de um modo holístico.

A cultura do desperdício se estende aos materiais de consumo, fios cirúrgicos, cateteres, exames complementares, a inexistência de protocolos, procedimentos, rotinas estabelecidas, informação e informatização, padronização de equipamentos, materiais de consumo e permanente, instrumentais e utensílios, e contribui também para a falta de qualidade. A suscetibilidade a grupos externos, tais como os da indústria de equipamentos e outros insumos hospitalares, interfere na cultura organizacional e provoca mudanças na atuação dos profissionais, no relacionamento com os pacientes e com o público em geral.

Quando um serviço de saúde pretende ser acreditado, seus produtos e serviços deverão estar adequados às expectativas e aos requisitos do mercado cliente. Quando essas expectativas ou requisitos diferem do que é esperado pelo cliente, configuram-se como barreiras. É fato inteiramente compreensível que quem compra, estabeleça os requisitos do produto ou do serviço que atendam à sua expectativa.

Uma definição possível para barreiras ao processo de acreditação é a sua discrepância aos requisitos aplicáveis aos serviços ou produtos que deverão atender aos procedimentos para aprovação e controle (ensaios, certificação etc.), a fim de avaliar a conformidade a esses requisitos. Aqui o termo "requisitos" inclui os respectivos procedimentos para aprovação e controle.

Quem pode ser acreditado

Para ser acreditado, o estabelecimento de saúde passa por uma avaliação feita por uma organização independente. O processo é voluntário e pode ser desenvolvido pela própria organização, depois de um diagnóstico preliminar. O diagnóstico inicial representa o marco zero do processo. Ele é uma radiografia do funcionamento da organização e serve como base para propor mudanças. A partir daí, é importante estabelecer um planejamento que norteará as alterações necessárias.

Após este processo voluntário de diagnóstico, a organização se expõe a uma visita de avaliação para acreditação.

Experiências em organizações brasileiras

O setor de saúde, hoje, no Brasil, engloba 94.988 estabelecimentos cadastrados, cerca de 6.149 hospitais, 2.068 organizações prestadoras de serviços hemoterápicos, 21.632 laboratórios clínicos, 856 serviços de nefrologia e terapia renal substitutiva, além de serviços ambulatoriais e de pronto-atendimento, de diagnóstico e terapia, de atenção primária à saúde, de assistência domiciliar e transporte especializado em saúde.

Das 98 organizações de saúde certificadas em 2008, 41 organizações receberam a sua primeira certificação pela metodologia ONA, ou seja, 41,84%; 31 foram certificadas duas vezes (31,63%); 21 receberam três certificações (21,43%); três receberam quatro certificações (3,06%) e duas estão em seu quinto ciclo de certificação (2,04%).

Até o primeiro semestre de 2013, a ONA havia concedido 1.000 certificados. Atualmente estão válidas 331 certificações, sendo que, destas, 180 são de hospitais e algumas destas organizações já estão repetindo vários ciclos de certificação, o que demonstra o importante papel que a Acreditação vem assumindo dentro das organizações de saúde.

O que Significa para o Mercado uma Organização Acreditada

Uma organização acreditada sofre uma transformação cultural importante. Ela não será a mesma, uma vez iniciado o processo. O mercado ganha, por ser atendido por organizações cujos procedimentos passam a ser padronizados, com o estabelecimento de indicadores de qualidade e métricas de desempenho. Seus resultados passam a adquirir maior confiabilidade junto aos compradores e usuários de seus serviços. As organizações passam a focar com maior intensidade questões de segurança, o que representa tanto para os profissionais, clientes e financiadores, que os padrões de excelência estão sendo alcançados e que a cultura da melhoria contínua da qualidade repercute nas boas práticas, na ética profissional, e na permanente busca de um melhor desempenho institucional.

Conclusão Geral

O Tema Acreditação em Organizações do Sistema de Saúde precisa ser entendido de forma geral como recente na história mundial. Embora existam inúmeras organizações voltadas à área de normalização, avaliação de organizações de saúde, a complexidade da prestação de um serviço de saúde é de natureza intangível, as abordagens realizadas por meio das ferramentas disponíveis ainda não dão conta do universo de incertezas com as quais nos deparamos, ao enfrentarmos o dia a dia da prestação de um serviço médico.

Ainda que possamos elaborar algum diagnóstico institucional com relação às estruturas, aos processos e à avaliação dos resultados, é arriscado afirmarmos que durante o período da atenção prestada a um paciente não tenha ocorrido alguma não conformidade com ele. As questões intrínsecas da relação médico-paciente, os inúmeros atores que envolvem o ato médico ainda precisam, usando uma figura de linguagem "afinar seus instrumentos, para que a orquestra não desafine, jamais". As experiências relatadas nos fazem crer que podemos melhorar todos os dias, a cada minuto. Para isso precisamos estabelecer critérios de atualização permanente.

A questão é identificar as oportunidades de melhoria e corrigi-las, para sempre. Este é o desafio.

Com relação às políticas que vêm sendo adotadas em nosso País, que tratem sobre o tema, entendemos que ao longo destes quase 20 anos, quando demos início à implantação e implementação de estudos mais sistematizados e institucionalizados, muito tem sido feito em prol da segurança de nossos pacientes.

Como pudemos observar ao longo da leitura deste capítulo, existem dificuldades até mesmo de definições e conceitos sobre "o termo" acreditação que precisam ser revistas. Asuperposição de atribuições dos diversos organismos e níveis hierárquicos do sistema de saúde também precisam ser questionados. É fundamental a revisão das exigências relativas à segurança de nossos produtos e serviços em função da legislação de vigilância sanitária, e sua avaliação metrológica.

Entretanto, considerando que a questão da segurança, proteção à saúde e à vida sempre foi objeto de preocupação de organismos internacionais, e que estes definem as agendas de trabalho de forma consensuada, a Acreditação dos Sistemas de Saúde é uma realidade que se impõe, de forma incontestável.

Bibliografia Consultada

1. Benchimol LJ (Coord.). Manguinhos do sonho à vida – A ciência na Belle Époque. Rio de Janeiro: Casa de Oswaldo Cruz; 1990. 248p.
2. D'Innocenzo M (Coord.). Indicadores, auditorias, certificações: ferramentas de qualidade para gestão em saúde. São Paulo: Martinari; 2006.
3. Deming WE. Qualidade: a revolução da administração. Rio de Janeiro: Marques Saraiva; 1990. p. 110.
4. Donabedian A. Los espacios de la salud: aspectos fundamentales de la organización de la atención médica. Cambridge: Harvard University Press; 1973. 772p.
5. Donabedian A. The seven pillars of quality. Arch Pathol Lab Med. 1990;114:1115-8.
6. International Organization for Standardization. Disponível em: http://www.iso.org. [Acessado em: 10 mar. 2010].
7. Joint Commission – our history. Disponível em: http://www.jointcommission.org. [Acessado em: 10 mar. 2010].
8. Manual das organizações prestadoras de serviços de saúde. Brasília: Organização Nacional de Acreditação; 2010.
9. Manual de Padrões e Indicadores de Qualidade para Hospitais. Washington: OPAS; 1992.
10. Novaes HM, Paganini JM. Garantia de qualidade – acreditação de hospitais para América Latina e o Caribe. OPAS, Federação Latino Americana de Hospitais, Federação Brasileira de Hospitais, Brasil série/SILOS n. 13, 1992.
11. Oliveira SC. Anais da Academia Nacional de Medicina, vol. 3 – abril, 1994.
12. Oliveira SC. Fundamentos para avaliação da qualidade em serviços de saúde. Editora Bookmark; 2000. 152 p.
13. Paganini MJ. Calidad y eficiencia en hospitales. Bo of Sanit Panam 1993; 115(6):483-511.
14. Porter ME, Teisberg EO. Repensando a saúde: estratégias para melhorar a qualidade e reduzir os custos. São Paulo: Artmed, Bookman, 2006.
15. Prêmio Nacional de Gestão em Saúde – PNGS. Disponível em: http://www.apm.org.br/pngs/ [Acessado em: 10 mar. 2010].
16. Programa de Controle de Qualidade do Atendimento Médico-Hospitalar – CQH. Disponível em: http://www.apm.org.br/cqh/ [Acessado em: 10 mar. 2010].
17. Teisberg OE, Porter EM, Brown BG. Making competition in health care work. Harvard Business Review. July-august, 1994. p. 131-41.
18. Temporão GJ, Moura VA. Critérios e metodologia para classificação hospitalar. Documento elaborado para apresentação ao grupo de trabalho sobre planejamento e administração hospitalar promovido pela Organização Pan-americana da Saúde. Brasília, dez. 1984. 4 p.

19. Ujvari SC. A história e suas epidemias: a convivência do homem com os microorganismos. 2. ed. Rio de Janeiro: Editora Senac Rio; 2003. 328 p.
20. Uribe FJR. Planejamento e programação em saúde: um enfoque estratégico. São Paulo: Cortez Editora; 1992.
21. Worthington Jr. WC. A study in post-flexner survival. JAMA. Aug 21 1991;266(7); 1981.

18 Plano de Negócios para Clínicas e Hospitais

Antonio André Neto

Introdução

Neste capítulo, vamos descrever sucintamente o que é um Plano de Negócios e por que ele é importante quando se pensa em estruturar um novo empreendimento.

Vamos fazer uma sinopse dos principais aspectos que um Plano de Negócios deve conter e, a seguir, apresentaremos uma versão compacta do Plano de Negócios para implantação do Hospital Santa Helena. Dessa forma você irá compreender como tudo o que você aprendeu até agora pode corroborar para a gestão estratégica de clínicas e hospitais.

O que é um Plano de Negócios?

– É um roteiro com ações definidas para se aproveitar uma oportunidade comercial.

Uma oportunidade de negócios surge quando o empreendedor identifica uma necessidade ou um desejo não atendido e se propõe a criar um novo empreendimento para atender a este desejo ou esta necessidade, oferecendo um produto ou um serviço para este fim, cobrando para isso.

Um Plano de Negócios também pode ser descrito como um roteiro para atingir os objetivos de uma empresa, com o máximo de eficiência, seja ela uma nova empresa a ser constituída, ou uma empresa já existente.

Ao construir um Plano de Negócios, o empreendedor tem a oportunidade de escrever, de forma concatenada, as informações que ele próprio e todos os demais possíveis envolvidos com o futuro negócio gostariam de conhecer antes de se "aventurar" nesse novo empreendimento. Assim, o Plano de Negócios pode ser criado para atingir objetivos diferentes. Entre eles, podemos citar:

- criar uma nova empresa;
- buscar investidores;
- abrir o capital da empresa;
- criar uma nova divisão;
- estabelecer ações para fazer a empresa crescer;

- vender a empresa;
- comprar uma empresa;
- lançar um novo produto;
- privatizar a empresa;
- internacionalizar a empresa;
- realizar uma cisão (transformar uma unidade de negócio em uma nova empresa);
- entre outros.

O ponto de partida para escrever um Plano de Negócios é procurar entender melhor o contexto geográfico, social, econômico e mercadológico dentro do setor onde se pretende atuar.

Para isso, o empreendedor deve levar em consideração as ações comerciais no segmento, analisando os possíveis clientes, as empresas concorrentes, os potenciais fornecedores, a disponibilidade de profissionais especializados, o acesso à infraestrutura e a sua capacidade de obter os recursos necessários para a concretização do empreendimento.

Esta pesquisa deve ser feita considerando tanto os fatos passados quanto atuais, e também buscar prever as tendências do mercado.

Ao elaborar o Plano, o empreendedor deve analisar a oportunidade, contemplando todos os seus aspectos, tanto os positivos quanto os negativos. Isso ocorre porque o lucro sempre está associado ao risco do negócio. Por isso, é preciso ter conhecimento antecipado dos possíveis riscos e dificuldades e prever como mitigar os riscos e como superar as dificuldades.

Como cada Plano de Negócio é único, pois trata do estudo da exploração de uma oportunidade comercial em particular, listamos alguns aspectos relevantes que fazem parte da reflexão inicial sobre a oportunidade de negócio que se quer explorar:

1. Quais necessidades ou desejos serão atendidos pelo negócio?
2. Qual é o número de potenciais compradores/clientes?
3. Quais os recursos necessários?
4. Onde obter estes recursos?
5. Qual a rentabilidade esperada para o negócio?
6. Quais as tecnologias necessárias?
7. Quais as habilidades especiais necessárias?
8. O que será necessário fazer para conquistar a confiança nos produtos/serviços da empresa?
9. Qual a disponibilidade de produtos e serviços complementares, por exemplo: Assistência Técnica?
10. Qual o fluxo de importação/exportação dos produtos com os quais estaremos envolvidos?
11. Quais as barreiras institucionais e legais?
12. Quais as barreiras de entrada para novos concorrentes?

Para se elaborar um Plano de Negócios, é necessário recorrer a fontes de informação para pesquisa. Algumas destas fontes são:

- internet;
- empresas especializadas em informações setoriais;
- associações comerciais;
- associações classistas;
- câmaras de comércio;

- *trading companies*;
- Sebrae;
- embaixadas;
- *sites* de empresas concorrentes;
- ex-funcionários de concorrentes;
- etc.

Como o Plano tem, na maioria das vezes, de ser "vendido" a investidores, parceiros comerciais, órgãos de governo e clientes, é necessário que o empreendedor traga credibilidade para o seu Plano descrevendo, com a devida atenção, todas as premissas que deverão assegurar o sucesso do novo empreendimento. Para isso, o Plano deve conter os mais importantes aspectos da empreitada.

De um modo geral, o Plano de Negócios pode ser estruturado com base nos seguintes itens:

A Estrutura de um Plano de Negócios

1. Sumário Executivo.
2. A Empresa.
3. O Mercado.
4. As Operações.
5. A Organização
6. Potenciais Riscos.
7. Informes Financeiros.
8. Cronograma.

O sumário executivo

O Sumário Executivo resume os atributos importantes do empreendimento.

Este item inicial tem o objetivo de atrair os leitores-alvo, normalmente investidores, ou a direção da empresa, fazendo com que eles se interessem pela oportunidade que os empreendedores querem apresentar.

É recomendável limitar o Sumário Executivo a umas poucas páginas, no máximo quatro ou cinco, compreendendo quatro elementos-chave:

1. o empreendimento;
2. o mercado;
3. os recursos necessários e seus usos;
4. demonstrativos financeiros.

O empreendimento

"O Empreendimento" de um plano de negócios é a descrição dos produtos ou serviços de uma empresa e seus atributos-chave.

Procure descrever, de forma sucinta, como o novo empreendimento obterá uma posição vantajosa no mercado.

Se o Plano de Negócio for sobre uma nova atividade de uma empresa que já existe, pode ser útil descrever o histórico da companhia.

Descreva qual é a visão dos empreendedores quanto ao posicionamento da companhia nos próximos 5 anos, ou mais.

O mercado

A descrição sobre a oportunidade de mercado identificada pode ser feita na forma de um Plano de *Marketing* resumido, mostrando em que se apoia a habilidade e disposição da empresa em fazer que clientes paguem pelo seu produto ou serviço.

Utilize este espaço para descrever como o novo empreendimento fará com que os clientes-alvo fiquem conscientes e interessados no produto ou serviço e como esse interesse será convertido na ação de compra.

O uso dos recursos

Nesta seção, descreva o montante dos recursos necessários e os usos que serão dados para esses recursos.

Demonstrativos financeiros

Nessa seção são apresentadas, de uma forma sintética, as alocações dos recursos ao longo do tempo e o Fluxo de Caixa previsto para o Empreendimento.

Uma vez apresentado o Sumário Executivo, o próximo passo é descrever, agora com mais detalhes, todos os aspectos do empreendimento, dando ao leitor a oportunidade de conhecer melhor o que foi resumido na parte inicial.

A empresa

A seção **Empresa** descreve a necessidade que os produtos ou serviços da companhia satisfazem e como a empresa se encontra especialmente adequada para entregar suas ofertas:

- Qual a Missão, a Visão e os Valores da Empresa?
- Qual será a sua Proposta de Valor: (Que benefício ela vai entregar para seus clientes, de modo que eles estejam dispostos a pagar por ele.)?
- Porque ela quer se lançar em um novo empreendimento?
- Quais as barreiras de entrada que a empresa deve enfrentar nas suas ações de conquista de clientes e como irá utilizar seus recursos para superar essas barreiras?
- O Produto ou Serviço: Procure descrever, com toda clareza, do que se trata o seu produto ou seu serviço, especialmente no caso de serviços de saúde, pois isso muitas vezes pode exigir um esforço adicional.

- Vantagem Competitiva: Até que um produto, ou especialmente um novo serviço, seja apresentado no contexto de um mercado, pode ser difícil para terceiros compreenderem suas vantagens. Vantagem competitiva é aquela que só sua empresa tem. Vantagem comparativa é aquela que busca diferenciar seu produto/serviço com base no preço (mais baixo que o da concorrência) ou nos serviços agregados (que na maioria das vezes não são cobrados dos clientes).

Uma forma de comunicar esta informação pode ser, por exemplo; uma tabela que compare o desempenho, custo ou outras características com alternativas líderes ou substitutas que já estão no mercado.

O mercado

Nesta seção, procure detalhar:
- Quem são e quantos são os potenciais clientes do novo empreendimento?
- Quais seus hábitos atuais?
- De quem compram atualmente os produtos os serviços que o novo empreendimento se propõe a oferecer. Detalhe quem são os concorrentes, seus pontos fortes e seus pontos fracos.
- As ações de *marketing* devem responder a cinco questões básicas:
1. O que será feito para que potenciais clientes **fiquem sabendo da existência** do novo produto/serviço?
2. O que será feito para que os potenciais clientes **se interessem** pelo produto/ serviço?
3. O que fazer para que potenciais clientes **possam pagar** pelo produto/serviço?
4. O que fazer para que potenciais clientes **efetivamente comprem** os produtos/ serviços?
5. O que fazer para que os clientes **voltem a comprar**?

As operações

- Neste item descreva onde serão estabelecidas as instalações do novo empreendimento.
- Quais as características destas instalações.
- Quais diferenciais técnicos as instalações terão.
- Quais benefícios estas operações oferecerão aos clientes do empreendimento.

A organização

Todo plano deve incluir uma seção dedicada a contar aos leitores sobre a estrutura de recursos humanos que o novo empreendimento terá, e como esses profissionais se encontrarão preparados para conseguir alcançar seus objetivos de negócios.

Crie um organograma e descreva quais serão os profissionais-chave do empreendimento. Se for o caso, faça um currículo resumido de cada um dos mais importantes.

Informe financeiro

Todo plano precisa explicitar com a maior riqueza de detalhes a origem e o destino dos recursos, assim com os resultados esperados.

As informações financeiras podem ser apresentadas da seguinte maneira:
- demonstrativos de origem e uso dos recursos;
- detalhamento de despesas pré-operacionais;
- fluxo de caixa previsto para os próximos 5 ou 10 anos.

Potenciais riscos

Muitos empreendedores sentem-se desconfortáveis em mencionar os riscos do Empreendimento, quando elaboram um Plano de Negócios. Porém, ao descrever os riscos do negócio e explicitar como o empreendedor está preparado para fazer frente a estes riscos, ele traz credibilidade para seu plano. Exemplos de riscos a serem considerados:
- logística;
- engenharia e construção;
- financeiros;
- operacionais;
- comerciais;
- políticos;
- forças da natureza.

Cronograma

Um cronograma que sumarize os principais eventos e sua importância para a condução do empreendimento é fundamental para a perfeita compreensão e avaliação do plano.

Procure incluir no seu plano:
- cronograma físico e financeiro;
- cronograma de gráficos de barra;
- gráficos do MS Project.

A seguir, como um exemplo, apresentamos o Plano de Negócios para a implantação do Hospital Santa Helena, na cidade de Rio Claro – SP. Este Plano foi elaborado para efeito didático e todas as informações nele descritas são fictícias.

Plano de Negócios para a Implantação do Hospital Santa Helena, na Cidade de Rio Claro – SP

Índice

1. Sumário Executivo.
2. A Empresa.

3. O Mercado.
4. As Operações.
5. A Organização
6. Potenciais Riscos.
7. Informes Financeiros.
8. Cronograma.

Sumário executivo

O empreendimento

O Hospital Santa Helena será instalado na cidade de Rio Claro para oferecer ao público da rede privada da cidade e da região, tanto particular como convênios, uma assistência médica especializada em um ambiente hospitalar confortável e humanizado.

O prédio a ser utilizado já existe e será alugado. O imóvel foi construído pela Almeida Incorporações em regime *Built to Suite*, ou seja, foi construído de acordo com os padrões definidos pelos empreendedores e será alugado ao novo empreendimento por 15 anos.

O novo empreendimento irá equipar e operacionalizar a instalação, a fim de oferecer os serviços de maternidade e enfermaria (30 leitos), Centro cirúrgico (duas salas, dois leitos de recuperação pós-anestésica) e UTI (três leitos, um semi-intensivo), com Rx, ultrassonografia e endoscopia.

O objetivo deste Plano de Negócios é atrair os recursos para a implantação do hospital.

A oportunidade de mercado

A cidade de Rio Claro, localizada no interior de São Paulo, conta com população estimada em 200.000 habitantes, onde existe atualmente apenas a Santa Casa de Misericórdia. Este Hospital Filantrópico possui 80 leitos, compreendidos entre hospital geral, com atendimento secundário, e maternidade.

Rio Claro vem apresentando nos últimos anos um elevado crescimento no índice de desenvolvimento humano (IDH), com expectativa para 2012 na faixa de 0,92, por causa da instalação de empresas nacionais e internacionais de pequeno e médio portes na cidade. Tal fenômeno, a princípio, nos dá a ideia de que ocorrerá o aumento da demanda por serviços especializados na área da saúde, porém não é o que vem ocorrendo. Os dados do SIA/SUS de 2008 indicam que, principalmente para procedimentos de clínica cirúrgica e obstetrícia, os pacientes particulares e de convênios de Rio Claro se programam e optam por frequentar as unidades de saúde da região, em vez da Santa Casa de Misericórdia da cidade. Isso acontece porque a população não dispõe de um hospital particular, com atendimento diferenciado voltado para qualidade, humanização de toda a equipe de funcionários, enfermeiros e médicos, e com acomodações adequadas principalmente na maternidade.

O Hospital Santa Helena tem por objetivo suprir essa demanda existente, oferecendo qualidade, segurança e comodidade para que a população da cidade e região não precise se deslocar grandes distâncias para usufruir de um serviço médico especializado, oferecido por profissionais competentes e uma infraestrutura de alto nível.

Os recursos necessários e seus usos

O empreendimento necessitará de um investimento inicial de R$ 4.130.000,00, sendo todo integralizado com capital próprio dos sócio-fundadores e de terceiros. Pretende-se usar o valor da seguinte forma, descrita na Tabelas 18.1.

No primeiro ano de funcionamento (2010), funcionou com 2/3 da capacidade total, que foi atingida no ano seguinte (Tabela 18.2).

Tabela 18.1
Investimentos fixos

Máquinas e equipamentos	R$ 2.100.000,00
Mobiliário e acessórios	R$ 300.000,00
Computadores e periféricos	R$ 30.000,00
Diferido (gastos pré-operacionais)	R$ 300.000,00
Total	R$ 2.730.000,00
CAPITAL DE GIRO PREVISTO PARA OS PRIMEIROS 5 MESES DO EMPREENDIMENTO	
Aluguel do prédio	R$ 250.000,00
Salários e remunerações	R$ 500.000,00
Insumos	R$ 200.000,00
Despesas administrativas.	R$ 250.000,00
Reserva de Capital de Giro	R$ 400.000,00
Total no período de 5 meses	**R$ 1.600.000,00**
Investimento total	**R$ 4.130.000,00**

Tabela 18.2
Informativo financeiro (projetado)

	2010	2011	2012	2013	2014
Receita operacional bruta	4.560	6.840	6.840	6.840	6.840
Impostos	228	342	342	342	342
Receita operacional líquida	4.332	6.498	6.498	6.498	6.498
Custos dos serviços vendidos	3.032	4.549	4.549	4.549	4.549
Custo fixos	1.486	2.353	2.353	2.353	2.353
Custos variáveis	1.300	1.950	1.950	1.950	1.950
Depreciação do ativo imobilizado	246	246	246	246	246
Lucro bruto	1.300	1.949	1.949	1.949	1.949
Despesas operacionais	470	701	701	701	701
Despesas financeiras	0	0	0	0	0
Amortização do diferido	30	30	30	30	30
Lucro operacional, antes do imposto de renda e da contribuição social	800	1.218	1.218	1.218	1.218
Imposto de renda e contribuição social	240	378	378	378	378
Lucro líquido do exercício	**560**	**840**	**840**	**840**	**840**

A empresa

Localizada no interior de São Paulo, Rio Claro conta com população estimada em 200.000 habitantes. Situada às margens da rodovia Anhanguera, distante cerca de 190 km de São Paulo, 110 km de Campinas e 120 km de Ribeirão Preto (Figura 18.1).

Figura 18.1.

O produto/serviço

No primeiro momento, este Hospital disponibilizará:
- maternidade (seis leitos);
- enfermaria (24 leitos);
- centro cirúrgico (duas salas, dois leitos de recuperação pós-anestésica);
- UTI (três leitos, um semi-intensivo);
- Rx;
- ultrassonografia;
- endoscopia.

Após o quarto ano de operação, será iniciado o projeto de expansão dos leitos de enfermaria, maternidade, UTI e centro cirúrgico, bem como a construção de espaços para outros serviços.

O Hospital Santa Helena prestará atendimento à saúde para pacientes que necessitam de assistência de urgência e/ou programada por período superior a 24 horas.

De acordo com a legislação (RDC 50, BRASIL, 2002b), desenvolverá as atividades:
- realizar atendimentos e procedimentos de emergência e urgência;
- prestar apoio diagnóstico e terapia por 24 horas;
- executar cirurgias e endoscopias em regime de rotina ou em situações de emergência;

- realizar endoscopias que requeiram supervisão de médico anestesista;
- garantir o apoio diagnóstico necessário;
- realizar partos cirúrgicos;
- realizar relatórios médicos e de enfermagem e registro de parto;
- assistir parturientes em trabalho de parto;
- assistir partos normais;
- assegurar condições para que acompanhantes das parturientes possam assistir ao pré-parto, parto e pós-parto, a critério médico;
- proporcionar condições de internar pacientes, em ambientes individuais ou coletivos, conforme faixa etária, patologia, sexo e intensividade dos cuidados;
- executar e registrar a assistência médica diária;
- executar e registrar a assistência de enfermagem, administrando as diferentes intervenções sobre o paciente;
- prestar assistência nutricional e distribuir alimentação a pacientes (em locais específicos ou no leito) e a acompanhantes (quando for o caso);
- prestar assistência psicológica e social.
  O Hospital atenderá as seguintes especialidades:
  – gineco-obstetrícia;
  – clínica-médica;
  – vascular;
  – gastroenterologia;
  – cirurgia geral;
  – urologia;
  – ortopedia e traumatologia.

O mercado

A tendência do setor saúde atualmente é pela diminuição da hospitalização de pacientes, em razão do desenvolvimento tecnológico e científico, e com isso a concentração de pacientes graves nas unidades de Internação.

Sabidamente, um hospital pequeno não sobrevive em função dos custos fixos, que, para obtenção de lucro, demanda uma escala mínima. Em relação aos planos de saúde, o setor passa por dificuldades de gestão estratégica e financeira, em função de: custos crescentes, com forte pressão por redução de preços e também pela regulamentação da ANS, que os obriga a ampla cobertura de serviços.

O mercado está estável, com 38 milhões de brasileiros, sendo 54,5% em planos coletivos (sete milhões em planos odontológicos), apresentando um crescimento médio de 4,4% nos últimos 6 anos (2,6% sem a odontologia).

Os Planos de Saúde estão se verticalizando, construindo seus próprios hospitais, visando reduzir custos e seguir a sua própria linha assistencial.

Após análise de todos esses fatores, a solução de um plano viável para um hospital, que num primeiro momento contará com 35 leitos, é buscar parceria com um forte plano de saúde no mercado brasileiro, especialmente no Estado de São Paulo, mas ainda sem grande atuação em Rio Claro e região, que é a UNISAÚDE.

A concorrência

O Hospital Irmandade da Santa Casa de Misericórdia de Rio Claro foi inaugurado em 20 de dezembro de 1945, tem seu próprio plano de saúde, e atende usuários do SUS e beneficiários de outros planos privados de saúde (Tabela 18.3).

Tabela 18.3
Capacidade instalada

Capacidade instalada	117 leitos (não inclui UTI)
Índice potencial de utilização dos leitos	85%
Capacidade planejada de leitos (117 leitos x 85%)	100 leitos
Capacidade planejada de utilização/mês (100 leitos x 30 dias)	3.000 leitos/dia
Média de leitos ocupados em 2003	1.943 leitos/dia – ocupação = 64,7%
Capacidade ociosa/mês	1.057 leitos/dia

Tabela 18.4
Produção do CC

MESES	JAN.	FEV.	MAR.	ABR.	MAIO	JUN.	JUL.	AGO.	SET.	TOTAL
SUS	118	105	101	103	112	92	126	144	129	1.030
S.C. Saúde	55	51	62	65	56	68	50	60	55	522
Unimed	6	6	9	9	5	13	13	5	7	73
Convênio	7	0	11	1	2	5	6	6	6	44
Particular	2	2	2	4	5	4	6	4	4	33
Total	188	164	185	182	180	182	201	219	201	1.702

Fonte: Relatório Logos Saúde.

Tabela 18.5
Ambulatório e Pronto-socorro

MESES	JAN.	FEV.	MAR.	ABR.	MAIO	JUN.	JUL.	AGO.	SET.	TOTAL	MÉDIA/MÊS	%
SUS	4.559	5.081	4.850	5.052	5.154	5.192	4.807	5.434	5.743	45.872	5.097	79,05
S.C. Saúde	1.861	1.262	1.226	1.077	986	1.137	1.298	1.369	1.276	11.492	1.277	19,80
Convênio	33	43	47	56	48	30	41	64	59	421	47	0,73
Unimed	14	15	26	12	20	15	25	12	7	146	16	0,25
Particular	14	4	19	12	0	14	15	6	13	97	11	0,17
Total	6.481	6.405	6.168	6.209	6.208	6.388	6.186	6.885	7.098	58.028	6.448	100

O mercado: plano de marketing

As principais vantagens (diferencial para o cliente):

preço: compatível com a qualidade e tipo de assistência;

produto: assistência hospitalar de qualidade em ambiente confortável e humanizado;

promoção: pesquisas quantitativas e qualitativas, propagandas, *marketing* direcionado a médicos, empresas e pessoas físicas, seja por contato pessoal, correio, Internet ou telefone.

Pessoas:

funcionários:

- recrutamento;
- treinamento;
- motivação;
- recompensa;
- trabalho em equipe;
- gentileza e atenção no tratamento ao cliente;
- clientes:
- identificação dos clientes;
- classificação quanto: ao potencial, fiéis, não interessantes, de maior valor, de maior valor vitalício, de maior ou menor margem de lucro;
- manter aberto canal de comunicação;
- personalização: conhecer as necessidades e preferências dos clientes, visando a sua fidelidade.

Processos:

- roteiro de atividades;
- padronização;
- customização;
- educação (orientação);
- envolvimento de clientes;
- agilidade e rapidez;
- eficácia e resolubilidade.

As operações

O Hospital Santa Helena tem por objetivo ser um centro de referência de atendimento hospitalar com assistência médica especializada com profissionais atualizados, tecnologia de ponta em um ambiente confortável e humanizado. Esta assistência médica deverá ser sempre aprimorada e diversificada, visando a uma constante melhora na qualidade do serviço.

O Hospital Santa Helena será concebido dentro da filosofia de valorização da vida, uma assistência médica especializada e com profissionais altamente atualizados e treinados para oferecer aos pacientes o que há de mais avançado em tratamento, e principalmente na questão humanitária, contando com um elenco de profissionais capacitados para prestar o melhor atendimento aos pacientes e seus familiares.

Por ser centro hospitalar integrado, os pacientes terão à sua disposição, num mesmo local, todas as facilidades e técnicas de tratamento, como emergência, pronto-socorro, pronto atendimento, UTI, maternidade e outros serviços 24 horas, todos os dias.

- **Área Hospitalar e Técnica**
  - dias/semana .... 7 (de 2ª a domingo)
  - horas/dia 24
  - meses/ano 12
  - dias úteis/ano............................ 365
- **Administração**
  - dias/semana .... 5 (de 2ª a 6ª feira)
  - horas/dia 8
  - meses/ano 12

Departamento de apoio técnico

- Enfermagem: responsável pela coordenação geral dos serviços e procedimentos de enfermagem.
- Arquivo médico: responsável pelo arquivamento e controle de prontuários.
- Laboratório de análises clínicas.

A organização

O Hospital Santa Helena será administrado por uma equipe multidisciplinar sob a liderança do sócio fundador e idealizador deste projeto, o Dr. Renato Portiolli. Para melhor visualizarmos a organização, foi feito o seguinte organograma (Figura 18.2):

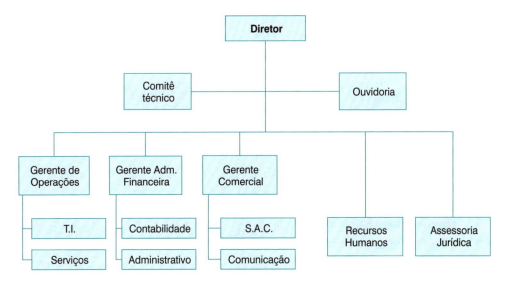

Figura 18.2.

Área operacional

- **Departamento de TI:**
  - comunicação interna;
  - informática.
- **Departamento de Serviços:**
  - recepção;
  - enfermagem;
  - laboratório;
  - nutrição;
  - manutenção.

Área administrativo-financeira

- Departamento administrativo:
  - faturamento;
  - estoque/farmácia;
  - compras.
- Departamento de contabilidade:
  - contabilidade geral/fiscal;
  - ativo fixo;
  - contabilidade gerencial;
  - contas a pagar;
  - tesouraria.

Área comercial

- **Serviço de atendimento ao consumidor.**
- Comunicação.
- *Marketing.*

O Hospital Santa Helena atenderá casos de média complexidade e para isto contará com os seguintes serviços:

1. unidade de internação;
2. maternidade;
3. berçário;
4. ambulatório;
5. emergência;
6. pronto-socorro P.S./pronto atendimento P.A.;
7. centro de diagnóstico;
8. centro médico;
9. hospital-dia.

Quanto aos recursos humanos, o hospital irá terceirizar os serviços de segurança, limpeza e nutrição. Já os demais serviços serão próprios. Salários a serem pagos (Tabela 18.6):

Tabela 18.6
Salários

FUNÇÃO	NÚMERO DE PESSOAS	REMUNERAÇÃO	TOTAL
Enfermeira	10	2.415,75	R$ 24.157,50
Técnico de enfermagem	30	1.281,16	R$ 38.434,80
Segurança			R$ 4.000,00
Limpeza			R$ 5.000,00
Copeira			R$ 1.500,00
Recepção			R$ 3.200,00
Total			R$ 76.292,30
Provisão férias + 13			R$ 8.392,15
Encargos			R$ 27.846,69
Total			R$ 112.531,14

Efetivo custo com máquinas e equipamentos para iniciar a operação do Hospital Santa Helena (Tabela 18.7)

Tabela 18.7
Efetivo Custo

ITEM	QUANTIDADE	VALOR UNITÁRIO (R$)	VALOR TOTAL (R$)
Ventiladores	5	45.000,00	R$ 225.000,00
Berço aquecido	2	5000	R$ 10.000,00
Incubadora de transporte	3	9.000	R$ 27.000,00
Balança	2	800	R$ 1.600,00
Oxímetro de pulso	7	7000	R$ 49.000,00
Fototerapia	1	1500	R$ 1.500,00
Bomba de infusão	2	5000	R$ 10.000,00
Cardioversor	3	20.000	R$ 60.000,00
Carrode emergência	4	5000	R$ 20.000,00
Aparelho de Rx portátil	1	30.000	R$ 30.000,00
Carro de anestesia	2	60.000	R$ 120.000,00
Monitor multiparamétrico	4	40.000	R$ 160.000,00
Capnógrafo	2	7.000	R$ 14.000,00
Ventilador de transporte	1	8.000	R$ 8.000,00
Poltronas reclináveis	14	1.200	R$ 16.800,00
Camas	23	15.000	R$ 345.000,00
Cama de UTI	4	12.000	R$ 48.000,00
Mesa cirúrgica	2	50.000	R$ 100.000,00
Cama para recuperação	2	8.000	R$ 16.000,00
Maca	11	3.000	R$ 33.000,00
Foco cirúrgico fixo	2	20.000	R$ 40.000,00
Foco cirúrgico móvel	2	9.000	R$ 18.000,00
Autoclave	2	60.000	R$ 120.000,00
Autoclave vertical	1	11.100	R$ 11.100,00
Aparelho de Rx	1	256.000	R$ 256.000,00
Aparelho de ultrassonografia	1	200.000	R$ 200.000,00
Endoscopia	1	60.000	R$ 60.000,00
Mamografia	1	100000	R$ 100.000,00
Total			R$ 2.100.000,00

O hospital será implantado para atender os seguintes objetivos

Missão: Promover assistência médica especializada com profissionais atualizados, tecnologia de ponta em um ambiente hospitalar confortável e humanizado.

Visão: Tornar-se referência de atendimento hospitalar na cidade de Rio Claro e região, aprimorando e diversificando a qualidade do serviço.

Potenciais riscos

Ao mesmo tempo em que a tecnologia trouxe grandes benefícios, até barateando produtos na área automobilística e de eletrônicos, para a saúde vieram embutidos de custos superiores aos da inflação, principalmente em relação à parte diagnóstica e terapêutica.

O custo da saúde foi matéria de capa em maio desse ano na Revista VEJA. Entre os motivos apontados, a tecnologia desponta como razão principal. As próteses, como por exemplo, os dilatadores cardíacos (*stents*) fizeram o preço de uma angioplastia sextuplicar em 7 anos. Em 10 anos, o custo de uma diária de UTI teve alta de 90%, sendo que na composição por itens, o maior insuflador foram os medicamentos, com aumento de 170%, segundodados da estrutura de custos do Hospital Albert Einsten. Os problemas apontados foram:

- pouca concorrência entre fornecedores;
- o *modus operandi* do sistema, como se não houvesse um dono preocupado com racionalidade e eficiência, pois as despesas não saem diretamente do bolso do paciente ou do hospital, são bancadas pelos Planos de Saúde;
- o profissional médico que, para aumentar seus honorários, solicita mais exames do que necessário;
- falta de inovação na administração hospitalar, para eliminar desperdícios e ter mais produtividade com qualidade.

As empresas de saúde cada vez mais têm buscado modernizar as práticas da administração, através de profissionais especializados em gestão de negócios, visando enfrentar os desafios dessa nova era. De acordo com consultores da Deloitte (2006), atualmente o fator decisivo para o sucesso de um empreendimento no segmento de saúde é a qualidade da gestão. A obtenção de linhas de crédito para investimento em tecnologia dependerá de estudos que comprovem a viabilidade financeira do negócio.

Forças e fraquezas

Pontos fortes do hospital:
- corpo-clínico e equipe de enfermagem;
- hotelaria (mobiliários e estrutura física novos);
- especialidades médicas;
- divulgação científica;
- recursos financeiros;
- recursos humanos.

Pontos fracos:
- falta de tradição regional na área de saúde;
- hospital com baixo número de leitos.

Ameaças:
- restrição ao crédito;
- política salarial;
- sindicato dos empregados;
- preços dos fornecedores;
- convênios e contratos;
- restrições a importações;
- atual situação econômica financeira dos convênios;
- classe médica altamente politizada, com formação de cartéis;
- ANVISA.

Oportunidades:
- diferencial de serviços;
- reciclagem de pessoal;
- política salarial;
- facilidade de recursos;
- contratos e convênios;
- oferta de instalações adequadas para a boa prática da medicina;
- carência de oferta de serviços para as classes A e B;
- amplo terreno com possibilidade de expansão;
- incentivos da Prefeitura Municipal;

Vantagens comparativas:
- qualidade do produto/serviço;
- qualidade assistencial;
- qualidade da hotelaria;
- equipamentos;
- tecnologia;
- conceito do corpo clínico;
- preços dos serviços;
- preços dos honorários;
- facilidades de pagamentos;
- nicho de mercado (falta de concorrentes).

Informes financeiros

O empreendimento necessitará de um investimento inicial de R$ 4.730.000,00, sendo todo integralizado com capital próprio dos sócio-fundadores. Pretende-se usar o valor da seguinte forma:

Investimento inicial e capital de giro (Tabela 18.8)

Tabela 18.8 Investimento Inicial e Capital de Giro	
INVESTIMENTOS FIXOS	
Máquinas e equipamentos	R$ 2.100.000,00
Mobiliário e acessórios	R$ 300.000,00
Computadores e periféricos	R$ 30.000,00
Diferido (gastos pré-operacionais)	R$ 300.000,00
Total	R$ 2.730.000,00
CAPITAL DE GIRO (MENSAL)	
Aluguel do prédio	R$ 36.000,00
Salários e remunerações	R$ 112.000,00
Insumos	R$ 200.000,00
Despesas administrativas e reserva	R$ 52.000,00
Total Mensal	**R$ 400.000,00**
Total no Período de 5 Meses	**R$ 2.000.000,00**
Investimento Total	**R$ 4.730.000,00**

As receitas operacionais brutas foram projetadas com base em pesquisas de opinião, dados da Santa Casa de Misericórdia de Rio Claro e na demanda existente pelos serviços de saúde na cidade e na região.

Os custos fixos incluem o aluguel do imóvel, salários e remunerações, água, energia elétrica e alguns tipos de materiais. Fazem parte dos custos variáveis gastos com mão de obra direta, matéria-prima, entre outros que variam conforme a produção dos serviços. Estima-se que, em média, os custos dos serviços prestados representem de 60 a 70% do valor de venda.

As despesas operacionais estão relacionadas à mão de obra e despesas administrativas, incluindo também gastos com telefone.

Na depreciação do ativo imobilizado, considerou-se uma taxa de 10% aa para máquinas, equipamentos, mobiliários e acessórios e uma taxa de 20% aa para computadores e periféricos.

Sobre a receita operacional bruta, considerou-se a incidência de ISS igual a 5%. Sobre o lucro, estimamos contribuição social de 8%, imposto de renda de 15% e um adicional de 10% sobre a parcela deste lucro que exceder R$ 240.000,00/ano. Estimamos uma taxa interna de retorno (TIR) de 25,8% e um *payback* de 3,9 anos, considerando apenas o investimento inicial de R$ 2.730.000,00 em investimentos fixos e os fluxos de caixas projetados para o investimento. No balanço patrimonial, não foram projetados eventos de distribuição de dividendos.

Plano de negócios para clínicas e hospitais

Tabela 18.9 Demonstrativo de Resultados (em R$1.000,00)					
	2010	2011	2012	2013	2014
Receita operacional bruta	4.560	6.840	6.840	6.840	6.840
Impostos	228	342	342	342	342
Receita operacional líquida	4.332	6.498	6.498	6.498	6.498
Custos dos serviços vendidos	3.032	4.549	4.549	4.549	4.549
Custo fixos	1.486	2.353	2.353	2.353	2.353
Custos variáveis	1.300	1.950	1.950	1.950	1.950
Depreciação do ativo imobilizado	246	246	246	246	246
Lucro bruto	1.300	1.949	1.949	1.949	1.949
Despesas operacionais	470	701	701	701	701
Comerciais, gerais e administrativas	470	701	701	701	701
Despesas financeiras	0	0	0	0	0
Amortização do diferido	30	30	30	30	30
Lucro operacional, antes do imposto de renda e da contribuição social	800	1.218	1.218	1.218	1.218
Imposto de renda e contribuição social	240	378	378	378	378
Lucro líquido do exercício	**560**	**840**	**840**	**840**	**840**

Tabela 18.10 Fluxo de Caixa (em R$1.000,00)						
	2009	2010	2011	2012	2013	2014
Entradas	2.730	836	1.116	1.116	1.116	1.116
Lucros após impostos	-	560	840	840	840	840
Depreciação	-	246	246	246	246	246
Amortização do diferido	-	30	30	30	30	30
Aporte de capital/financiamentos	2.730	-	-	-	-	-
Realização do ativo imobilizado	-	-	-	-	-	-
Saídas	**2.730**	-	-	-	-	-
Investimentos	2.730	-	-	-	-	-
Amortização dos financiamentos	-	-	-	-	-	-
Saldo do período	-	**836**	**1.116**	**1.116**	**1.116**	**1.116**
Saldo inicial	-	**0**	**836**	**1.952**	**3.068**	**4.184**
Saldo final	-	**836**	**1.952**	**3.068**	**4.184**	**5.300**
Taxa interna de retorno	**25,8%**					
Payback	**3,9 anos**					

Tabela 18.11
Balanço Patrimonial (em R$1.000,00)

	2009	2010	2011	2012	2013	2014
Ativo	4.730	9.504	10.575	11.415	12.255	13.095
Circulante	-	7.050	8.397	9.513	10.629	11.745
Disponível	2.000	2.836	3.952	5.068	6.184	7.300
Contas a receber	-	1.814	2.045	2.045	2.045	2.045
Estoques	-	2.400	2.400	2.400	2.400	2.400
Realizável a longo prazo	-	-	-	-	-	-
Permanente	2.730	2.454	2.178	1.902	1.626	1.350
Investimentos	-	-	-	-	-	-
Imobilizado	2.430	2.184	1.938	1.692	1.446	1.200
Diferido	300	270	240	210	180	150
Passivo	4.730	9.504	10.575	11.415	12.255	13.095
Circulante	-	4.214	4.445	4.445	4.445	4.445
Fornecedores	-	2.400	2.400	2.400	2.400	2.400
Contas a pagar	-	1.814	2.045	2.045	2.045	2.045
Empréstimos e financiamentos	-	-	-	-	-	-
Exigível a longo prazo	-	-	-	-	-	-
Empréstimos e financiamentos	-	-	-	-	-	-
Patrimônio líquido	4.730	5.290	6.130	6.970	7.810	8.650
Capital social	4.730	4.730	4.730	4.730	4.730	4.730
Lucros (Prejuízos) acumulados	-	560	1.400	2.240	3.080	3.920

Cronograma (Tabela 18.12)

Tabela 18.12
Cronograma

PERÍODO/ATIVIDADE	OUT./10	NOV./10	DEZ/10	JAN./11	FEV./11	MAR./11	ABR./11
Pesquisa de mercado							
Levantamento de recursos							
Busca de parcerias.							
Documentacão.							
Locação do prédio.							
Propaganda e *marketing*							
Compra de equipamento							
Contratos e convênios							
Contratação de pessoal							
Operacionalização							

Considerações Finais

A elaboração de um Plano de Negócios é antes de mais nada a oportunidade para a reflexão profunda sobre o novo empreendimento. Esta reflexão, quando transformada em um plano escrito, facilita a divulgação das ideias de uma maneira concatenada que ajuda o empreendedor a "vender" sua ideia a potenciais sócios, financiadores e parceiros de negócios.

Bibliografia Consultada

1. Cecconello AR, Ajzental A. A construção do plano de negócios. São Paulo: Saraiva; 2008.
2. Maitland I. Como elaborar um plano de negócios em uma semana. São Paulo: Editora Planeta; 2005.
3. RESOLUÇÃO - RDC Nº. 50, DE 21 DE FEVEREIRO DE 2002. Site: http://portal.anvisa.gov.br/wps/wcm/connect/ca36b200474597459fc8df3fbc4c6735/RDC+N%C2%BA.+50,+DE+21+DE+FEVEREIRO+DE+2002.pdf?MOD=AJPERES.
4. Salim CS et al. Construindo planos de negócios. Rio de Janeiro: Campus; 2001.

Índice Remissivo

A

Abandono, 286
ABC (*Activity Based Costing*), 47
Abordagem
    distributiva, 275
    integrativa, 275
Absorção simples, custeio por, 46
Ação, ciclo de, 164
Acordo(s), 286
    de nível de serviço, 36
    mutuamente satisfatórios, 274
Acreditação, 328
    como se preparar para, 330
    conceitos, 328
    em nível mundial, histórico, 319
    hospitalar, 322
        Manual Internacional de Padrões de, 329
    níveis de, detalhamento sobre os, 331
    no Brasil, histórico, 320
    processo de
        barreiras, 333
        como é o?, 331
Acreditado, quem pode ser, 334
Adaptação contratural, 182
Agência(s)
    Nacional de Saúde Suplementar, 22, 189, 224
    reguladoras, 22
Aging, 227
Alienação de carteira, 176
Ambiente de *marketing*, 89
Âncoras de carreira, 295
ANS, ver Agência Nacional de Saúde
    Suplementar
Antonio Tadeu Fernandes, 107
Antropologia conceito, 88
ANVISA (Agência Nacional de Vigilância
    Sanitária), 22
Aprendizado, perspectiva do, 12
Aqua (Alta Qualidade Ambiental), 78

Área
    de suprimento, organização, 141
    jurídica em clínicas e nos hospitais, visão
        agências reguladoras, 22
        código de defesa do consumidor, 23
        conceito de culpa, 27
        estrutura de departamento jurídico, 17
        financiamento da saúde, 22
        indicadores de um departamento
            jurítico, 19
        normas de saúde, 22
        papel da, 16
        previsão constitucional da saúde, 20
        prontuário médico, 34
        relações de trabalho em saúde, 34
        responsabilidade
            civil, 25
            subjetiva fundamentada na culpa, 27
        riscos externos e internos, 17
        terceirização de serviços, 35
Argumentação, 285
Armazenagem, 152
Arquitetura da informação, 127
Assessor jurídico, 16
Atendimento, 148
Ativo fixo, 227
Auditor
    atributos esperados, 251
    habilidades esperadas no, 251
    técnicos, áreas de atuação, 251
Auditoria
    assistencial, 254
    clínica, 254
    contábil, 225
    de enfermagem, 238
    em saúde
        assistencial, 254
        classificação, 224
        clínica, 254
        conceito, 223
        contábil, 225

financeira, 225
histórico, 223
operacional dos processos de saúde, 232
qualidade dos serviços, 231
relatórios, 254
sistemas de informação, 229
supletiva, 232
financeira, 225
médica, 239
operacional
dos processos de saúde, 232
no sistema privado, 232
no sistema público, 232
Autogestão, 173
Autorizações de tratamento, 235

B

Balanced Score Card, 10, 136, 294
Bancos, 226
Benchmarking, 115
Bens e serviços
contratação de, 144
função de, planejamento da, 145
BIM (*Building Information Modeling*), 65
Brainstorm, 286
Brandig, 98
BSC, ver *Balanced Scorecard*
Budget, 217

C

Cadeia
de causa e efeito, 11
de suprimentos em saúde, logística de
suprimento, 140
Caixa, 226
fluxo de, 270
Capacidade, dimensionamento da, 44
Capacitação, 116
Capital intelectual, desenvolvimento do, 116
Carência, portabilidade de, 180
Carreira(s), 297
caleidoscópicas, modelo de, 297
proteana, 297
Categorização, 328
Catholic Health Iniciatives, 36
CBA, ver Consórcio Brasileiro de
Acreditação

CCAOS, ver Comissão Conjunta de
Acreditação de Organizações de Saúde
Certificador Nacional da *Joint Commission*, 75
Ciclo
da negociação, 274
de ação, 164
de Deming, 135
de vida de um SIG, 134
PDCA, 117
Cinco forças de Porter, 6
Cliente, 91, 113, 227
negociação dos, poder de, 6
perspectiva dos, 12
CLT (Consolidação das Leis do Trabalho), 35
Cobertura
assistencial mínima, 184
não obrigatórias permitidas pela lei, 187
parcial temporária, 179
Código
Civil Brasileiro, 22
de Defesa do Consumidor, 22, 23
Nacional de Produtos, 153
Penal, 22
Tributário Nacional, 22
Comercial, 226
Comissão Conjunta de Acreditação de
Organização de Saúde, 107
Comissionamento, 70
Competência (s)
essenciais, 7
gestão por, 293
individuais, 7
institucionais, 7
internas, 1
Compra
através de processo competitivo, 145
colocação da, 147
diligenciamento da, 147
encerramento do processo de, 148
estratégias básicas de, 145
pedidos de, análise dos, 146
sem processo competitivo, 146
Comprometimento, 1, 9
Comunicação, 288
corporativa, 100
empresarial, 100
institucional, 102
interna, 1, 102
mercadológica, 102
nas instituições de saúde, papel da, 100
organizacional, 100
mix da, 102

pilares da, 10
Concessões, 282
Concorrente (s), 91
 ameaça de entrada de novos, 6
 rivalidade entre os, 5
Conhecimento
 em saúde, fluxo de, 157
 gestão do, 296
Consentimento informado, 33
Consórcio Brasileiro de Acreditação, 75
Construção, relação básica das atividades
 essenciais de, 66
Conta (s)
 a pagar, 228
 auditoria de, 236
 hospitalares, 243
  itens mais importantes, 244
Contabilidade
 de custos como ferramenta gerencial, 42
 teoria da, 257
 tradicional, 257
Contratos, 228
Contribuições a recolher, 228
Controladoria em clínicas e hospitais, 257-272
Controlar, 21
Controle público sobre o SUS, estrutura, 233
Conversa normal, 288
Cooperativa médica, 172
Coparticipação, 194
Core business, 35, 97, 293
Corporate strategy, 3
CQH, ver Programa de Certificação da
 Qualidade Hospitalar
Crescimento
 perspectiva do, 12
 sustentado, 2
CRM (*customer relationship management*), 94
Culpa
 conceito, 27
 em sentido
  amplo, 28
  estrito, 28
 lato sensu, 28
 responsabilidade fundamentada na, 26,
  27
 stricto sensu, 28
Custeio
 baseado em atividades, sistema de, 48
 de absorção
  departamentalizado, 48
  estrutura do demonstrativo de
   resultados do, 46

simples, 46
variável, 49
 estrutura do demonstrativo de
  resultados, 50
Custo, 148
 estrutura de, 43
 terminologia de, 44

D

Dano
 material, 25
 moral, 25
Dashboard, 131
Decisão
 modelos de, 260
 processos de tomada de, 260
Demanda
 gestão da, 144
 induzida pela oferta, 171
 previsão da, modelo de, 145
Departamento jurídico
 estrutura
  externa, 18
  híbrida, 19
  própria, 18
 indicadores de um, 19
Desempenho
 indicadores de, 148
 quantitativo, 148
Desenvolvimento, 293
 social, 114
Desterceirização, 36
Diárias, 199
Diligência, 28
Distribuição, 152
Documentação legal, 229

E

"Economia da inovação", 3
Economicidade, 224
Efetividade, 224
Eficácia, 224
Eficiência, 224
Eletronic Medical Record Adoption Model
 (EMRAM), 131
Empresa
 aquisão de, 40

fusão de, 40
operadora de planos de saúde, 171
Empréstimos, 228
Endomarketing, 95
Enfermagem auditoria de, 238
Ensino, 288
Envolvimento, 9
e-Procurement, 141
Equilíbrio, 63
Era
do computador, 126
do informação, 126
ERP (*Enterprise Resource Planning*), 10
Escola
de pensamento estatégico, 3
do diagnóstico, 3
Estoque (s), 227
classificação básica dos, 149
controle de, 151
destinação de, 151
gestão de, 149
avaliação de desempenho da, 152
planejamento na, 151
saneamento de, 151
Estratégia
barreiras para execução de uma, 11
conceito, 1
competitiva, 3
de compra básicas, 145
estrutura organizacional como pilar da, 9
formulação das, 3, 112
principais pontos, 4
operacionalização das, 112, 113
Ética, 114
conceituação, uma possível, 306
em auditoria, 238
na saúde, 308
responsabilidade social e, 313
Evidências, busca de, *web sites*
recomendados para, 161
Excelência
critérios, 326
da Gestão, Modelo de, 325
fundamentos da, 325
operacional, 8
Exposição a riscos, 230

F

Fator (es)
Críticos de Sucesso, 6

moderador, 193
Faturamento, 227
de ambulatório, exemplo, 245
de internação
cirúrgica, exemplo, 245
clínica, exemplo, 246
obstétrica, exemplo, 246
de pronto-socorro, exemplo, 244
Fee-for-service, 198
Fidelização, 87
Filantrópica, empresa, 173
Financiamentos, 228
Fiscalizar, 21
Florence Nightingale, 106
Fluxo de caixa, 270
Foco
do cliente, 8
em resultados, 8
Foresight, 3
Formulação da estratégia, 3
Fornecedor(s), 91, 227
convocação de, 147
poder de negociação dos, 5
Franquia, 194

G

Gases medicinais, 201
Gerência
de aquisições do projeto, 220
de comunicação do projeto, 219
de custo do projeto, 217
de integração do projeto, 216
de qualidade do projeto, 218
de recursos humanos do projeto, 218
de risco do projeto, 219
do escopo do projeto, 216
do tempo do projeto, 217
Gerenciamento
de casos, 194
de doenças crônicas, 194
de projetos, 63
de rede de presadores, 195
Gestão
da qualidade baseado em processo, 324
da demanda, 144
da mudança, 8
das comunicações, 210
de aquisições, 210
de envolvidos, 210
de estoques, 149

364

Índice remissivo

de organizações de saúde, 15
de parcerias, 8
de portfólio, 130
de projeto(s), 79
    em saúde, 209-221
    modelo geral da, 216
    no Hospital Fligetz
        contexto, 210
        diretrizes estratégicas, 213
        estrutura física do hospital, 212
        gastos com TI, 212
        histórico da empresa, 211
        integração para controle de
            desperdícios, projeto de, 214
        missão, visão e valores, 213
        transformações, 212
de recursos
    humanos, 210
    Informacionais, 126
de riscos, 16, 210
de serviços
    em clínicas e hospitais, 105-124
        clientes, 113
        estratégias e planos, 112
        informações e conhecimento, 115
        liderança, 111
        pessoas, 116
        processos, 117
        resultados, 122
        sociedade, 114
do conhecimento, 296
do espaço físico
    ciclo da, 56
    em clínicas e hospitais, 53-82
    processo da, diagrama ilustrativo, 57
do tempo, 210
dos custos, 210
em saúde baseada em evidências, 155
fluxo esquemático do processo de, 53
padronizada de processos, 117
por competências, 293
Gestor
    comunicador, 10
    de organização da área da saúde,
        importância da medicina baseada em
        evidências para, 157
Glosa
    classificação, 247
    como "expurgar", 250
    como ferramenta de gestão, 248
    definições, 247
    geração de, fatores determinantes, 247

    na saúde suplementar, 247
    recurso de, 236
GPS (*Global Positionning System*), 136

H

Habilitação, 328
Home care, 194
Hotelaria hospitalar, 77
HQE (*Haute Qualité Environnementale*), 78

I

Imprudência, 28
Imperícia, 27, 29
Implantação do Hospital Santa Helena na
    cidade de Rio Claro, SP, plano de negócios
    para, 344
Impostos, 228
Imprudência, 27, 28, 29
Indenização, fixação de, 29
Indicador, modelo de, 20
Informação, 277
    arquitetura da, 126
    assimetria de, 171
    auditoria dos sistemas de, 229
    gestão das, 115
    modelo de, 260
    na saúde suplementar, troca de, 203
    tecnologia da, 10, 40
Inovação, capacidade de, 2
Insight, 3
Insourcing, 36
Instituto
    de Aposentadoria e Pensões, 107
    de Gerenciamento de Projetos, 63
"Instrumento de Valores Pessoais", 294
Integração
    horizontal, 196
    vertical, 106
Interesses, 279
Intermediários, 91
Internações domiciliares, 194
ISO (*International Organization for*
    Standardization), 231, 323

J

Joint Commision International, 328, 330
Joseph M. Juran, 106

365

K

Kaoru Ishikawa, 106

L

LEED (*Leadership in Energy and Environmental Design*), 78
Legislação em auditoria, 238
Lei orgânica do SUS, 22
Líder eficaz, traços de personalidade de um, 296
Liderança, 111, 294
  criar, 1
  de pessoas, 8
Likelihood ratios, 161

M

Manual Internacional de Padrões de Acreditação Hospitalar, 329
Mapa estratégico, 11
Marca
  construção da, 99
  forte, o que significa para uma empresa construir uma, 98
  identidade
    aspiracional, 99
    o que é?, 98
    real, 99
  no mercado saúde, construção da, 97
Marketing
  1.0, 96
  2.0, 96
  3.0, 96
  ambiente de, 89
  atividades de, 86
  atribuições, 88
  base teórica do, 88
  centrado
    no produto, 96
    no ser humano, 96
  como ele age em nossas mentes?, 86
  composto de, 92
  de relacionamento, 94
  definição, 88
  é responsável pelo cliente/paciente?, 94
  em saúde, conceito, 87
  estratégico, 85-103

holístico, 94, 95
integrado, 94
interno, 95
mix de, 91
o que é inerente ao?, 86
social, 95
tabela comparativa, 96
Material
  classificação, 153
  codificação de, 153
Medicina
  baseada em evidências
    importância para gestores de organizações de área da saúde, 157
    programa institucional de, como implementar?, 158
  de grupo, 173
  nuclear, 87
Meio ambiente, 78
Mensuração
  contábil, padrão de, 261
  modelo de, 260
Mercado da saúde suplementar, 168
Migração contratual, 182
Missão (por que existimos?), 4
Modelagem da informação para construção, 65
"Modelo médico de gestão", 109
Modificar situações, 274
Moral hazard, 171
Motivação, geradores de, 10
Mudança (s)
  econômicas, 41
  gestão da, 8

N

Negligência, 27, 28
Negociação, 288
  abordagens em, tipos, 275
  aspectos comportamentais, 287
  avaliação da, etapa de, 287
  ciclo da, 274
  competitivas e colaborativas, seleção das táticas para, 283
  conceito, 274
  execução da, 284
  integrativa, 276
  numa única dimensão, 275
  pela Web, 148
  planjemento, planilha de, 279

Índice remissivo

ponto-limite da, identificação do, 281
simulação, 284
variáveis fundamentais
    informação, 277
    poder, 276
    tempo, 277
Negócio, visão de, 7
NOBs (Normas Operacionais Básicas do
    Ministério da Saúde), 22
Norma para estabelecimentos de saúde, 72

O

"Oceano azul", 3
"Oceano vermelho", 3
Omissão, 28
ONA, ver Organização Nacional de
    Acreditação
Operador (a)
    de plano
        de saúde, equilíbrio entre receitas e
        despesas, 191
        privados de saúde, 167-207
        médico-hospitalares, distribuição percentual
        da despesa assistencial das, 197
Oportunidade, aproveitar, 274
Organização, 7
    acreditadas, 330
        o que significa para o mercado, 335
    Nacional de Acreditação, 231, 330
Orientação estratégica, 44
Outsourcing, 35

P

PACQS, ver Programa de Avaliação e
    Certificação da Qualidade em Serviços de
    Saúde no Brasil
PACS (*Picture Archiving and
    Communication Systems*), 132
Padrão
    de acomodação em internação, 188
    de mensuração contábil, 261
    EAN (*European Article Numbering*), 153
Padronização, 118
Pagamento por "pacotes", 202
Parcerias, gestão de, 8
Percepção, 287
Perícias, 235

Perspectiva (s), 11
    dos clientes, 12
    dos processos internos, 12
    financeira, 12
Persuasão, 276, 288
Pessoa (s), 93
    liderança de, 8
    status das, 117
PGAQS, ver Programa de Garantia e
    Aprimoramento da Qualidade em Saúde
Planejamento
    conceito, 1
    da medição do desempenho global, 113
    de negociação, planilha, 279
    de TI, ciclo de vida do, 130
    do suprimento, 143
    dos espaços físicos, 63
    estratégico, 259
        da empresa, 11
        do hospital, 262
    operacional, 259
    relação básica das atividades essenciais
        do, 62
Planejamento, 1
Plano (s)
    ambulatorial, 186
    de ação estratégico, 1
    de assistência médica, pirâmide estária do
        percentual de beneficiários em, 184
    de ataque, 67
    de Comunicação Interna, 9
    de Desenvolvimento Individual, 8, 113
    de negócios para clínicas e hospitais
        estrutura de um, 341
        implantação do Hospital Santa Helena
            na cidade de Rio Claro, SP, 344
    de saúde
        carências e cobertura parcial
            temporária, diferenças entre, 179
        características e diferenças entre, 181
        conceito, 176
        empresa operadora de, 172
        gerenciamento da utilização do, 191
        portabilidade de carências, 180
        preços e reajustes, formação de, 178
        tipos de contratação de, 185
    diretor, 62
        de operação, 69
    Estratégico de TI (PETI), 129
    hospitalar
        com obstetrícia, 187
        sem obstetrícia, 186

367

odontológico, 187
privados de saúde
    evolução do número de beneficiários, 170
    operadores de, 167-207
PMBOK (*Project Management Body of Knowledge*), 75
PMI (*Project Management Institute*), 63
PNGS, ver Prêmio Nacional de Gestão em Saúde
PNQ, ver Prêmio Nacional da Qualidade
Poder (es)
    circunstanciais, 277
    pessoais, 277
    social, 276
Ponto-limite da negociação, 281
Portabilidade de carências, 180
Posição, 279
Postura
    ativa, 48
    passiva, 48
Praça, 93
Precificação, gerenciamento da, 43
Preço, 92
"Prédios verdes", Conselho de , 78
Prejuízo material, 25
Prêmio
    Malcolm Baldrige, 107, 324
    Nacional de Gestão em Saúde (PNGS), 231, 324, 327
    Nacional de Qualidade (PNQ), 231, 324
Prestador (es)
    composição da rede de, 188
    de serviços, formas de remuneração dos, 198
Princípio da anualidade, 178
Procel Edifica, 78
Processo (s), 94
    de tomada de decisão, 260
    do sistema de suprimento de material, 143
    eletrônico de dados, recomendações ao aprimoramento do ambiente de, 230
    gestão padronizada de, 117
    internos, perspectiva dos, 12
    repetitivo, 118
Produção, 227
Produtividade, 148
Produto (s), 92
    Código Nacional de, 153
    substitudos, ameaça de, 6
Proequipo, 321
Programa
    Brasileiro de Qualidade e Produtividade, 321

de qualidade, gestão do espaço físico e os, 74
de Avaliação e Certificação de Qualidade em Serviços de Saúde no Brasil, 321
de Certificação da Qualidade Hospitalar, 107, 231, 324, 326
de Garantia e Aprimoramento da Qualidade em Saúde, 321
Gaúcho de Qualidade e Produtividade, 107
institucional de medicina baseada em evidências, como implementar um, 158
Programação, 259
Projeto (s)
    aspectos gerais, 64
    de equipamentos odonto-médico-hospitalares, 321
    em saúde, gestão de, 209-221
    executivos, 65
    gerenciamento de, 63
        Insitituto de, 63
    gestão de, 79
    Hospital São Luiz, 9
    Qualidade, 321
Promoção, 93
Prontuário médico, 34
Proposta
    análise de, 147
    julgamento de, 147
Protocolos assistenciais, 163
Prova física, 93
Psicologia, conceito, 88

Q

Qualidade, 148
    assistencial, 231
    controles de, 237
    de vida, 117
    dos serviços de saúde, auditoria de, 231
    em saúde, ferramentas para avaliação, 322
Quatro Ps, 91, 92

R

Radioterapia, serviços de, 70
RDC 50, normas que complementaram ou alteraram a, 81
Reajuste de planos de saúde, regras de, 179

Índice remissivo

Receita, novo modelo de, 41
RECLAR, ver Relatório de Classificação Hospitalar
Recrutamento, 293
Recurso (s)
de glosas, 236
humanos, 228
Reembolso, previsão ou não de, 188
Regulamentar, 21
Relação de trabalho em saúde, 34
Relatório
de auditoria
de contas médicas - hospitalares, 242
em saúde, 254
de Classificação Hospitalar, 107
Remuneração, 293
Rentabilidade adequada, 2
Resolução da diretoria Colegiada 50 (RDC 50), 72
Responsabilidade
civil, 25
fundamentada na culpa, 126
objetiva fundamentada no risco, 32
social, ética e, 313
socioambiental, 114
subjetiva, 26, 27
Revisão da estratégia, 3
Risco (s)
exposição a, 230
externos, 17
gerenciamento, 18
gestão de, 16
internos, 17
moral, 171
Rivalidade entre os concorrentes, 5

S

Satisfação, 89
Saúde, 2
análises econômicas em, 162
auditoria em, 223-256
avaliações econômicas em, 163
cenário brasileiro da, 54
conhecimento em, fluxo de, 157
estabelecimentos de, normas de, 72
financiamento da, 22
gestão de custos em
classificação dos custos
em diretos e indiretos, 45
entre fixos e variáveis, 46

contabilidade de custos como ferramenta gerencial, 42
mudanças nas, 40
terminologia de custos, 44
instituições de comunicação nas, papel da, 100
mudanças no gestão da, 40
no setor esportivo, 55
normas da, 22
planos de, participação dos, 40
previsão consitucional da, 20
relações de trabalho em, 34
suplemenar
mercado da, 168
regulação da, 171
relações enre os principais atores do mercado de, 173
Segmentações, 184
Seguro-saúde, seguradora especializada em, 173
Seleção, 293
adversa, 171
Serviço (s), 92
acesso de consumidores à comparação de, 41
de apoio ao diagnóstico e ao tratamento, 200
de radioterapia, 70
em clínicas e hospitais, gestão de, 105-124
interface entre operadores e prestadores de, 189
próprios, 196
terceirização de, 35
Setor esportivo, saúde no, 55
Sistema (s)
Brasileiro de Acreditação, 330
de custeio baseado em atividades, 48
de gestão, modelos de, 259
de informação, auditoria dos, 229
de suprimento de material, 142
processos do, 143
de trabalho, 116
integrados de gestão
aspectos, 126
ciclo de vida de um, 134
desafios dos, 127
implantação de um, 129
Nacional de Auditoria, 224
SLA (*Service Level Agreement*), 17, 128
SNA, ver Sistema Nacional de Auditoria
Sobrevivência em longo prazo, 2
Sociologia, conceito, 88
Stakeholders, 97, 100

Supply Chain Management, 140
Suprimento
  área de, 141
  avaliação de resultados do, 144
  de material, sistema de, 142, **5**
  em clínicas e hospitais, gestão de, 142
  planejamento do, 143
SWOT (*Strengths, Weaknesses,
  Opportunities and Threats*), 89
  matriz, 90

T

Taxa
  de sala, 200
  de serviços, 200
  de uso de equipamentos, 200
TCO (*Total Cost of Ownership*), 128
Técnica, conceito, 274
Tecnologia da informação, 10
  infraestrutura da, 127
Telemarketing, 91
Tempo, 277
Teoria
  da contabilidade, 257
  "de valor do desestímulo", 29
Terceirização
  de serviços, 35
  processo de, 35
Terminologia de custos
  em serviço, 45
  na indústria, 45
  no comércio, 45
The Joint Commission, 328
TI, ver Tecnologia da informação
Time to market, 128
Troca de informações na saúde suplementar
  (TISS), padrão
  comunicação, 205
  conteúdo e estrutura, 203
  organizacional, 203
  representação de conceitos em saúde, 205
  segurança e privacidade, 205

U

União Japonesa de Cientistas e
  Engenheiros, 106
Universalidade, princípio da, 21

V

Valor (es)
  desperdício e, relação entre, 156
  planejados, 11
  reais, 11
  relação de, 103
Vendas, direcionamento das, 43
Verossilhança, razões de, 161
Visão
  da área jurídica em clínicas e nos
    hospitais, 15-37
  de negócios, 7
  o que queremos ser?, 5
Visitas hospitalares, 235

W

W. Edwards Deming, 106

X

XML (*Extensible Mark-up Language*), 205

IMPRESSÃO:

Santa Maria - RS | Fone: (55) 3220.4500
www.graficapallotti.com.br